大学数学学习辅导丛书

高等数学习题全解指南

同济·第六版（上册）

同济大学数学系　编

高等教育出版社

内容提要

本书是与同济大学数学系编写的《高等数学》第六版相配套的学习辅导书，由同济大学数学系的教师编写。本书内容由三部分组成，第一部分是按《高等数学》（上册）的章节顺序编排，给出习题全解，部分题目在解答之后对该类题的解法作了小结、归纳，有的提供了多种解法；第二部分是全国硕士研究生入学统一考试数学试题选解，所选择的试题以工学类为主，少量涉及经济学类试题；第三部分是同济大学高等数学考卷选编以及考题的参考解答。

本书对教材具有相对的独立性，可为学习高等数学的工科和其他非数学类专业学生以及复习高等数学准备报考硕士研究生的人员提供解题指导，也可供讲授高等数学的教师在备课和批改作业时参考。

图书在版编目（CIP）数据

高等数学习题全解指南：同济. 第6版. 上册/同济大学数学系编. —北京：高等教育出版社，2007.4'（2014.12 重印）
ISBN 978-7-04-020745-3

Ⅰ.高… Ⅱ.同… Ⅲ.高等数学－高等学校－解题 Ⅳ.O13－44

中国版本图书馆CIP数据核字（2007）第027908号

策划编辑 王 强　　责任编辑 崔梅萍　　封面设计 王凌波　　责任绘图 杜晓丹
版式设计 张 岚　　责任校对 朱惠芳　　责任印制 韩 刚

出版发行　高等教育出版社		咨询电话　400-810-0598	
社　　址　北京市西城区德外大街4号		网　　址　http://www.hep.edu.cn	
邮政编码　100120		http://www.hep.com.cn	
印　　刷　北京汇林印务有限公司		网上订购　http://www.landraco.com	
开　　本　787×960　1/16		http://www.landraco.com.cn	
印　　张　23.5		版　　次　2007 年 4 月第 1 版	
字　　数　430 000		印　　次　2014 年 12 月 第 27 次印刷	
购书热线　010-58581118		定　　价　31.90元	

本书是同济大学数学系编写的《高等数学》（第六版）的配套用书，主要是为学习高等数学的大学生以及复习高等数学准备报考硕士研究生的人员提供一本解题指导的参考书，也可供讲授高等数学的教师在备课和批改作业时参考。

本书内容由三部分组成，第一部分是《高等数学》（第六版）的习题全解，包括各章的习题与总习题及解答。在解答中，有的题在解答之后，以注释的形式对该类题的解法作了归纳小结，有的题提供了常用的具有典型意义的多种解法。第二部分是全国硕士研究生入学统一考试数学试题选解，按照函数、极限、连续，一元函数微分学，一元函数积分学，微分方程，空间解析几何与向量代数，多元函数微分学，多元函数积分学，无穷级数的顺序，每一部分选编的题量控制在25题左右，在每道试题的前面都注明了试题的年份及类别，如（1998. Ⅰ）表示为1998年第一类考题（1987—1996年考题共分为五类，1997年以后只分为四类）。所选择的试题以工科类为主，少量涉及经济学类试题，每道试题都给出了解题的思路与方法，有的还给出了多种解法，以供读者参考。第三部分是同济大学期中、期末考试《高等数学》试卷选编。按上、下册内容，选了期中、期末各两套试卷，并提供了试题的参考解答。

本书由同济大学数学系的教师编写，其中第一部分第一、九章，第二部分（一）、（二）、（六）由邱伯驺完成；第一部分第二、三、八章由徐建平完成；第一部分第四、五、六章，第二部分（三）由朱晓平完成；第一部分第七、十二章，第二部分（四）、（八）由应明完成；第一部分第十、十一章，第二部分（五）、（七）由郭镜明完成；第三部分由应明、朱晓平完成。

本书中存在的问题，欢迎广大专家、同行和读者批评指正。

编　者

二〇〇六年十二月

《高等数学》(第六版)上册习题全解

二、全国硕士研究生入学统一考试数学试题选解

三、同济大学高等数学试卷选编

一、

《高等数学》(第六版)
上册习题全解

第一章　函数与极限

　　映射与函数

1. 设 $A=(-\infty,-5)\cup(5,+\infty)$，$B=[-10,3)$，写出 $A\cup B$，$A\cap B$，$A\backslash B$ 及 $A\backslash(A\backslash B)$ 的表达式.

解　$A\cup B=(-\infty,3)\cup(5,+\infty)$，$A\cap B=[-10,-5)$，

$A\backslash B=(-\infty,-10)\cup(5,+\infty)$，$A\backslash(A\backslash B)=[-10,-5)$.

注　$A\backslash(A\backslash B)=A\cap B$.

2. 设 A，B 是任意二个集合，证明对偶律：$(A\cap B)^c=A^c\cup B^c$.

证　$x\in(A\cap B)^c\Leftrightarrow x\notin A\cap B\Leftrightarrow x\notin A$ 或 $x\notin B\Leftrightarrow x\in A^c$ 或 $x\in B^c\Leftrightarrow x\in A^c\cup B^c$.

3. 设映射 $f: X\rightarrow Y$，$A\subset X$，$B\subset X$. 证明

(1) $f(A\cup B)=f(A)\cup f(B)$；

(2) $f(A\cap B)\subset f(A)\cap f(B)$.

证　(1) $y\in f(A\cup B)\Leftrightarrow\exists x\in A\cup B$，$y=f(x)\Leftrightarrow\exists x\in A$ 或 $x\in B$，$y=f(x)\Leftrightarrow y\in f(A)$ 或 $y\in f(B)\Leftrightarrow y\in f(A)\cup f(B)$.

(2) $y\in f(A\cap B)\Rightarrow\exists x\in A\cap B$，$y=f(x)\Rightarrow y\in f(A)$ 且 $y\in f(B)\Rightarrow y\in f(A)\cap f(B)$.

注意：反之，由 $y\in f(A)\cap f(B)\Rightarrow y\in f(A)$ 且 $y\in f(B)\Rightarrow\exists x\in A$，$y=f(x)$；$\exists x'\in B$，$y=f(x')$. 由于 f 不一定是单射，未必有 $x=x'$. 例如，函数 $f(x)=x^2$，$x\in\mathbf{R}$. $A=(-\infty,0]$，$B=[-1,+\infty)$，$A\cap B=[-1,0]$，$f(A\cap B)=[0,1]$，但 $f(A)\cap f(B)=[0,+\infty)$.

4. 求下列函数的自然定义域：

(1) $y=\sqrt{3x+2}$；

(2) $y=\dfrac{1}{1-x^2}$；

(3) $y=\dfrac{1}{x}-\sqrt{1-x^2}$；

(4) $y=\dfrac{1}{\sqrt{4-x^2}}$；

(5) $y=\sin\sqrt{x}$；

(6) $y=\tan(x+1)$；

(7) $y=\arcsin\,(x-3)$;　　　　　　　　(8) $y=\sqrt{3-x}+\arctan\dfrac{1}{x}$;

(9) $y=\ln\,(x+1)$;　　　　　　　　　(10) $y=\mathrm{e}^{\frac{1}{x}}$.

解 (1) $3x+2\geqslant0\Rightarrow x\geqslant-\dfrac{2}{3}$,即定义域为$\left[-\dfrac{2}{3},+\infty\right)$.

(2) $1-x^2\neq0\Rightarrow x\neq\pm1$,即定义域为$(-\infty,-1)\bigcup(-1,1)\bigcup(1,+\infty)$.

(3) $x\neq0$ 且 $1-x^2\geqslant0\Rightarrow x\neq0$ 且 $|x|\leqslant1$,即定义域为$[-1,0)\bigcup(0,1]$.

(4) $4-x^2>0\Rightarrow|x|<2$,即定义域为$(-2,2)$.

(5) $x\geqslant0$,即定义域为$[0,+\infty)$.

(6) $x+1\neq k\pi+\dfrac{\pi}{2}(k\in\mathbf{Z})$,即定义域为$\left\{x\,\middle|\,x\in\mathbf{R}\text{且}x\neq\left(k+\dfrac{1}{2}\right)\pi-1,k\in\mathbf{Z}\right\}$.

(7) $|x-3|\leqslant1\Rightarrow2\leqslant x\leqslant4$,即定义域为$[2,4]$.

(8) $3-x\geqslant0$ 且 $x\neq0$,即定义域为$(-\infty,0)\bigcup(0,3]$.

(9) $x+1>0\Rightarrow x>-1$,即定义域为$(-1,+\infty)$.

(10) $x\neq0$,即定义域为$(-\infty,0)\bigcup(0,+\infty)$.

注 本题是求函数的自然定义域,一般方法是先写出构成所求函数的各个简单函数的定义域,再求出这些定义域的交集,即得所求定义域.下列简单函数及其定义域是经常用到的:

$y=\dfrac{Q(x)}{P(x)}$,$P(x)\neq0$;

$y=\sqrt[2n]{x}$,$x\geqslant0$;

$y=\log_a x$,$x>0$;

$y=\tan\,x$,$x\neq\left(k+\dfrac{1}{2}\right)\pi,k\in\mathbf{Z}$;

$y=\cot\,x$,$x\neq k\pi,k\in\mathbf{Z}$;

$y=\arcsin\,x$,$|x|\leqslant1$;

$y=\arccos\,x$,$|x|\leqslant1$.

5. 下列各题中,函数 $f(x)$ 和 $g(x)$ 是否相同? 为什么?

(1) $f(x)=\lg x^2$,$g(x)=2\lg x$;

(2) $f(x)=x$,$g(x)=\sqrt{x^2}$;

(3) $f(x)=\sqrt[3]{x^4-x^3}$,$g(x)=x\sqrt[3]{x-1}$;

(4) $f(x)=1$,$g(x)=\sec^2 x-\tan^2 x$.

解 (1) 不同,因为定义域不同.

(2) 不同,因为对应法则不同,$g(x)=\sqrt{x^2}=\begin{cases}x,x\geqslant0,\\-x,x<0.\end{cases}$

(3) 相同,因为定义域、对应法则均相同.

(4) 不同,因为定义域不同.

6. 设

$$\varphi(x)=\begin{cases} |\sin x|, & |x|<\dfrac{\pi}{3}, \\ 0, & |x|\geqslant\dfrac{\pi}{3}, \end{cases}$$

求 $\varphi\left(\dfrac{\pi}{6}\right),\varphi\left(\dfrac{\pi}{4}\right),\varphi\left(-\dfrac{\pi}{4}\right),\varphi(-2)$,并作出函数 $y=\varphi(x)$ 的图形.

解 $\varphi\left(\dfrac{\pi}{6}\right)=\left|\sin\dfrac{\pi}{6}\right|=\dfrac{1}{2},\varphi\left(\dfrac{\pi}{4}\right)=\left|\sin\dfrac{\pi}{4}\right|=\dfrac{\sqrt{2}}{2},$

$\varphi\left(-\dfrac{\pi}{4}\right)=\left|\sin\left(-\dfrac{\pi}{4}\right)\right|=\dfrac{\sqrt{2}}{2},\varphi(-2)=0.$

$y=\varphi(x)$ 的图形如图 1—1 所示.

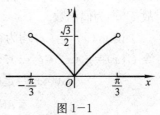

图 1—1

7. 试证下列函数在指定区间内的单调性:

(1) $y=\dfrac{x}{1-x},(-\infty,1)$;

(2) $y=x+\ln x,(0,+\infty)$.

证 (1) $y=f(x)=\dfrac{x}{1-x}=-1+\dfrac{1}{1-x},(-\infty,1).$

设 $x_1<x_2<1$. 因为

$$f(x_2)-f(x_1)=\frac{1}{1-x_2}-\frac{1}{1-x_1}=\frac{x_2-x_1}{(1-x_1)(1-x_2)}>0,$$

所以 $f(x_2)>f(x_1)$,即 $f(x)$ 在 $(-\infty,1)$ 内单调增加.

(2) $y=f(x)=x+\ln x,(0,+\infty).$

设 $0<x_1<x_2$. 因为

$$f(x_2)-f(x_1)=x_2+\ln x_2-x_1-\ln x_1=x_2-x_1+\ln\frac{x_2}{x_1}>0,$$

所以 $f(x_2)>f(x_1)$,即 $f(x)$ 在 $(0,+\infty)$ 内单调增加.

8. 设 $f(x)$ 为定义在 $(-l,l)$ 内的奇函数,若 $f(x)$ 在 $(0,l)$ 内单调增加,证明 $f(x)$ 在 $(-l,0)$ 内也单调增加.

证 设 $-l<x_1<x_2<0$,则 $0<-x_2<-x_1<l$,由 $f(x)$ 是奇函数,得 $f(x_2)-f(x_1)=-f(-x_2)+f(-x_1)$. 因为 $f(x)$ 在 $(0,l)$ 内单调增加,所以 $f(-x_1)-f(-x_2)>0$,从而 $f(x_2)>f(x_1)$,即 $f(x)$ 在 $(-l,0)$ 内也单调增加.

9. 设下面所考虑的函数都是定义在区间 $(-l,l)$ 上的. 证明:

(1) 两个偶函数的和是偶函数,两个奇函数的和是奇函数;

(2) 两个偶函数的乘积是偶函数,两个奇函数的乘积是偶函数,偶函数与奇函数的乘积是奇函数.

证 (1) 设 $f_1(x)$，$f_2(x)$ 均为偶函数，则 $f_1(-x)=f_1(x)$，$f_2(-x)=f_2(x)$．令 $F(x)=f_1(x)+f_2(x)$，于是

$$F(-x)=f_1(-x)+f_2(-x)=f_1(x)+f_2(x)=F(x),$$

故 $F(x)$ 为偶函数.

设 $g_1(x)$，$g_2(x)$ 是奇函数，则 $g_1(-x)=-g_1(x)$，$g_2(-x)=-g_2(x)$．令 $G(x)=g_1(x)+g_2(x)$，于是

$$G(-x)=g_1(-x)+g_2(-x)=-g_1(x)-g_2(x)=-G(x),$$

故 $G(x)$ 为奇函数.

(2) 设 $f_1(x)$，$f_2(x)$ 均为偶函数，则 $f_1(-x)=f_1(x)$，$f_2(-x)=f_2(x)$．令 $F(x)=f_1(x) \cdot f_2(x)$．于是

$$F(-x)=f_1(-x) \cdot f_2(-x)=f_1(x)f_2(x)=F(x),$$

故 $F(x)$ 为偶函数.

设 $g_1(x)$，$g_2(x)$ 均为奇函数，则 $g_1(-x)=-g_1(x)$，$g_2(-x)=-g_2(x)$．令 $G(x)=g_1(x) \cdot g_2(x)$．于是

$$G(-x)=g_1(-x) \cdot g_2(-x)=[-g_1(x)][-g_2(x)]$$
$$=g_1(x) \cdot g_2(x)=G(x),$$

故 $G(x)$ 为偶函数.

设 $f(x)$ 为偶函数，$g(x)$ 为奇函数，则 $f(-x)=f(x)$，$g(-x)=-g(x)$．令 $H(x)=f(x) \cdot g(x)$，于是

$$H(-x)=f(-x) \cdot g(-x)=f(x)[-g(x)]$$
$$=-f(x) \cdot g(x)=-H(x),$$

故 $H(x)$ 为奇函数.

10. 下列函数中哪些是偶函数，哪些是奇函数，哪些既非偶函数又非奇函数？

(1) $y=x^2(1-x^2)$；

(2) $y=3x^2-x^3$；

(3) $y=\dfrac{1-x^2}{1+x^2}$；

(4) $y=x(x-1)(x+1)$；

(5) $y=\sin x-\cos x+1$；

(6) $y=\dfrac{a^x+a^{-x}}{2}$.

解 (1) $y=f(x)=x^2(1-x^2)$，因为

$$f(-x)=(-x)^2[1-(-x)^2]=x^2(1-x^2)=f(x),$$

所以 $f(x)$ 为偶函数.

(2) $y=f(x)=3x^2-x^3$，因为

$$f(-x)=3(-x)^2-(-x)^3=3x^2+x^3,$$
$$f(-x)\neq f(x)，且 f(-x)\neq -f(x),$$

所以 $f(x)$ 既非偶函数又非奇函数.

(3) $y=f(x)=\dfrac{1-x^2}{1+x^2}$,因为

$$f(-x)=\frac{1-(-x)^2}{1+(-x)^2}=\frac{1-x^2}{1+x^2}=f(x),$$

所以 $f(x)$ 为偶函数.

(4) $y=f(x)=x(x-1)(x+1)$,因为

$$f(-x)=(-x)[(-x)-1][(-x)+1]$$
$$=-x(x+1)(x-1)=-f(x),$$

所以 $f(x)$ 为奇函数.

(5) $y=f(x)=\sin x-\cos x+1$,因为

$$f(-x)=\sin(-x)-\cos(-x)+1=-\sin x-\cos x+1,$$
$$f(-x)\ne f(x)\text{ 且 }f(-x)\ne -f(x),$$

所以 $f(x)$ 既非偶函数又非奇函数.

(6) $y=f(x)=\dfrac{a^x+a^{-x}}{2}$,因为 $f(-x)=\dfrac{a^{-x}+a^x}{2}=f(x)$,所以 $f(x)$ 为偶函数.

11. 下列各函数中哪些是周期函数?对于周期函数,指出其周期:

(1) $y=\cos(x-2)$;   (2) $y=\cos 4x$;

(3) $y=1+\sin \pi x$;   (4) $y=x\cos x$;

(5) $y=\sin^2 x$.

解 (1) 是周期函数,周期 $l=2\pi$.

(2) 是周期函数,周期 $l=\dfrac{\pi}{2}$.

(3) 是周期函数,周期 $l=2$.

(4) 不是周期函数.

(5) 是周期函数,周期 $l=\pi$.

12. 求下列函数的反函数:

(1) $y=\sqrt[3]{x+1}$;   (2) $y=\dfrac{1-x}{1+x}$;

(3) $y=\dfrac{ax+b}{cx+d}(ad-bc\ne 0)$;   (4) $y=2\sin 3x\left(-\dfrac{\pi}{6}\leqslant x\leqslant \dfrac{\pi}{6}\right)$;

(5) $y=1+\ln(x+2)$;   (6) $y=\dfrac{2^x}{2^x+1}$.

分析 函数 f 存在反函数的前提条件为:$f:D\to f(D)$ 是单射.本题中所给出的各函数易证均为单射,特别(1)、(4)、(5)、(6)中的函数均为单调函数,故都存在反函数.

解 (1) 由 $y=\sqrt[3]{x+1}$ 解得 $x=y^3-1$,即反函数为 $y=x^3-1$.

(2) 由 $y=\dfrac{1-x}{1+x}$ 解得 $x=\dfrac{1-y}{1+y}$,即反函数为 $y=\dfrac{1-x}{1+x}$.

(3) 由 $y=\dfrac{ax+b}{cx+d}$ 解得 $x=\dfrac{-dy+b}{cy-a}$,即反函数为 $y=\dfrac{-dx+b}{cx-a}$.

(4) 由 $y=2\sin 3x\left(-\dfrac{\pi}{6}\leqslant x\leqslant\dfrac{\pi}{6}\right)$ 解得 $x=\dfrac{1}{3}\arcsin\dfrac{y}{2}$,即反函数为 $y=\dfrac{1}{3}\arcsin\dfrac{x}{2}$.

(5) 由 $y=1+\ln(x+2)$ 解得 $x=\mathrm{e}^{y-1}-2$,即反函数为 $y=\mathrm{e}^{x-1}-2$.

(6) 由 $y=\dfrac{2^x}{2^x+1}$ 解得 $x=\log_2\dfrac{y}{1-y}$,即反函数为 $y=\log_2\dfrac{x}{1-x}$.

13. 设函数 $f(x)$ 在数集 X 上有定义,试证:函数 $f(x)$ 在 X 上有界的充分必要条件是它在 X 上既有上界又有下界.

解 设 $f(x)$ 在 X 上有界,即存在 $M>0$,使得
$$|f(x)|\leqslant M,x\in X,$$
故
$$-M\leqslant f(x)\leqslant M,x\in X,$$
即 $f(x)$ 在 X 上有上界 M,下界 $-M$.

反之,设 $f(x)$ 在 X 上有上界 K_1,下界 K_2,即
$$K_2\leqslant f(x)\leqslant K_1,x\in X.$$
取 $M=\max\{|K_1|,|K_2|\}$,则有
$$|f(x)|\leqslant M,x\in X,$$
即 $f(x)$ 在 X 上有界.

14. 在下列各题中,求由所给函数构成的复合函数,并求这函数分别对应于给定自变量值 x_1 和 x_2 的函数值:

(1) $y=u^2,u=\sin x,x_1=\dfrac{\pi}{6},x_2=\dfrac{\pi}{3}$;

(2) $y=\sin u,u=2x,x_1=\dfrac{\pi}{8},x_2=\dfrac{\pi}{4}$;

(3) $y=\sqrt{u},u=1+x^2,x_1=1,x_2=2$;

(4) $y=\mathrm{e}^u,u=x^2,x_1=0,x_2=1$;

(5) $y=u^2,u=\mathrm{e}^x,x_1=1,x_2=-1$.

解 (1) $y=\sin^2 x,y_1=\dfrac{1}{4},y_2=\dfrac{3}{4}$.

(2) $y=\sin 2x,y_1=\dfrac{\sqrt{2}}{2},y_2=1$.

(3) $y=\sqrt{1+x^2},y_1=\sqrt{2},y_2=\sqrt{5}$.

(4) $y=\mathrm{e}^{x^2}$, $y_1=1$, $y_2=\mathrm{e}$.

(5) $y=\mathrm{e}^{2x}$, $y_1=\mathrm{e}^2$, $y_2=\mathrm{e}^{-2}$.

15. 设 $f(x)$ 的定义域 $D=[0,1]$，求下列各函数的定义域：

(1) $f(x^2)$;   (2) $f(\sin x)$;

(3) $f(x+a)(a>0)$;   (4) $f(x+a)+f(x-a)(a>0)$.

解 (1) $0\leqslant x^2\leqslant 1 \Rightarrow x\in[-1,1]$.

(2) $0\leqslant \sin x\leqslant 1 \Rightarrow x\in[2n\pi,(2n+1)\pi],n\in\mathbf{Z}$.

(3) $0\leqslant x+a\leqslant 1 \Rightarrow x\in[-a,1-a]$.

(4) $\begin{cases} 0\leqslant x+a\leqslant 1, \\ 0\leqslant x-a\leqslant 1 \end{cases} \Rightarrow$ 当 $0<a\leqslant\dfrac{1}{2}$ 时，$x\in[a,1-a]$；当 $a>\dfrac{1}{2}$ 时，定义域为 $\varnothing$.

16. 设

$$f(x)=\begin{cases} 1, & |x|<1, \\ 0, & |x|=1, \\ -1, & |x|>1, \end{cases} \quad g(x)=\mathrm{e}^x,$$

求 $f[g(x)]$ 和 $g[f(x)]$，并作出这两个函数的图形.

解
$$f[g(x)]=f(\mathrm{e}^x)=\begin{cases} 1, & x<0, \\ 0, & x=0, \\ -1, & x>0. \end{cases}$$

$$g[f(x)]=\mathrm{e}^{f(x)}=\begin{cases} \mathrm{e}, & |x|<1, \\ 1, & |x|=1, \\ \mathrm{e}^{-1}, & |x|>1. \end{cases}$$

$f[g(x)]$ 与 $g[f(x)]$ 的图形依次如图 1-2，图 1-3 所示.

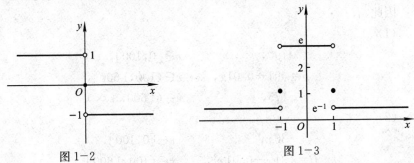

图 1-2　　　　　　　　　　图 1-3

17. 已知水渠的横断面为等腰梯形，斜角 $\varphi=40°$（图 1-4）. 当过水断面 $ABCD$ 的面积为定值 S_0 时，求湿周 $L(L=AB+BC+CD)$ 与水深 h 之间的函数关系式，并指明其定义域.

解 $AB=CD=\dfrac{h}{\sin 40°}$，又

$$S_0 = \frac{1}{2}h[BC + (BC + 2\cot 40° \cdot h)],$$

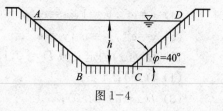

图 1-4

得 $\quad BC = \dfrac{S_0}{h} - \cot 40° \cdot h,$

所以 $\quad L = \dfrac{S_0}{h} + \dfrac{2 - \cos 40°}{\sin 40°}h,$

而 $h > 0$ 且 $\dfrac{S_0}{h} - \cot 40° \cdot h > 0$，因此湿周函数的定义域为 $(0, \sqrt{S_0 \tan 40°})$.

18. 收音机每台售价为 90 元，成本为 60 元. 厂方为鼓励销售商大量采购，决定凡是订购量超过 100 台以上的，每多订购 1 台，售价就降低 1 分，但最低价为每台 75 元.

(1) 将每台的实际售价 p 表示为订购量 x 的函数；

(2) 将厂方所获的利润 P 表示成订购量 x 的函数；

(3) 某一销售商订购了 1 000 台，厂方可获利润多少？

解 设订购 x 台，实际售价每台 p 元，厂方所获利润 P 元. 则按题意，有

当 $x \in [0, 100]$ 时，$p = 90$，$P = (90 - 60)x = 30x$；

当 $x > 100$ 时，超过 100 台的订购量为 $x - 100$，售价降低 $0.01(x - 100)$，但最低价为 75，即降价数不超过 $90 - 75 = 15$，故

$$0.01(x - 100) \leqslant 15 \Rightarrow x \leqslant 1\,600,$$

于是，当 $x \in (100, 1\,600]$ 时，

$$p = 90 - 0.01(x - 100) = 91 - 0.01x,$$
$$P = (91 - 0.01x - 60)x = 31x - 0.01x^2;$$

当 $x \in (1\,600, +\infty)$ 时，$p = 75$，$P = (75 - 60)x = 15x$.

因此，有

(1)

$$p = \begin{cases} 90, & x \in [0, 100], \\ 91 - 0.01x, & x \in (100, 1\,600], \\ 75, & x \in (1\,600, +\infty). \end{cases}$$

(2)

$$P = \begin{cases} 30x, & x \in [0, 100], \\ 31x - 0.01x^2, & x \in (100, 1\,600], \\ 15x, & x \in (1\,600, +\infty). \end{cases}$$

(3) $x = 1\,000$，$P = 31 \times 10^3 - 0.01 \times 10^6 = 21 \times 10^3$（元）.

19. 求联系华氏温度（用 F 表示）和摄氏温度（用 C 表示）的转换公式，并求

(1) $90°F$ 的等价摄氏温度和 $-5°C$ 的等价华氏温度；

(2) 是否存在一个温度值，使华氏温度计和摄氏温度计的读数是一样的？

如果存在,那么该温度值是多少?

解 设 $F=mC+b$,其中 m,b 均为常数.

因为 $F=32°$ 相当于 $C=0°$,$F=212°$ 相当于 $C=100°$,所以

$$b=32,\quad m=\frac{212-32}{100}=1.8.$$

故　　　　$F=1.8C+32$　或　$C=\frac{5}{9}(F-32).$

(1) $F=90°$,　　$C=\frac{5}{9}(90-32)\approx 32.2°.$

　　$C=-5°$,　　$F=1.8\times(-5)+32=23°.$

(2) 设温度值 t 符合题意,则有

$$t=1.8t+32,\qquad t=-40.$$

即华氏 $-40°$ 恰好也是摄氏 $-40°$.

20. 利用以下联合国统计办公室提供的世界人口数据以及指数模型来推测 2010 年的世界人口.

年　　份	人口数(百万)	当年人口数与上一年人口数的比值
1986	4 936	
1987	5 023	1.017 6
1988	5 111	1.017 5
1989	5 201	1.017 6
1990	5 329	1.024 6
1991	5 422	1.017 5

解 由表中第 3 列,猜想 1986 年后任一年的世界人口是前一年人口的 1.018 倍. 于是,在 1986 年后的第 t 年,世界人口将是

$$P(t)=4\,936\cdot(1.018)^t(\text{百万}).$$

2010 年对应 $t=24$,于是

$$P(24)=4\,936\cdot(1.018)^{24}\approx 7\,573.9(\text{百万})\approx 76(\text{亿}),$$

即推测 2010 年的世界人口约为 76 亿.

习题 1-2　数列的极限

1. 下列各题中,哪些数列收敛,哪些数列发散? 对收敛数列,通过观察数列 $\{x_n\}$ 的变化趋势,写出它们的极限:

(1) $x_n = \dfrac{1}{2^n}$;

(2) $x_n = (-1)^n \dfrac{1}{n}$;

(3) $x_n = 2 + \dfrac{1}{n^2}$;

(4) $x_n = \dfrac{n-1}{n+1}$;

(5) $x_n = n(-1)^n$;

(6) $x_n = \dfrac{2^n - 1}{3^n}$;

(7) $x_n = n - \dfrac{1}{n}$;

(8) $x_n = [(-1)^n + 1]\dfrac{n+1}{n}$.

解 (1) 收敛,$\lim\limits_{n\to\infty} \dfrac{1}{2^n} = 0$.

(2) 收敛,$\lim\limits_{n\to\infty}(-1)^n \dfrac{1}{n} = 0$.

(3) 收敛,$\lim\limits_{n\to\infty}\left(2 + \dfrac{1}{n^2}\right) = 2$.

(4) 收敛,$\lim\limits_{n\to\infty} \dfrac{n-1}{n+1} = 1$.

(5) $\{n(-1)^n\}$ 发散.

(6) 收敛,$\lim\limits_{n\to\infty} \dfrac{2^n - 1}{3^n} = 0$.

(7) $\{n - \dfrac{1}{n}\}$ 发散.

(8) $\left\{[(-1)^n + 1]\dfrac{n+1}{n}\right\}$ 发散.

*2. 设数列 $\{x_n\}$ 的一般项 $x_n = \dfrac{1}{n}\cos\dfrac{n\pi}{2}$. 问 $\lim\limits_{n\to\infty}x_n = ?$ 求出 N,使当 $n > N$ 时,x_n 与其极限之差的绝对值小于正数 ε. 当 $\varepsilon = 0.001$ 时,求出数 N.

解 $\lim\limits_{n\to\infty}x_n = 0$. 证明如下:

因为 $\qquad\qquad |x_n - 0| = \left|\dfrac{1}{n}\cos\dfrac{n\pi}{2}\right| \leqslant \dfrac{1}{n}$,

要使 $|x_n - 0| < \varepsilon$,只要 $\dfrac{1}{n} < \varepsilon$,即 $n > \dfrac{1}{\varepsilon}$. 所以 $\forall \varepsilon > 0$,取 $N = \left[\dfrac{1}{\varepsilon}\right]$,则当 $n > N$ 时,就有 $|x_n - 0| < \varepsilon$.

当 $\varepsilon = 0.001$ 时,取 $N = \left[\dfrac{1}{\varepsilon}\right] = 1\,000$. 即若 $\varepsilon = 0.001$,只要 $n > 1\,000$,就有 $|x_n - 0| < 0.001$.

*3. 根据数列极限的定义证明:

(1) $\lim\limits_{n\to\infty}\dfrac{1}{n^2} = 0$;

(2) $\lim\limits_{n\to\infty}\dfrac{3n+1}{2n+1} = \dfrac{3}{2}$;

(3) $\lim\limits_{n\to\infty}\dfrac{\sqrt{n^2+a^2}}{n}=1$;　(4) $\lim\limits_{n\to\infty}0.\underbrace{999\cdots9}_{n\uparrow}=1$.

证 (1) 因为要使 $\left|\dfrac{1}{n^2}-0\right|=\dfrac{1}{n^2}<\varepsilon$，只要 $n>\dfrac{1}{\sqrt{\varepsilon}}$，所以 $\forall\varepsilon>0$，取 $N=\left[\dfrac{1}{\sqrt{\varepsilon}}\right]$，

则当 $n>N$ 时，就有 $\left|\dfrac{1}{n^2}-0\right|<\varepsilon$，即 $\lim\limits_{n\to\infty}\dfrac{1}{n^2}=0$.

(2) 因为 $\left|\dfrac{3n+1}{2n+1}-\dfrac{3}{2}\right|=\dfrac{1}{2(2n+1)}<\dfrac{1}{4n}$，要使 $\left|\dfrac{3n+1}{2n+1}-\dfrac{3}{2}\right|<\varepsilon$，只要 $\dfrac{1}{4n}<\varepsilon$，

即 $n>\dfrac{1}{4\varepsilon}$，所以 $\forall\varepsilon>0$，取 $N=\left[\dfrac{1}{4\varepsilon}\right]$，则当 $n>N$ 时，就有 $\left|\dfrac{3n+1}{2n+1}-\dfrac{3}{2}\right|<\varepsilon$，

即 $\lim\limits_{n\to\infty}\dfrac{3n+1}{2n+1}=\dfrac{3}{2}$.

注 本题中所采用的证明方法是：先将 $|x_n-a|$ 等价变形，然后适当放大，使 N 容易由放大后的量小于 ε 的不等式中求出. 这在按定义证明极限的问题中是经常采用的.

(3) 因为 $\left|\dfrac{\sqrt{n^2+a^2}}{n}-1\right|=\dfrac{\sqrt{n^2+a^2}-n}{n}=\dfrac{a^2}{n(\sqrt{n^2+a^2}+n)}<\dfrac{a^2}{2n^2}$，

要使 $\left|\dfrac{\sqrt{n^2+a^2}}{n}-1\right|<\varepsilon$，只要 $\dfrac{a^2}{2n^2}<\varepsilon$，即 $n>\dfrac{|a|}{\sqrt{2\varepsilon}}$. 所以 $\forall\varepsilon>0$，取 $N=\left[\dfrac{|a|}{\sqrt{2\varepsilon}}\right]$，则

当 $n>N$ 时，就有 $\left|\dfrac{\sqrt{n^2+a^2}}{n}-1\right|<\varepsilon$，即 $\lim\limits_{n\to\infty}\dfrac{\sqrt{n^2+a^2}}{n}=1$.

(4) 因为 $\left|0.\underbrace{999\cdots9}_{n\uparrow}-1\right|=\dfrac{1}{10^n}$，要使 $\left|0.\underbrace{999\cdots9}_{n\uparrow}-1\right|<\varepsilon$，即

$n>\lg\dfrac{1}{\varepsilon}$，所以 $\forall\varepsilon>0$（不妨设 $\varepsilon<1$），取 $N=\left[\lg\dfrac{1}{\varepsilon}\right]$，则当 $n>N$ 时，就有

$\left|0.\underbrace{999\cdots9}_{n\uparrow}-1\right|<\varepsilon$，即 $\lim\limits_{n\to\infty}0.\underbrace{999\cdots9}_{n\uparrow}=1$.

*4. 若 $\lim\limits_{n\to\infty}u_n=a$，证明 $\lim\limits_{n\to\infty}|u_n|=|a|$. 并举例说明：如果数列 $\{|x_n|\}$ 有极限，但数列 $\{x_n\}$ 未必有极限.

证 因为 $\lim\limits_{n\to\infty}u_n=a$，所以 $\forall\varepsilon>0$，$\exists N$，当 $n>N$ 时，有 $|u_n-a|<\varepsilon$，从而有

$$||u_n|-|a||\leqslant|u_n-a|<\varepsilon,$$

故 $\lim\limits_{n\to\infty}|u_n|=|a|$.

但由 $\lim\limits_{n\to\infty}|u_n|=|a|$，并不能推得 $\lim\limits_{n\to\infty}u_n=a$. 例如，考虑数列 $\{(-1)^n\}$，虽然 $\lim\limits_{n\to\infty}|(-1)^n|=1$，但 $\{(-1)^n\}$ 没有极限.

*5. 设数列 $\{x_n\}$ 有界，又 $\lim\limits_{n\to\infty}y_n=0$，证明：$\lim\limits_{n\to\infty}x_ny_n=0$.

证 因数列 $\{x_n\}$ 有界，故 $\exists M>0$，使得对一切 n 有 $|x_n|\leqslant M$. $\forall\varepsilon>0$，由于

$\lim\limits_{n\to\infty}y_n=0$,故对 $\varepsilon_1=\dfrac{\varepsilon}{M}>0$,$\exists N$,当 $n>N$ 时,就有 $|y_n|<\varepsilon_1=\dfrac{\varepsilon}{M}$,从而有

$$|x_ny_n-0|=|x_n|\cdot|y_n|<M\cdot\dfrac{\varepsilon}{M}=\varepsilon,$$

所以
$$\lim\limits_{n\to\infty}x_ny_n=0.$$

*6. 对于数列 $\{x_n\}$,若 $x_{2k-1}\to a(k\to\infty)$,$x_{2k}\to a(k\to\infty)$,证明:$x_n\to a(n\to\infty)$.

证　因为 $x_{2k-1}\to a(k\to\infty)$,所以 $\forall\varepsilon>0$,$\exists k_1$,当 $k>k_1$ 时,有 $|x_{2k-1}-a|<\varepsilon$;
又因为 $x_{2k}\to a(k\to\infty)$,所以对上述 $\varepsilon>0$,$\exists k_2$,当 $k>k_2$ 时,有 $|x_{2k}-a|<\varepsilon$.
记 $K=\max\{k_1,k_2\}$,取 $N=2K$,则当 $n>N$ 时,若 $n=2k-1$,则

$$k>K+\dfrac{1}{2}>k_1\Rightarrow|x_n-a|=|x_{2k-1}-a|<\varepsilon,$$

若 $n=2k$,则

$$k>K\geqslant k_2\Rightarrow|x_n-a|=|x_{2k}-a|<\varepsilon.$$

从而只要 $n>N$,就有 $|x_n-a|<\varepsilon$,即 $\lim\limits_{n\to\infty}x_n=a$.

习题 1-3　函数的极限

1. 对图 1-5 所示的函数 $f(x)$,求下列极限,如极限不存在,说明理由.

(1) $\lim\limits_{x\to-2}f(x)$;

(2) $\lim\limits_{x\to-1}f(x)$;

(3) $\lim\limits_{x\to0}f(x)$.

解　(1) $\lim\limits_{x\to-2}f(x)=0$.

(2) $\lim\limits_{x\to-1}f(x)=-1$.

(3) $\lim\limits_{x\to0}f(x)$ 不存在,因为 $f(0^+)\neq f(0^-)$.

2. 对图 1-6 所示的函数 $f(x)$,下列陈述中哪些是对的,哪些是错的?

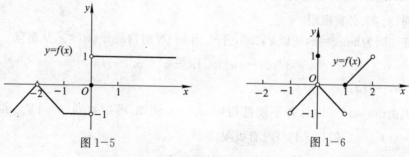

图 1-5　　　　　　　图 1-6

(1) $\lim\limits_{x\to0}f(x)$ 不存在;

(2) $\lim\limits_{x\to 0}f(x)=0$；

(3) $\lim\limits_{x\to 0}f(x)=1$；

(4) $\lim\limits_{x\to 1}f(x)=0$；

(5) $\lim\limits_{x\to 1}f(x)$ 不存在；

(6) 对每个 $x_0\in(-1,1)$，$\lim\limits_{x\to x_0}f(x)$ 存在.

解 (1) 错，$\lim\limits_{x\to 0}f(x)$ 存在与否，与 $f(0)$ 的值无关.

(2) 对，因为 $f(0^+)=f(0^-)=0$.

(3) 错，$\lim\limits_{x\to 0}f(x)$ 的值与 $f(0)$ 的值无关.

(4) 错，$f(1^+)=0$，但 $f(1^-)=-1$，故 $\lim\limits_{x\to 1}f(x)$ 不存在.

(5) 对，因为 $f(1^-)\neq f(1^+)$.

(6) 对.

3. 对图 1-7 所示的函数，下列陈述中哪些是对的，哪些是错的？

(1) $\lim\limits_{x\to -1^+}f(x)=1$；

(2) $\lim\limits_{x\to -1^-}f(x)$ 不存在；

(3) $\lim\limits_{x\to 0}f(x)=0$；

(4) $\lim\limits_{x\to 0}f(x)=1$；

(5) $\lim\limits_{x\to 1^-}f(x)=1$；

(6) $\lim\limits_{x\to 1^+}f(x)=0$；

(7) $\lim\limits_{x\to 2^-}f(x)=0$；

(8) $\lim\limits_{x\to 2}f(x)=0$.

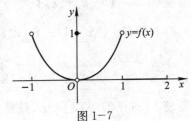

图 1-7

解 (1) 对.

(2) 对，因为当 $x<-1$ 时，$f(x)$ 无定义.

(3) 对，因为 $f(0^+)=f(0^-)=0$.

(4) 错，$\lim\limits_{x\to 0}f(x)$ 的值与 $f(0)$ 的值无关.

(5) 对.

(6) 对.

(7) 对.

(8) 错，因为当 $x>2$ 时，$f(x)$ 无定义，$f(2^+)$ 不存在.

4. 求 $f(x)=\dfrac{x}{x}$，$\varphi(x)=\dfrac{|x|}{x}$ 当 $x\to 0$ 时的左、右极限，并说明它们在 $x\to 0$ 时的极限是否存在.

解　$\lim\limits_{x\to 0^+}f(x)=\lim\limits_{x\to 0^+}\dfrac{x}{x}=\lim\limits_{x\to 0^+}1=1$，$\lim\limits_{x\to 0^-}f(x)=\lim\limits_{x\to 0^-}\dfrac{x}{x}=\lim\limits_{x\to 0^-}1=1$.

因为 $\lim\limits_{x\to 0^+}f(x)=1=\lim\limits_{x\to 0^-}f(x)$，所以 $\lim\limits_{x\to 0}f(x)=1$.

$\qquad \lim\limits_{x\to 0^+}\varphi(x)=\lim\limits_{x\to 0^+}\dfrac{|x|}{x}=\lim\limits_{x\to 0^+}\dfrac{x}{x}=1$，$\lim\limits_{x\to 0^-}\varphi(x)=\lim\limits_{x\to 0^-}\dfrac{|x|}{x}=\lim\limits_{x\to 0^-}\dfrac{-x}{x}=-1$.

因为 $\lim\limits_{x\to 0^+}\varphi(x)\ne\lim\limits_{x\to 0^-}\varphi(x)$，所以 $\lim\limits_{x\to 0}\varphi(x)$ 不存在.

*5. 根据函数极限的定义证明：

(1) $\lim\limits_{x\to 3}(3x-1)=8$；　　　　　　(2) $\lim\limits_{x\to 2}(5x+2)=12$；

(3) $\lim\limits_{x\to -2}\dfrac{x^2-4}{x+2}=-4$；　　　　(4) $\lim\limits_{x\to -\frac{1}{2}}\dfrac{1-4x^2}{2x+1}=2$.

解　(1) 因为

$$|(3x-1)-8|=|3x-9|=3|x-3|,$$

要使 $|(3x-1)-8|<\varepsilon$，只要 $|x-3|<\dfrac{\varepsilon}{3}$，所以 $\forall\varepsilon>0$，取 $\delta=\dfrac{\varepsilon}{3}$，则当 $0<|x-3|<\delta$ 时，就有 $|(3x-1)-8|<\varepsilon$，即 $\lim\limits_{x\to 3}(3x-1)=8$.

(2) 因为

$$|(5x+2)-12|=|5x-10|=5|x-2|,$$

要使 $|(5x+2)-12|<\varepsilon$，只要 $|x-2|<\dfrac{\varepsilon}{5}$，所以 $\forall\varepsilon>0$，取 $\delta=\dfrac{\varepsilon}{5}$，则当 $0<|x-2|<\delta$ 时，就有 $|(5x+2)-12|<\varepsilon$，即 $\lim\limits_{x\to 2}(5x+2)=12$.

(3) 因为 $x\to -2$，$x\ne -2$，

$$\left|\dfrac{x^2-4}{x+2}-(-4)\right|=|x-2-(-4)|=|x+2|=|x-(-2)|,$$

要使

$$\left|\dfrac{x^2-4}{x+2}-(-4)\right|<\varepsilon,$$

只要 $|x-(-2)|<\varepsilon$. 所以 $\forall\varepsilon>0$，取 $\delta=\varepsilon$，则当 $0<|x-(-2)|<\delta$ 时，就有

$$\left|\dfrac{x^2-4}{x+2}-(-4)\right|<\varepsilon,$$

即 $\lim\limits_{x\to -2}\dfrac{x^2-4}{x+2}=-4$.

(4) 因为 $x\to -\dfrac{1}{2}$，$x\ne -\dfrac{1}{2}$，

$$\left|\dfrac{1-4x^2}{2x+1}-2\right|=|1-2x-2|=2\left|x-\left(-\dfrac{1}{2}\right)\right|,$$

要使

$$\left|\frac{1-4x^2}{2x+1}-2\right|<\varepsilon,$$

只要 $\left|x-\left(-\frac{1}{2}\right)\right|<\frac{\varepsilon}{2}$，所以 $\forall \varepsilon>0$，取 $\delta=\frac{\varepsilon}{2}$，则当 $0<\left|x-\left(-\frac{1}{2}\right)\right|<\delta$ 时，就有

$$\left|\frac{1-4x^2}{2x+1}-2\right|<\varepsilon,$$

即 $\lim\limits_{x\to-\frac{1}{2}}\dfrac{1-4x^2}{2x+1}=2$.

*6. 根据函数极限的定义证明：

(1) $\lim\limits_{x\to\infty}\dfrac{1+x^3}{2x^3}=\dfrac{1}{2}$ ；　　　　　　(2) $\lim\limits_{x\to+\infty}\dfrac{\sin x}{\sqrt{x}}=0$.

证 (1) 因为 $\left|\dfrac{1+x^3}{2x^3}-\dfrac{1}{2}\right|=\dfrac{1}{2\,|\,x\,|^3}$，要使 $\left|\dfrac{1+x^3}{2x^3}-\dfrac{1}{2}\right|<\varepsilon$，只要

$\dfrac{1}{2\,|\,x\,|^3}<\varepsilon$，即 $|\,x\,|>\dfrac{1}{\sqrt[3]{2\varepsilon}}$，所以 $\forall \varepsilon>0$，取 $X=\dfrac{1}{\sqrt[3]{2\varepsilon}}$，则当 $|\,x\,|>X$ 时，就有

$\left|\dfrac{1+x^3}{2x^3}-\dfrac{1}{2}\right|<\varepsilon$，即 $\lim\limits_{x\to\infty}\dfrac{1+x^3}{2x^3}=\dfrac{1}{2}$.

(2) 因为 $\left|\dfrac{\sin x}{\sqrt{x}}-0\right|\leqslant\dfrac{1}{\sqrt{x}}$，要使 $\left|\dfrac{\sin x}{\sqrt{x}}-0\right|<\varepsilon$，只要 $\dfrac{1}{\sqrt{x}}<\varepsilon$，即 $x>\dfrac{1}{\varepsilon^2}$，所以

$\forall \varepsilon>0$，取 $X=\dfrac{1}{\varepsilon^2}$，则当 $x>X$ 时，就有 $\left|\dfrac{\sin x}{\sqrt{x}}-0\right|<\varepsilon$，即 $\lim\limits_{x\to+\infty}\dfrac{\sin x}{\sqrt{x}}=0$.

*7. 当 $x\to2$ 时，$y=x^2\to4$. 问 δ 等于多少，使当 $|x-2|<\delta$ 时，$|y-4|<0.001$?

解 由于 $x\to2$，$|x-2|\to0$，不妨设 $|x-2|<1$，即 $1<x<3$.

要使 $|x^2-4|=|x+2|\,|x-2|<5|x-2|<0.001$，只要

$$|x-2|<\frac{0.001}{5}=0.000\,2,$$

取 $\delta=0.000\,2$，则当 $0<|x-2|<\delta$ 时，就有 $|x^2-4|<0.001$.

注 本题证明中，先限定 $|x-2|<1$，其目的是在 $|x^2-4|=|x+2|\,|x-2|$ 中，将 $|x+2|$ 放大为 5，从而去掉因子 $|x+2|$，再令 $5\,|x-2|<\varepsilon$，由此可以求出 $|x-2|<\dfrac{\varepsilon}{5}$，从而找到 δ. 这在按定义证明极限时，也是经常采用的一种方法.

*8. 当 $x\to\infty$ 时，$y=\dfrac{x^2-1}{x^2+3}\to1$. 问 X 等于多少，使当 $|x|>X$ 时，$|y-1|<0.01$?

解 因为 $\left|\dfrac{x^2-1}{x^2+3}-1\right|=\dfrac{4}{x^2+3}<\dfrac{4}{x^2}$，要使 $\left|\dfrac{x^2-1}{x^2+3}-1\right|<0.01$，只要 $\dfrac{4}{x^2}$

<0.01，即 $|x|>20$，取 $X=20$，则当 $|x|>X$ 时，就有 $|y-1|<0.01$.

*9. 证明函数 $f(x) = |x|$ 当 $x \to 0$ 时极限为零.

证 因为 $||x| - 0| = |x| = |x - 0|$，所以 $\forall \varepsilon > 0$，取 $\delta = \varepsilon$，则当 $0 < |x - 0| < \delta$ 时，就有 $||x| - 0| < \varepsilon$，即 $\lim\limits_{x \to 0} |x| = 0$.

*10. 证明：若 $x \to +\infty$ 及 $x \to -\infty$ 时，函数 $f(x)$ 的极限都存在且都等于 A，则 $\lim\limits_{x \to \infty} f(x) = A$.

证 因为 $\lim\limits_{x \to +\infty} f(x) = A$，所以 $\forall \varepsilon > 0$，$\exists X_1 > 0$，当 $x > X_1$ 时，就有 $|f(x) - A| < \varepsilon$.

又因为 $\lim\limits_{x \to -\infty} f(x) = A$，所以对上面的 $\varepsilon > 0$，$\exists X_2 > 0$，当 $x < -X_2$ 时，就有 $|f(x) - A| < \varepsilon$.

取 $X = \max\{X_1, X_2\}$，则当 $|x| > X$，即 $x > X$ 或 $x < -X$ 时，就有 $|f(x) - A| < \varepsilon$，即 $\lim\limits_{x \to \infty} f(x) = A$.

*11. 根据函数极限的定义证明：函数 $f(x)$ 当 $x \to x_0$ 时极限存在的充分必要条件是左极限、右极限各自存在并且相等.

证 必要性 若 $\lim\limits_{x \to x_0} f(x) = A$，则 $\forall \varepsilon > 0$，$\exists \delta > 0$，当 $0 < |x - x_0| < \delta$ 时，就有 $|f(x) - A| < \varepsilon$.

特别，当 $0 < x - x_0 < \delta$ 时，有 $|f(x) - A| < \varepsilon$，即 $\lim\limits_{x \to x_0^+} f(x) = A$；当 $0 < x_0 - x < \delta$ 时，有 $|f(x) - A| < \varepsilon$，即 $\lim\limits_{x \to x_0^-} f(x) = A$.

充分性 若 $\lim\limits_{x \to x_0^+} f(x) = A = \lim\limits_{x \to x_0^-} f(x)$，则 $\forall \varepsilon > 0$，$\exists \delta_1 > 0$，当 $0 < x - x_0 < \delta_1$ 时，就有 $|f(x) - A| < \varepsilon$；又 $\exists \delta_2 > 0$，当 $0 < x_0 - x < \delta_2$ 时，就有 $|f(x) - A| < \varepsilon$. 取 $\delta = \min\{\delta_1, \delta_2\}$，则当 $0 < |x - x_0| < \delta$ 时，就有 $|f(x) - A| < \varepsilon$，即 $\lim\limits_{x \to x_0} f(x) = A$.

*12. 试给出 $x \to \infty$ 时函数极限的局部有界性的定理，并加以证明.

解 局部有界性定理 如果 $\lim\limits_{x \to \infty} f(x) = A$，那么存在常数 $M > 0$ 和 $X > 0$，使得当 $|x| > X$ 时，有 $|f(x)| \leqslant M$.

证明如下：因为 $\lim\limits_{x \to \infty} f(x) = A$，所以对 $\varepsilon = 1 > 0$，$\exists X > 0$，当 $|x| > X$ 时，就有 $|f(x) - A| < 1$，从而

$$|f(x)| \leqslant |f(x) - A| + |A| < 1 + |A|,$$

取 $M = |A| + 1$，即有当 $|x| > X$ 时，$|f(x)| \leqslant M$.

习题 1-4 　无穷小与无穷大

1. 两个无穷小的商是否一定是无穷小？举例说明之.

解 不一定.例如,$\alpha(x)=2x$ 与 $\beta(x)=3x$ 都是当 $x\to0$ 时的无穷小,但 $\dfrac{\alpha(x)}{\beta(x)}=\dfrac{2}{3}$ 却不是当 $x\to0$ 时的无穷小.

*2. 根据定义证明:

(1) $y=\dfrac{x^2-9}{x+3}$ 为当 $x\to3$ 时的无穷小;

(2) $y=x\sin\dfrac{1}{x}$ 为当 $x\to0$ 时的无穷小.

证 (1) 因为 $\left|\dfrac{x^2-9}{x+3}\right|=|x-3|$,所以 $\forall\varepsilon>0$,取 $\delta=\varepsilon$,则当 $0<|x-3|<\delta$ 时,就有

$$\left|\frac{x^2-9}{x+3}\right|<\varepsilon,$$

即 $\dfrac{x^2-9}{x+3}$ 为当 $x\to3$ 时的无穷小.

(2) 因为 $\left|x\sin\dfrac{1}{x}\right|\leqslant|x|$,所以 $\forall\varepsilon>0$,取 $\delta=\varepsilon$,则当 $0<|x|<\delta$ 时,就有

$$\left|x\sin\frac{1}{x}\right|<\varepsilon,$$

即 $x\sin\dfrac{1}{x}$ 为当 $x\to0$ 时的无穷小.

*3. 根据定义证明:函数 $y=\dfrac{1+2x}{x}$ 为当 $x\to0$ 时的无穷大.问 x 应满足什么条件,能使 $|y|>10^4$?

证 因为 $\left|\dfrac{1+2x}{x}\right|=\left|\dfrac{1}{x}+2\right|\geqslant\left|\dfrac{1}{x}\right|-2$,要使 $\left|\dfrac{1+2x}{x}\right|>M$,只要 $\left|\dfrac{1}{x}\right|-2$ $>M$,即 $|x|<\dfrac{1}{M+2}$,所以 $\forall M>0$,取 $\delta=\dfrac{1}{M+2}$,则当 $0<|x-0|<\delta$ 时,就有 $\left|\dfrac{1+2x}{x}\right|>M$,即 $\dfrac{1+2x}{x}$ 为当 $x\to0$ 时的无穷大.

令 $M=10^4$,取 $\delta=\dfrac{1}{10^4+2}$,当 $0<|x-0|<\dfrac{1}{10^4+2}$ 时,就能使 $\left|\dfrac{1+2x}{x}\right|>10^4$.

注 在本题的证明中,采取先将 $|f(x)|=\left|\dfrac{1+2x}{x}\right|$ 等价变形,然后适当缩小,使缩小后的量大于 M,从而求出 δ.这种方法在按定义证明函数在某个变化过程中为无穷大时,也是经常采用的.

4. 求下列极限并说明理由:

(1) $\lim\limits_{x\to\infty}\dfrac{2x+1}{x}$;

(2) $\lim\limits_{x\to0}\dfrac{1-x^2}{1-x}$.

解 (1) $\lim\limits_{x\to\infty}\dfrac{2x+1}{x}=\lim\limits_{x\to\infty}\left(2+\dfrac{1}{x}\right)=2.$

理由：由定理 2，$\dfrac{1}{x}$ 为当 $x\to\infty$ 时的无穷小；再由定理 1，$\lim\limits_{x\to\infty}\left(2+\dfrac{1}{x}\right)=2.$

(2) $\lim\limits_{x\to0}\dfrac{1-x^2}{1-x}=\lim\limits_{x\to0}(1+x)=1.$

理由：由定理 1，$\lim\limits_{x\to0}(1+x)=1.$

5. 根据函数极限或无穷大定义，填写下表：

	$f(x)\to A$	$f(x)\to\infty$	$f(x)\to+\infty$	$f(x)\to-\infty$
$x\to x_0$	$\forall\varepsilon>0,\exists\delta>0$, 使当 $0<\lvert x-x_0\rvert$ $<\delta$ 时，即有 $\lvert f(x)-A\rvert<\varepsilon.$	$\forall M>0,\exists\delta>0$, 使当 $0<\lvert x-x_0\rvert$ $<\delta$ 时，即有 $\lvert f(x)\rvert>M.$	$\forall M>0,\exists\delta>0$, 使当 $0<\lvert x-x_0\rvert$ $<\delta$ 时，即有 $f(x)>M.$	$\forall M>0,\exists\delta>0$, 使当 $0<\lvert x-x_0\rvert$ $<\delta$ 时，即有 $f(x)<-M.$
$x\to x_0^+$	$\forall\varepsilon>0,\exists\delta>0$, 使当 $0<x-x_0<$ δ 时，即有 $\lvert f(x)-A\rvert<\varepsilon.$	$\forall M>0,\exists\delta>0$, 使当 $0<x-x_0<$ δ 时，即有 $\lvert f(x)\rvert>M.$	$\forall M>0,\exists\delta>0$, 使当 $0<x-x_0<$ δ 时，即有 $f(x)>M.$	$\forall M>0,\exists\delta>0$, 使当 $0<x-x_0<\delta$ 时，即有 $f(x)<-M.$
$x\to x_0^-$	$\forall\varepsilon>0,\exists\delta>0$, 使当 $0>x-x_0>$ $-\delta$ 时，即有 $\lvert f(x)-A\rvert<\varepsilon.$	$\forall M>0,\exists\delta>0$, 使当 $0>x-x_0>$ $-\delta$ 时，即有 $\lvert f(x)\rvert>M.$	$\forall M>0,\exists\delta>0$, 使当 $0>x-x_0>$ $-\delta$ 时，即有 $f(x)>M.$	$\forall M>0,\exists\delta>0$, 使当 $0>x-x_0>$ $-\delta$ 时，即有 $f(x)<-M.$
$x\to\infty$	$\forall\varepsilon>0,\exists X>0$, 使当 $\lvert x\rvert>X$ 时，即有 $\lvert f(x)-A\rvert<\varepsilon.$	$\forall M>0,\exists X>$ 0，使当 $\lvert x\rvert>X$ 时，即有 $\lvert f(x)\rvert>M.$	$\forall M>0,\exists X>$ 0，使当 $\lvert x\rvert>X$ 时，即有 $f(x)>M.$	$\forall M>0,\exists X>0$, 使当 $\lvert x\rvert>X$ 时，即有 $f(x)<-M.$
$x\to+\infty$	$\forall\varepsilon>0,\exists X>0$, 使当 $x>X$ 时，即有 $\lvert f(x)-A\rvert<\varepsilon.$	$\forall M>0,\exists X>$ 0，使当 $x>X$ 时，即有 $\lvert f(x)\rvert>M.$	$\forall M>0,\exists X>$ 0，使当 $x>X$ 时，即有 $f(x)>M.$	$\forall M>0,\exists X>0$, 使当 $x>X$ 时，即有 $f(x)<-M.$
$x\to-\infty$	$\forall\varepsilon>0,\exists X>0$, 使当 $x<-X$ 时，即有 $\lvert f(x)-A\rvert<\varepsilon.$	$\forall M>0,\exists X>$ 0，使当 $x<-X$ 时，即有 $\lvert f(x)\rvert>M.$	$\forall M>0,\exists X>$ 0，使当 $x<-X$ 时，即有 $f(x)>M.$	$\forall M>0,\exists X>0$, 使当 $x<-X$ 时，即有 $f(x)<-M.$

6. 函数 $y=x\cos x$ 在 $(-\infty,+\infty)$ 内是否有界？这个函数是否为 $x\to+\infty$ 时的无穷大？为什么？

解 因为 $\forall M>0$，总有 $x_0\in(M,+\infty)$，使 $\cos x_0=1$，从而 $y=x_0\cos x_0=x_0>M$，所以 $y=x\cos x$ 在 $(-\infty,+\infty)$ 内无界.

又因为 $\forall M>0,X>0$，总有 $x_0\in(X,+\infty)$，使 $\cos x_0=0$，从而 $y=x_0\cos x_0=0<M$，所以 $y=f(x)=x\cos x$ 不是当 $x\to+\infty$ 时的无穷大.

*7. 证明:函数 $y=\dfrac{1}{x}\sin\dfrac{1}{x}$ 在区间 $(0,1]$ 上无界,但这函数不是 $x\rightarrow 0^+$ 时的无穷大.

证 先证函数 $y=\dfrac{1}{x}\sin\dfrac{1}{x}$ 在区间 $(0,1]$ 上无界.

因为 $\forall M>0$,在 $(0,1]$ 中总可找到点 x_0,使 $f(x_0)>M$. 例如,可取 $x_0=\dfrac{1}{2k\pi+\dfrac{\pi}{2}}(k\in\mathbf{N})$,则 $f(x_0)=2k\pi+\dfrac{\pi}{2}$,当 k 充分大时,可使 $f(x_0)>M$. 所以 $y=\dfrac{1}{x}\sin\dfrac{1}{x}$ 在 $(0,1]$ 上无界.

再证函数 $y=f(x)=\dfrac{1}{x}\sin\dfrac{1}{x}$ 不是 $x\rightarrow 0^+$ 时的无穷大.

因为 $\forall M>0,\delta>0$,总可找到点 x_0,使 $0<x_0<\delta$,但 $f(x_0)<M$. 例如,可取 $x_0=\dfrac{1}{2k\pi}(k\in\mathbf{N}^+)$,当 k 充分大时,$0<x_0<\delta$,但 $f(x_0)=2k\pi\sin 2k\pi=0<M$. 所以 $y=\dfrac{1}{x}\sin\dfrac{1}{x}$ 不是 $x\rightarrow 0^+$ 时的无穷大.

8. 求函数 $f(x)=\dfrac{4}{2-x^2}$ 的图形的渐近线.

解 因为 $\lim\limits_{x\rightarrow\infty}f(x)=0$,所以 $y=0$ 是函数图形的水平渐近线.

因为 $\lim\limits_{x\rightarrow-\sqrt{2}}f(x)=\infty$,$\lim\limits_{x\rightarrow\sqrt{2}}f(x)=\infty$,所以 $x=-\sqrt{2}$ 及 $x=\sqrt{2}$ 都是函数图形的铅直渐近线.

习题 1-5　极限运算法则

1. 计算下列极限:

(1) $\lim\limits_{x\rightarrow 2}\dfrac{x^2+5}{x-3}$;

(2) $\lim\limits_{x\rightarrow\sqrt{3}}\dfrac{x^2-3}{x^2+1}$;

(3) $\lim\limits_{x\rightarrow 1}\dfrac{x^2-2x+1}{x^2-1}$;

(4) $\lim\limits_{x\rightarrow 0}\dfrac{4x^3-2x^2+x}{3x^2+2x}$;

(5) $\lim\limits_{h\rightarrow 0}\dfrac{(x+h)^2-x^2}{h}$;

(6) $\lim\limits_{x\rightarrow\infty}\left(2-\dfrac{1}{x}+\dfrac{1}{x^2}\right)$;

(7) $\lim\limits_{x\rightarrow\infty}\dfrac{x^2-1}{2x^2-x-1}$;

(8) $\lim\limits_{x\rightarrow\infty}\dfrac{x^2+x}{x^4-3x^2+1}$;

(9) $\lim\limits_{x\rightarrow 4}\dfrac{x^2-6x+8}{x^2-5x+4}$;

(10) $\lim\limits_{x\rightarrow\infty}\left(1+\dfrac{1}{x}\right)\left(2-\dfrac{1}{x^2}\right)$;

(11) $\lim\limits_{n\to\infty}\left(1+\dfrac{1}{2}+\dfrac{1}{4}+\cdots+\dfrac{1}{2^n}\right)$;   (12) $\lim\limits_{n\to\infty}\dfrac{1+2+3+\cdots+(n-1)}{n^2}$;

(13) $\lim\limits_{n\to\infty}\dfrac{(n+1)(n+2)(n+3)}{5n^3}$;   (14) $\lim\limits_{x\to1}\left(\dfrac{1}{1-x}-\dfrac{3}{1-x^3}\right)$.

解 (1) $\lim\limits_{x\to2}\dfrac{x^2+5}{x-3}=\dfrac{\lim\limits_{x\to2}(x^2+5)}{\lim\limits_{x\to2}(x-3)}=\dfrac{9}{-1}=-9$.

(2) $\lim\limits_{x\to\sqrt3}\dfrac{x^2-3}{x^2+1}=\dfrac{\lim\limits_{x\to\sqrt3}(x^2-3)}{\lim\limits_{x\to\sqrt3}(x^2+1)}=\dfrac{0}{4}=0$.

(3) $\lim\limits_{x\to1}\dfrac{x^2-2x+1}{x^2-1}=\lim\limits_{x\to1}\dfrac{(x-1)^2}{(x-1)(x+1)}=\lim\limits_{x\to1}\dfrac{x-1}{x+1}=\dfrac{\lim\limits_{x\to1}(x-1)}{\lim\limits_{x\to1}(x+1)}=\dfrac{0}{2}=0$.

(4) $\lim\limits_{x\to0}\dfrac{4x^3-2x^2+x}{3x^2+2x}=\lim\limits_{x\to0}\dfrac{4x^2-2x+1}{3x+2}=\dfrac{\lim\limits_{x\to0}(4x^2-2x+1)}{\lim\limits_{x\to0}(3x+2)}=\dfrac{1}{2}$.

(5) $\lim\limits_{h\to0}\dfrac{(x+h)^2-x^2}{h}=\lim\limits_{h\to0}\dfrac{h(2x+h)}{h}=\lim\limits_{h\to0}(2x+h)=2x$.

(6) $\lim\limits_{x\to\infty}\left(2-\dfrac{1}{x}+\dfrac{1}{x^2}\right)=\lim\limits_{x\to\infty}2-\lim\limits_{x\to\infty}\dfrac{1}{x}+\lim\limits_{x\to\infty}\dfrac{1}{x^2}=2-0+0=2$.

(7) $\lim\limits_{x\to\infty}\dfrac{x^2-1}{2x^2-x-1}=\lim\limits_{x\to\infty}\dfrac{1-\dfrac{1}{x^2}}{2-\dfrac{1}{x}-\dfrac{1}{x^2}}=\dfrac{\lim\limits_{x\to\infty}\left(1-\dfrac{1}{x^2}\right)}{\lim\limits_{x\to\infty}\left(2-\dfrac{1}{x}-\dfrac{1}{x^2}\right)}=\dfrac{1}{2}$.

(8) $\lim\limits_{x\to\infty}\dfrac{x^2+x}{x^4-3x^2+1}=\lim\limits_{x\to\infty}\dfrac{\dfrac{1}{x^2}+\dfrac{1}{x^3}}{1-\dfrac{3}{x^2}+\dfrac{1}{x^4}}=\dfrac{\lim\limits_{x\to\infty}\left(\dfrac{1}{x^2}+\dfrac{1}{x^3}\right)}{\lim\limits_{x\to\infty}\left(1-\dfrac{3}{x^2}+\dfrac{1}{x^4}\right)}=\dfrac{0}{1}=0$.

(9) $\lim\limits_{x\to4}\dfrac{x^2-6x+8}{x^2-5x+4}=\lim\limits_{x\to4}\dfrac{(x-4)(x-2)}{(x-4)(x-1)}=\lim\limits_{x\to4}\dfrac{x-2}{x-1}=\dfrac{\lim\limits_{x\to4}(x-2)}{\lim\limits_{x\to4}(x-1)}=\dfrac{2}{3}$.

(10) $\lim\limits_{x\to\infty}\left(1+\dfrac{1}{x}\right)\left(2-\dfrac{1}{x^2}\right)=\lim\limits_{x\to\infty}\left(1+\dfrac{1}{x}\right)\cdot\lim\limits_{x\to\infty}\left(2-\dfrac{1}{x^2}\right)=1\cdot2=2$.

(11) $\lim\limits_{n\to\infty}\left(1+\dfrac{1}{2}+\dfrac{1}{4}+\cdots+\dfrac{1}{2^n}\right)=\lim\limits_{n\to\infty}\dfrac{1-\dfrac{1}{2^{n+1}}}{1-\dfrac{1}{2}}=\lim\limits_{n\to\infty}2\left(1-\dfrac{1}{2^{n+1}}\right)$

$=2\left(1-\lim\limits_{n\to\infty}\dfrac{1}{2^{n+1}}\right)=2$.

(12) $\lim\limits_{n\to\infty}\dfrac{1+2+3+\cdots+(n-1)}{n^2}=\lim\limits_{n\to\infty}\dfrac{n(n-1)}{2n^2}=\lim\limits_{n\to\infty}\dfrac{1}{2}\left(1-\dfrac{1}{n}\right)=\dfrac{1}{2}$.

(13) $\lim\limits_{n\to\infty}\dfrac{(n+1)(n+2)(n+3)}{5n^3}=\lim\limits_{n\to\infty}\dfrac{1}{5}\left(1+\dfrac{1}{n}\right)\left(1+\dfrac{2}{n}\right)\left(1+\dfrac{3}{n}\right)$

$$=\frac{1}{5}\lim_{n\to\infty}\left(1+\frac{1}{n}\right)\lim_{n\to\infty}\left(1+\frac{2}{n}\right)\lim_{n\to\infty}\left(1+\frac{3}{n}\right)$$

$$=\frac{1}{5}.$$

(14) $\lim\limits_{x\to1}\left(\dfrac{1}{1-x}-\dfrac{3}{1-x^3}\right)=\lim\limits_{x\to1}\dfrac{1+x+x^2-3}{1-x^3}=\lim\limits_{x\to1}\dfrac{(x-1)(x+2)}{(1-x)(1+x+x^2)}$

$$=\lim_{x\to1}\frac{-(x+2)}{1+x+x^2}=-\frac{\lim\limits_{x\to1}(x+2)}{\lim\limits_{x\to1}(1+x+x^2)}$$

$$=-\frac{3}{3}=-1.$$

2. 计算下列极限：

(1) $\lim\limits_{x\to2}\dfrac{x^3+2x^2}{(x-2)^2}$;   (2) $\lim\limits_{x\to\infty}\dfrac{x^2}{2x+1}$;

(3) $\lim\limits_{x\to\infty}(2x^3-x+1)$.

解 (1) 因为 $\lim\limits_{x\to2}\dfrac{(x-2)^2}{x^3+2x^2}=\dfrac{\lim\limits_{x\to2}(x-2)^2}{\lim\limits_{x\to2}(x^3+2x^2)}=0,$

所以 $\lim\limits_{x\to2}\dfrac{x^3+2x^2}{(x-2)^2}=\infty.$

(2) 因为 $\lim\limits_{x\to\infty}\dfrac{2x+1}{x^2}=\lim\limits_{x\to\infty}\left(\dfrac{2}{x}+\dfrac{1}{x^2}\right)=0,$

所以 $\lim\limits_{x\to\infty}\dfrac{x^2}{2x+1}=\infty.$

(3) 因为 $\lim\limits_{x\to\infty}\dfrac{1}{2x^3-x+1}=\lim\limits_{x\to\infty}\dfrac{\frac{1}{x^3}}{2-\frac{1}{x^2}+\frac{1}{x^3}}=\dfrac{\lim\limits_{x\to\infty}\frac{1}{x^3}}{\lim\limits_{x\to\infty}\left(2-\frac{1}{x^2}+\frac{1}{x^3}\right)}=0,$

所以 $\lim\limits_{x\to\infty}(2x^3-x+1)=\infty.$

3. 计算下列极限：

(1) $\lim\limits_{x\to0}x^2\sin\dfrac{1}{x}$;   (2) $\lim\limits_{x\to\infty}\dfrac{\arctan x}{x}$.

解 (1) 因为 $x^2\to0(x\to0),\left|\sin\dfrac{1}{x}\right|\leqslant1$，所以

$$\lim_{x\to0}x^2\sin\frac{1}{x}=0.$$

(2) 因为 $\dfrac{1}{x}\to0(x\to\infty),|\arctan x|<\dfrac{\pi}{2}$，所以

$$\lim_{x\to\infty}\frac{\arctan x}{x}=0.$$

4. 设 $\{a_n\}$，$\{b_n\}$，$\{c_n\}$ 均为非负数列，且 $\lim\limits_{n\to\infty}a_n=0$，$\lim\limits_{n\to\infty}b_n=1$，$\lim\limits_{n\to\infty}c_n=\infty$. 下列陈述中哪些是对的，哪些是错的？ 如果是对的，说明理由；如果是错的，试给出一个反例.

(1) $a_n<b_n$，$n\in\mathbf{N}^+$；　　　　(2) $b_n<c_n$，$n\in\mathbf{N}^+$；

(3) $\lim\limits_{n\to\infty}a_nc_n$ 不存在；　　　　(4) $\lim\limits_{n\to\infty}b_nc_n$ 不存在.

解 (1) 错. 例如 $a_n=\dfrac{1}{n}$，$b_n=\dfrac{n}{n+1}$，$n\in\mathbf{N}^+$，当 $n=1$ 时，$a_1=1>\dfrac{1}{2}=b_1$，故对任意 $n\in\mathbf{N}^+$ $a_n<b_n$ 不成立.

(2) 错. 例如 $b_n=\dfrac{n}{n+1}$，$c_n=(-1)^n n$，$n\in\mathbf{N}^+$. 当 n 为奇数时，$b_n<c_n$ 不成立.

(3) 错. 例如 $a_n=\dfrac{1}{n^2}$，$c_n=n$，$n\in\mathbf{N}^+$. $\lim\limits_{n\to\infty}a_nc_n=0$.

(4) 对. 因为，若 $\lim\limits_{n\to\infty}b_nc_n$ 存在，则 $\lim\limits_{n\to\infty}c_n=\lim\limits_{n\to\infty}(b_nc_n)\cdot\lim\limits_{n\to\infty}\dfrac{1}{b_n}$ 也存在，与已知条件矛盾。

5. 下列陈述中，哪些是对的，哪些是错的？ 如果是对的，说明理由；如果是错的，试给出一个反例.

(1) 如果 $\lim\limits_{x\to x_0}f(x)$ 存在，但 $\lim\limits_{x\to x_0}g(x)$ 不存在，那么 $\lim\limits_{x\to x_0}[f(x)+g(x)]$ 不存在；

(2) 如果 $\lim\limits_{x\to x_0}f(x)$ 和 $\lim\limits_{x\to x_0}g(x)$ 都不存在，那么 $\lim\limits_{x\to x_0}[f(x)+g(x)]$ 不存在；

(3) 如果 $\lim\limits_{x\to x_0}f(x)$ 存在，但 $\lim\limits_{x\to x_0}g(x)$ 不存在，那么 $\lim\limits_{x\to x_0}[f(x)\cdot g(x)]$ 不存在.

解 (1) 对. 因为，若 $\lim\limits_{x\to x_0}[f(x)+g(x)]$ 存在，则 $\lim\limits_{x\to x_0}g(x)=\lim\limits_{x\to x_0}[f(x)+g(x)]-\lim\limits_{x\to x_0}f(x)$ 也存在，与已知条件矛盾.

(2) 错. 例如 $f(x)=\mathrm{sgn}x$，$g(x)=-\mathrm{sgn}x$ 在 $x\to0$ 时的极限都不存在，但 $f(x)+g(x)\equiv0$ 在 $x\to0$ 时的极限存在.

(3) 错. 例如 $\lim\limits_{x\to0}x=0$，$\lim\limits_{x\to0}\sin\dfrac{1}{x}$ 不存在，但 $\lim\limits_{x\to0}x\sin\dfrac{1}{x}=0$.

6. 证明本节定理 3 中的 (2).

定理3 (2) 如果 $\lim f(x)=A$，$\lim g(x)=B$，那么
$$\lim\,[f(x)\cdot g(x)]=\lim f(x)\cdot\lim g(x)=A\cdot B.$$

证 因 $\lim f(x)=A$，$\lim g(x)=B$，由上节定理 1，有

$f(x)=A+\alpha$，$g(x)=B+\beta$，其中 α、β 都是无穷小，于是
$$f(x)g(x)=(A+\alpha)(B+\beta)=AB+(A\beta+B\alpha+\alpha\beta),$$
由本节定理 2 推论 1、2，$A\beta$、$B\alpha$、$\alpha\beta$ 都是无穷小，再由本节定理 1，$(A\alpha+B\beta+\alpha\beta)$ 也是无穷小，由上节定理 1，得
$$\lim f(x)g(x)=AB=\lim f(x)\cdot\lim g(x).$$

1. 计算下列极限:

(1) $\lim\limits_{x \to 0} \dfrac{\sin \omega x}{x}$;

(2) $\lim\limits_{x \to 0} \dfrac{\tan 3x}{x}$;

(3) $\lim\limits_{x \to 0} \dfrac{\sin 2x}{\sin 5x}$;

(4) $\lim\limits_{x \to 0} x \cot x$;

(5) $\lim\limits_{x \to 0} \dfrac{1 - \cos 2x}{x \sin x}$;

(6) $\lim\limits_{n \to \infty} 2^n \sin \dfrac{x}{2^n}$ (x 为不等于零的常数).

解 (1) 当 $\omega \neq 0$ 时,

$$\lim_{x \to 0} \frac{\sin \omega x}{x} = \lim_{x \to 0} \left(\omega \cdot \frac{\sin \omega x}{\omega x} \right) = \omega \lim_{x \to 0} \frac{\sin \omega x}{\omega x} = \omega;$$

当 $\omega = 0$ 时,

$$\lim_{x \to 0} \frac{\sin \omega x}{x} = 0 = \omega,$$

故不论 ω 为何值,均有 $\lim\limits_{x \to 0} \dfrac{\sin \omega x}{x} = \omega$.

(2) $\lim\limits_{x \to 0} \dfrac{\tan 3x}{x} = \lim\limits_{x \to 0} \left(3 \cdot \dfrac{\tan 3x}{3x} \right) = 3 \lim\limits_{x \to 0} \dfrac{\tan 3x}{3x} = 3.$

(3) $\lim\limits_{x \to 0} \dfrac{\sin 2x}{\sin 5x} = \lim\limits_{x \to 0} \left(\dfrac{\sin 2x}{2x} \cdot \dfrac{5x}{\sin 5x} \cdot \dfrac{2}{5} \right) = \dfrac{2}{5} \lim\limits_{x \to 0} \dfrac{\sin 2x}{2x} \cdot \lim\limits_{x \to 0} \dfrac{5x}{\sin 5x} = \dfrac{2}{5}.$

(4) $\lim\limits_{x \to 0} x \cot x = \lim\limits_{x \to 0} \left(\dfrac{x}{\sin x} \cdot \cos x \right) = \lim\limits_{x \to 0} \dfrac{x}{\sin x} \cdot \lim\limits_{x \to 0} \cos x = 1.$

(5) $\lim\limits_{x \to 0} \dfrac{1 - \cos 2x}{x \sin x} = \lim\limits_{x \to 0} \dfrac{2 \sin^2 x}{x \sin x} = 2 \lim\limits_{x \to 0} \dfrac{\sin x}{x} = 2.$

(6) $\lim\limits_{n \to \infty} 2^n \sin \dfrac{x}{2^n} = \lim\limits_{n \to \infty} \left(\dfrac{\sin \dfrac{x}{2^n}}{\dfrac{x}{2^n}} \cdot x \right) = x.$

2. 计算下列极限:

(1) $\lim\limits_{x \to 0} (1 - x)^{\frac{1}{x}}$;

(2) $\lim\limits_{x \to 0} (1 + 2x)^{\frac{1}{x}}$;

(3) $\lim\limits_{x \to \infty} \left(\dfrac{1 + x}{x} \right)^{2x}$;

(4) $\lim\limits_{x \to \infty} \left(1 - \dfrac{1}{x} \right)^{kx}$ (k 为正整数).

解 (1) $\lim\limits_{x \to 0} (1 - x)^{\frac{1}{x}} = \lim\limits_{x \to 0} [1 + (-x)]^{\frac{1}{(-x)}(-1)} = e^{-1}.$

(2) $\lim\limits_{x \to 0} (1 + 2x)^{\frac{1}{x}} = \lim\limits_{x \to 0} [(1 + 2x)^{\frac{1}{2x}}]^2 = e^2.$

(3) $\lim\limits_{x \to \infty} \left(\dfrac{1 + x}{x} \right)^{2x} = \lim\limits_{x \to \infty} \left[\left(1 + \dfrac{1}{x} \right)^x \right]^2 = e^2.$

(4) $\lim\limits_{x\to\infty}\left(1-\dfrac{1}{x}\right)^{kx}=\lim\limits_{x\to\infty}\left[1+\dfrac{1}{(-x)}\right]^{(-x)(-k)}=\mathrm{e}^{-k}.$

*3. 根据函数极限的定义,证明极限存在的准则 I′.

准则 I′ 如果(1) $g(x)\leqslant f(x)\leqslant h(x),x\in\mathring{U}(x_0,r),$

(2) $\lim\limits_{x\to x_0}g(x)=A,\lim\limits_{x\to x_0}h(x)=A,$

那么 $\lim\limits_{x\to x_0}f(x)$ 存在,且等于 $A.$

证 $\forall\varepsilon>0,$ 因 $\lim\limits_{x\to x_0}g(x)=A,$ 故 $\exists\delta_1>0,$ 当 $0<|x-x_0|<\delta_1$ 时,有 $|g(x)-A|<\varepsilon,$ 即

$$A-\varepsilon<g(x)<A+\varepsilon, \tag{3}$$

又因 $\lim\limits_{x\to x_0}h(x)=A,$ 故对上面的 $\varepsilon>0,\exists\delta_2>0,$ 当 $0<|x-x_0|<\delta_2$ 时,有 $|h(x)-A|<\varepsilon,$ 即

$$A-\varepsilon<h(x)<A+\varepsilon. \tag{4}$$

取 $\delta=\min\{\delta_1,\delta_2,r\},$ 则当 $0<|x-x_0|<\delta$ 时,假设(1)及关系式(3)、(4)同时成立,从而有

$$A-\varepsilon<g(x)\leqslant f(x)\leqslant h(x)<A+\varepsilon,$$

即有 $|f(x)-A|<\varepsilon.$ 因此 $\lim\limits_{x\to x_0}f(x)$ 存在,且等于 $A.$

注 对于 $x\to\infty$ 的情形,利用极限 $\lim\limits_{x\to\infty}f(x)=A$ 的定义及假设条件,可以类似地证明相应的准则 I′.

4. 利用极限存在准则证明:

(1) $\lim\limits_{n\to\infty}\sqrt{1+\dfrac{1}{n}}=1;$

(2) $\lim\limits_{n\to\infty}n\left(\dfrac{1}{n^2+\pi}+\dfrac{1}{n^2+2\pi}+\cdots+\dfrac{1}{n^2+n\pi}\right)=1;$

(3) 数列 $\sqrt{2},\sqrt{2+\sqrt{2}},\sqrt{2+\sqrt{2+\sqrt{2}}},\cdots$ 的极限存在;

(4) $\lim\limits_{x\to0}\sqrt[n]{1+x}=1;$

(5) $\lim\limits_{x\to0^+}x\left[\dfrac{1}{x}\right]=1.$

证 (1) 因 $1<\sqrt{1+\dfrac{1}{n}}<1+\dfrac{1}{n},$ 而 $\lim\limits_{n\to\infty}1=1,\lim\limits_{n\to\infty}\left(1+\dfrac{1}{n}\right)=1,$ 由夹逼准则,即得证.

(2) 因 $\dfrac{n}{n+\pi}\leqslant n\left(\dfrac{1}{n^2+\pi}+\dfrac{1}{n^2+2\pi}+\cdots+\dfrac{1}{n^2+n\pi}\right)\leqslant\dfrac{n^2}{n^2+\pi},$ 而 $\lim\limits_{n\to\infty}\dfrac{n}{n+\pi}=1,\lim\limits_{n\to\infty}\dfrac{n^2}{n^2+\pi}=1,$ 由夹逼准则,即得证.

（3）$x_{n+1}=\sqrt{2+x_n}(n\in\mathbf{N}^+),x_1=\sqrt{2}$.

先证数列$\{x_n\}$有界：

$n=1$时，$x_1=\sqrt{2}<2$；假定$n=k$时，$x_k<2$.

当$n=k+1$时，$x_{k+1}=\sqrt{2+x_k}<\sqrt{2+2}=2$，故$x_n<2(n\in\mathbf{N}^+)$.

再证数列$\{x_n\}$单调增加：

因 $x_{n+1}-x_n=\sqrt{2+x_n}-x_n=\dfrac{2+x_n-x_n^2}{\sqrt{2+x_n}+x_n}=-\dfrac{(x_n-2)(x_n+1)}{\sqrt{2+x_n}+x_n}$,

由$0<x_n<2$，得$x_{n+1}-x_n>0$，即$x_{n+1}>x_n(n\in\mathbf{N}^+)$.

由单调有界准则，即知$\lim\limits_{n\to\infty}x_n$存在. 记$\lim\limits_{n\to\infty}x_n=a$. 由$x_{n+1}=\sqrt{2+x_n}$，得$x_{n+1}^2=2+x_n$.

上式两端同时取极限：$\quad\lim\limits_{n\to\infty}x_{n+1}^2=\lim\limits_{n\to\infty}(2+x_n)$,

得 $\quad a^2=2+a\ \Rightarrow\ a^2-a-2=0\Rightarrow a_1=2,a_2=-1$（舍去）.

即$\lim\limits_{n\to\infty}x_n=2$.

注 本题的求解过程分成两步，第一步是证明数列$\{x_n\}$单调有界，从而保证数列的极限存在；第二步是在递推公式两端同时取极限，得出一个含有极限值a的方程，再通过解方程求得极限值a. **注意**：只有在证明数列极限存在的前提下，才能采用第二步的方法求得极限值. 否则，直接利用第二步，有时会导出错误的结果.

（4）当$x>0$时，$\qquad 1<\sqrt[n]{1+x}<1+x$;

当$-1<x<0$时，$\qquad 1+x<\sqrt[n]{1+x}<1$.

而$\lim\limits_{x\to0}1=1,\lim\limits_{x\to0}(1+x)=1$. 由夹逼准则，即得证.

（5）当$x>0$时，$1-x<x\left[\dfrac{1}{x}\right]\leqslant1$. 而$\lim\limits_{x\to0^+}(1-x)=1,\lim\limits_{x\to0^+}1=1$. 由夹逼准则，即得证.

习题 1-7　无穷小的比较

1. 当$x\to0$时，$2x-x^2$与x^2-x^3相比，哪一个是高阶无穷小？

解 因为$\lim\limits_{x\to0}(2x-x^2)=0,\lim\limits_{x\to0}(x^2-x^3)=0$,

$$\lim\limits_{x\to0}\dfrac{x^2-x^3}{2x-x^2}=\lim\limits_{x\to0}\dfrac{x-x^2}{2-x}=0,$$

所以当$x\to0$时，x^2-x^3是比$2x-x^2$高阶的无穷小.

2. 当$x\to1$时，无穷小$1-x$和(1)$1-x^3$,(2)$\dfrac{1}{2}(1-x^2)$是否同阶？是否等价？

解 (1) $\dfrac{1-x}{1-x^3}=\dfrac{1-x}{(1-x)(1+x+x^2)}=\dfrac{1}{1+x+x^2}\to\dfrac{1}{3}(x\to1)$，同阶，不等价.

(2) $\dfrac{1-x}{\frac{1}{2}(1-x^2)}=\dfrac{1-x}{\frac{1}{2}(1-x)(1+x)}=\dfrac{2}{1+x}\to1(x\to1)$，同阶，等价.

3. 证明：当 $x\to0$ 时，有

(1) $\arctan x\sim x$;   (2) $\sec x-1\sim\dfrac{x^2}{2}$.

证 (1) 令 $x=\tan t$，即 $t=\arctan x$，当 $x\to0$ 时，$t\to0$.

因为
$$\lim_{x\to0}\frac{\arctan x}{x}=\lim_{t\to0}\frac{t}{\tan t}=1,$$

所以
$$\arctan x\sim x\quad(x\to0).$$

(2) 因为 $\displaystyle\lim_{x\to0}\frac{\sec x-1}{\frac{x^2}{2}}=\lim_{x\to0}\left(\frac{1-\cos x}{\frac{x^2}{2}}\cdot\frac{1}{\cos x}\right)=\lim_{x\to0}\left(\frac{2\sin^2\frac{x}{2}}{\frac{x^2}{2}}\cdot\frac{1}{\cos x}\right)$

$$=\lim_{x\to0}\frac{\sin^2\frac{x}{2}}{\left(\frac{x}{2}\right)^2}\cdot\lim_{x\to0}\frac{1}{\cos x}=1,$$

所以
$$\sec x-1\sim\frac{x^2}{2}(x\to0).$$

4. 利用等价无穷小的性质，求下列极限：

(1) $\displaystyle\lim_{x\to0}\frac{\tan 3x}{2x}$;   (2) $\displaystyle\lim_{x\to0}\frac{\sin(x^n)}{(\sin x)^m}$（$n$、$m$ 为正整数）;

(3) $\displaystyle\lim_{x\to0}\frac{\tan x-\sin x}{\sin^3 x}$;   (4) $\displaystyle\lim_{x\to0}\frac{\sin x-\tan x}{(\sqrt[3]{1+x^2}-1)(\sqrt{1+\sin x}-1)}$.

解 (1) $\displaystyle\lim_{x\to0}\frac{\tan 3x}{2x}=\lim_{x\to0}\frac{3x}{2x}=\frac{3}{2}$.

(2) $\displaystyle\lim_{x\to0}\frac{\sin(x^n)}{(\sin x)^m}=\lim_{x\to0}\frac{x^n}{x^m}=\begin{cases}0,&n>m,\\1,&n=m,\\\infty,&n<m.\end{cases}$

(3) $\displaystyle\lim_{x\to0}\frac{\tan x-\sin x}{\sin^3 x}=\lim_{x\to0}\frac{\sec x-1}{\sin^2 x}=\lim_{x\to0}\frac{\frac{x^2}{2}}{x^2}=\frac{1}{2}$.

注 在作等价无穷小的代换求极限时，可以对分子或分母中的一个或若干个因子作代换，但不能对分子或分母中的某个加项作代换. 例如，本题中若将分子中的 $\tan x$、$\sin x$ 均换成 x，那么分子成为 0，得出极限为 0，这就导致错误的结果.

(4) $\lim\limits_{x\to 0}\dfrac{\sin x-\tan x}{(\sqrt[3]{1+x^2}-1)(\sqrt{1+\sin x}-1)}=\lim\limits_{x\to 0}\dfrac{\sin x(1-\sec x)}{\dfrac{1}{3}x^2\cdot\dfrac{1}{2}\sin x}$

$$=\lim\limits_{x\to 0}\dfrac{-\dfrac{1}{2}x^2}{\dfrac{1}{6}x^2}=-3.$$

5. 证明无穷小的等价关系具有下列性质:

(1) $\alpha\sim\alpha$(自反性);

(2) 若 $\alpha\sim\beta$,则 $\beta\sim\alpha$(对称性);

(3) 若 $\alpha\sim\beta,\beta\sim\gamma$,则 $\alpha\sim\gamma$(传递性).

证 (1) 因为 $\lim\dfrac{\alpha}{\alpha}=1$,所以 $\alpha\sim\alpha$;

(2) 因为 $\alpha\sim\beta$,即 $\lim\dfrac{\alpha}{\beta}=1$,所以 $\lim\dfrac{\beta}{\alpha}=1$,即 $\beta\sim\alpha$;

(3) 因为 $\alpha\sim\beta,\beta\sim\gamma$,即 $\lim\dfrac{\alpha}{\beta}=1,\lim\dfrac{\beta}{\gamma}=1$,所以

$$\lim\dfrac{\alpha}{\gamma}=\lim\left(\dfrac{\alpha}{\beta}\cdot\dfrac{\beta}{\gamma}\right)=\lim\dfrac{\alpha}{\beta}\cdot\lim\dfrac{\beta}{\gamma}=1,即 \alpha\sim\gamma.$$

习题 1-8　函数的连续性与间断点

1. 设 $y=f(x)$ 的图形如图 1-8 所示,试指出 $f(x)$ 的全部间断点,并对可去间断点补充或修改函数值的定义,使它成为连续点.

解 $x=-1,0,1,2,3$ 均为 $f(x)$ 的间断点,除 $x=0$ 外它们均为 $f(x)$ 的可去间断点. 补充定义 $f(-1)=f(2)=f(3)=0$,修改定义使 $f(1)=2$,则它们均成为 $f(x)$ 的连续点.

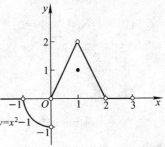

图 1-8

2. 研究下列函数的连续性,并画出函数的图形:

(1) $f(x)=\begin{cases}x^2, & 0\leqslant x\leqslant 1,\\ 2-x, & 1<x\leqslant 2;\end{cases}$

(2) $f(x)=\begin{cases}x, & -1\leqslant x\leqslant 1,\\ 1, & x<-1 \text{ 或 } x>1.\end{cases}$

解 (1) $f(x)$ 在 $[0,1)$ 及 $(1,2]$ 内连续,在 $x=1$ 处,

$$\lim\limits_{x\to 1^-}f(x)=\lim\limits_{x\to 1^-}x^2=1,\ \lim\limits_{x\to 1^+}f(x)=\lim\limits_{x\to 1^+}(2-x)=1,\ \text{又 } f(1)=1,$$

故 $f(x)$ 在 $x=1$ 处连续,因此 $f(x)$ 在 $[0,2]$ 上连续,函数的图形如图 1-9 所示.

(2) $f(x)$ 在 $(-\infty,-1)$ 与 $(-1,+\infty)$ 内连续,在 $x=-1$ 处间断,但右连续,因为在 $x=-1$ 处

$$\lim_{x\to-1^+}f(x)=\lim_{x\to-1^+}x=-1,\quad f(-1)=-1,$$

但

$$\lim_{x\to-1^-}f(x)=\lim_{x\to-1^-}1=1,$$

即

$$\lim_{x\to-1^+}f(x)\neq\lim_{x\to-1^-}f(x).$$

函数的图形如图 1-10 所示.

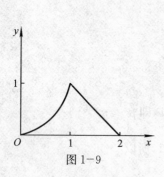

图 1-9

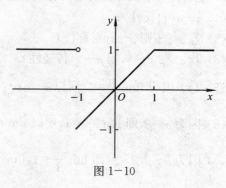

图 1-10

3. 下列函数在指出的点处间断,说明这些间断点属于哪一类. 如果是可去间断点,则补充或改变函数的定义使它连续:

(1) $y=\dfrac{x^2-1}{x^2-3x+2}$,$x=1$,$x=2$;

(2) $y=\dfrac{x}{\tan x}$,$x=k\pi$,$x=k\pi+\dfrac{\pi}{2}$($k=0,\pm1,\pm2,\cdots$);

(3) $y=\cos^2\dfrac{1}{x}$,$x=0$;

(4) $y=\begin{cases}x-1, & x\leqslant1,\\ 3-x, & x>1,\end{cases}$ $x=1$.

解 (1) 对 $x=1$,因为 $f(1)$ 无定义,但

$$\lim_{x\to1}\frac{x^2-1}{x^2-3x+2}=\lim_{x\to1}\frac{(x-1)(x+1)}{(x-2)(x-1)}=\lim_{x\to1}\frac{x+1}{x-2}=-2,$$

所以,$x=1$ 为第一类间断点(可去间断点),重新定义函数:

$$f_1(x)=\begin{cases}\dfrac{x^2-1}{x^2-3x+2}, & x\neq1,2,\\ -2, & x=1,\end{cases}$$

则 $f_1(x)$ 在 $x=1$ 处连续.

因为 $\lim\limits_{x\to2}f(x)=\infty$,所以 $x=2$ 为第二类间断点(无穷间断点).

(2) 对 $x=0$,因为 $f(0)$ 无定义,$\lim\limits_{x\to0}\dfrac{x}{\tan x}=\lim\limits_{x\to0}\dfrac{x}{x}=1$,所以 $x=0$ 为第一类间

断点(可去间断点),重新定义函数:

$$f_1(x)=\begin{cases} \dfrac{x}{\tan x}, & x\neq k\pi, k\pi+\dfrac{\pi}{2}, \\ 1, & x=0 \end{cases} \quad (k\in \mathbf{Z}),$$

则 $f_1(x)$ 在 $x=0$ 处连续.

对 $x=k\pi$ $(k=\pm 1,\pm 2,\cdots)$,因为 $\lim\limits_{x\to k\pi}\dfrac{x}{\tan x}=\infty$,

所以 $x=k\pi(k=\pm 1,\pm 2,\cdots)$ 为第二类间断点(无穷间断点).

对 $x=k\pi+\dfrac{\pi}{2}(k\in \mathbf{Z})$,因为 $\lim\limits_{x\to k\pi+\frac{\pi}{2}}\dfrac{x}{\tan x}=0$,而函数在 $k\pi+\dfrac{\pi}{2}$ 处无定义,所

以 $x=k\pi+\dfrac{\pi}{2}(k\in \mathbf{Z})$ 为第一类间断点(可去间断点),重新定义函数:

$$f_2(x)=\begin{cases} \dfrac{x}{\tan x}, & x\neq k\pi, k\pi+\dfrac{\pi}{2}, \\ 0, & x=k\pi+\dfrac{\pi}{2} \end{cases} \quad (k\in \mathbf{Z}),$$

则 $f_2(x)$ 在 $x=k\pi+\dfrac{\pi}{2}(k\in \mathbf{Z})$ 处连续.

(3) 对 $x=0$,因为 $\lim\limits_{x\to 0^+}\cos^2\dfrac{1}{x}$ 及 $\lim\limits_{x\to 0^-}\cos^2\dfrac{1}{x}$ 均不存在,所以 $x=0$ 为第二类间断点.

(4) 对 $x=1$,因为 $\lim\limits_{x\to 1^+}f(x)=\lim\limits_{x\to 1^+}(3-x)=2$,$\lim\limits_{x\to 1^-}f(x)=\lim\limits_{x\to 1^-}(x-1)=0$,

即左、右极限存在,但不相等,所以 $x=1$ 为第一类间断点(跳跃间断点).

注 在讨论分段函数的连续性时,在函数的分段点处,必须分别考虑函数的左连续性和右连续性,只有函数在该点既左连续,又右连续,才能得出函数在该点连续.

4. 讨论函数 $f(x)=\lim\limits_{n\to \infty}\dfrac{1-x^{2n}}{1+x^{2n}}x$ 的连续性,若有间断点,判别其类型.

解

$$f(x)=\lim\limits_{n\to \infty}\dfrac{1-x^{2n}}{1+x^{2n}}x=\begin{cases} -x, & \text{当}\ |x|>1, \\ 0, & \text{当}\ |x|=1, \\ x, & \text{当}\ |x|<1. \end{cases}$$

在分段点 $x=-1$ 处,因为

$$\lim\limits_{x\to -1^-}f(x)=\lim\limits_{x\to -1^-}(-x)=1,$$
$$\lim\limits_{x\to -1^+}f(x)=\lim\limits_{x\to -1^+}x=-1,$$
$$\lim\limits_{x\to -1^-}f(x)\neq \lim\limits_{x\to -1^+}f(x),$$

所以 $x=-1$ 为第一类间断点(跳跃间断点).

在分段点 $x=1$ 处,因为

$$\lim_{x \to 1^-} f(x) = \lim_{x \to 1^-} x = 1,$$

$$\lim_{x \to 1^+} f(x) = \lim_{x \to 1^+} (-x) = -1,$$

$$\lim_{x \to 1^-} f(x) \neq \lim_{x \to 1^+} f(x),$$

所以 $x=1$ 为第一类间断点(跳跃间断点).

5. 下列陈述中,哪些是对的,哪些是错的? 如果是对的,说明理由;如果是错的,试给出一个反例.

(1) 如果函数 $f(x)$ 在 a 连续,那么 $|f(x)|$ 也在 a 连续;

(2) 如果函数 $|f(x)|$ 在 a 连续,那么 $f(x)$ 也在 a 连续.

解 (1) 对. 因为

$$||f(x)|-|a|| \leqslant |f(x)-a| \to 0 (x \to a),$$

所以 $|f(x)|$ 也在 a 连续.

(2) 错. 例如

$$f(x) = \begin{cases} 1, x \geqslant 0, \\ -1, x < 0, \end{cases}$$

则 $|f(x)|$ 在 $a=0$ 处连续,而 $f(x)$ 在 $a=0$ 处不连续.

*6. 证明:若函数 $f(x)$ 在点 x_0 连续且 $f(x_0) \neq 0$,则存在 x_0 的某一邻域 $U(x_0)$,当 $x \in U(x_0)$ 时,$f(x) \neq 0$.

证 若 $f(x_0) > 0$,因为 $f(x)$ 在 x_0 连续,所以取 $\varepsilon = \frac{1}{2} f(x_0) > 0$,$\exists \delta > 0$,当 $x \in U(x_0, \delta)$ 时,有 $|f(x) - f(x_0)| < \frac{1}{2} f(x_0)$,即

$$0 < \frac{1}{2} f(x_0) < f(x) < \frac{3}{2} f(x_0);$$

若 $f(x_0) < 0$,因为 $f(x)$ 在 x_0 连续,所以取 $\varepsilon = -\frac{1}{2} f(x_0) > 0$,$\exists \delta > 0$,当 $x \in U(x_0, \delta)$ 时,有 $|f(x) - f(x_0)| < -\frac{1}{2} f(x_0)$,即

$$\frac{3}{2} f(x_0) < f(x) < \frac{1}{2} f(x_0) < 0.$$

因此,不论 $f(x_0) > 0$ 或 $f(x_0) < 0$,总存在 x_0 的某一邻域 $U(x_0)$,当 $x \in U(x_0)$ 时,$f(x) \neq 0$.

*7. 设

$$f(x) = \begin{cases} x, x \in \mathbf{Q}, \\ 0, x \in \mathbf{Q}^c, \end{cases}$$

证明:(1) $f(x)$ 在 $x = 0$ 连续;

(2) $f(x)$ 在非零的 x 处都不连续.

证 (1) $\forall \varepsilon > 0$,取 $\delta = \varepsilon$,则当 $|x-0| = |x| < \delta$ 时,

$$|f(x) - f(0)| = |f(x)| \leqslant |x| < \varepsilon,$$

故 $\lim\limits_{x \to 0} f(x) = f(0)$,即 $f(x)$ 在 $x = 0$ 连续.

(2) 我们证明:$\forall x_0 \neq 0$,$f(x)$ 在 x_0 不连续.

若 $x_0 = r \neq 0$,$r \in \mathbf{Q}$,则 $f(x_0) = f(r) = r$.

分别取一有理数列 $\{r_n\}: r_n \to r (n \to \infty)$,$r_n \neq r$;取一无理数列 $\{s_n\}: s_n \to r (n \to \infty)$,则

$$\lim\limits_{n \to \infty} f(r_n) = \lim\limits_{n \to \infty} r_n = r, \lim\limits_{n \to \infty} f(s_n) = \lim\limits_{n \to \infty} 0 = 0,$$

而 $r \neq 0$,由函数极限与数列极限的关系知 $\lim\limits_{x \to r} f(x)$ 不存在,故 $f(x)$ 在 r 处不连续.

若 $x_0 = s$,$s \in \mathbf{Q}^C$.同理可证:$f(x_0) = f(s) = 0$,但 $\lim\limits_{x \to s} f(x)$ 不存在,故 $f(x)$ 在 s 处不连续.

*8. 试举出具有以下性质的函数 $f(x)$ 的例子:

$x = 0, \pm 1, \pm 2, \pm \dfrac{1}{2}, \cdots, \pm n, \pm \dfrac{1}{n}, \cdots$ 是 $f(x)$ 的所有间断点,且它们都是无穷间断点;

解 设 $f(x) = \cot(\pi x) + \cot \dfrac{\pi}{x}$,显然 $f(x)$ 具有所要求的性质.

习题 1-9 连续函数的运算与初等函数的连续性

1. 求函数 $f(x) = \dfrac{x^3 + 3x^2 - x - 3}{x^2 + x - 6}$ 的连续区间,并求极限 $\lim\limits_{x \to 0} f(x)$,$\lim\limits_{x \to -3} f(x)$ 及 $\lim\limits_{x \to 2} f(x)$.

解 $f(x)$ 在 $x_1 = -3$,$x_2 = 2$ 处无意义,所以这两个点为间断点,此外函数到处连续,连续区间为 $(-\infty, -3)$,$(-3, 2)$,$(2, +\infty)$.

因为 $f(x) = \dfrac{x^3 + 3x^2 - x - 3}{x^2 + x - 6} = \dfrac{(x^2-1)(x+3)}{(x+3)(x-2)} = \dfrac{x^2-1}{x-2}$,

所以 $\lim\limits_{x \to 0} f(x) = \dfrac{1}{2}$,$\lim\limits_{x \to -3} f(x) = -\dfrac{8}{5}$,$\lim\limits_{x \to 2} f(x) = \infty$.

2. 设函数 $f(x)$ 与 $g(x)$ 在点 x_0 连续,证明函数

$$\varphi(x) = \max\{f(x), g(x)\}, \psi(x) = \min\{f(x), g(x)\}$$

在点 x_0 也连续.

证 $\varphi(x) = \max\{f(x), g(x)\} = \dfrac{1}{2}[f(x) + g(x) + |f(x) - g(x)|]$,

$$\psi(x)=\min\{f(x),g(x)\}=\frac{1}{2}\bigl[f(x)+g(x)-|f(x)-g(x)|\bigr].$$

又,若 $f(x)$ 在点 x_0 连续,则 $|f(x)|$ 在点 x_0 也连续;连续函数的和、差仍连续,故 $\varphi(x)$、$\psi(x)$ 在点 x_0 也连续.

3. 求下列极限:

(1) $\lim\limits_{x\to 0}\sqrt{x^2-2x+5}$;

(2) $\lim\limits_{\alpha\to\frac{\pi}{4}}(\sin 2\alpha)^3$;

(3) $\lim\limits_{x\to\frac{\pi}{6}}\ln(2\cos 2x)$;

(4) $\lim\limits_{x\to 0}\dfrac{\sqrt{x+1}-1}{x}$;

(5) $\lim\limits_{x\to 1}\dfrac{\sqrt{5x-4}-\sqrt{x}}{x-1}$;

(6) $\lim\limits_{x\to\alpha}\dfrac{\sin x-\sin\alpha}{x-\alpha}$;

(7) $\lim\limits_{x\to+\infty}(\sqrt{x^2+x}-\sqrt{x^2-x})$.

解 (1) $\lim\limits_{x\to 0}\sqrt{x^2-2x+5}=\sqrt{\lim\limits_{x\to 0}(x^2-2x+5)}=\sqrt{5}$.

(2) $\lim\limits_{\alpha\to\frac{\pi}{4}}(\sin 2\alpha)^3=(\lim\limits_{\alpha\to\frac{\pi}{4}}\sin 2\alpha)^3=\left(\sin\dfrac{\pi}{2}\right)^3=1$.

(3) $\lim\limits_{x\to\frac{\pi}{6}}\ln(2\cos 2x)=\ln(\lim\limits_{x\to\frac{\pi}{6}}2\cos 2x)=\ln\left(2\cos\dfrac{\pi}{3}\right)=\ln 1=0$.

(4) $\lim\limits_{x\to 0}\dfrac{\sqrt{x+1}-1}{x}=\lim\limits_{x\to 0}\dfrac{1}{\sqrt{x+1}+1}=\dfrac{1}{2}$.

(5) $\lim\limits_{x\to 1}\dfrac{\sqrt{5x-4}-\sqrt{x}}{x-1}=\lim\limits_{x\to 1}\dfrac{4}{\sqrt{5x-4}+\sqrt{x}}=2$.

(6) $\lim\limits_{x\to\alpha}\dfrac{\sin x-\sin\alpha}{x-\alpha}=\lim\limits_{x\to\alpha}\dfrac{2\sin\dfrac{x-\alpha}{2}\cos\dfrac{x+\alpha}{2}}{x-\alpha}$

$$=\lim\limits_{x\to\alpha}\dfrac{\sin\dfrac{x-\alpha}{2}}{\dfrac{x-\alpha}{2}}\cdot\lim\limits_{x\to\alpha}\cos\dfrac{x+\alpha}{2}=\cos\alpha.$$

(7) $\lim\limits_{x\to+\infty}(\sqrt{x^2+x}-\sqrt{x^2-x})=\lim\limits_{x\to+\infty}\dfrac{2x}{\sqrt{x^2+x}+\sqrt{x^2-x}}$

$$=\lim\limits_{x\to+\infty}\dfrac{2}{\sqrt{1+\dfrac{1}{x}}+\sqrt{1-\dfrac{1}{x}}}=1.$$

注 本题及下一题求极限中,采用了以下几种常用的方法:

(1) 利用极限运算法则;

(2) 利用复合函数的连续性,将函数符号与极限号交换次序;

（3）利用一些初等方法：因式分解，分子或分母有理化，分子分母同乘或除以一个不为零的因子，消去分母中趋于零的因子等；

（4）利用重要极限以及它们的变形；

（5）利用等价无穷小替代.

4. 求下列极限：

（1）$\lim\limits_{x \to \infty} e^{\frac{1}{x}}$；

（2）$\lim\limits_{x \to 0} \ln \dfrac{\sin x}{x}$；

（3）$\lim\limits_{x \to \infty} \left(1+\dfrac{1}{x}\right)^{\frac{x}{2}}$；

（4）$\lim\limits_{x \to 0} (1+3\tan^2 x)^{\cot^2 x}$；

（5）$\lim\limits_{x \to \infty} \left(\dfrac{3+x}{6+x}\right)^{\frac{x-1}{2}}$；

（6）$\lim\limits_{x \to 0} \dfrac{\sqrt{1+\tan x}-\sqrt{1+\sin x}}{x\sqrt{1+\sin^2 x}-x}$.

解　（1）$\lim\limits_{x \to \infty} e^{\frac{1}{x}} = e^{\lim\limits_{x \to \infty} \frac{1}{x}} = e^0 = 1.$

（2）$\lim\limits_{x \to 0} \ln \dfrac{\sin x}{x} = \ln \left(\lim\limits_{x \to 0} \dfrac{\sin x}{x}\right) = \ln 1 = 0.$

（3）$\lim\limits_{x \to \infty} \left(1+\dfrac{1}{x}\right)^{\frac{x}{2}} = \lim\limits_{x \to \infty} \left[\left(1+\dfrac{1}{x}\right)^{x}\right]^{\frac{1}{2}} = e^{\frac{1}{2}} = \sqrt{e}.$

（4）$\lim\limits_{x \to 0} (1+3\tan^2 x)^{\cot^2 x} = \lim\limits_{x \to 0} \left[(1+3\tan^2 x)^{\frac{1}{3}\cot^2 x}\right]^3 = e^3.$

（5）$\lim\limits_{x \to \infty} \left(\dfrac{3+x}{6+x}\right)^{\frac{x-1}{2}} = \lim\limits_{x \to \infty} \left[\left(1-\dfrac{3}{6+x}\right)^{-\frac{6+x}{3}}\right]^{-\frac{3}{2}} \cdot \lim\limits_{x \to \infty} \left(1-\dfrac{3}{6+x}\right)^{-\frac{7}{2}} = e^{-\frac{3}{2}}.$

（6）$\lim\limits_{x \to 0} \dfrac{\sqrt{1+\tan x}-\sqrt{1+\sin x}}{x\sqrt{1+\sin^2 x}-x} = \lim\limits_{x \to 0} \dfrac{\tan x-\sin x}{x(\sqrt{1+\sin^2 x}-1)(\sqrt{1+\tan x}+\sqrt{1+\sin x})}$

$= \lim\limits_{x \to 0} \left(\dfrac{\sin x}{x} \cdot \dfrac{\sec x-1}{\sqrt{1+\sin^2 x}-1} \cdot \dfrac{1}{\sqrt{1+\tan x}+\sqrt{1+\sin x}}\right)$

$= \lim\limits_{x \to 0} \dfrac{\sin x}{x} \cdot \lim\limits_{x \to 0} \dfrac{\frac{1}{2}x^2}{\frac{1}{2}\sin^2 x} \cdot \lim\limits_{x \to 0} \dfrac{1}{\sqrt{1+\tan x}+\sqrt{1+\sin x}}$

$= 1 \cdot 1 \cdot \dfrac{1}{2} = \dfrac{1}{2}.$

5. 设 $f(x)$ 在 $\mathbf{R}$ 上连续，且 $f(x) \neq 0$，$\varphi(x)$ 在 $\mathbf{R}$ 上有定义，且有间断点，则下列陈述中，哪些是对的，哪些是错的？如果是对的，说明理由；如果是错的，试给出一个反例.

（1）$\varphi[f(x)]$ 必有间断点；

（2）$[\varphi(x)]^2$ 必有间断点；

（3）$f[\varphi(x)]$ 未必有间断点；

（4）$\dfrac{\varphi(x)}{f(x)}$ 必有间断点.

解　（1）错. 例如　$\varphi(x) = \text{sgn } x, f(x) = e^x, \varphi[f(x)] \equiv 1$ 在 $\mathbf{R}$ 上处处连续.

(2) 错. 例如 $\varphi(x) = \begin{cases} 1, x \in \mathbf{Q}, \\ -1, x \in \mathbf{Q}^c, \end{cases}$ $[\varphi(x)]^2 \equiv 1$ 在 $\mathbf{R}$ 上处处连续.

(3) 对. 例如 $\varphi(x)$ 同 (2), $f(x) = |x| + 1$, $f[\varphi(x)] \equiv 2$ 在 $\mathbf{R}$ 上处处连续.

(4) 对. 因为, 若 $F(x) = \dfrac{\varphi(x)}{f(x)}$ 在 $\mathbf{R}$ 上处处连续, 则 $\varphi(x) = F(x) \cdot f(x)$ 也在 $\mathbf{R}$ 上处处连续, 这与已知条件矛盾.

6. 设函数

$$f(x) = \begin{cases} \mathrm{e}^x, & x < 0, \\ a + x, & x \geqslant 0. \end{cases}$$

应当怎样选择数 a, 使得 $f(x)$ 成为在 $(-\infty, +\infty)$ 内的连续函数.

解 由初等函数的连续性, $f(x)$ 在 $(-\infty, 0)$ 及 $(0, +\infty)$ 内连续, 所以要使 $f(x)$ 在 $(-\infty, +\infty)$ 内连续, 只要选择数 a, 使 $f(x)$ 在 $x = 0$ 处连续即可.

在 $x = 0$ 处, $\lim\limits_{x \to 0^-} f(x) = \lim\limits_{x \to 0^-} \mathrm{e}^x = 1$, $\lim\limits_{x \to 0^+} f(x) = \lim\limits_{x \to 0^+} (a + x) = a$, $f(0) = a$, 取 $a = 1$, 即有

$$\lim\limits_{x \to 0^-} f(x) = \lim\limits_{x \to 0^+} f(x) = f(0),$$

即 $f(x)$ 在 $x = 0$ 处连续. 于是, 选择 $a = 1$, $f(x)$ 就成为在 $(-\infty, +\infty)$ 内的连续函数.

习题 1-10 闭区间上连续函数的性质

1. 假设函数 $f(x)$ 在闭区间 $[0,1]$ 上连续, 并且对 $[0,1]$ 上任一点 x 有 $0 \leqslant f(x) \leqslant 1$. 试证明 $[0,1]$ 中必存在一点 c, 使得 $f(c) = c$ (c 称为函数 $f(x)$ 的不动点).

证 设 $F(x) = f(x) - x$, 则 $F(0) = f(0) \geqslant 0$, $F(1) = f(1) - 1 \leqslant 0$.

若 $F(0) = 0$ 或 $F(1) = 0$, 则 0 或 1 即为 $f(x)$ 的不动点; 若 $F(0) > 0$ 且 $F(1) < 0$, 则由零点定理, 必存在 $c \in (0,1)$, 使 $F(c) = 0$, 即 $f(c) = c$, 这时 c 为 $f(x)$ 的不动点.

2. 证明方程 $x^5 - 3x = 1$ 至少有一个根介于 1 和 2 之间.

证 设 $f(x) = x^5 - 3x - 1$, 则 $f(x)$ 在闭区间 $[1,2]$ 上连续, 且 $f(1) = -3 < 0$, $f(2) = 25 > 0$. 由零点定理, 即知 $\exists \xi \in (1,2)$, 使 $f(\xi) = 0$, ξ 即为方程的根.

3. 证明方程 $x = a\sin x + b$, 其中 $a > 0, b > 0$, 至少有一个正根, 并且它不超过 $a + b$.

证 设 $f(x) = x - a\sin x - b$, 则 $f(x)$ 在闭区间 $[0, a+b]$ 上连续, 且 $f(0) = -b < 0$, $f(a+b) = a[1 - \sin(a+b)]$, 当 $\sin(a+b) < 1$ 时, $f(a+b) > 0$. 由零点定理, 即知 $\exists \xi \in (0, a+b)$, 使 $f(\xi) = 0$, 即 ξ 为原方程的根, 它是正根且不超过 $a + b$; 当 $\sin(a+b) = 1$ 时, $f(a+b) = 0$, $a + b$ 就是满足条件的正根.

*4. 设函数 $f(x)$ 对于闭区间 $[a,b]$ 上的任意两点 x、y,恒有 $|f(x)-f(y)|$ $\leqslant L|x-y|$,其中 L 为正常数,且 $f(a)\cdot f(b)<0$. 证明:至少有一点 $\xi\in(a,b)$,使得 $f(\xi)=0$.

证 任取 $x_0\in(a,b)$,$\forall\varepsilon>0$,取 $\delta=\min\left\{\dfrac{\varepsilon}{L},x_0-a,b-x_0\right\}$,则当 $|x-x_0|<\delta$ 时,由假设
$$|f(x)-f(x_0)|\leqslant L|x-x_0|<L\delta\leqslant\varepsilon,$$
所以 $f(x)$ 在 x_0 连续. 由 $x_0\in(a,b)$ 的任意性知,$f(x)$ 在 (a,b) 内连续.

当 $x_0=a$ 或 $x_0=b$ 时,取 $\delta=\dfrac{\varepsilon}{L}$,并将 $|x-x_0|<\delta$ 换成 $x\in[a,a+\delta)$ 或 $x\in(b-\delta,b]$,便可知 $f(x)$ 在 $x=a$ 右连续,在 $x=b$ 左连续. 从而 $f(x)$ 在 $[a,b]$ 上连续.

又由假设 $f(a)\cdot f(b)<0$,由零点定理即知 $\exists\xi\in(a,b)$,使得 $f(\xi)=0$.

5. 若 $f(x)$ 在 $[a,b]$ 上连续,$a<x_1<x_2<\cdots<x_n<b(n\geqslant3)$,则在 (x_1,x_n) 内至少有一点 ξ,使 $f(\xi)=\dfrac{f(x_1)+f(x_2)+\cdots+f(x_n)}{n}$.

证 因为 $f(x)$ 在 $[a,b]$ 上连续,又 $[x_1,x_n]\subset[a,b]$,所以 $f(x)$ 在 $[x_1,x_n]$ 上连续. 设
$$M=\max\{f(x)\,|\,x_1\leqslant x\leqslant x_n\},\quad m=\min\{f(x)\,|\,x_1\leqslant x\leqslant x_n\},$$
则
$$m\leqslant\dfrac{f(x_1)+f(x_2)+\cdots+f(x_n)}{n}\leqslant M.$$

若上述不等式中为严格不等号,则由介值定理知,$\exists\xi\in(x_1,x_n)$,使
$$f(\xi)=\dfrac{f(x_1)+f(x_2)+\cdots+f(x_n)}{n};$$

若上述不等式中出现等号,如
$$m=\dfrac{f(x_1)+f(x_2)+\cdots+f(x_n)}{n},$$
则有 $f(x_1)=f(x_2)=\cdots=f(x_n)=m$,任取 $x_2,\cdots,x_{n-1}$ 中一点作为 ξ,即有 $\xi\in(x_1,x_n)$,使
$$f(\xi)=\dfrac{f(x_1)+f(x_2)+\cdots+f(x_n)}{n}.$$

如
$$\dfrac{f(x_1)+f(x_2)+\cdots+f(x_n)}{n}=M,$$
同理可证.

*6. 证明:若 $f(x)$ 在 $(-\infty,+\infty)$ 内连续,且 $\lim\limits_{x\to\infty}f(x)$ 存在,则 $f(x)$ 必在 $(-\infty,+\infty)$ 内有界.

证 设 $\lim\limits_{x\to\infty}f(x)=A$,则对 $\varepsilon=1>0$,$\exists X>0$,当 $|x|>X$ 时,有

$$|f(x)-A|<1\Rightarrow|f(x)|\leqslant|f(x)-A|+|A|<|A|+1.$$

又,$f(x)$ 在 $[-X,X]$ 上连续,利用有界性定理,得:$\exists M>0$,对 $\forall x\in[-X,X]$,有 $|f(x)|\leqslant M$.

取 $M'=\max\{M,|A|+1\}$,即有 $|f(x)|\leqslant M'$,$\forall x\in(-\infty,+\infty)$.

*7. 在什么条件下,(a,b) 内的连续函数 $f(x)$ 为一致连续?

解 若 $f(a^+)$、$f(b^-)$ 均存在,设

$$F(x)=\begin{cases}f(a^+), & x=a,\\ f(x), & x\in(a,b),\\ f(b^-), & x=b.\end{cases}$$

易证 $F(x)$ 在 $[a,b]$ 上连续,从而 $F(x)$ 在 $[a,b]$ 上一致连续,也就有 $F(x)$ 在 (a,b) 内一致连续,即 $f(x)$ 在 (a,b) 内一致连续.

总习题一

1. 在"充分"、"必要"和"充分必要"三者中选择一个正确的填入下列空格内:

(1) 数列 $\{x_n\}$ 有界是数列 $\{x_n\}$ 收敛的_____条件. 数列 $\{x_n\}$ 收敛是数列 $\{x_n\}$ 有界的_____条件.

(2) $f(x)$ 在 x_0 的某一去心邻域内有界是 $\lim\limits_{x\to x_0}f(x)$ 存在的_____条件. $\lim\limits_{x\to x_0}f(x)$ 存在是 $f(x)$ 在 x_0 的某一去心邻域内有界的_____条件.

(3) $f(x)$ 在 x_0 的某一去心邻域内无界是 $\lim\limits_{x\to x_0}f(x)=\infty$ 的_____条件. $\lim\limits_{x\to x_0}f(x)=\infty$ 是 $f(x)$ 在 x_0 的某一去心邻域内无界的_____条件.

(4) $f(x)$ 当 $x\to x_0$ 时的右极限 $f(x_0^+)$ 及左极限 $f(x_0^-)$ 都存在且相等是 $\lim\limits_{x\to x_0}f(x)$ 存在的_____条件.

解 (1) 必要,充分.

(2) 必要,充分.

(3) 必要,充分.

(4) 充分必要.

2. 已知函数

$$f(x)=\begin{cases}(\cos x)^{-x^2}, & x\neq 0,\\ a, & x=0\end{cases}$$

在 $x=0$ 连续,则 $a=$_____.

解 $a=f(0)=\lim\limits_{x\to0}f(x)=\lim\limits_{x\to0}(\cos x)^{-x^2}=1.$

3. 选择以下两题中给出的四个结论中一个正确的结论.

(1) 设 $f(x)=2^x+3^x-2$，则当 $x\to0$ 时，有(　　).

(A) $f(x)$ 与 x 是等价无穷小.　　(B) $f(x)$ 与 x 同阶但非等价无穷小.

(C) $f(x)$ 是比 x 高阶的无穷小.　　(D) $f(x)$ 是比 x 低阶的无穷小.

(2) 设

$$f(x)=\frac{\mathrm{e}^{\frac{1}{x}}-1}{\mathrm{e}^{\frac{1}{x}}+1},$$

则 $x=0$ 是 $f(x)$ 的(　　).

(A) 可去间断点.　　　　　　　　(B) 跳跃间断点.

(C) 第二类间断点.　　　　　　　(D) 连续点.

解 (1) 因为

$$\lim\limits_{x\to0}\frac{f(x)}{x}=\lim\limits_{x\to0}\frac{2^x+3^x-2}{x}=\lim\limits_{x\to0}\frac{2^x-1}{x}+\lim\limits_{x\to0}\frac{3^x-1}{x}$$

$$=\ln 2+\ln 3=\ln 6\neq1,$$

所以当 $x\to0$ 时，$f(x)$ 与 x 同阶但非等价无穷小，应选(B).

(2) $f(0^-)=\lim\limits_{x\to0^-}f(x)=-1,f(0^+)=\lim\limits_{x\to0^+}f(x)=1$，因为 $f(0^+)$、$f(0^-)$ 均存在，但 $f(0^+)\neq f(0^-)$，所以 $x=0$ 是 $f(x)$ 的跳跃间断点，应选(B).

4. 设 $f(x)$ 的定义域是 $[0,1]$，求下列函数的定义域：

(1) $f(\mathrm{e}^x)$；　　　　　　　　(2) $f(\ln x)$；

(3) $f(\arctan x)$；　　　　　　　(4) $f(\cos x)$.

解 (1) 因为 $0\leqslant\mathrm{e}^x\leqslant1$，所以 $x\leqslant0$，即函数 $f(\mathrm{e}^x)$ 的定义域为 $(-\infty,0]$.

(2) 因为 $0\leqslant\ln x\leqslant1$，所以 $1\leqslant x\leqslant\mathrm{e}$，即函数 $f(\ln x)$ 的定义域为 $[1,\mathrm{e}]$.

(3) 因为 $0\leqslant\arctan x\leqslant1$，所以 $0\leqslant x\leqslant\tan 1$，即函数 $f(\arctan x)$ 的定义域为 $[0,\tan 1]$.

(4) 因为 $0\leqslant\cos x\leqslant1$，所以 $2n\pi-\dfrac{\pi}{2}\leqslant x\leqslant2n\pi+\dfrac{\pi}{2}$，$n\in\mathbf{Z}$，即函数 $f(\cos x)$ 的定义域为 $\left[2n\pi-\dfrac{\pi}{2},2n\pi+\dfrac{\pi}{2}\right]$，$n\in\mathbf{Z}$.

5. 设

$$f(x)=\begin{cases}0, & x\leqslant0,\\ x, & x>0,\end{cases}g(x)=\begin{cases}0, & x\leqslant0,\\ -x^2, & x>0,\end{cases}$$

求 $f[f(x)],g[g(x)],f[g(x)],g[f(x)]$.

解 因为 $f[f(x)]=\begin{cases}0, & f(x)\leqslant0,\\ f(x), & f(x)>0,\end{cases}$ 而 $f(x)\geqslant0,x\in\mathbf{R}$，

所以
$$f[f(x)]=f(x), x \in \mathbf{R}.$$
因为 $g[g(x)]=\begin{cases} 0, & g(x) \leqslant 0, \\ -g^2(x), & g(x) > 0, \end{cases}$ 而 $g(x) \leqslant 0, x \in \mathbf{R}$,

所以
$$g[g(x)]=0, x \in \mathbf{R}.$$
因为 $f[g(x)]=\begin{cases} 0, & g(x) \leqslant 0, \\ g(x), & g(x) > 0, \end{cases}$ 而 $g(x) \leqslant 0, x \in \mathbf{R}$,

所以
$$f[g(x)]=0, x \in \mathbf{R}.$$
因为 $g[f(x)]=\begin{cases} 0, & f(x) \leqslant 0, \\ -f^2(x), & f(x) > 0, \end{cases}$ 而 $f(x) \geqslant 0, x \in \mathbf{R}$,

所以
$$g[f(x)]=g(x), x \in \mathbf{R}.$$

6. 利用 $y=\sin x$ 的图形作出下列函数的图形:

(1) $y=|\sin x|$;　　　　　　(2) $y=\sin |x|$;

(3) $y=2\sin \dfrac{x}{2}$.

解 略.

7. 把半径为 R 的一圆形铁皮,自中心处剪去中心角为 α 的一扇形后围成一无底圆锥. 试将这圆锥的体积表为 α 的函数.

解 设围成的圆锥底半径为 r,高为 h,则按题意 (图 1-11)有

$$(2\pi-\alpha)R=2\pi r,$$
$$h=\sqrt{R^2-r^2}.$$

故　　$r=\dfrac{(2\pi-\alpha)R}{2\pi}$,

$$h=\sqrt{R^2-\dfrac{(2\pi-\alpha)^2}{4\pi^2}R^2}=\dfrac{\sqrt{4\pi\alpha-\alpha^2}}{2\pi}R,$$

圆锥体积

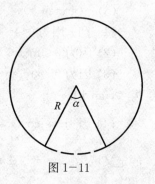

图 1-11

$$V=\dfrac{1}{3}\pi \cdot \dfrac{(2\pi-\alpha)^2}{4\pi^2}R^2 \cdot \dfrac{\sqrt{4\pi\alpha-\alpha^2}}{2\pi}R$$

$$=\dfrac{R^3}{24\pi^2}(2\pi-\alpha)^2\sqrt{4\pi\alpha-\alpha^2}\ (0<\alpha<2\pi).$$

*8. 根据函数极限的定义证明 $\lim\limits_{x \to 3}\dfrac{x^2-x-6}{x-3}=5$.

证 因为 $\left|\dfrac{x^2-x-6}{x-3}-5\right|=\left|\dfrac{(x-3)(x+2)}{x-3}-5\right|=|x-3|$,

要使 $\left|\dfrac{x^2-x-6}{x-3}-5\right|<\varepsilon$,只要 $|x-3|<\varepsilon$. 所以 $\forall \varepsilon>0$,取 $\delta=\varepsilon$,则当 $0<|x-3|<\delta$ 时,就有

$$\left|\frac{x^2-x-6}{x-3}-5\right|<\varepsilon.$$

即 $\lim\limits_{x\to 3}\dfrac{x^2-x-6}{x-3}=5$.

9. 求下列极限:

(1) $\lim\limits_{x\to 1}\dfrac{x^2-x+1}{(x-1)^2}$;　　　　(2) $\lim\limits_{x\to +\infty}x(\sqrt{x^2+1}-x)$;

(3) $\lim\limits_{x\to\infty}\left(\dfrac{2x+3}{2x+1}\right)^{x+1}$;　　　　(4) $\lim\limits_{x\to 0}\dfrac{\tan x-\sin x}{x^3}$;

(5) $\lim\limits_{x\to 0}\left(\dfrac{a^x+b^x+c^x}{3}\right)^{\frac{1}{x}}(a>0,b>0,c>0)$;

(6) $\lim\limits_{x\to\frac{\pi}{2}}(\sin x)^{\tan x}$.

解 (1) 因为 $\lim\limits_{x\to 1}\dfrac{(x-1)^2}{x^2-x+1}=0$,所以 $\lim\limits_{x\to 1}\dfrac{x^2-x+1}{(x-1)^2}=\infty$.

(2) $\lim\limits_{x\to +\infty}x(\sqrt{x^2+1}-x)=\lim\limits_{x\to +\infty}\dfrac{x(\sqrt{x^2+1}-x)(\sqrt{x^2+1}+x)}{\sqrt{x^2+1}+x}$

$$=\lim\limits_{x\to +\infty}\frac{x}{\sqrt{x^2+1}+x}=\lim\limits_{x\to +\infty}\frac{1}{\sqrt{1+\frac{1}{x^2}}+1}=\frac{1}{2}.$$

(3) $\lim\limits_{x\to\infty}\left(\dfrac{2x+3}{2x+1}\right)^{x+1}=\lim\limits_{x\to\infty}\left(1+\dfrac{1}{\dfrac{2x+1}{2}}\right)^{\frac{2x+1}{2}}\cdot\lim\limits_{x\to\infty}\left(\dfrac{2x+3}{2x+1}\right)^{\frac{1}{2}}=\mathrm{e}.$

(4) $\lim\limits_{x\to 0}\dfrac{\tan x-\sin x}{x^3}=\lim\limits_{x\to 0}\left(\dfrac{\sin x}{x}\cdot\dfrac{\sec x-1}{x^2}\right)=\lim\limits_{x\to 0}\dfrac{\sin x}{x}\cdot\lim\limits_{x\to 0}\dfrac{\frac{1}{2}x^2}{x^2}=\dfrac{1}{2}.$

(5) 因为

$$\left(\frac{a^x+b^x+c^x}{3}\right)^{\frac{1}{x}}=\left(1+\frac{a^x+b^x+c^x-3}{3}\right)^{\frac{3}{a^x+b^x+c^x-3}\cdot\frac{1}{3}\left(\frac{a^x-1}{x}+\frac{b^x-1}{x}+\frac{c^x-1}{x}\right)},$$

而　　$\left(1+\dfrac{a^x+b^x+c^x-3}{3}\right)^{\frac{3}{a^x+b^x+c^x-3}}\to \mathrm{e}(x\to 0)$,

$$\frac{a^x-1}{x}\to\ln a,\frac{b^x-1}{x}\to\ln b,\frac{c^x-1}{x}\to\ln c(x\to 0),$$

所以 $\qquad \lim\limits_{x\to 0}\left(\dfrac{a^x+b^x+c^x}{3}\right)^{\frac{1}{x}}=\mathrm{e}^{\frac{1}{3}(\ln a+\ln b+\ln c)}=(abc)^{\frac{1}{3}}.$

（6）因为 $\quad (\sin x)^{\tan x}=\left[1+(\sin x-1)\right]^{\frac{1}{\sin x-1}\cdot(\sin x-1)\tan x},$

而 $\qquad \lim\limits_{x\to\frac{\pi}{2}}[1+(\sin x-1)]^{\frac{1}{\sin x-1}}=\mathrm{e},$

$$\lim\limits_{x\to\frac{\pi}{2}}(\sin x-1)\tan x=\lim\limits_{x\to\frac{\pi}{2}}\frac{\sin x-\sin\dfrac{\pi}{2}}{\sin\left(x+\dfrac{\pi}{2}\right)}\cdot\sin x$$

$$=\lim\limits_{x\to\frac{\pi}{2}}\frac{2\sin\dfrac{x-\dfrac{\pi}{2}}{2}\cos\dfrac{x+\dfrac{\pi}{2}}{2}}{2\sin\dfrac{x+\dfrac{\pi}{2}}{2}\cos\dfrac{x+\dfrac{\pi}{2}}{2}}\cdot\sin x$$

$$=\lim\limits_{x\to\frac{\pi}{2}}\frac{\sin\left(\dfrac{x}{2}-\dfrac{\pi}{4}\right)}{\sin\left(\dfrac{x}{2}+\dfrac{\pi}{4}\right)}\cdot\sin x=0,$$

所以 $\qquad \lim\limits_{x\to\frac{\pi}{2}}(\sin x)^{\tan x}=\mathrm{e}^0=1.$

10. 设

$$f(x)=\begin{cases}x\sin\dfrac{1}{x}, & x>0,\\ a+x^2, & x\leqslant 0,\end{cases}$$

要使 $f(x)$ 在 $(-\infty,+\infty)$ 内连续,应当怎样选择数 a?

解 $f(x)$ 在 $(-\infty,0)$ 及 $(0,+\infty)$ 内均连续,要使 $f(x)$ 在 $(-\infty,+\infty)$ 内连续,只要选择数 a,使 $f(x)$ 在 $x=0$ 处连续即可. 而

$$\lim\limits_{x\to 0^+}f(x)=\lim\limits_{x\to 0^+}x\sin\frac{1}{x}=0,\ \lim\limits_{x\to 0^-}f(x)=\lim\limits_{x\to 0^-}(a+x^2)=a,$$

又 $f(0)=a$,故应选择 $a=0$,$f(x)$ 在 $x=0$ 处连续,从而 $f(x)$ 在 $(-\infty,+\infty)$ 内连续.

11. 设

$$f(x)=\begin{cases}\mathrm{e}^{\frac{1}{x-1}}, & x>0,\\ \ln(1+x), & -1<x\leqslant 0,\end{cases}$$

求 $f(x)$ 的间断点,并说明间断点所属类型.

解 函数在 $x=1$ 处无定义. 因为

$$\lim\limits_{x\to 1^-}f(x)=\lim\limits_{x\to 1^-}\mathrm{e}^{\frac{1}{x-1}}=0,\ \lim\limits_{x\to 1^+}f(x)=\lim\limits_{x\to 1^+}\mathrm{e}^{\frac{1}{x-1}}=+\infty,$$

所以 $x=1$ 为 $f(x)$ 的第二类间断点.

又 $x=0$ 为函数的分段点. 因为

$$\lim_{x\to 0^-}f(x)=\lim_{x\to 0^-}\ln(1+x)=0,\ \lim_{x\to 0^+}f(x)=\lim_{x\to 0^+}e^{\frac{1}{x-1}}=e^{-1},$$

所以 $x=0$ 为 $f(x)$ 的第一类间断点(跳跃间断点).

12. 证明

$$\lim_{n\to\infty}\left(\frac{1}{\sqrt{n^2+1}}+\frac{1}{\sqrt{n^2+2}}+\cdots+\frac{1}{\sqrt{n^2+n}}\right)=1.$$

证 因为 $\dfrac{n}{\sqrt{n^2+n}}<\dfrac{1}{\sqrt{n^2+1}}+\dfrac{1}{\sqrt{n^2+2}}+\cdots+\dfrac{1}{\sqrt{n^2+n}}<1,$

而 $\qquad \lim\limits_{n\to\infty}\dfrac{n}{\sqrt{n^2+n}}=\lim\limits_{n\to\infty}\dfrac{1}{\sqrt{1+\dfrac{1}{n}}}=1,\ \lim\limits_{n\to\infty}1=1,$

所以由夹逼准则,即得证.

13. 证明方程 $\sin x+x+1=0$ 在开区间 $\left(-\dfrac{\pi}{2},\dfrac{\pi}{2}\right)$ 内至少有一个根.

证 设 $f(x)=\sin x+x+1$,则 $f(x)$ 在 $\left[-\dfrac{\pi}{2},\dfrac{\pi}{2}\right]$ 上连续. 因为

$$f\left(-\frac{\pi}{2}\right)=\sin\left(-\frac{\pi}{2}\right)-\frac{\pi}{2}+1=-\frac{\pi}{2}<0,$$

$$f\left(\frac{\pi}{2}\right)=\sin\frac{\pi}{2}+\frac{\pi}{2}+1=\frac{\pi}{2}+2>0,$$

由介值定理,至少存在一点 $\xi\in\left(-\dfrac{\pi}{2},\dfrac{\pi}{2}\right)$,使 $f(\xi)=0$,即 $\sin\xi+\xi+1=0.$ 所以

方程 $\sin x+x+1=0$ 在 $\left(-\dfrac{\pi}{2},\dfrac{\pi}{2}\right)$ 内至少有一个根.

14. 如果存在直线 $L:y=kx+b$,使得当 $x\to\infty$(或 $x\to+\infty,x\to-\infty$)时,曲线 $y=f(x)$ 上的动点 $M(x,y)$ 到直线 L 的距离 $d(M,L)\to 0$,则称 L 为曲线 $y=f(x)$ 的渐近线. 当直线 L 的斜率 $k\neq 0$ 时,称 L 为斜渐近线.

(1) 证明:直线 $L:y=kx+b$ 为曲线 $y=f(x)$ 的渐近线的充分必要条件是

$$k=\lim_{\substack{x\to\infty \\ (x\to+\infty \\ x\to-\infty)}}\frac{f(x)}{x},\quad b=\lim_{\substack{x\to\infty \\ (x\to+\infty \\ x\to-\infty)}}[f(x)-kx].$$

(2) 求曲线 $y=(2x-1)e^{\frac{1}{x}}$ 的斜渐近线.

解 (1) 就 $x\to+\infty$ 的情形证明,其他情形类似.

设 $L:y=kx+b$ 为曲线 $y=f(x)$ 的渐近线.

1° 若 $k\neq 0$,如图 1-12 所示,$k=\tan\alpha$(α 为 L 的倾角,$\alpha\neq\dfrac{\pi}{2}$),曲线 $y=f(x)$

上动点 $M(x,y)$ 到直线 L 的距离为 $|MK|$. 过 M 作横轴的垂线,交直线 L 于

K_1，则

$$|MK_1| = \frac{|MK|}{\cos\alpha}.$$

显然 $|MK| \to 0 (x \to +\infty)$ 与 $|MK_1| \to 0$ $(x \to +\infty)$ 等价，而

$$|MK_1| = |f(x) - (kx+b)|.$$

因为 $L: y = kx + b$ 是曲线 $y = f(x)$ 的渐近线，所以

$$|MK| \to 0(x \to +\infty) \Rightarrow |MK_1| \to 0(x \to +\infty),$$

即

$$\lim_{x \to +\infty}[f(x) - (kx+b)] = 0, \tag{1}$$

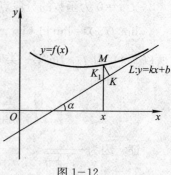

图 1-12

从而

$$\lim_{x \to +\infty}[f(x) - kx] = \lim_{x \to +\infty}[f(x) - (kx+b)] + b = 0 + b = b, \tag{2}$$

$$\lim_{x \to +\infty}\frac{f(x)}{x} = \lim_{x \to +\infty}\frac{1}{x}[f(x) - kx] + k = 0 + k = k. \tag{3}$$

反之，若 (2)、(3) 成立，则 (1) 成立，即 $L: y = kx + b$ 是曲线 $y = f(x)$ 的渐近线.

$2°$ 若 $k = 0$，设 $L: y = b$ 是曲线 $y = f(x)$ 的水平渐近线，如图 1-13 所示. 按定义有 $|MK| \to 0$ $(x \to +\infty)$，而 $|MK| = |f(x) - b|$，故有

$$\lim_{x \to +\infty} f(x) = b. \tag{4}$$

$$\lim_{x \to +\infty}\frac{f(x)}{x} = \lim_{x \to +\infty}\frac{1}{x} \cdot \lim_{x \to +\infty} f(x) = 0. \tag{5}$$

反之，若 (4)、(5) 成立，即有 $|MK| = |f(x) - b| \to 0(x \to +\infty)$，故 $y = b$ 是曲线 $y = f(x)$ 的水平渐近线.

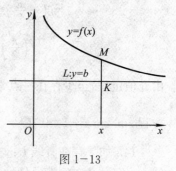

图 1-13

（2）因为 $k = \lim\limits_{x \to \infty}\dfrac{f(x)}{x} = \lim\limits_{x \to \infty}\dfrac{(2x-1)}{x}e^{\frac{1}{x}} = 2$,

$$b = \lim_{x \to \infty}[f(x) - 2x] = \lim_{x \to \infty}[(2x-1)e^{\frac{1}{x}} - 2x] = \lim_{x \to \infty}2x(e^{\frac{1}{x}} - 1) - \lim_{x \to \infty}e^{\frac{1}{x}}$$

$$= \lim_{x \to \infty}2\frac{e^{\frac{1}{x}} - 1}{\frac{1}{x}} - 1 = 2\lim_{u \to 0}\frac{e^u - 1}{u} - 1 = 2\ln e - 1 = 1,$$

所以，所求曲线的斜渐近线为 $y = 2x + 1$.

第二章　导数与微分

导数概念

1. 设物体绕定轴旋转,在时间间隔 $[0,t]$ 内转过角度 θ,从而转角 θ 是 t 的函数:$\theta=\theta(t)$. 如果旋转是匀速的,那么称 $\omega=\dfrac{\theta}{t}$ 为该物体旋转的角速度. 如果旋转是非匀速的,应怎样确定该物体在时刻 t_0 的角速度?

解　在时间间隔 $[t_0,t_0+\Delta t]$ 内的平均角速度

$$\bar\omega=\frac{\Delta\theta}{\Delta t}=\frac{\theta(t_0+\Delta t)-\theta(t_0)}{\Delta t}.$$

在时刻 t_0 的角速度

$$\omega=\lim_{\Delta t\to 0}\bar\omega=\lim_{\Delta t\to 0}\frac{\Delta\theta}{\Delta t}=\theta'(t_0).$$

2. 当物体的温度高于周围介质的温度时,物体就不断冷却. 若物体的温度 T 与时间 t 的函数关系为 $T=T(t)$,应怎样确定该物体在时刻 t 的冷却速度?

解　在时间间隔 $[t,t+\Delta t]$ 内平均冷却速度

$$\bar v=\frac{\Delta T}{\Delta t}=\frac{T(t+\Delta t)-T(t)}{\Delta t}.$$

在时刻 t 的冷却速度

$$v=\lim_{\Delta t\to 0}\frac{\Delta T}{\Delta t}=\lim_{\Delta t\to 0}\frac{T(t+\Delta t)-T(t)}{\Delta t}=T'(t).$$

3. 设某工厂生产 x 件产品的成本为

$$C(x)=2\,000+100x-0.1x^2(\text{元}),$$

函数 $C(x)$ 称为成本函数,成本函数 $C(x)$ 的导数 $C'(x)$ 在经济学中称为边际成本. 试求

(1) 当生产 100 件产品时的边际成本;

(2) 生产第 101 件产品的成本,并与(1)中求得的边际成本作比较,说明边际成本的实际意义.

解　(1) $C'(x)=100-0.2x$,

$$C'(100)=100-20=80(元/件).$$

(2) $C(101)=2\,000+100\times101-0.1\times(101)^2=11\,079.9(元)$,

　　$C(100)=2\,000+100\times100-0.1\times(100)^2=11\,000(元)$,

　　$C(101)-C(100)=11\,079.9-11\,000=79.9(元).$

即生产第 101 件产品的成本为 79.9 元,与(1)中求得的边际成本比较,可以看出边际成本 $C'(x)$ 的实际意义是近似表达产量达到 x 单位时再增加一个单位产品所需的成本.

4. 设 $f(x)=10x^2$,试按定义求 $f'(-1)$.

解　$f'(-1)=\lim\limits_{\Delta x\to0}\dfrac{f(-1+\Delta x)-f(-1)}{\Delta x}=\lim\limits_{\Delta x\to0}\dfrac{10(-1+\Delta x)^2-10(-1)^2}{\Delta x}$

$$=\lim\limits_{\Delta x\to0}\frac{-20\Delta x+10(\Delta x)^2}{\Delta x}=\lim\limits_{\Delta x\to0}(-20+10\Delta x)=-20.$$

5. 证明 $(\cos x)'=-\sin x$.

证　$(\cos x)'=\lim\limits_{\Delta x\to0}\dfrac{\cos(x+\Delta x)-\cos x}{\Delta x}=\lim\limits_{\Delta x\to0}\dfrac{-2\sin\left(x+\dfrac{\Delta x}{2}\right)\sin\dfrac{\Delta x}{2}}{\Delta x}$

$$=\lim\limits_{\Delta x\to0}\left[-\sin\left(x+\frac{\Delta x}{2}\right)\right]\frac{\sin\dfrac{\Delta x}{2}}{\dfrac{\Delta x}{2}}=-\sin x.$$

6. 下列各题中均假定 $f'(x_0)$ 存在,按照导数定义观察下列极限,指出 A 表示什么:

(1) $\lim\limits_{\Delta x\to0}\dfrac{f(x_0-\Delta x)-f(x_0)}{\Delta x}=A$;

(2) $\lim\limits_{x\to0}\dfrac{f(x)}{x}=A$,其中 $f(0)=0$,且 $f'(0)$ 存在;

(3) $\lim\limits_{h\to0}\dfrac{f(x_0+h)-f(x_0-h)}{h}=A$.

解　(1) $A=\lim\limits_{\Delta x\to0}\dfrac{f(x_0-\Delta x)-f(x_0)}{\Delta x}$

$$=-\lim\limits_{-\Delta x\to0}\frac{f(x_0+(-\Delta x))-f(x_0)}{-\Delta x}=-f'(x_0).$$

(2) 由于 $f(0)=0$,故 $A=\lim\limits_{x\to0}\dfrac{f(x)}{x}=\lim\limits_{x\to0}\dfrac{f(x)-f(0)}{x-0}=f'(0).$

(3) $A=\lim\limits_{h\to0}\dfrac{f(x_0+h)-f(x_0-h)}{h}$

$$=\lim\limits_{h\to0}\left[\frac{f(x_0+h)-f(x_0)}{h}-\frac{f(x_0-h)-f(x_0)}{h}\right]$$

$$=\lim_{h\to0}\frac{f(x_0+h)-f(x_0)}{h}+\lim_{-h\to0}\frac{f(x_0+(-h))-f(x_0)}{-h}$$

$$=2f'(x_0).$$

以下两题中,选择给出的四个结论中一个正确的结论:

7. 设

$$f(x)=\begin{cases}\dfrac{2}{3}x^3,x\leqslant1,\\[2mm]x^2,x>1,\end{cases}$$

则 $f(x)$ 在 $x=1$ 处的(   ).

(A) 左、右导数都存在.   (B) 左导数存在,右导数不存在.

(C) 左导数不存在,右导数存在.   (D) 左、右导数都不存在.

解 $f'_-(1)=\lim\limits_{x\to1^-}\dfrac{f(x)-f(1)}{x-1}=\lim\limits_{x\to1^-}\dfrac{\frac{2}{3}x^3-\frac{2}{3}}{x-1}$

$$=\lim_{x\to1^-}\frac{2}{3}\cdot\frac{x^3-1}{x-1}=\lim_{x\to1^-}\frac{2}{3}(x^2+x+1)=2;$$

$$f'_+(1)=\lim_{x\to1^+}\frac{f(x)-f(1)}{x-1}=\lim_{x\to1^+}\frac{x^2-\frac{2}{3}}{x-1}=\infty,$$

故该函数左导数存在,右导数不存在,因此应选(B).

8. 设 $f(x)$ 可导, $F(x)=f(x)(1+|\sin x|)$,则 $f(0)=0$ 是 $F(x)$ 在 $x=0$ 处可导的(   ).

(A) 充分必要条件.   (B) 充分条件但非必要条件.

(C) 必要条件但非充分条件.   (D) 既非充分条件又非必要条件.

解 $F'_+(0)=\lim\limits_{x\to0^+}\dfrac{F(x)-F(0)}{x-0}=\lim\limits_{x\to0^+}\dfrac{f(x)(1+\sin x)-f(0)}{x}$

$$=\lim_{x\to0^+}\left[\frac{f(x)-f(0)}{x}+f(x)\frac{\sin x}{x}\right]=f'(0)+f(0),$$

$$F'_-(0)=\lim_{x\to0^-}\frac{F(x)-F(0)}{x-0}=\lim_{x\to0^-}\frac{f(x)(1-\sin x)-f(0)}{x}$$

$$=\lim_{x\to0^-}\left[\frac{f(x)-f(0)}{x}-f(x)\frac{\sin x}{x}\right]=f'(0)-f(0).$$

当 $f(0)=0$ 时, $F'_+(0)=F'_-(0)$,反之当 $F'_+(0)=F'_-(0)$ 时, $f(0)=0$,因此应选(A).

9. 求下列函数的导数:

(1) $y=x^4$;   (2) $y=\sqrt[3]{x^2}$;   (3) $y=x^{1.6}$;

(4) $y=\dfrac{1}{\sqrt{x}}$;   (5) $y=\dfrac{1}{x^2}$;   (6) $y=x^3\sqrt[5]{x}$;

(7) $y=\dfrac{x^2\sqrt[3]{x^2}}{\sqrt{x^5}}$.

解 (1) $y'=4x^3$.

(2) $y=x^{\frac{2}{3}}$，$y'=\dfrac{2}{3}x^{-\frac{1}{3}}$.

(3) $y'=1.6x^{0.6}$.

(4) $y=x^{-\frac{1}{2}}$，$y'=-\dfrac{1}{2}x^{-\frac{3}{2}}$.

(5) $y=x^{-2}$，$y'=-2x^{-3}$.

(6) $y=x^{\frac{16}{5}}$，$y'=\dfrac{16}{5}x^{\frac{11}{5}}$.

(7) $y=x^{2+\frac{2}{3}-\frac{5}{2}}=x^{\frac{1}{6}}$，$y'=\dfrac{1}{6}x^{-\frac{5}{6}}$.

10. 已知物体的运动规律为 $s=t^3(\mathrm{m})$，求这物体在 $t=2(\mathrm{s})$ 时的速度.

解
$$v=\frac{\mathrm{d}s}{\mathrm{d}t}=3t^2,\ v|_{t=2}=12(\mathrm{m/s}).$$

11. 如果 $f(x)$ 为偶函数，且 $f'(0)$ 存在，证明 $f'(0)=0$.

证 $f(x)$ 为偶函数，故有 $f(-x)=f(x)$.

因为
$$f'(0)=\lim_{x\to 0}\frac{f(x)-f(0)}{x-0}=\lim_{x\to 0}\frac{f(-x)-f(0)}{x-0}$$
$$=-\lim_{-x\to 0}\frac{f(-x)-f(0)}{-x-0}$$
$$=-f'(0),$$

所以 $f'(0)=0$.

12. 求曲线 $y=\sin x$ 在具有下列横坐标的各点处切线的斜率：
$$x=\frac{2}{3}\pi;\quad x=\pi.$$

解 由导数的几何意义知
$$k_1=y'|_{x=\frac{2}{3}\pi}=\cos x|_{x=\frac{2}{3}\pi}=-\frac{1}{2},\ k_2=y'|_{x=\pi}=\cos x|_{x=\pi}=-1.$$

13. 求曲线 $y=\cos x$ 上点 $\left(\dfrac{\pi}{3},\dfrac{1}{2}\right)$ 处的切线方程和法线方程.

解
$$y'|_{x=\frac{\pi}{3}}=(-\sin x)|_{x=\frac{\pi}{3}}=-\frac{\sqrt{3}}{2},$$

故曲线在点 $\left(\dfrac{\pi}{3},\dfrac{1}{2}\right)$ 处的切线方程为
$$y-\frac{1}{2}=-\frac{\sqrt{3}}{2}\left(x-\frac{\pi}{3}\right),\ \text{即}\quad \frac{\sqrt{3}}{2}x+y-\frac{1}{2}\left(1+\frac{\sqrt{3}}{3}\pi\right)=0.$$

在点 $\left(\dfrac{\pi}{3}, \dfrac{1}{2}\right)$ 处的法线方程为

$$y - \dfrac{1}{2} = \dfrac{2}{\sqrt{3}}\left(x - \dfrac{\pi}{3}\right),\ \text{即}\quad \dfrac{2\sqrt{3}}{3}x - y + \dfrac{1}{2} - \dfrac{2\sqrt{3}}{9}\pi = 0.$$

14. 求曲线 $y = e^x$ 在点 $(0,1)$ 处的切线方程.

解
$$y'|_{x=0} = e^x|_{x=0} = 1,$$

故曲线在 $(0,1)$ 处的切线方程为

$$y - 1 = 1 \cdot (x - 0),\ \text{即}\ x - y + 1 = 0.$$

15. 在抛物线 $y = x^2$ 上取横坐标为 $x_1 = 1$ 及 $x_2 = 3$ 的两点,作过这两点的割线.问该抛物线上哪一点的切线平行于这条割线?

解 割线的斜率
$$k = \dfrac{3^2 - 1^2}{3 - 1} = \dfrac{8}{2} = 4.$$

假设抛物线上点 (x_0, x_0^2) 处的切线平行于该割线,则有

$$(x^2)'|_{x=x_0} = 4,\ \text{即}\ 2x_0 = 4.$$

故 $x_0 = 2$,由此得所求点为 $(2,4)$.

16. 讨论下列函数在 $x = 0$ 处的连续性与可导性:

(1) $y = |\sin x|$;

(2) $y = \begin{cases} x^2 \sin \dfrac{1}{x}, & x \neq 0, \\ 0, & x = 0. \end{cases}$

解 (1) $\lim\limits_{x \to 0} f(x) = \lim\limits_{x \to 0} |\sin x| = 0 = f(0)$,故 $y = |\sin x|$ 在 $x = 0$ 处连续.

又
$$f'_-(0) = \lim\limits_{x \to 0^-} \dfrac{f(x) - f(0)}{x - 0} = \lim\limits_{x \to 0^-} \dfrac{-\sin x}{x} = -1,$$

$$f'_+(0) = \lim\limits_{x \to 0^+} \dfrac{f(x) - f(0)}{x - 0} = \lim\limits_{x \to 0^+} \dfrac{\sin x}{x} = 1,$$

$f'_-(0) \neq f'_+(0)$,故 $y = |\sin x|$ 在 $x = 0$ 处不可导.

(2) $\lim\limits_{x \to 0} f(x) = \lim\limits_{x \to 0} x^2 \sin \dfrac{1}{x} = 0 = f(0)$,故函数在 $x = 0$ 处连续.又

$$f'(0) = \lim\limits_{x \to 0} \dfrac{f(x) - f(0)}{x - 0} = \lim\limits_{x \to 0} \dfrac{x^2 \sin \dfrac{1}{x}}{x} = \lim\limits_{x \to 0} x \sin \dfrac{1}{x} = 0,$$

故函数在 $x = 0$ 处可导.

17. 设函数

$$f(x) = \begin{cases} x^2, & x \leq 1, \\ ax + b, & x > 1. \end{cases}$$

为了使函数 $f(x)$ 在 $x = 1$ 处连续且可导,a、b 应取什么值?

解 要函数 $f(x)$ 在 $x = 1$ 处连续,应有

$$\lim_{x \to 1^-} f(x) = \lim_{x \to 1^+} f(x) = f(1),$$

即 $1 = a + b$.

要函数 $f(x)$ 在 $x = 1$ 处可导,应有 $f'_-(1) = f'_+(1)$. 而

$$f'_-(1) = \lim_{x \to 1^-} \frac{f(x) - f(1)}{x - 1} = \lim_{x \to 1^-} \frac{x^2 - 1}{x - 1} = 2,$$

$$f'_+(1) = \lim_{x \to 1^+} \frac{f(x) - f(1)}{x - 1} = \lim_{x \to 1^+} \frac{ax + b - 1}{x - 1}$$

$$= \lim_{x \to 1^+} \frac{a(x-1) + a + b - 1}{x - 1} = \lim_{x \to 1^+} \frac{a(x-1)}{x - 1} = a.$$

故 $a = 2, b = -1$.

18. 已知 $f(x) = \begin{cases} x^2, & x \geqslant 0, \\ -x, & x < 0, \end{cases}$ 求 $f'_+(0)$ 及 $f'_-(0)$, 又 $f'(0)$ 是否存在?

解
$$f'_-(0) = \lim_{x \to 0^-} \frac{f(x) - f(0)}{x - 0} = \lim_{x \to 0^-} \frac{-x - 0}{x} = -1,$$

$$f'_+(0) = \lim_{x \to 0^+} \frac{f(x) - f(0)}{x - 0} = \lim_{x \to 0^+} \frac{x^2 - 0}{x} = 0.$$

由于 $f'_-(0) \neq f'_+(0)$, 故 $f'(0)$ 不存在.

19. 已知 $f(x) = \begin{cases} \sin x, & x < 0, \\ x, & x \geqslant 0, \end{cases}$ 求 $f'(x)$.

解
$$f'_-(0) = \lim_{x \to 0^-} \frac{f(x) - f(0)}{x - 0} = \lim_{x \to 0^-} \frac{\sin x}{x} = 1,$$

$$f'_+(0) = \lim_{x \to 0^+} \frac{f(x) - f(0)}{x - 0} = \lim_{x \to 0^+} \frac{x}{x} = 1.$$

由于 $f'_-(0) = f'_+(0) = 1$, 故 $f'(0) = 1$. 因此

$$f'(x) = \begin{cases} \cos x, & x < 0, \\ 1, & x \geqslant 0. \end{cases}$$

20. 证明:双曲线 $xy = a^2$ 上任一点处的切线与两坐标轴构成的三角形的面积都等于 $2a^2$.

证 设 (x_0, y_0) 为双曲线 $xy = a^2$ 上任一点,曲线在该点处的切线斜率

$$k = \left(\frac{a^2}{x} \right)' \bigg|_{x = x_0} = -\frac{a^2}{x_0^2},$$

切线方程为 $y - y_0 = -\dfrac{a^2}{x_0^2}(x - x_0)$ 或 $\dfrac{x}{2x_0} + \dfrac{y}{2y_0} = 1$,

由此可得所构成的三角形的面积为

$$A = \frac{1}{2} |2x_0| |2y_0| = 2a^2.$$

1. 推导余切函数及余割函数的导数公式:
$$(\cot x)' = -\csc^2 x; (\csc x)' = -\csc x \cot x.$$

解 $(\cot x)' = \left(\dfrac{\cos x}{\sin x}\right)' = \dfrac{-\sin x \sin x - \cos x \cos x}{\sin^2 x} = -\dfrac{1}{\sin^2 x} = -\csc^2 x.$

$(\csc x)' = \left(\dfrac{1}{\sin x}\right)' = \dfrac{-\cos x}{\sin^2 x} = -\csc x \cot x.$

2. 求下列函数的导数:

(1) $y = x^3 + \dfrac{7}{x^4} - \dfrac{2}{x} + 12$;

(2) $y = 5x^3 - 2^x + 3e^x$;

(3) $y = 2\tan x + \sec x - 1$;

(4) $y = \sin x \cos x$;

(5) $y = x^2 \ln x$;

(6) $y = 3e^x \cos x$;

(7) $y = \dfrac{\ln x}{x}$;

(8) $y = \dfrac{e^x}{x^2} + \ln 3$;

(9) $y = x^2 \ln x \cos x$;

(10) $s = \dfrac{1 + \sin t}{1 + \cos t}$.

解 (1) $y' = 3x^2 - \dfrac{28}{x^5} + \dfrac{2}{x^2}$.

(2) $y' = 15x^2 - 2^x \ln 2 + 3e^x$.

(3) $y' = 2\sec^2 x + \sec x \tan x = \sec x(2\sec x + \tan x)$.

(4) $y' = \left(\dfrac{1}{2}\sin 2x\right)' = \dfrac{1}{2} \cdot 2\cos 2x = \cos 2x$.

(5) $y' = 2x\ln x + x^2 \cdot \dfrac{1}{x} = x(2\ln x + 1)$.

(6) $y' = 3e^x \cos x - 3e^x \sin x = 3e^x(\cos x - \sin x)$.

(7) $y' = \dfrac{\frac{1}{x} \cdot x - \ln x}{x^2} = \dfrac{1 - \ln x}{x^2}$.

(8) $y' = \dfrac{e^x \cdot x^2 - 2xe^x}{x^4} = \dfrac{e^x(x-2)}{x^3}$.

(9) $y' = 2x\ln x\cos x + x^2 \cdot \dfrac{1}{x}\cos x + x^2\ln x(-\sin x)$

$= 2x\ln x\cos x + x\cos x - x^2\ln x\sin x$.

(10) $s' = \dfrac{\cos t(1+\cos t) - (1+\sin t)(-\sin t)}{(1+\cos t)^2} = \dfrac{1 + \sin t + \cos t}{(1+\cos t)^2}$.

3. 求下列函数在给定点处的导数:

(1) $y=\sin x-\cos x$，求 $y'|_{x=\frac{\pi}{6}}$ 和 $y'|_{x=\frac{\pi}{4}}$；

(2) $\rho=\theta\sin\theta+\dfrac{1}{2}\cos\theta$，求 $\dfrac{\mathrm{d}\rho}{\mathrm{d}\theta}\Big|_{\theta=\frac{\pi}{4}}$；

(3) $f(x)=\dfrac{3}{5-x}+\dfrac{x^2}{5}$，求 $f'(0)$ 和 $f'(2)$.

解 (1) $y'=\cos x+\sin x$，$y'|_{x=\frac{\pi}{6}}=\cos\dfrac{\pi}{6}+\sin\dfrac{\pi}{6}=\dfrac{\sqrt{3}+1}{2}$，

$$y'|_{x=\frac{\pi}{4}}=\cos\dfrac{\pi}{4}+\sin\dfrac{\pi}{4}=\sqrt{2}.$$

(2) $\dfrac{\mathrm{d}\rho}{\mathrm{d}\theta}=\sin\theta+\theta\cos\theta+\dfrac{1}{2}(-\sin\theta)=\dfrac{1}{2}\sin\theta+\theta\cos\theta$，

$$\dfrac{\mathrm{d}\rho}{\mathrm{d}\theta}\Big|_{\theta=\frac{\pi}{4}}=\dfrac{1}{2}\sin\dfrac{\pi}{4}+\dfrac{\pi}{4}\cos\dfrac{\pi}{4}=\dfrac{\sqrt{2}}{4}\Big(1+\dfrac{\pi}{2}\Big).$$

(3) $f'(x)=\dfrac{3}{(5-x)^2}+\dfrac{2}{5}x$，$f'(0)=\dfrac{3}{25}$，$f'(2)=\dfrac{1}{3}+\dfrac{4}{5}=\dfrac{17}{15}$.

4. 以初速 v_0 竖直上抛的物体，其上升高度 s 与时间 t 的关系是 $s=v_0t-\dfrac{1}{2}gt^2$. 求：

(1) 该物体的速度 $v(t)$；

(2) 该物体达到最高点的时刻.

解 (1) $v(t)=\dfrac{\mathrm{d}s}{\mathrm{d}t}=v_0-gt$.

(2) 物体达到最高点的时刻 $v=0$，即 $v_0-gt=0$，故 $t=\dfrac{v_0}{g}$.

5. 求曲线 $y=2\sin x+x^2$ 上横坐标为 $x=0$ 的点处的切线方程和法线方程.

解 $y'=2\cos x+2x$，$y'|_{x=0}=2$，$y|_{x=0}=0$，

因此曲线在点 $(0,0)$ 处的切线方程为

$$y-0=2(x-0)，\text{即 } 2x-y=0,$$

法线方程为 $\qquad y-0=-\dfrac{1}{2}(x-0)，\text{即 } x+2y=0.$

6. 求下列函数的导数：

(1) $y=(2x+5)^4$；　　　　　(2) $y=\cos(4-3x)$；

(3) $y=\mathrm{e}^{-3x^2}$；　　　　　　(4) $y=\ln(1+x^2)$；

(5) $y=\sin^2 x$；　　　　　　(6) $y=\sqrt{a^2-x^2}$；

(7) $y=\tan x^2$；　　　　　　(8) $y=\arctan \mathrm{e}^x$；

(9) $y=(\arcsin x)^2$；　　　　(10) $y=\ln\cos x$.

解 (1) $y'=4(2x+5)^3\cdot 2=8(2x+5)^3$.

(2) $y'=-\sin(4-3x)(-3)=3\sin(4-3x)$.

(3) $y'=e^{-3x^2}\cdot(-6x)=-6xe^{-3x^2}$.

(4) $y'=\dfrac{1}{1+x^2}\cdot2x=\dfrac{2x}{1+x^2}$.

(5) $y'=2\sin x\cos x=\sin 2x$.

(6) $y'=\dfrac{1}{2\sqrt{a^2-x^2}}(-2x)=-\dfrac{x}{\sqrt{a^2-x^2}}$.

(7) $y'=\sec^2 x^2\cdot2x=2x\sec^2 x^2$.

(8) $y'=\dfrac{1}{1+(e^x)^2}\cdot e^x=\dfrac{e^x}{1+e^{2x}}$.

(9) $y'=2\arcsin x\cdot\dfrac{1}{\sqrt{1-x^2}}=\dfrac{2}{\sqrt{1-x^2}}\arcsin x$.

(10) $y'=\dfrac{1}{\cos x}(-\sin x)=-\tan x$.

7. 求下列函数的导数：

(1) $y=\arcsin(1-2x)$; (2) $y=\dfrac{1}{\sqrt{1-x^2}}$;

(3) $y=e^{-\frac{x}{2}}\cos 3x$; (4) $y=\arccos\dfrac{1}{x}$;

(5) $y=\dfrac{1-\ln x}{1+\ln x}$; (6) $y=\dfrac{\sin 2x}{x}$;

(7) $y=\arcsin\sqrt{x}$; (8) $y=\ln(x+\sqrt{a^2+x^2})$;

(9) $y=\ln(\sec x+\tan x)$; (10) $y=\ln(\csc x-\cot x)$.

解 (1) $y'=\dfrac{1}{\sqrt{1-(1-2x)^2}}\cdot(-2)=-\dfrac{1}{\sqrt{x-x^2}}$.

(2) $y'=\dfrac{-\dfrac{(-2x)}{2\sqrt{1-x^2}}}{(\sqrt{1-x^2})^2}=\dfrac{x}{\sqrt{(1-x^2)^3}}$.

(3) $y'=-\dfrac{1}{2}e^{-\frac{x}{2}}\cos 3x-3e^{-\frac{x}{2}}\sin 3x$

$\qquad=-\dfrac{1}{2}e^{-\frac{x}{2}}(\cos 3x+6\sin 3x)$.

(4) $y'=-\dfrac{1}{\sqrt{1-\left(\dfrac{1}{x}\right)^2}}\cdot\left(-\dfrac{1}{x^2}\right)=\dfrac{|x|}{x^2\sqrt{x^2-1}}$.

(5) $y'=\dfrac{-\dfrac{1}{x}(1+\ln x)-(1-\ln x)\cdot\dfrac{1}{x}}{(1+\ln x)^2}=-\dfrac{2}{x(1+\ln x)^2}$.

(6) $y' = \dfrac{2x\cos 2x - \sin 2x}{x^2}$.

(7) $y' = \dfrac{1}{\sqrt{1-(\sqrt{x})^2}} \cdot \dfrac{1}{2\sqrt{x}} = \dfrac{1}{2\sqrt{x-x^2}}$.

(8) $y' = \dfrac{1}{x+\sqrt{a^2+x^2}}\left(1+\dfrac{2x}{2\sqrt{a^2+x^2}}\right) = \dfrac{1}{x+\sqrt{a^2+x^2}} \cdot \dfrac{x+\sqrt{a^2+x^2}}{\sqrt{a^2+x^2}}$

$\qquad = \dfrac{1}{\sqrt{a^2+x^2}}$.

(9) $y' = \dfrac{1}{\sec x + \tan x}(\sec x\tan x + \sec^2 x) = \sec x$.

(10) $y' = \dfrac{1}{\csc x - \cot x}(-\csc x\cot x + \csc^2 x) = \csc x$.

8. 求下列函数的导数:

(1) $y = \left(\arcsin \dfrac{x}{2}\right)^2$;　　　　(2) $y = \ln\tan \dfrac{x}{2}$;

(3) $y = \sqrt{1+\ln^2 x}$;　　　　(4) $y = \mathrm{e}^{\arctan\sqrt{x}}$;

(5) $y = \sin^n x\cos nx$;　　　　(6) $y = \arctan \dfrac{x+1}{x-1}$;

(7) $y = \dfrac{\arcsin x}{\arccos x}$;　　　　(8) $y = \ln\ln\ln x$;

(9) $y = \dfrac{\sqrt{1+x}-\sqrt{1-x}}{\sqrt{1+x}+\sqrt{1-x}}$;　　　　(10) $y = \arcsin\sqrt{\dfrac{1-x}{1+x}}$.

解　(1) $y' = 2\arcsin \dfrac{x}{2} \cdot \dfrac{1}{\sqrt{1-\left(\dfrac{x}{2}\right)^2}} \cdot \dfrac{1}{2} = \dfrac{2\arcsin \dfrac{x}{2}}{\sqrt{4-x^2}}$.

(2) $y' = \dfrac{1}{\tan \dfrac{x}{2}} \cdot \sec^2 \dfrac{x}{2} \cdot \dfrac{1}{2} = \dfrac{1}{2\sin \dfrac{x}{2}\cos \dfrac{x}{2}} = \dfrac{1}{\sin x} = \csc x$.

(3) $y' = \dfrac{1}{2\sqrt{1+\ln^2 x}} \cdot 2\ln x \cdot \dfrac{1}{x} = \dfrac{\ln x}{x\sqrt{1+\ln^2 x}}$.

(4) $y' = \mathrm{e}^{\arctan\sqrt{x}} \cdot \dfrac{1}{1+(\sqrt{x})^2} \cdot \dfrac{1}{2\sqrt{x}} = \dfrac{1}{2\sqrt{x}(1+x)}\mathrm{e}^{\arctan\sqrt{x}}$.

(5) $y' = n\sin^{n-1} x\cos x\cos nx + \sin^n x(-\sin nx) \cdot n$

$\qquad = n\sin^{n-1} x(\cos x\cos nx - \sin x\sin nx)$

$\qquad = n\sin^{n-1} x\cos (n+1)x$.

(6) $y' = \dfrac{1}{1+\left(\dfrac{x+1}{x-1}\right)^2} \cdot \dfrac{(x-1)-(x+1)}{(x-1)^2} = \dfrac{-2}{(x-1)^2+(x+1)^2}$

$\qquad = -\dfrac{1}{1+x^2}.$

(7) $y' = \dfrac{\dfrac{1}{\sqrt{1-x^2}}\arccos x - \arcsin x\left(-\dfrac{1}{\sqrt{1-x^2}}\right)}{(\arccos x)^2}$

$\qquad = \dfrac{\arccos x + \arcsin x}{\sqrt{1-x^2}(\arccos x)^2} = \dfrac{\pi}{2\sqrt{1-x^2}(\arccos x)^2}.$

(8) $y' = \dfrac{1}{\ln\ln x} \cdot \dfrac{1}{\ln x} \cdot \dfrac{1}{x} = \dfrac{1}{x\ln x\ln\ln x}.$

(9) $y' =$

$\dfrac{\left(\dfrac{1}{2\sqrt{1+x}}+\dfrac{1}{2\sqrt{1-x}}\right)(\sqrt{1+x}+\sqrt{1-x})-(\sqrt{1+x}-\sqrt{1-x})\left(\dfrac{1}{2\sqrt{1+x}}-\dfrac{1}{2\sqrt{1-x}}\right)}{(\sqrt{1+x}+\sqrt{1-x})^2}$

$= \dfrac{1}{2}\dfrac{\dfrac{1}{\sqrt{1+x}\sqrt{1-x}}(\sqrt{1+x}+\sqrt{1-x})^2+\dfrac{1}{\sqrt{1+x}\sqrt{1-x}}(\sqrt{1+x}-\sqrt{1-x})^2}{2+2\sqrt{1-x^2}}$

$= \dfrac{1}{4}\dfrac{2+2}{(1+\sqrt{1-x^2})\sqrt{1-x^2}} = \dfrac{1-\sqrt{1-x^2}}{x^2\sqrt{1-x^2}}.$

(10) $y' = \dfrac{1}{\sqrt{1-\left(\sqrt{\dfrac{1-x}{1+x}}\right)^2}} \cdot \dfrac{1}{2\sqrt{\dfrac{1-x}{1+x}}} \cdot \dfrac{-(1+x)-(1-x)}{(1+x)^2}$

$\qquad = -\dfrac{1}{\sqrt{1-\dfrac{1-x}{1+x}}} \cdot \dfrac{1}{\sqrt{\dfrac{1-x}{1+x}}} \cdot \dfrac{1}{(1+x)^2}$

$\qquad = -\dfrac{1}{\sqrt{2x}(1+x)\sqrt{1-x}} = -\dfrac{1}{(1+x)\sqrt{2x(1-x)}}.$

9. 设函数 $f(x)$ 和 $g(x)$ 可导,且 $f^2(x)+g^2(x)\neq 0$,试求函数 $y=\sqrt{f^2(x)+g^2(x)}$ 的导数.

解 $y' = \dfrac{1}{2\sqrt{f^2(x)+g^2(x)}}[2f(x)f'(x)+2g(x)g'(x)]$

$\qquad = \dfrac{f(x)f'(x)+g(x)g'(x)}{\sqrt{f^2(x)+g^2(x)}}.$

10. 设 $f(x)$ 可导,求下列函数的导数 $\dfrac{dy}{dx}$:

(1) $y=f(x^2)$;   (2) $y=f(\sin^2 x)+f(\cos^2 x)$.

解 (1) $y'=f'(x^2)2x=2xf'(x^2)$.

(2) $y'=f'(\sin^2 x)2\sin x\cos x+f'(\cos^2 x)2\cos x(-\sin x)$
$\qquad =\sin 2x[f'(\sin^2 x)-f'(\cos^2 x)]$.

11. 求下列函数的导数：

(1) $y=\mathrm{e}^{-x}(x^2-2x+3)$;   (2) $y=\sin^2 x\cdot\sin(x^2)$;

(3) $y=\left(\arctan\dfrac{x}{2}\right)^2$;   (4) $y=\dfrac{\ln x}{x^n}$;

(5) $y=\dfrac{\mathrm{e}^t-\mathrm{e}^{-t}}{\mathrm{e}^t+\mathrm{e}^{-t}}$;   (6) $y=\mathrm{lncos}\dfrac{1}{x}$;

(7) $y=\mathrm{e}^{-\sin^2\frac{1}{x}}$;   (8) $y=\sqrt{x+\sqrt{x}}$;

(9) $y=x\arcsin\dfrac{x}{2}+\sqrt{4-x^2}$;   (10) $y=\arcsin\dfrac{2t}{1+t^2}$.

解 (1) $y'=-\mathrm{e}^{-x}(x^2-2x+3)+\mathrm{e}^{-x}(2x-2)=\mathrm{e}^{-x}(-x^2+4x-5)$.

(2) $y'=2\sin x\cos x\cdot\sin(x^2)+\sin^2 x\cos(x^2)\cdot 2x$
$\qquad =\sin 2x\sin(x^2)+2x\sin^2 x\cos(x^2)$.

(3) $y'=2\arctan\dfrac{x}{2}\cdot\dfrac{1}{1+\left(\dfrac{x}{2}\right)^2}\cdot\dfrac{1}{2}=\dfrac{4}{4+x^2}\arctan\dfrac{x}{2}$.

(4) $y'=\dfrac{\dfrac{1}{x}x^n-nx^{n-1}\ln x}{x^{2n}}=\dfrac{1-n\ln x}{x^{n+1}}$.

(5) $y'=\dfrac{(\mathrm{e}^t+\mathrm{e}^{-t})(\mathrm{e}^t+\mathrm{e}^{-t})-(\mathrm{e}^t-\mathrm{e}^{-t})(\mathrm{e}^t-\mathrm{e}^{-t})}{(\mathrm{e}^t+\mathrm{e}^{-t})^2}$

$\qquad =\dfrac{4}{(\mathrm{e}^t+\mathrm{e}^{-t})^2}$.

或 $y'=(\mathrm{th}\ t)'=\dfrac{1}{\mathrm{ch}^2 t}$.

(6) $y'=\dfrac{1}{\cos\dfrac{1}{x}}\left(-\sin\dfrac{1}{x}\right)\cdot\left(-\dfrac{1}{x^2}\right)=\dfrac{1}{x^2}\tan\dfrac{1}{x}$.

(7) $y'=\mathrm{e}^{-\sin^2\frac{1}{x}}\left(-2\sin\dfrac{1}{x}\cos\dfrac{1}{x}\right)\cdot\left(-\dfrac{1}{x^2}\right)=\dfrac{1}{x^2}\sin\dfrac{2}{x}\mathrm{e}^{-\sin^2\frac{1}{x}}$.

(8) $y'=\dfrac{1}{2\sqrt{x+\sqrt{x}}}\left(1+\dfrac{1}{2\sqrt{x}}\right)=\dfrac{2\sqrt{x}+1}{4\sqrt{x}\sqrt{x+\sqrt{x}}}$.

(9) $y'=\arcsin\dfrac{x}{2}+x\cdot\dfrac{1}{\sqrt{1-\left(\dfrac{x}{2}\right)^2}}\cdot\dfrac{1}{2}+\dfrac{(-2x)}{2\sqrt{4-x^2}}$

$$=\arcsin\frac{x}{2}+\frac{x}{\sqrt{4-x^2}}-\frac{x}{\sqrt{4-x^2}}=\arcsin\frac{x}{2}.$$

(10) $y'=\dfrac{1}{\sqrt{1-\left(\dfrac{2t}{1+t^2}\right)^2}}\cdot\dfrac{2(1+t^2)-2t\cdot2t}{(1+t^2)^2}$

$$=\frac{1+t^2}{\sqrt{(1-t^2)^2}}\cdot\frac{2(1-t^2)}{(1+t^2)^2}=\frac{2(1-t^2)}{|1-t^2|(1+t^2)}$$

$$=\begin{cases}\dfrac{2}{1+t^2}, & |t|<1,\\[3mm]-\dfrac{2}{1+t^2}, & |t|>1.\end{cases}$$

*12. 求下列函数的导数:

(1) $y=\mathrm{ch}(\mathrm{sh}\,x)$;　　　　(2) $y=\mathrm{sh}\,x\cdot\mathrm{e}^{\mathrm{ch}\,x}$;

(3) $y=\mathrm{th}(\ln x)$;　　　　(4) $y=\mathrm{sh}^3x+\mathrm{ch}^2x$;

(5) $y=\mathrm{th}(1-x^2)$;　　　　(6) $y=\mathrm{arsh}(x^2+1)$;

(7) $y=\mathrm{arch}(\mathrm{e}^{2x})$;　　　　(8) $y=\arctan(\mathrm{th}\,x)$;

(9) $y=\ln\mathrm{ch}\,x+\dfrac{1}{2\mathrm{ch}^2x}$;　　(10) $y=\mathrm{ch}^2\left(\dfrac{x-1}{x+1}\right)$.

解　(1) $y'=\mathrm{sh}(\mathrm{sh}\,x)\cdot\mathrm{ch}\,x=\mathrm{ch}\,x\mathrm{sh}(\mathrm{sh}\,x)$.

(2) $y'=\mathrm{ch}\,x\mathrm{e}^{\mathrm{ch}\,x}+\mathrm{sh}\,x\mathrm{e}^{\mathrm{ch}\,x}\mathrm{sh}\,x=\mathrm{e}^{\mathrm{ch}\,x}(\mathrm{ch}\,x+\mathrm{sh}^2x)$.

(3) $y'=\dfrac{1}{\mathrm{ch}^2(\ln x)}\cdot\dfrac{1}{x}=\dfrac{1}{x\mathrm{ch}^2(\ln x)}$.

(4) $y'=3\mathrm{sh}^2x\mathrm{ch}\,x+2\mathrm{ch}\,x\mathrm{sh}\,x=\mathrm{sh}\,x\mathrm{ch}\,x(3\mathrm{sh}\,x+2)$.

(5) $y'=\dfrac{1}{\mathrm{ch}^2(1-x^2)}\cdot(-2x)=-\dfrac{2x}{\mathrm{ch}^2(1-x^2)}$.

(6) $y'=\dfrac{1}{\sqrt{1+(x^2+1)^2}}\cdot2x=\dfrac{2x}{\sqrt{x^4+2x^2+2}}$.

(7) $y'=\dfrac{1}{\sqrt{(\mathrm{e}^{2x})^2-1}}\cdot\mathrm{e}^{2x}\cdot2=\dfrac{2\mathrm{e}^{2x}}{\sqrt{\mathrm{e}^{4x}-1}}$.

(8) $y'=\dfrac{1}{1+(\mathrm{th}\,x)^2}\cdot\dfrac{1}{\mathrm{ch}^2x}=\dfrac{1}{1+\dfrac{\mathrm{sh}^2x}{\mathrm{ch}^2x}}\cdot\dfrac{1}{\mathrm{ch}^2x}=\dfrac{1}{\mathrm{ch}^2x+\mathrm{sh}^2x}$

$$=\frac{1}{1+2\mathrm{sh}^2x}.$$

(9) $y'=\dfrac{1}{\mathrm{ch}\,x}\mathrm{sh}\,x-\dfrac{1}{(2\mathrm{ch}^2x)^2}\cdot4\mathrm{ch}\,x\mathrm{sh}\,x=\dfrac{\mathrm{sh}\,x}{\mathrm{ch}\,x}-\dfrac{\mathrm{sh}\,x}{\mathrm{ch}^3x}$

$$=\frac{\mathrm{sh}\,x(\mathrm{ch}^2x-1)}{\mathrm{ch}^3x}=\frac{\mathrm{sh}^3x}{\mathrm{ch}^3x}=\mathrm{th}^3x.$$

(10) $y' = 2\mathrm{ch}\left(\dfrac{x-1}{x+1}\right)\mathrm{sh}\left(\dfrac{x-1}{x+1}\right) \cdot \dfrac{x+1-(x-1)}{(x+1)^2}$

$\quad = \dfrac{2}{(x+1)^2}\mathrm{sh}\left(2 \cdot \dfrac{x-1}{x+1}\right).$

13. 设函数 $f(x)$ 和 $g(x)$ 均在点 x_0 的某一邻域内有定义，$f(x)$ 在 x_0 处可导，$f(x_0)=0$，$g(x)$ 在 x_0 处连续，试讨论 $f(x)g(x)$ 在 x_0 处的可导性.

解 由 $f(x)$ 在 x_0 处可导，且 $f(x_0)=0$，则有

$$f'(x_0) = \lim_{x \to x_0}\frac{f(x)-f(x_0)}{x-x_0} = \lim_{x \to x_0}\frac{f(x)}{x-x_0};$$

由 $g(x)$ 在 x_0 处连续，则有 $\lim\limits_{x \to x_0}g(x)=g(x_0)$，故

$$\lim_{x \to x_0}\frac{f(x)g(x)-f(x_0)g(x_0)}{x-x_0} = \lim_{x \to x_0}\frac{f(x)}{x-x_0}g(x) = f'(x_0)g(x_0),$$

即 $f(x)g(x)$ 在 x_0 处可导，其导数为 $f'(x_0)g(x_0)$.

14. 设函数 $f(x)$ 满足下列条件：

(1) $f(x+y)=f(x)f(y)$，对一切 $x,y \in \mathbf{R}$；

(2) $f(x)=1+xg(x)$，而 $\lim\limits_{x \to 0}g(x)=1$.

试证明 $f(x)$ 在 $\mathbf{R}$ 上处处可导，且 $f'(x)=f(x)$.

证 由(2)知 $f(0)=1$，故

$$f'(x) = \lim_{\Delta x \to 0}\frac{f(x+\Delta x)-f(x)}{\Delta x} = \lim_{\Delta x \to 0}\frac{f(x)f(\Delta x)-f(x)}{\Delta x}$$

$$= \lim_{\Delta x \to 0}\left[f(x) \cdot \frac{f(\Delta x)-1}{\Delta x}\right] = \lim_{\Delta x \to 0}\left[f(x) \cdot \frac{\Delta x g(\Delta x)}{\Delta x}\right]$$

$$= \lim_{\Delta x \to 0}[f(x)g(\Delta x)] = f(x) \cdot 1 = f(x).$$

习题 2-3　　高阶导数

1. 求下列函数的二阶导数：

(1) $y=2x^2+\ln x$；

(2) $y=\mathrm{e}^{2x-1}$；

(3) $y=x\cos x$；

(4) $y=\mathrm{e}^{-t}\sin t$；

(5) $y=\sqrt{a^2-x^2}$；

(6) $y=\ln(1-x^2)$；

(7) $y=\tan x$；

(8) $y=\dfrac{1}{x^3+1}$；

(9) $y=(1+x^2)\arctan x$；

(10) $y=\dfrac{\mathrm{e}^x}{x}$；

(11) $y=x\mathrm{e}^{x^2}$；

(12) $y=\ln(x+\sqrt{1+x^2})$.

解 (1) $y'=4x+\dfrac{1}{x}$，$y''=4-\dfrac{1}{x^2}$.

(2) $y'=\mathrm{e}^{2x-1}\cdot 2=2\mathrm{e}^{2x-1}$，$y''=2\mathrm{e}^{2x-1}\cdot 2=4\mathrm{e}^{2x-1}$.

(3) $y'=\cos x+x(-\sin x)=\cos x-x\sin x$,

$y''=-\sin x-\sin x-x\cos x=-2\sin x-x\cos x$.

(4) $y'=\mathrm{e}^{-t}(-1)\sin t+\mathrm{e}^{-t}\cos t=\mathrm{e}^{-t}(\cos t-\sin t)$,

$y''=\mathrm{e}^{-t}(-1)(\cos t-\sin t)+\mathrm{e}^{-t}(-\sin t-\cos t)$

$\quad=\mathrm{e}^{-t}(-2\cos t)=-2\mathrm{e}^{-t}\cos t$.

(5) $y'=\dfrac{-2x}{2\sqrt{a^2-x^2}}=-\dfrac{x}{\sqrt{a^2-x^2}}$,

$y''=-\dfrac{\sqrt{a^2-x^2}-x\cdot\dfrac{(-2x)}{2\sqrt{a^2-x^2}}}{(\sqrt{a^2-x^2})^2}=\dfrac{-a^2}{(a^2-x^2)^{3/2}}$.

(6) $y'=\dfrac{1}{1-x^2}\cdot(-2x)=\dfrac{2x}{x^2-1}$,

$y''=\dfrac{2(x^2-1)-2x\cdot(2x)}{(x^2-1)^2}=-\dfrac{2(1+x^2)}{(1-x^2)^2}$.

(7) $y'=\sec^2 x$，$y''=2\sec^2 x\tan x$.

(8) $y'=\dfrac{-3x^2}{(x^3+1)^2}$,

$y''=-\dfrac{3[2x(x^3+1)^2-x^2\cdot 2(x^3+1)\cdot 3x^2]}{(x^3+1)^4}=\dfrac{6x(2x^3-1)}{(x^3+1)^3}$.

(9) $y'=2x\arctan x+(1+x^2)\cdot\dfrac{1}{1+x^2}=2x\arctan x+1$,

$y''=2\arctan x+2x\dfrac{1}{1+x^2}=2\arctan x+\dfrac{2x}{1+x^2}$.

(10) $y'=\dfrac{x\mathrm{e}^x-\mathrm{e}^x}{x^2}=\dfrac{(x-1)\mathrm{e}^x}{x^2}$,

$y''=\dfrac{(\mathrm{e}^x+(x-1)\mathrm{e}^x)x^2-2x(x-1)\mathrm{e}^x}{x^4}=\dfrac{\mathrm{e}^x(x^2-2x+2)}{x^3}$.

(11) $y'=\mathrm{e}^{x^2}+x\mathrm{e}^{x^2}\cdot 2x=(1+2x^2)\mathrm{e}^{x^2}$,

$y''=4x\mathrm{e}^{x^2}+(1+2x^2)\mathrm{e}^{x^2}\cdot 2x=2x(3+2x^2)\mathrm{e}^{x^2}$.

(12) $y'=\dfrac{1}{x+\sqrt{1+x^2}}\left(1+\dfrac{2x}{2\sqrt{1+x^2}}\right)=\dfrac{1}{\sqrt{1+x^2}}$,

$y''=\dfrac{-\dfrac{2x}{2\sqrt{1+x^2}}}{(\sqrt{1+x^2})^2}=-\dfrac{x}{\sqrt{(1+x^2)^3}}$.

2. 设 $f(x)=(x+10)^6, f'''(2)=?$

解 $f'(x)=6(x+10)^5, f''(x)=30(x+10)^4, f'''(x)=120(x+10)^3,$
$f'''(2)=120\times12^3=207\,360.$

3. 设 $f''(x)$ 存在，求下列函数的二阶导数 $\dfrac{\mathrm{d}^2y}{\mathrm{d}x^2}$:

(1) $y=f(x^2)$; (2) $y=\ln[f(x)].$

解 (1) $y'=f'(x^2)\cdot2x=2xf'(x^2), y''=2f'(x^2)+2xf''(x^2)\cdot2x$
$=2f'(x^2)+4x^2f''(x^2).$

(2) $y'=\dfrac{f'(x)}{f(x)}, y''=\dfrac{f''(x)f(x)-f'^2(x)}{f^2(x)}.$

4. 试从 $\dfrac{\mathrm{d}x}{\mathrm{d}y}=\dfrac{1}{y'}$ 导出：

(1) $\dfrac{\mathrm{d}^2x}{\mathrm{d}y^2}=-\dfrac{y''}{(y')^3}$; (2) $\dfrac{\mathrm{d}^3x}{\mathrm{d}y^3}=\dfrac{3(y'')^2-y'y'''}{(y')^5}.$

解 (1) $\dfrac{\mathrm{d}^2x}{\mathrm{d}y^2}=\dfrac{\mathrm{d}}{\mathrm{d}y}\left(\dfrac{\mathrm{d}x}{\mathrm{d}y}\right)=\dfrac{\mathrm{d}}{\mathrm{d}x}\left(\dfrac{1}{y'}\right)\dfrac{\mathrm{d}x}{\mathrm{d}y}=-\dfrac{y''}{(y')^2}\cdot\dfrac{1}{y'}=-\dfrac{y''}{(y')^3}.$

(2) $\dfrac{\mathrm{d}^3x}{\mathrm{d}y^3}=\dfrac{\mathrm{d}}{\mathrm{d}y}\left(\dfrac{\mathrm{d}^2x}{\mathrm{d}y^2}\right)=\dfrac{\mathrm{d}}{\mathrm{d}x}\left(\dfrac{-y''}{(y')^3}\right)\dfrac{\mathrm{d}x}{\mathrm{d}y}=-\dfrac{y'''(y')^3-y''\cdot3(y')^2y''}{(y')^6}\cdot\dfrac{1}{y'}$
$=\dfrac{3(y'')^2-y'y'''}{(y')^5}.$

5. 已知物体的运动规律为 $s=A\sin\omega t\,(A,\omega$ 是常数)，求物体运动的加速度，并验证：

$$\dfrac{\mathrm{d}^2s}{\mathrm{d}t^2}+\omega^2s=0.$$

解 $\dfrac{\mathrm{d}s}{\mathrm{d}t}=A\cos\omega t\cdot\omega=A\omega\cos\omega t, \dfrac{\mathrm{d}^2s}{\mathrm{d}t^2}=-A\omega^2\sin\omega t,$

故 $\dfrac{\mathrm{d}^2s}{\mathrm{d}t^2}+\omega^2s=-A\omega^2\sin\omega t+\omega^2A\sin\omega t=0.$

6. 比重大的陨星进入大气层时，当它离地心为 s km 时的速度与 $\sqrt{s}$ 成反比，试证陨星的加速度 a 与 s^2 成反比。

证 由题意知 $v=\dfrac{\mathrm{d}s}{\mathrm{d}t}=\dfrac{k}{\sqrt{s}}$, 其中 k 为比例系数. 则

$$a=\dfrac{\mathrm{d}^2s}{\mathrm{d}t^2}=\dfrac{\mathrm{d}}{\mathrm{d}s}\left(\dfrac{k}{\sqrt{s}}\right)\cdot\dfrac{\mathrm{d}s}{\mathrm{d}t}=-\dfrac{1}{2}\cdot\dfrac{k}{s^{\frac{3}{2}}}\cdot\dfrac{k}{\sqrt{s}}=-\dfrac{k^2}{2s^2},$$

即陨星的加速度与 s^2 成反比。

7. 假设质点沿 x 轴运动的速度为 $\dfrac{\mathrm{d}x}{\mathrm{d}t}=f(x)$, 试求质点运动的加速度。

解 质点运动的加速度为

$$a = \frac{\mathrm{d}^2 x}{\mathrm{d}t^2} = \frac{\mathrm{d}}{\mathrm{d}x}(f(x))\frac{\mathrm{d}x}{\mathrm{d}t} = f'(x)f(x).$$

8. 验证函数 $y = C_1 \mathrm{e}^{\lambda x} + C_2 \mathrm{e}^{-\lambda x}$ (λ, C_1, C_2 是常数)满足关系式:

$$y'' - \lambda^2 y = 0.$$

解 $\quad y' = C_1 \lambda \mathrm{e}^{\lambda x} - C_2 \lambda \mathrm{e}^{-\lambda x}, y'' = C_1 \lambda^2 \mathrm{e}^{\lambda x} + C_2 \lambda^2 \mathrm{e}^{-\lambda x},$

故 $\quad y'' - \lambda^2 y = C_1 \lambda^2 \mathrm{e}^{\lambda x} + C_2 \lambda^2 \mathrm{e}^{-\lambda x} - \lambda^2 (C_1 \mathrm{e}^{\lambda x} + C_2 \mathrm{e}^{-\lambda x}) = 0.$

9. 验证函数 $y = \mathrm{e}^x \sin x$ 满足关系式

$$y'' - 2y' + 2y = 0.$$

解 $\quad y' = \mathrm{e}^x \sin x + \mathrm{e}^x \cos x = \mathrm{e}^x(\sin x + \cos x),$

$\qquad y'' = \mathrm{e}^x(\sin x + \cos x) + \mathrm{e}^x(\cos x - \sin x) = 2\mathrm{e}^x \cos x,$

故 $\quad y'' - 2y' + 2y = 2\mathrm{e}^x \cos x - 2\mathrm{e}^x(\sin x + \cos x) + 2\mathrm{e}^x \sin x = 0.$

10. 求下列函数所指定的阶的导数:

(1) $y = \mathrm{e}^x \cos x$,求 $y^{(4)}$;

(2) $y = x^2 \sin 2x$,求 $y^{(50)}$.

解 (1) 利用莱布尼茨公式 $\quad (uv)^{(n)} = \sum_{k=0}^{n} C_n^k u^{(n-k)} v^{(k)},$

其中 $\quad C_n^k = \dfrac{n(n-1)(n-2)\cdots(n-k+1)}{k!}.$

$(\mathrm{e}^x \cos x)^{(4)} = (\mathrm{e}^x)^{(4)} \cos x + 4(\mathrm{e}^x)''' (\cos x)' + \dfrac{4 \cdot 3}{2!}(\mathrm{e}^x)''(\cos x)'' +$

$\qquad \dfrac{4 \cdot 3 \cdot 2}{3!}(\mathrm{e}^x)'(\cos x)''' + \mathrm{e}^x(\cos x)^{(4)}$

$\qquad = \mathrm{e}^x \cos x - 4\mathrm{e}^x \sin x + 6\mathrm{e}^x(-\cos x) + 4\mathrm{e}^x \sin x + \mathrm{e}^x \cos x$

$\qquad = -4\mathrm{e}^x \cos x.$

(2) 由 $(\sin 2x)^{(n)} = 2^n \sin\left(2x + \dfrac{n\pi}{2}\right)$ 及莱布尼茨公式

$(x^2 \sin 2x)^{(50)} = x^2 (\sin 2x)^{(50)} + 50(x^2)'(\sin 2x)^{(49)} + \dfrac{50 \cdot 49}{2!}(x^2)''(\sin 2x)^{(48)}$

$\qquad = 2^{50} x^2 \sin\left(2x + \dfrac{50\pi}{2}\right) + 100 \cdot 2^{49} x \sin\left(2x + \dfrac{49\pi}{2}\right) +$

$\qquad \dfrac{50 \cdot 49}{2} \cdot 2 \cdot 2^{48} \sin\left(2x + \dfrac{48\pi}{2}\right)$

$\qquad = 2^{50}\left(-x^2 \sin 2x + 50x \cos 2x + \dfrac{1\,225}{2}\sin 2x\right).$

*11. 求下列函数的 n 阶导数的一般表达式:

(1) $y = x^n + a_1 x^{n-1} + a_2 x^{n-2} + \cdots + a_{n-1}x + a_n$ ($a_1, a_2, \cdots, a_n$ 都是常数);

(2) $y=\sin^2 x$;　　　　　(3) $y=x\ln x$;

(4) $y=x\mathrm{e}^x$.

解　(1) $y'=nx^{n-1}+a_1(n-1)x^{n-2}+a_2(n-2)x^{n-3}+\cdots+a_{n-1}$,

$y''=n(n-1)x^{n-2}+a_1(n-1)(n-2)x^{n-3}+\cdots+a_{n-2}$,

　　……

$y^{(n)}=n(n-1)(n-2)\cdots3\cdot2\cdot1=n!$.

(2) $y=\sin^2 x=\dfrac{1}{2}(1-\cos 2x),\ y^{(n)}=\dfrac{-1}{2}\cos\left(2x+\dfrac{n\pi}{2}\right)\cdot 2^n$

$=-2^{n-1}\cos\left(2x+\dfrac{n\pi}{2}\right)$.

(3) $y'=\ln x+x\cdot\dfrac{1}{x}=\ln x+1,\ y''=\dfrac{1}{x}$,

$y^{(n)}=\dfrac{(-1)^{n-2}(n-2)!}{x^{n-1}}\ (n\geqslant 2)$.

(4) $y'=\mathrm{e}^x+x\mathrm{e}^x=(1+x)\mathrm{e}^x,\ y''=\mathrm{e}^x+(1+x)\mathrm{e}^x=(2+x)\mathrm{e}^x$.

设　$y^{(k)}=(k+x)\mathrm{e}^x$, 则 $y^{(k+1)}=\mathrm{e}^x+(k+x)\mathrm{e}^x=(1+k+x)\mathrm{e}^x$,

故　$y^{(n)}=(n+x)\mathrm{e}^x$.

*12. 求函数 $f(x)=x^2\ln(1+x)$ 在 $x=0$ 处的 n 阶导数 $f^{(n)}(0)(n\geqslant 3)$.

解　本题可用莱布尼茨公式求解.

设　$u=\ln(1+x),v=x^2$, 则 $u^{(n)}=\dfrac{(-1)^{n-1}(n-1)!}{(1+x)^n}(n=1,2,\cdots),v'=2x$,

$v''=2,v^{(k)}=0(k\geqslant 3)$. 故由莱布尼茨公式, 得

$$f^{(n)}(x)=\frac{(-1)^{n-1}(n-1)!}{(1+x)^n}\cdot x^2+n\frac{(-1)^{n-2}(n-2)!}{(1+x)^{n-1}}\cdot 2x+$$

$$\frac{n(n-1)}{2}\cdot\frac{(-1)^{n-3}(n-3)!}{(1+x)^{n-2}}\cdot 2(n\geqslant 3)$$

$$f^{(n)}(0)=\frac{(-1)^{n-1}n!}{n-2}(n\geqslant 3).$$

习题 2-4　隐函数及由参数方程所确定的函数的导数　相关变化率

1. 求由下列方程所确定的隐函数的导数 $\dfrac{\mathrm{d}y}{\mathrm{d}x}$:

(1) $y^2-2xy+9=0$;　　　　　(2) $x^3+y^3-3axy=0$;

(3) $xy=\mathrm{e}^{x+y}$;　　　　　(4) $y=1-x\mathrm{e}^y$.

解　(1) 在方程两端分别对 x 求导, 得

$$2yy' - 2y - 2xy' = 0,$$

从而 $y' = \dfrac{y}{y-x}$，其中 $y = y(x)$ 是由方程 $y^2 - 2xy + 9 = 0$ 所确定的隐函数.

（2）在方程两端分别对 x 求导，得

$$3x^2 + 3y^2 y' - 3ay - 3axy' = 0,$$

从而 $y' = \dfrac{ay - x^2}{y^2 - ax}$，其中 $y = y(x)$ 是由方程 $x^3 + y^3 - 3axy = 0$ 所确定的隐函数.

（3）在方程两端分别对 x 求导，得

$$y + xy' = e^{x+y}(1 + y'),$$

从而 $y' = \dfrac{e^{x+y} - y}{x - e^{x+y}}$，其中 $y = y(x)$ 是由方程 $xy = e^{x+y}$ 所确定的隐函数.

（4）在方程两端分别对 x 求导，得

$$y' = -e^y - xe^y y',$$

从而 $y' = -\dfrac{e^y}{1 + xe^y}$，其中 $y = y(x)$ 是由方程 $y = 1 - xe^y$ 所确定的隐函数.

2. 求曲线 $x^{\frac{2}{3}} + y^{\frac{2}{3}} = a^{\frac{2}{3}}$ 在点 $\left(\dfrac{\sqrt{2}}{4}a, \dfrac{\sqrt{2}}{4}a\right)$ 处的切线方程和法线方程.

解 由导数的几何意义知，所求切线的斜率为

$$k = y'\big|_{\left(\frac{\sqrt{2}}{4}a, \frac{\sqrt{2}}{4}a\right)},$$

在曲线方程两端分别对 x 求导，得

$$\frac{2}{3}x^{-\frac{1}{3}} + \frac{2}{3}y^{-\frac{1}{3}}y' = 0,$$

从而 $y' = -\dfrac{x^{-\frac{1}{3}}}{y^{-\frac{1}{3}}}$，$y'\big|_{\left(\frac{\sqrt{2}}{4}a, \frac{\sqrt{2}}{4}a\right)} = -1.$

于是所求的切线方程为

$$y - \frac{\sqrt{2}}{4}a = -1\left(x - \frac{\sqrt{2}}{4}a\right),$$

即

$$x + y = \frac{\sqrt{2}}{2}a.$$

法线方程为

$$y - \frac{\sqrt{2}}{4}a = 1 \cdot \left(x - \frac{\sqrt{2}}{4}a\right),$$

即

$$x - y = 0.$$

3. 求由下列方程所确定的隐函数的二阶导数 $\dfrac{\mathrm{d}^2 y}{\mathrm{d}x^2}$：

（1）$x^2 - y^2 = 1$；　　　　　　（2）$b^2 x^2 + a^2 y^2 = a^2 b^2$；

(3) $y=\tan(x+y)$;　　　　(4) $y=1+xe^y$.

解 (1) 应用隐函数的求导方法，得
$$2x-2yy'=0,$$
于是
$$y'=\frac{x}{y}.$$

在上式两端再对 x 求导，得
$$y''=\frac{y-xy'}{y^2}=\frac{y-\dfrac{x^2}{y}}{y^2}=\frac{y^2-x^2}{y^3}=-\frac{1}{y^3}.$$

(2) 应用隐函数的求导方法，得
$$2xb^2+2a^2yy'=0,$$
于是
$$y'=-\frac{b^2x}{a^2y},$$
$$y''=-\frac{b^2}{a^2}\cdot\frac{y-xy'}{y^2}=-\frac{b^4}{a^2y^3}.$$

(3) 应用隐函数的求导方法，得
$$y'=\sec^2(x+y)(1+y')=[1+\tan^2(x+y)](1+y')=(1+y^2)(1+y'),$$
于是
$$y'=\frac{(1+y^2)}{1-(1+y^2)}=-\frac{1}{y^2}-1,$$
$$y''=\frac{2y'}{y^3}=-\frac{2(1+y^2)}{y^5}=-2\csc^2(x+y)\cot^3(x+y).$$

(4) 应用隐函数的求导方法，得
$$y'=e^y+xe^yy',$$
于是
$$y'=\frac{e^y}{1-xe^y},$$
$$y''=\frac{e^y\cdot y'(1-xe^y)-e^y(-e^y-xe^yy')}{(1-xe^y)^2}$$
$$=\frac{e^yy'+e^{2y}}{(1-xe^y)^2}=\frac{e^{2y}(2-xe^y)}{(1-xe^y)^3}.$$

4. 用对数求导法求下列函数的导数：

(1) $y=\left(\dfrac{x}{1+x}\right)^x$;　　　　(2) $y=\sqrt[5]{\dfrac{x-5}{\sqrt[5]{x^2+2}}}$;

(3) $y=\dfrac{\sqrt{x+2}(3-x)^4}{(x+1)^5}$;　　　　(4) $y=\sqrt{x\sin x\sqrt{1-e^x}}$.

解 (1) 在 $y=\left(\dfrac{x}{1+x}\right)^x$ 两端取对数，得
$$\ln y=x[\ln x-\ln(1+x)].$$
在上式两端分别对 x 求导，并注意到 $y=y(x)$，得

$$\frac{y'}{y} = [\ln x - \ln(1+x)] + x\left(\frac{1}{x} - \frac{1}{1+x}\right) = \ln\frac{x}{1+x} + \frac{1}{1+x},$$

于是
$$y' = y\left(\ln\frac{x}{1+x} + \frac{1}{1+x}\right) = \left(\frac{x}{1+x}\right)^x \left(\ln\frac{x}{1+x} + \frac{1}{1+x}\right).$$

(2) 在 $y = \sqrt[5]{\dfrac{x-5}{\sqrt[5]{x^2+2}}}$ 两端取对数，得

$$\ln y = \frac{1}{5}\left[\ln(x-5) - \frac{1}{5}\ln(x^2+2)\right] = \frac{1}{5}\ln(x-5) - \frac{1}{25}\ln(x^2+2).$$

在上式两端分别对 x 求导，并注意到 $y=y(x)$，得

$$\frac{y'}{y} = \frac{1}{5} \cdot \frac{1}{x-5} - \frac{1}{25} \cdot \frac{2x}{x^2+2},$$

于是
$$y' = y\left[\frac{1}{5(x-5)} - \frac{2x}{25(x^2+2)}\right] = \sqrt[5]{\frac{x-5}{\sqrt[5]{x^2+2}}}\left[\frac{1}{5(x-5)} - \frac{2x}{25(x^2+2)}\right].$$

(3) 在 $y = \dfrac{\sqrt{x+2}(3-x)^4}{(x+1)^5}$ 两端取对数，得

$$\ln y = \frac{1}{2}\ln(x+2) + 4\ln(3-x) - 5\ln(1+x).$$

在上式两端分别对 x 求导，并注意到 $y=y(x)$，得

$$\frac{y'}{y} = \frac{1}{2} \cdot \frac{1}{x+2} + 4 \cdot \frac{(-1)}{3-x} - 5 \cdot \frac{1}{1+x},$$

于是
$$y' = y\left[\frac{1}{2(x+2)} - \frac{4}{3-x} - \frac{5}{1+x}\right]$$

$$= \frac{\sqrt{x+2}(3-x)^4}{(x+1)^5}\left[\frac{1}{2(x+2)} - \frac{4}{3-x} - \frac{5}{1+x}\right].$$

(4) 在 $y = \sqrt{x\sin x\sqrt{1-e^x}}$ 两端取对数，得

$$\ln y = \frac{1}{2}\left[\ln x + \ln\sin x + \frac{1}{2}\ln(1-e^x)\right].$$

在上式两端分别对 x 求导，并注意到 $y=y(x)$，得

$$\frac{y'}{y} = \frac{1}{2}\left[\frac{1}{x} + \frac{\cos x}{\sin x} + \frac{1}{2} \cdot \frac{(-e^x)}{1-e^x}\right],$$

于是
$$y' = y\left[\frac{1}{2x} + \frac{\cos x}{2\sin x} - \frac{e^x}{4(1-e^x)}\right]$$

$$= \frac{1}{2}\sqrt{x\sin x\sqrt{1-e^x}}\left[\frac{1}{x} + \cot x - \frac{e^x}{2(1-e^x)}\right].$$

5. 求下列参数方程所确定的函数的导数 $\dfrac{dy}{dx}$：

(1) $\begin{cases} x = at^2, \\ y = bt^3; \end{cases}$ 　　　　(2) $\begin{cases} x = \theta(1-\sin\theta), \\ y = \theta\cos\theta. \end{cases}$

解 (1) $\dfrac{\mathrm{d}y}{\mathrm{d}x} = \dfrac{\dfrac{\mathrm{d}y}{\mathrm{d}t}}{\dfrac{\mathrm{d}x}{\mathrm{d}t}} = \dfrac{3bt^2}{2at} = \dfrac{3b}{2a}t.$

(2) $\dfrac{\mathrm{d}y}{\mathrm{d}x} = \dfrac{\dfrac{\mathrm{d}y}{\mathrm{d}\theta}}{\dfrac{\mathrm{d}x}{\mathrm{d}\theta}} = \dfrac{\cos\theta - \theta\sin\theta}{1 - \sin\theta + \theta(-\cos\theta)} = \dfrac{\cos\theta - \theta\sin\theta}{1 - \sin\theta - \theta\cos\theta}.$

6. 已知 $\begin{cases} x = \mathrm{e}^t\sin t, \\ y = \mathrm{e}^t\cos t, \end{cases}$ 求当 $t = \dfrac{\pi}{3}$ 时 $\dfrac{\mathrm{d}y}{\mathrm{d}x}$ 的值.

解 $\dfrac{\mathrm{d}y}{\mathrm{d}x} = \dfrac{\dfrac{\mathrm{d}y}{\mathrm{d}t}}{\dfrac{\mathrm{d}x}{\mathrm{d}t}} = \dfrac{\mathrm{e}^t\cos t - \mathrm{e}^t\sin t}{\mathrm{e}^t\sin t + \mathrm{e}^t\cos t} = \dfrac{\cos t - \sin t}{\sin t + \cos t},$

于是 $\qquad \dfrac{\mathrm{d}y}{\mathrm{d}x}\Big|_{t=\frac{\pi}{3}} = \dfrac{\dfrac{1}{2} - \dfrac{\sqrt{3}}{2}}{\dfrac{\sqrt{3}}{2} + \dfrac{1}{2}} = \sqrt{3} - 2.$

7. 写出下列曲线在所给参数值相应的点处的切线方程和法线方程:

(1) $\begin{cases} x = \sin t, \\ y = \cos 2t, \end{cases}$ 在 $t = \dfrac{\pi}{4}$ 处;

(2) $\begin{cases} x = \dfrac{3at}{1+t^2}, \\ y = \dfrac{3at^2}{1+t^2}, \end{cases}$ 在 $t = 2$ 处.

解 (1) $\dfrac{\mathrm{d}y}{\mathrm{d}x} = \dfrac{\dfrac{\mathrm{d}y}{\mathrm{d}t}}{\dfrac{\mathrm{d}x}{\mathrm{d}t}} = \dfrac{-2\sin 2t}{\cos t} = -4\sin t,$

$$\dfrac{\mathrm{d}y}{\mathrm{d}x}\Big|_{t=\frac{\pi}{4}} = -4 \cdot \dfrac{\sqrt{2}}{2} = -2\sqrt{2}.$$

$t = \dfrac{\pi}{4}$ 对应点 $\left(\dfrac{\sqrt{2}}{2}, 0\right)$, 曲线在点 $\left(\dfrac{\sqrt{2}}{2}, 0\right)$ 处的切线方程为

$$y - 0 = -2\sqrt{2}\left(x - \dfrac{\sqrt{2}}{2}\right), \ 即 \ 2\sqrt{2}x + y - 2 = 0.$$

法线方程为 $\qquad y - 0 = \dfrac{1}{2\sqrt{2}}\left(x - \dfrac{\sqrt{2}}{2}\right), \ 即 \ \sqrt{2}x - 4y - 1 = 0.$

(2) $\dfrac{\mathrm{d}y}{\mathrm{d}x} = \dfrac{\dfrac{\mathrm{d}y}{\mathrm{d}t}}{\dfrac{\mathrm{d}x}{\mathrm{d}t}} = \dfrac{\left(\dfrac{3at^2}{1+t^2}\right)'}{\left(\dfrac{3at}{1+t^2}\right)'} = \dfrac{\dfrac{3a[2t(1+t^2) - t^2 \cdot 2t]}{(1+t^2)^2}}{\dfrac{3a[(1+t^2) - t \cdot 2t]}{(1+t^2)^2}}$

$$= \frac{2t}{1-t^2},$$

$$\left.\frac{\mathrm{d}y}{\mathrm{d}x}\right|_{t=2} = -\frac{4}{3},$$

$t=2$ 对应点 $\left(\frac{6}{5}a, \frac{12}{5}a\right)$. 曲线在点 $\left(\frac{6}{5}a, \frac{12}{5}a\right)$ 处的切线方程为

$$y - \frac{12}{5}a = -\frac{4}{3}\left(x - \frac{6}{5}a\right),$$

即
$$4x + 3y - 12a = 0.$$

法线方程为
$$y - \frac{12}{5}a = \frac{3}{4}\left(x - \frac{6}{5}a\right),$$

即
$$3x - 4y + 6a = 0.$$

8. 求下列参数方程所确定的函数的二阶导数 $\dfrac{\mathrm{d}^2 y}{\mathrm{d}x^2}$:

(1) $\begin{cases} x = \dfrac{t^2}{2}, \\ y = 1 - t; \end{cases}$ (2) $\begin{cases} x = a\cos t, \\ y = b\sin t; \end{cases}$ (3) $\begin{cases} x = 3\mathrm{e}^{-t}, \\ y = 2\mathrm{e}^{t}; \end{cases}$

(4) $\begin{cases} x = f'(t), \\ y = tf'(t) - f(t); \end{cases}$ 设 $f''(t)$ 存在且不为零.

解 (1) $\dfrac{\mathrm{d}y}{\mathrm{d}x} = \dfrac{\frac{\mathrm{d}y}{\mathrm{d}t}}{\frac{\mathrm{d}x}{\mathrm{d}t}} = \dfrac{-1}{t}$, $\dfrac{\mathrm{d}^2 y}{\mathrm{d}x^2} = \dfrac{\frac{\mathrm{d}}{\mathrm{d}t}\left(\frac{\mathrm{d}y}{\mathrm{d}x}\right)}{\frac{\mathrm{d}x}{\mathrm{d}t}} = \dfrac{\frac{1}{t^2}}{t} = \dfrac{1}{t^3}$.

(2) $\dfrac{\mathrm{d}y}{\mathrm{d}x} = \dfrac{b\cos t}{-a\sin t} = -\dfrac{b}{a}\cot t$,

$$\dfrac{\mathrm{d}^2 y}{\mathrm{d}x^2} = \dfrac{\frac{\mathrm{d}}{\mathrm{d}t}\left(\frac{\mathrm{d}y}{\mathrm{d}x}\right)}{\frac{\mathrm{d}x}{\mathrm{d}t}} = \dfrac{-\frac{b}{a}(-\csc^2 t)}{-a\sin t} = \dfrac{-b}{a^2\sin^3 t}.$$

(3) $\dfrac{\mathrm{d}y}{\mathrm{d}x} = \dfrac{2\mathrm{e}^t}{-3\mathrm{e}^{-t}} = -\dfrac{2}{3}\mathrm{e}^{2t}$, $\dfrac{\mathrm{d}^2 y}{\mathrm{d}x^2} = \dfrac{-\frac{4}{3}\mathrm{e}^{2t}}{-3\mathrm{e}^{-t}} = \dfrac{4}{9}\mathrm{e}^{3t}$.

(4) $\dfrac{\mathrm{d}y}{\mathrm{d}x} = \dfrac{f'(t) + tf''(t) - f'(t)}{f''(t)} = t$, $\dfrac{\mathrm{d}^2 y}{\mathrm{d}x^2} = \dfrac{1}{f''(t)}$.

*9. 求下列参数方程所确定的函数的三阶导数 $\dfrac{\mathrm{d}^3 y}{\mathrm{d}x^3}$:

(1) $\begin{cases} x = 1 - t^2, \\ y = t - t^3; \end{cases}$ (2) $\begin{cases} x = \ln(1 + t^2), \\ y = t - \arctan t. \end{cases}$

解 (1) $\dfrac{\mathrm{d}y}{\mathrm{d}x} = \dfrac{1 - 3t^2}{-2t} = -\dfrac{1}{2t} + \dfrac{3}{2}t$,

$$\frac{d^2y}{dx^2} = \frac{\frac{1}{2t^2} + \frac{3}{2}}{-2t} = -\frac{1}{4}\left(\frac{1}{t^3} + \frac{3}{t}\right),$$

$$\frac{d^3y}{dx^3} = \frac{-\frac{1}{4}\left(-\frac{3}{t^4} - \frac{3}{t^2}\right)}{-2t} = -\frac{3}{8t^5}(1+t^2).$$

(2) $\dfrac{dy}{dx} = \dfrac{1 - \dfrac{1}{1+t^2}}{\dfrac{2t}{1+t^2}} = \dfrac{t}{2},$

$$\frac{d^2y}{dx^2} = \frac{\frac{1}{2}}{\frac{2t}{1+t^2}} = \frac{1+t^2}{4t} = \frac{1}{4}\left(\frac{1}{t} + t\right),$$

$$\frac{d^3y}{dx^3} = \frac{\frac{1}{4}\left(-\frac{1}{t^2} + 1\right)}{\frac{2t}{1+t^2}} = \frac{t^4 - 1}{8t^3}.$$

10. 落在平静水面上的石头,产生同心波纹.若最外一圈波半径的增大率总是 6 m/s,问在 2 s 末扰动水面面积的增大率为多少?

解 设最外一圈波的半径为 $r = r(t)$. 圆的面积 $S = S(t)$. 在 $S = \pi r^2$ 两端分别对 t 求导,得 $\quad \dfrac{dS}{dt} = 2\pi r \dfrac{dr}{dt}.$

当 $t = 2$ 时,$r = 6 \times 2 = 12$,$\dfrac{dr}{dt} = 6$,代入上式得

$$\left.\frac{dS}{dt}\right|_{t=2} = 2\pi \cdot 12 \cdot 6 = 144\pi \,(\text{m}^2/\text{s}).$$

11. 注水入深 8 m 上顶直径 8 m 的正圆锥形容器中,其速率为 4 m³/min. 当水深为 5 m 时,其表面上升的速率为多少?

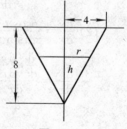

图 2—1

解 如图 2—1 所示,设在 t 时刻容器中的水深为 $h(t)$,水的容积为 $V(t)$,

$$\frac{r}{4} = \frac{h}{8}, \quad \text{即} \quad r = \frac{h}{2},$$

$$V = \frac{1}{3}\pi r^2 h = \frac{1}{3}\pi\left(\frac{h}{2}\right)^2 h = \frac{\pi}{12}h^3.$$

$$\frac{dV}{dt} = \frac{\pi}{4}h^2 \frac{dh}{dt}, \quad \text{即} \quad \frac{dh}{dt} = \frac{4}{\pi h^2}\frac{dV}{dt}.$$

故 $\quad \left.\dfrac{dh}{dt}\right|_{h=5} = \dfrac{4}{25\pi} \cdot 4 = \dfrac{16}{25\pi} \approx 0.204 \,(\text{m/min}).$

12. 溶液自深 18 cm 顶直径 12 cm 的正圆锥形漏斗中漏入一直径为 10 cm 的圆柱形筒中. 开始时漏斗中盛满了溶液. 已知当溶液在漏斗中深为 12 cm 时, 其表面下降的速率为 1 cm/min. 问此时圆柱形筒中溶液表面上升的速率为多少?

解 如图 2-2, 设在 t 时刻漏斗中的水深为 $H=H(t)$, 圆柱形筒中水深为 $h=h(t)$.

建立 h 与 H 之间的关系:

$$\frac{1}{3}\pi 6^2 \cdot 18 - \frac{1}{3}\pi r^2 H = \pi 5^2 h.$$

又, $\dfrac{r}{6}=\dfrac{H}{18}$, 即 $r=\dfrac{H}{3}$. 故

$$\frac{1}{3}\pi 6^2 \cdot 18 - \frac{1}{3}\pi \left(\frac{H}{3}\right)^2 H = \pi 5^2 h,$$

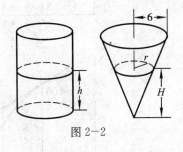

图 2-2

即 $$216\pi - \frac{\pi}{27}H^3 = 25\pi h.$$

上式两端分别对 t 求导, 得

$$-\frac{3}{27}\pi H^2 \frac{\mathrm{d}H}{\mathrm{d}t} = 25\pi \frac{\mathrm{d}h}{\mathrm{d}t}.$$

当 $H=12$ 时, $\dfrac{\mathrm{d}H}{\mathrm{d}t}=-1$, 此时

$$\frac{\mathrm{d}h}{\mathrm{d}t} = \frac{1}{25\pi}\left(-\frac{3}{27}\pi H^2 \frac{\mathrm{d}H}{\mathrm{d}t}\right)\Bigg|_{\substack{H=12 \\ \frac{\mathrm{d}H}{\mathrm{d}t}=-1}} = \frac{16}{25} \approx 0.64\,(\mathrm{cm/min}).$$

习题 2-5 函数的微分

1. 已知 $y=x^3-x$, 计算在 $x=2$ 处当 Δx 分别等于 $1, 0.1, 0.01$ 时的 Δy 及 $\mathrm{d}y$.

解 $\Delta y = (x+\Delta x)^3 - (x+\Delta x) - x^3 + x$
   $= 3x(\Delta x)^2 + 3x^2 \Delta x + (\Delta x)^3 - \Delta x,$

$\mathrm{d}y = (3x^2-1)\Delta x.$

于是 $\Delta y\big|_{\substack{x=2 \\ \Delta x=1}} = 6\cdot 1 + 3\cdot 4 + 1^3 - 1 = 18, \mathrm{d}y\big|_{\substack{x=2 \\ \Delta x=1}} = 11\cdot 1 = 11;$

$\Delta y\big|_{\substack{x=2 \\ \Delta x=0.1}} = 6\cdot(0.1)^2 + 12\cdot(0.1) + (0.1)^3 - 0.1 = 1.161,$

$\mathrm{d}y\big|_{\substack{x=2 \\ \Delta x=0.1}} = 11\cdot(0.1) = 1.1;$

$\Delta y\big|_{\substack{x=2 \\ \Delta x=0.01}} = 6\cdot(0.01)^2 + 12\cdot(0.01) - (0.01)^3 - 0.01 = 0.110601,$

$\mathrm{d}y\big|_{\substack{x=2 \\ \Delta x=0.01}} = 11\cdot(0.01) = 0.11.$

2. 设函数 $y=f(x)$ 的图形如图 2-3, 试在图 2-3(a)、(b)、(c)、(d) 中分别标出在点 x_0 的 $\mathrm{d}y$、Δy 及 $\Delta y - \mathrm{d}y$, 并说明其正负.

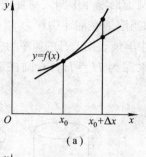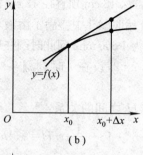

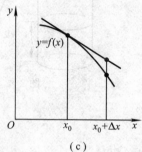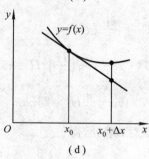

图 2—3

解 (a) $\Delta y>0, \mathrm{d}y>0, \Delta y-\mathrm{d}y>0$.

(b) $\Delta y>0, \mathrm{d}y>0, \Delta y-\mathrm{d}y<0$.

(c) $\Delta y<0, \mathrm{d}y<0, \Delta y-\mathrm{d}y<0$.

(d) $\Delta y<0, \mathrm{d}y<0, \Delta y-\mathrm{d}y>0$.

3. 求下列函数的微分:

(1) $y=\dfrac{1}{x}+2\sqrt{x}$;　　　　(2) $y=x\sin 2x$;

(3) $y=\dfrac{x}{\sqrt{x^2+1}}$;　　　　(4) $y=\ln^2(1-x)$;

(5) $y=x^2\mathrm{e}^{2x}$;　　　　(6) $y=\mathrm{e}^{-x}\cos(3-x)$;

(7) $y=\arcsin\sqrt{1-x^2}$;　　　　(8) $y=\tan^2(1+2x^2)$;

(9) $y=\arctan\dfrac{1-x^2}{1+x}$;　　　　(10) $s=A\sin(\omega t+\varphi)$　　$(A,\omega,\varphi$ 是常数$)$.

解 (1) $\mathrm{d}y=y'\mathrm{d}x=\left(-\dfrac{1}{x^2}+\dfrac{1}{\sqrt{x}}\right)\mathrm{d}x$.

(2) $\mathrm{d}y=y'\mathrm{d}x=(\sin 2x+x\cos 2x\cdot 2)\mathrm{d}x=(\sin 2x+2x\cos 2x)\mathrm{d}x$.

(3) $\mathrm{d}y=y'\mathrm{d}x=\dfrac{\sqrt{x^2+1}-x\dfrac{x}{\sqrt{1+x^2}}}{(\sqrt{x^2+1})^2}\mathrm{d}x=\dfrac{\mathrm{d}x}{(x^2+1)^{3/2}}$.

(4) $dy = y'dx = 2\ln(1-x) \cdot \dfrac{(-1)}{1-x}dx = \dfrac{2}{x-1}\ln(1-x)dx$.

(5) $dy = y'dx = (2xe^{2x} + x^2e^{2x} \cdot 2)dx = 2x(1+x)e^{2x}dx$.

(6) $dy = y'dx = [-e^{-x}\cos(3-x) + e^{-x}\sin(3-x)]dx$
$= e^{-x}[\sin(3-x) - \cos(3-x)]dx$.

(7) $dy = y'dx = \left[\dfrac{1}{\sqrt{1-(\sqrt{1-x^2})^2}} \cdot \dfrac{(-2x)}{2\sqrt{1-x^2}}\right]dx = -\dfrac{x}{|x|} \cdot \dfrac{dx}{\sqrt{1-x^2}}$

$= \begin{cases} \dfrac{dx}{\sqrt{1-x^2}}, & -1 < x < 0, \\[3mm] -\dfrac{dx}{\sqrt{1-x^2}}, & 0 < x < 1. \end{cases}$

(8) $dy = y'dx = [2\tan(1+2x^2) \cdot \sec^2(1+2x^2) \cdot 4x]dx$
$= 8x\tan(1+2x^2)\sec^2(1+2x^2)dx$.

(9) $dy = y'dx = \dfrac{1}{1+\left(\dfrac{1-x^2}{1+x^2}\right)^2} \cdot \dfrac{(-2x)(1+x^2) - (1-x^2) \cdot 2x}{(1+x^2)^2}dx$

$= -\dfrac{2x}{1+x^4}dx$.

(10) $ds = s'dt = (A\cos(\omega t + \varphi) \cdot \omega)dt = A\omega\cos(\omega t + \varphi)dt$.

4. 将适当的函数填入下列括号内,使等式成立:

(1) $d(\quad) = 2dx$;   (2) $d(\quad) = 3xdx$;

(3) $d(\quad) = \cos tdt$;   (4) $d(\quad) = \sin \omega xdx$;

(5) $d(\quad) = \dfrac{1}{1+x}dx$;   (6) $d(\quad) = e^{-2x}dx$;

(7) $d(\quad) = \dfrac{1}{\sqrt{x}}dx$;   (8) $d(\quad) = \sec^2 3xdx$.

解 (1) $d(2x+C) = 2dx$.

(2) $d\left(\dfrac{3}{2}x^2 + C\right) = 3xdx$.

(3) $d(\sin t + C) = \cos tdt$.

(4) $d\left(-\dfrac{1}{\omega}\cos \omega t + C\right) = \sin \omega tdt$.

(5) $d(\ln(1+x) + C) = \dfrac{1}{1+x}dx$.

(6) $d\left(-\dfrac{1}{2}e^{-2x} + C\right) = e^{-2x}dx$.

(7) $d(2\sqrt{x} + C) = \dfrac{1}{\sqrt{x}}dx$.

(8) $d\left(\dfrac{1}{3}\tan 3x + C\right) = \sec^2 3x\,dx.$

上述 C 均为任意常数.

5. 如图 2-4 所示的电缆 $\overset{\frown}{AOB}$ 的长为 s,跨度为 $2l$,电缆的最低点 O 与杆顶连线 AB 的距离为 f,则电缆长可按下面公式计算:

$$s = 2l\left(1 + \dfrac{2f^2}{3l^2}\right),$$

当 f 变化了 Δf 时,电缆长的变化约为多少?

解 $s = 2l\left(1 + \dfrac{2f^2}{3l^2}\right),\ \Delta s \approx ds = 2l \cdot \dfrac{4f}{3l^2}\Delta f = \dfrac{8f}{3l}\Delta f.$

6. 设扇形的圆心角 $\alpha = 60°$,半径 $R = 100\ \text{cm}$(图 2-5). 如果 R 不变,α 减少 $30'$,问扇形面积大约改变了多少? 又如果 α 不变,R 增加 $1\ \text{cm}$,问扇形面积大约改变了多少?

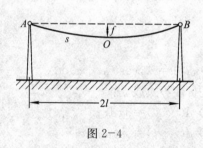

图 2-4

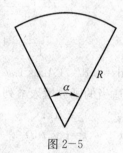

图 2-5

解 扇形面积公式为 $S = \dfrac{R^2}{2}\alpha.$ 于是

$$\Delta S \approx dS = \dfrac{R^2}{2}\Delta \alpha.$$

将 $R = 100, \Delta\alpha = -30' = -\dfrac{\pi}{360}, \alpha = \dfrac{\pi}{3}$ 代入上式得

$$\Delta S \approx \dfrac{1}{2} \cdot 100^2 \cdot \left(-\dfrac{\pi}{360}\right) \approx -43.63\ \text{cm}^2.$$

又 $$\Delta S \approx dS \approx \alpha R \Delta R.$$

将 $\alpha = \dfrac{\pi}{3}, R = 100, \Delta R = 1$ 代入上式得

$$\Delta S \approx \dfrac{\pi}{3} \cdot 100 \cdot 1 \approx 104.72\ \text{cm}^2.$$

7. 计算下列三角函数值的近似值:

(1) $\cos 29°$;　　　　(2) $\tan 136°$.

解 （1）由 $\cos x \approx \cos x_0 + (\cos x)'|_{x=x_0} \cdot (x-x_0)$，及取 $x_0 = 30° = \dfrac{\pi}{6}$ 得

$$\cos 29° = \cos\left(\frac{\pi}{6} - \frac{\pi}{180}\right) \approx \cos\frac{\pi}{6} + (-\sin x)|_{x=\frac{\pi}{6}} \cdot \left(-\frac{\pi}{180}\right)$$

$$\approx \frac{\sqrt{3}}{2} + \frac{\pi}{360} \approx 0.874\,67.$$

（2）由 $\tan x \approx \tan x_0 + (\tan x)'|_{x=x_0} \cdot (x-x_0)$，及取 $x_0 = \dfrac{3}{4}\pi$ 得

$$\tan 136° \approx \tan\frac{3}{4}\pi + \sec^2 x|_{x=\frac{3}{4}\pi} \cdot \frac{\pi}{180}$$

$$\approx -0.965\,09.$$

8. 计算下列反三角函数值的近似值：

（1）$\arcsin 0.500\,2$；　　　　　（2）$\arccos 0.499\,5$.

解 （1）由 $\arcsin x \approx \arcsin x_0 + (\arcsin x)'|_{x=x_0} \cdot (x-x_0)$ 及取 $x_0 = 0.5$ 得

$$\arcsin(0.500\,2) \approx \arcsin 0.5 + \frac{1}{\sqrt{1-x^2}}\bigg|_{x=0.5} \cdot 0.000\,2$$

$$\approx 30°47''.$$

（2）由 $\arccos x \approx \arccos x_0 + (\arccos x)'\bigg|_{x=x_0} \cdot (x-x_0)$ 及取 $x_0 = 0.5$ 得

$$\arccos 0.499\,5 \approx \arccos(0.5) - \frac{1}{\sqrt{1-x^2}}\bigg|_{x=0.5} \cdot (0.5-0.000\,5)$$

$$\approx 60°2'.$$

9. 当 $|x|$ 较小时，证明下列近似公式：

（1）$\tan x \approx x$（x 是角的弧度值）；　　（2）$\ln(1+x) \approx x$；

（3）$\dfrac{1}{1+x} \approx 1-x$.

并计算 $\tan 45'$ 和 $\ln 1.002$ 的近似值.

解 （1）$\tan x \approx \tan 0 + (\tan x)'\bigg|_{x=0} \cdot x = 0 + \sec^2 0 \cdot x = x.$

（2）$\ln(1+x) \approx \ln(1+0) + [\ln(1+x)]'\bigg|_{x=0} \cdot x = 0 + \dfrac{1}{1+0}x = x.$

（3）$\dfrac{1}{1+x} \approx \dfrac{1}{1+0} + \left(\dfrac{1}{1+x}\right)'\bigg|_{x=0} \cdot x = 1 - \dfrac{1}{(1+0)^2} \cdot x = 1-x.$

$\tan 45' = \tan 0.013\,09 \approx 0.013\,09, \ln(1.002) \approx 0.002.$

10. 计算下列各根式的近似值：

（1）$\sqrt[3]{996}$；　　　　　（2）$\sqrt[6]{65}$.

解 由 $\sqrt[n]{1+x} \approx 1 + \dfrac{x}{n}$ 知

(1) $\sqrt[3]{996} = \sqrt[3]{1\,000-4} = 10\sqrt[3]{1-\dfrac{4}{1\,000}} \approx 10\left[1+\dfrac{1}{3}\left(-\dfrac{4}{1\,000}\right)\right]$

$\approx 9.987.$

(2) $\sqrt[6]{65} = \sqrt[6]{64+1} = 2\sqrt[6]{1+\dfrac{1}{64}} \approx 2\left(1+\dfrac{1}{6}\cdot\dfrac{1}{64}\right) \approx 2.005\,2.$

*11. 计算球体体积时,要求精确度在 2% 以内.问这时测量直径 D 的相对误差不能超过多少?

解 由 $V=\dfrac{1}{6}\pi D^3$ 知

$$dV=\dfrac{\pi}{2}D^2\Delta D,$$

于是由 $\left|\dfrac{dV}{V}\right| = \left|\dfrac{\dfrac{\pi}{2}D^2\Delta D}{\dfrac{1}{6}\pi D^3}\right| = 3\left|\dfrac{\Delta D}{D}\right| \leqslant 2\%$,知

$$\left|\dfrac{\Delta D}{D}\right| \leqslant \dfrac{0.02}{3} \approx 0.667\%.$$

*12. 某厂生产如图 2-6 所示的扇形板,半径 $R=200$ mm,要求中心角 α 为 $55°$.产品检验时,一般用测量弦长 l 的办法来间接测量中心角 α. 如果测量弦长 l 时的误差 $\delta_l=0.1$ mm,问由此而引起的中心角测量误差 δ_α 是多少?

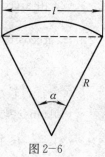

图 2-6

解 如图 2-6,由 $\dfrac{l}{2}=R\sin\dfrac{\alpha}{2}$ 得

$$\alpha = 2\arcsin\dfrac{l}{2R} = 2\arcsin\dfrac{l}{400},$$

故 $\qquad \delta_\alpha = |\alpha_l'|\delta_l = \dfrac{2}{\sqrt{1-\left(\dfrac{l}{400}\right)^2}}\cdot\dfrac{1}{400}\cdot\delta_l.$

当 $\alpha=55°$时,$l=2R\sin\dfrac{\alpha}{2}=400\sin(27.5°)\approx184.7.$

将 $l\approx184.7,\delta_l=0.1$ 代入上式得

$$\delta_\alpha \approx \dfrac{2}{\sqrt{1-\left(\dfrac{184.7}{400}\right)^2}}\cdot\dfrac{1}{400}\cdot0.1 \approx 0.000\,56(弧度) = 1'55''.$$

总习题二

1. 在"充分"、"必要"和"充分必要"三者中选一个正确的填入下列空

格内:

(1) $f(x)$ 在点 x_0 可导是 $f(x)$ 在点 x_0 连续的_____条件. $f(x)$ 在点 x_0 连续是 $f(x)$ 在点 x_0 可导的_____条件.

(2) $f(x)$ 在点 x_0 的左导数 $f'_-(x_0)$ 及右导数 $f'_+(x_0)$ 都存在且相等是 $f(x)$ 在点 x_0 可导的_____条件.

(3) $f(x)$ 在点 x_0 可导是 $f(x)$ 在点 x_0 可微的_____条件.

解 (1) 充分,必要.

(2) 充分必要.

(3) 充分必要.

2. 设 $f(x)=x(x+1)(x+2)\cdots(x+n)(n\geqslant 2)$,则 $f'(0)=$_____.

解 $f'(0)=\lim\limits_{x\to 0}\dfrac{f(x)-f(0)}{x-0}=\lim\limits_{x\to 0}[(x+1)(x+2)\cdots(x+n)]=n!$.

3. 选择下述题中给出的四个结论中一个正确的结论:

设 $f(x)$ 在 $x=a$ 的某个邻域内有定义,则 $f(x)$ 在 $x=a$ 处可导的一个充分条件是( ).

(A) $\lim\limits_{h\to +\infty}h\left[f\left(a+\dfrac{1}{h}\right)-f(a)\right]$ 存在.

(B) $\lim\limits_{h\to 0}\dfrac{f(a+2h)-f(a+h)}{h}$ 存在.

(C) $\lim\limits_{h\to 0}\dfrac{f(a+h)-f(a-h)}{2h}$ 存在.

(D) $\lim\limits_{h\to 0}\dfrac{f(a)-f(a-h)}{h}$ 存在.

解 由 $\lim\limits_{h\to +\infty}h\left[f\left(a+\dfrac{1}{h}\right)-f(a)\right]=\lim\limits_{h\to +\infty}\dfrac{f\left(a+\dfrac{1}{h}\right)-f(a)}{\dfrac{1}{h}}$ 存在,仅可知

$f'_+(a)$ 存在. 故不能选(A).

取 $f(x)=\begin{cases}1,x\neq 0,\\ 0,x=0.\end{cases}$ 显然 $\lim\limits_{h\to 0}\dfrac{f(0+2h)-f(0+h)}{h}=0$,但 $f(x)$ 在 $x=0$ 处不可导,故不能选择(B).

取 $f(x)=|x|$,显然 $\lim\limits_{h\to 0}\dfrac{f(0+h)-f(0-h)}{2h}=0$. 但 $f(x)$ 在 $x=0$ 处不可导,故不能选择(C).

而 $\lim\limits_{h\to 0}\dfrac{f(a)-f(a-h)}{h}=\lim\limits_{-h\to 0}\dfrac{f(a+(-h))-f(a)}{-h}$ 存在,按导数定义知 $f'(a)$ 存在,故选择(D).

4. 设有一根细棒,取棒的一端作为原点,棒上任意点的坐标为 x,于是分布在区间 $[0,x]$ 上细棒的质量 m 是 x 的函数 $m=m(x)$.应怎样确定细棒在点 x_0 处的线密度(对于均匀细棒来说,单位长度细棒的质量叫做这细棒的线密度)?

解 在区间 $[x_0,x_0+\Delta x]$ 上的平均线密度为

$$\bar{\rho}=\frac{\Delta m}{\Delta x}=\frac{m(x_0+\Delta x)-m(x_0)}{\Delta x}.$$

在点 x_0 处的线密度为

$$\rho(x_0)=\lim_{\Delta x\to 0}\frac{m(x_0+\Delta x)-m(x_0)}{\Delta x}=\frac{\mathrm{d}m}{\mathrm{d}x}\bigg|_{x=x_0}.$$

5. 根据导数的定义,求 $f(x)=\dfrac{1}{x}$ 的导数.

解 由导数的定义知,当 $x\neq 0$ 时,

$$\left(\frac{1}{x}\right)'=\lim_{\Delta x\to 0}\frac{\dfrac{1}{x+\Delta x}-\dfrac{1}{x}}{\Delta x}=\lim_{\Delta x\to 0}\frac{-1}{x(x+\Delta x)}=-\frac{1}{x^2}.$$

6. 求下列函数 $f(x)$ 的 $f'_-(0)$ 及 $f'_+(0)$,又 $f'(0)$ 是否存在:

(1) $f(x)=\begin{cases}\sin x, & x<0,\\ \ln(1+x), & x\geqslant 0;\end{cases}$

(2) $f(x)=\begin{cases}\dfrac{x}{1+\mathrm{e}^{\frac{1}{x}}}, & x\neq 0,\\ 0, & x=0.\end{cases}$

解 (1) $f'_-(0)=\lim\limits_{x\to 0^-}\dfrac{f(x)-f(0)}{x-0}=\lim\limits_{x\to 0^-}\dfrac{\sin x}{x}=1,$

$$f'_+(0)=\lim_{x\to 0^+}\frac{f(x)-f(0)}{x-0}=\lim_{x\to 0^+}\frac{\ln(1+x)}{x}=1.$$

由 $f'_-(0)=f'_+(0)=1$ 知 $f'(0)=f'_-(0)=f'_+(0)=1.$

(2) $f'_-(0)=\lim\limits_{x\to 0^-}\dfrac{f(x)-f(0)}{x-0}=\lim\limits_{x\to 0^-}\dfrac{\dfrac{x}{1+\mathrm{e}^{\frac{1}{x}}}-0}{x}=\lim\limits_{x\to 0^-}\dfrac{1}{1+\mathrm{e}^{\frac{1}{x}}}=1,$

$$f'_+(0)=\lim_{x\to 0^+}\frac{f(x)-f(0)}{x-0}=\lim_{x\to 0^+}\frac{\dfrac{x}{1+\mathrm{e}^{\frac{1}{x}}}-0}{x}=\lim_{x\to 0^+}\frac{1}{1+\mathrm{e}^{\frac{1}{x}}}=0.$$

由 $f'_-(0)\neq f'_+(0)$ 知 $f'(0)$ 不存在.

7. 讨论函数

$$f(x)=\begin{cases}x\sin\dfrac{1}{x}, & x\neq 0,\\ 0, & x=0\end{cases}$$

在 $x=0$ 处的连续性与可导性.

解
$$\lim_{x\to 0} f(x)=\lim_{x\to 0} x\sin\frac{1}{x}=0=f(0),$$

故 $f(x)$ 在 $x=0$ 处连续.

$$f'(0)=\lim_{x\to 0}\frac{f(x)-f(0)}{x-0}=\lim_{x\to 0}\frac{x\sin\dfrac{1}{x}}{x}=\lim_{x\to 0}\sin\frac{1}{x}$$

不存在,故 $f(x)$ 在 $x=0$ 处不可导.

8. 求下列函数的导数:

(1) $y=\arcsin(\sin x)$;

(2) $y=\arctan\dfrac{1+x}{1-x}$;

(3) $y=\ln\tan\dfrac{x}{2}-\cos x\cdot\ln\tan x$;

(4) $y=\ln(e^x+\sqrt{1+e^{2x}})$;

(5) $y=x^{\frac{1}{x}}\ (x>0)$.

解 (1) $y'=\dfrac{1}{\sqrt{1-\sin^2 x}}\cos x=\dfrac{\cos x}{|\cos x|}$.

(2) $y'=\dfrac{1}{1+\left(\dfrac{1+x}{1-x}\right)^2}\cdot\dfrac{(1-x)+(1+x)}{(1-x)^2}=\dfrac{1}{1+x^2}$.

(3) $y'=\dfrac{1}{\tan\dfrac{x}{2}}\cdot\sec^2\dfrac{x}{2}\cdot\dfrac{1}{2}+\sin x\ln\tan x-\cos x\dfrac{1}{\tan x}\sec^2 x$

$\qquad =\sin x\cdot\ln\tan x$.

(4) $y'=\dfrac{1}{e^x+\sqrt{1+e^{2x}}}\left(e^x+\dfrac{2e^{2x}}{2\sqrt{1+e^{2x}}}\right)=\dfrac{e^x}{\sqrt{1+e^{2x}}}$.

(5) 先在等式两端分别取对数,得 $\ln y=\dfrac{\ln x}{x}$,再在所得等式两端分别对 x 求导,得

$$\frac{y'}{y}=\frac{\dfrac{1}{x}\cdot x-\ln x}{x^2}=\frac{1-\ln x}{x^2},$$

于是
$$y'=x^{\frac{1}{x}-2}(1-\ln x).$$

9. 求下列函数的二阶导数:

(1) $y=\cos^2 x\cdot\ln x$; (2) $y=\dfrac{x}{\sqrt{1-x^2}}$.

解 (1) $y'=2\cos x(-\sin x) \cdot \ln x+\cos^2 x \cdot \dfrac{1}{x}=-\sin 2x \cdot \ln x+\dfrac{\cos^2 x}{x}$.

$$y''=-2\cos 2x \cdot \ln x-\sin 2x \cdot \dfrac{1}{x}+\dfrac{2\cos x(-\sin x) \cdot x-\cos^2 x}{x^2}$$

$$=-2\cos 2x \cdot \ln x-\dfrac{2\sin 2x}{x}-\dfrac{\cos^2 x}{x^2}.$$

(2) $y'=\dfrac{\sqrt{1-x^2}-x\dfrac{(-2x)}{2\sqrt{1-x^2}}}{(\sqrt{1-x^2})^2}=\dfrac{1}{(1-x^2)^{3/2}}.$

$$y''=-\dfrac{3}{2} \cdot (1-x^2)^{-\frac{5}{2}} \cdot (-2x)=\dfrac{3x}{(1-x^2)^{5/2}}.$$

*10. 求下列函数的 n 阶导数:

(1) $y=\sqrt[m]{1+x}$;　　　　(2) $y=\dfrac{1-x}{1+x}.$

解 (1) $y'=\dfrac{1}{m}(1+x)^{\frac{1}{m}-1}, y''=\dfrac{1}{m}\left(\dfrac{1}{m}-1\right)(1+x)^{\frac{1}{m}-2},\cdots,$

$$y^{(n)}=\dfrac{1}{m}\left(\dfrac{1}{m}-1\right)\cdots\left(\dfrac{1}{m}-n+1\right)(1+x)^{\frac{1}{m}-n}.$$

(2) 由 $\left(\dfrac{1}{1+x}\right)^{(n)}=\dfrac{(-1)^n n!}{(1+x)^{n+1}}$ 知

$$y^{(n)}=\left(\dfrac{1-x}{1+x}\right)^{(n)}=\left(-1+\dfrac{2}{x+1}\right)^{(n)}=2\left(\dfrac{1}{x+1}\right)^{(n)}$$

$$=\dfrac{2 \cdot (-1)^n n!}{(1+x)^{n+1}}.$$

11. 设函数 $y=y(x)$ 由方程 $\mathrm{e}^y+xy=\mathrm{e}$ 所确定,求 $y''(0).$

解 把方程两边分别对 x 求导,得

$$\mathrm{e}^y y'+y+xy'=0. \tag{1}$$

将 $x=0$ 代入 $\mathrm{e}^y+xy=\mathrm{e}$. 得 $y=1$,再将 $x=0,y=1$ 代入(1)式得 $y'|_{x=0}=-\dfrac{1}{\mathrm{e}}$,

在(1)式两边分别关于 x 再求导,可得

$$\mathrm{e}^y y'^2+\mathrm{e}^y y''+y'+y'+xy''=0. \tag{2}$$

将 $x=0,y=1,y'|_{x=0}=-\dfrac{1}{\mathrm{e}}$ 代入(2)式,得 $y''(0)=\dfrac{1}{\mathrm{e}^2}.$

12. 求下列由参数方程所确定的函数的一阶导数 $\dfrac{\mathrm{d}y}{\mathrm{d}x}$ 及二阶导数 $\dfrac{\mathrm{d}^2 y}{\mathrm{d}x^2}$:

(1) $\begin{cases} x=a\cos^3\theta, \\ y=a\sin^3\theta; \end{cases}$

(2) $\begin{cases} x=\ln\sqrt{1+t^2}, \\ y=\arctan t. \end{cases}$

解 (1) $\dfrac{\mathrm{d}y}{\mathrm{d}x}=\dfrac{\dfrac{\mathrm{d}y}{\mathrm{d}\theta}}{\dfrac{\mathrm{d}x}{\mathrm{d}\theta}}=\dfrac{3a\sin^2\theta\cos\theta}{3a\cos^2\theta(-\sin\theta)}=-\tan\theta,$

$$\dfrac{\mathrm{d}^2y}{\mathrm{d}x^2}=\dfrac{\dfrac{\mathrm{d}}{\mathrm{d}\theta}\left(\dfrac{\mathrm{d}y}{\mathrm{d}x}\right)}{\dfrac{\mathrm{d}x}{\mathrm{d}\theta}}=\dfrac{-\sec^2\theta}{-3a\cos^2\theta\sin\theta}=\dfrac{1}{3a}\sec^4\theta\csc\theta.$$

(2) $\dfrac{\mathrm{d}y}{\mathrm{d}x}=\dfrac{\dfrac{\mathrm{d}y}{\mathrm{d}t}}{\dfrac{\mathrm{d}x}{\mathrm{d}t}}=\dfrac{\dfrac{1}{1+t^2}}{\dfrac{t}{1+t^2}}=\dfrac{1}{t},$

$$\dfrac{\mathrm{d}^2y}{\mathrm{d}x^2}=\dfrac{\dfrac{\mathrm{d}}{\mathrm{d}t}\left(\dfrac{\mathrm{d}y}{\mathrm{d}x}\right)}{\dfrac{\mathrm{d}x}{\mathrm{d}t}}=\dfrac{-\dfrac{1}{t^2}}{\dfrac{t}{1+t^2}}=-\dfrac{1+t^2}{t^3}.$$

13. 求曲线 $\begin{cases}x=2\mathrm{e}^t,\\y=\mathrm{e}^{-t}\end{cases}$ 在 $t=0$ 相应的点处的切线方程及法线方程.

解 $\dfrac{\mathrm{d}y}{\mathrm{d}x}=\dfrac{\dfrac{\mathrm{d}y}{\mathrm{d}t}}{\dfrac{\mathrm{d}x}{\mathrm{d}t}}=\dfrac{-\mathrm{e}^{-t}}{2\mathrm{e}^t}=-\dfrac{1}{2\mathrm{e}^{2t}},\quad\dfrac{\mathrm{d}y}{\mathrm{d}x}\Big|_{t=0}=-\dfrac{1}{2}.$

$t=0$ 对应的点为 $(2,1)$,故曲线在点 $(2,1)$ 处的切线方程为

$$y-1=-\dfrac{1}{2}(x-2),\quad \text{即}\quad x+2y-4=0.$$

法线方程为 $y-1=2(x-2),\quad$ 即 $\quad 2x-y-3=0.$

14. 已知 $f(x)$ 是周期为 5 的连续函数,它在 $x=0$ 的某个邻域内满足关系式

$$f(1+\sin x)-3f(1-\sin x)=8x+o(x),$$

且 $f(x)$ 在 $x=1$ 处可导,求曲线 $y=f(x)$ 在点 $(6,f(6))$ 处的切线方程.

解 由 $f(x)$ 连续,令关系式两端 $x\to0$,取极限得

$$f(1)-3f(1)=0,\qquad f(1)=0.$$

又, $\displaystyle\lim_{x\to0}\dfrac{f(1+\sin x)-3f(1-\sin x)}{x}=8,$

而 $\displaystyle\lim_{x\to0}\dfrac{f(1+\sin x)-3f(1-\sin x)}{x}=\lim_{x\to0}\dfrac{f(1+\sin x)-3f(1-\sin x)}{\sin x}\cdot\lim_{x\to0}\dfrac{\sin x}{x}$

$\underline{\underline{\diamondsuit\ t=\sin x}}\displaystyle\lim_{t\to0}\dfrac{f(1+t)-3f(1-t)}{t}=\lim_{t\to0}\dfrac{f(1+t)-f(1)}{t}+3\lim_{t\to0}\dfrac{f(1-t)-f(1)}{-t}$

$=4f'(1),$

故 $f'(1)=2.$

由于 $f(x+5)=f(x)$,于是 $f(6)=f(1)=0$,

$$f'(6)=\lim_{x\to 0}\frac{f(6+x)-f(6)}{x}=\lim_{x\to 0}\frac{f(1+x)-f(1)}{x}=f'(1)=2,$$

因此,曲线 $y=f(x)$ 在点 $(6,f(6))$ 即 $(6,0)$ 处的切线方程为

$$y-0=2(x-6),$$

即

$$2x-y-12=0.$$

15. 当正在高度 H 飞行的飞机开始向机场跑道下降时,如图 $2-7$ 所示,从飞机到机场的水平地面距离为 L.假设飞机下降的路径为三次函数 $y=ax^3+bx^2+cx+d$ 的图形,其中 $y|_{x=-L}=H,y|_{x=0}=0$.试确定飞机的降落路径.

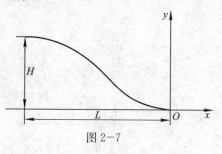

图 $2-7$

解 设立坐标系如图 $2-7$ 所示.根据题意,可知

$$y|_{x=0}=0,\Rightarrow d=0.$$
$$y|_{x=-L}=H,\Rightarrow -aL^3+bL^2-cL=H.$$

为使飞机平稳降落,尚需满足

$$y'|_{x=0}=0,\Rightarrow c=0.$$
$$y'|_{x=-L}=0,\Rightarrow 3aL^2-2bL=0.$$

解得 $a=\dfrac{2H}{L^3},b=\dfrac{3H}{L^2}$.故飞机的降落路径为

$$y=H\left[2\left(\frac{x}{L}\right)^3+3\left(\frac{x}{L}\right)^2\right].$$

16. 甲船以 $6\,\text{km/h}$ 的速率向东行驶,乙船以 $8\,\text{km/h}$ 的速率向南行驶.在中午十二点整,乙船位于甲船之北 $16\,\text{km}$ 处.问下午一点整两船相离的速率为多少?

解 设从中午十二点整起,经过 t 小时,甲船与乙船的距离为

$$s=\sqrt{(16-8t)^2+(6t)^2},$$

故速率

$$v=\frac{\mathrm{d}s}{\mathrm{d}t}=\frac{2(16-8t)\cdot(-8)+72t}{2\sqrt{(16-8t)^2+(6t)^2}}.$$

当 $t=1$ 时(即下午一点整)两船相离的速率为

$$v|_{t=1}=\frac{-128+72}{20}=-2.8(\text{km/h}).$$

17. 利用函数的微分代替函数的增量求 $\sqrt[3]{1.02}$ 的近似值.

解 利用 $\sqrt[3]{1+x}\approx 1+\dfrac{1}{3}x$,取 $x=0.02$,得

$$\sqrt[3]{1.02} \approx 1 + \frac{1}{3} \times (0.02) = 1.007.$$

18. 已知单摆的振动周期 $T = 2\pi\sqrt{\dfrac{l}{g}}$,其中 $g = 980\,\text{cm/s}^2$,l 为摆长(单位为 cm).设原摆长为 20 cm,为使周期 T 增大 0.05 s,摆长约需加长多少?

解   由 $\Delta T \approx \mathrm{d}T = \dfrac{\pi}{\sqrt{gl}}\Delta l$,得

$$\Delta l = \frac{\sqrt{gl}}{\pi}\mathrm{d}T \approx \frac{\sqrt{gl}}{\pi}\Delta T.$$

故
$$\Delta l\Big|_{l=20} \approx \frac{\sqrt{980 \times 20}}{3.14} \times 0.05 \approx 2.23(\text{cm}).$$

即摆长约需加长 2.23 cm.

第三章 微分中值定理与导数的应用

微分中值定理

1. 验证罗尔定理对函数 $y=\ln\sin x$ 在区间 $\left[\dfrac{\pi}{6},\dfrac{5\pi}{6}\right]$ 上的正确性.

证 函数 $f(x)=\ln\sin x$ 在 $\left[\dfrac{\pi}{6},\dfrac{5\pi}{6}\right]$ 上连续，在 $\left(\dfrac{\pi}{6},\dfrac{5\pi}{6}\right)$ 内可导，又

$$f\left(\frac{\pi}{6}\right)=\ln\sin\frac{\pi}{6}=\ln\frac{1}{2},\ f\left(\frac{5\pi}{6}\right)=\ln\sin\frac{5\pi}{6}=\ln\frac{1}{2},$$

即 $f\left(\dfrac{\pi}{6}\right)=f\left(\dfrac{5}{6}\pi\right)$，故 $f(x)$ 在 $\left[\dfrac{\pi}{6},\dfrac{5\pi}{6}\right]$ 上满足罗尔定理条件，由罗尔定理知至少存在一点 $\xi\in\left(\dfrac{\pi}{6},\dfrac{5\pi}{6}\right)$，使 $f'(\xi)=0$. 又，$f'(x)=\dfrac{\cos x}{\sin x}=\cot x$，令 $f'(x)=0$ 得 $x=n\pi+\dfrac{\pi}{2}(n=0,\pm1,\pm2,\cdots)$.

取 $n=0$，得 $\xi=\dfrac{\pi}{2}\in\left(\dfrac{\pi}{6},\dfrac{5\pi}{6}\right)$. 因此罗尔定理对函数 $y=\ln\sin x$ 在区间 $\left[\dfrac{\pi}{6},\dfrac{5\pi}{6}\right]$ 上是正确的.

2. 验证拉格朗日中值定理对函数 $y=4x^3-5x^2+x-2$ 在区间 $[0,1]$ 上的正确性.

证 函数 $f(x)=4x^3-5x^2+x-2$ 在区间 $[0,1]$ 上连续，在 $(0,1)$ 内可导，故 $f(x)$ 在 $[0,1]$ 上满足拉格朗日中值定理条件，从而至少存在一点 $\xi\in(0,1)$，使

$$f'(\xi)=\frac{f(1)-f(0)}{1-0}=\frac{-2-(-2)}{1}=0.$$

又，$f'(\xi)=12\xi^2-10\xi+1=0$ 可知 $\xi=\dfrac{5\pm\sqrt{13}}{12}\in(0,1)$，因此拉格朗日中值定理对函数 $y=4x^3-5x^2+x-2$ 在区间 $[0,1]$ 上是正确的.

3. 对函数 $f(x)=\sin x$ 及 $F(x)=x+\cos x$ 在区间 $\left[0,\dfrac{\pi}{2}\right]$ 上验证柯西中值定理的正确性.

证 函数 $f(x)=\sin x$，$F(x)=x+\cos x$ 在区间 $\left[0,\dfrac{\pi}{2}\right]$ 上连续，在 $\left(0,\dfrac{\pi}{2}\right)$ 内可导，且在 $\left(0,\dfrac{\pi}{2}\right)$ 内 $F'(x)=1-\sin x\neq 0$，故 $f(x)$、$F(x)$ 满足柯西中值定理条件，从而至少存在一点 $\xi\in\left(0,\dfrac{\pi}{2}\right)$，使

$$\frac{f\left(\dfrac{\pi}{2}\right)-f(0)}{F\left(\dfrac{\pi}{2}\right)-F(0)}=\frac{f'(\xi)}{F'(\xi)}.$$

由

$$\frac{1-0}{\dfrac{\pi}{2}-1}=\frac{\cos\xi}{1-\sin\xi},$$

可得 $\tan\dfrac{\xi}{2}=\dfrac{\pi-2}{2}$．因 $0<\dfrac{\pi-2}{2}<1$，故 $\xi=2\arctan\left(\dfrac{\pi-2}{2}\right)\in\left(0,\dfrac{\pi}{2}\right)$．因此，柯西中值定理对 $f(x)=\sin x$，$F(x)=x+\cos x$ 在区间 $\left[0,\dfrac{\pi}{2}\right]$ 上是正确的．

4. 试证明对函数 $y=px^2+qx+r$ 应用拉格朗日中值定理时所求得的点 ξ 总是位于区间的正中间．

证 任取数值 a,b，不妨设 $a<b$，函数 $f(x)=px^2+qx+r$ 在区间 $[a,b]$ 上连续，在 (a,b) 内可导，故由拉格朗日中值定理知至少存在一点 $\xi\in(a,b)$，使

$$f(b)-f(a)=f'(\xi)(b-a),$$

即

$$pb^2+qb+r-pa^2-qa-r=(2p\xi+q)(b-a).$$

经整理得 $\xi=\dfrac{a+b}{2}$．即所求得的 ξ 总是位于区间的正中间．

5. 不用求出函数 $f(x)=(x-1)(x-2)(x-3)(x-4)$ 的导数，说明方程 $f'(x)=0$ 有几个实根，并指出它们所在的区间．

解 函数 $f(x)$ 分别在 $[1,2]$，$[2,3]$，$[3,4]$ 上连续，分别在 $(1,2)$，$(2,3)$，$(3,4)$ 内可导，且 $f(1)=f(2)=f(3)=f(4)=0$．由罗尔定理知至少存在 $\xi_1\in(1,2)$，$\xi_2\in(2,3)$，$\xi_3\in(3,4)$，使

$$f'(\xi_1)=f'(\xi_2)=f'(\xi_3)=0.$$

即方程 $f'(x)=0$ 至少有三个实根，又方程 $f'(x)=0$ 为三次方程，故它至多有三个实根，因此方程 $f'(x)=0$ 有且仅有三个实根，它们分别位于区间 $(1,2)$，$(2,3)$，$(3,4)$ 内．

6. 证明恒等式：$\arcsin x+\arccos x=\dfrac{\pi}{2}(-1\leqslant x\leqslant 1)$．

证 取函数 $f(x)=\arcsin x+\arccos x,x\in[-1,1]$．因

$$f'(x)=\frac{1}{\sqrt{1-x^2}}-\frac{1}{\sqrt{1-x^2}}\equiv 0,$$

故 $f(x)\equiv C$. 取 $x=0$, 得 $f(0)=C=\dfrac{\pi}{2}$. 因此

$$\arcsin x+\arccos x=\frac{\pi}{2}, x\in[-1,1].$$

7. 若方程 $a_0x^n+a_1x^{n-1}+\cdots+a_{n-1}x=0$ 有一个正根 $x=x_0$, 证明方程 $a_0nx^{n-1}+a_1(n-1)x^{n-2}+\cdots+a_{n-1}=0$ 必有一个小于 x_0 的正根.

证 取函数 $f(x)=a_0x^n+a_1x^{n-1}+\cdots+a_{n-1}x$. $f(x)$ 在 $[0,x_0]$ 上连续,在 $(0,x_0)$ 内可导,且 $f(0)=f(x_0)=0$,由罗尔定理知至少存在一点 $\xi\in(0,x_0)$,使 $f'(\xi)=0$,即方程 $a_0nx^{n-1}+a_1(n-1)x^{n-2}+\cdots+a_{n-1}=0$ 必有一个小于 x_0 的正根.

8. 若函数 $f(x)$ 在 (a,b) 内具有二阶导数,且 $f(x_1)=f(x_2)=f(x_3)$,其中 $a<x_1<x_2<x_3<b$. 证明:在 (x_1,x_3) 内至少有一点 ξ,使得 $f''(\xi)=0$.

证 根据题意知函数 $f(x)$ 在 $[x_1,x_2]$, $[x_2,x_3]$ 上连续,在 (x_1,x_2), (x_2,x_3) 内可导且 $f(x_1)=f(x_2)=f(x_3)$,故由罗尔定理知至少存在点 $\xi_1\in(x_1,x_2)$, $\xi_2\in(x_2,x_3)$,使 $f'(\xi_1)=f'(\xi_2)=0$.

又 $f'(x)$ 在 $[\xi_1,\xi_2]$ 上连续,在 (ξ_1,ξ_2) 内可导,故由罗尔定理知至少存在点 $\xi\in(\xi_1,\xi_2)\subset(x_1,x_2)$ 使 $f''(\xi)=0$.

9. 设 $a>b>0, n>1$, 证明:

$$nb^{n-1}(a-b)<a^n-b^n<na^{n-1}(a-b).$$

证 取函数 $f(x)=x^n$, $f(x)$ 在 $[b,a]$ 上连续,在 (b,a) 内可导,由拉格朗日中值定理知,至少存在一点 $\xi\in(b,a)$,使

$$f(a)-f(b)=f'(\xi)(a-b),$$

即　　　　　　　　　$a^n-b^n=n\xi^{n-1}(a-b).$

又　　　　　　　　　$0<b<\xi<a, n>1,$

故　　　　　　　　　$0<b^{n-1}<\xi^{n-1}<a^{n-1}.$

因此　　　　　$nb^{n-1}(a-b)<n\xi^{n-1}(a-b)<na^{n-1}(a-b),$

即　　　　　$nb^{n-1}(a-b)<a^n-b^n<na^{n-1}(a-b).$

10. 设 $a>b>0$, 证明:

$$\frac{a-b}{a}<\ln\frac{a}{b}<\frac{a-b}{b}.$$

证 取函数 $f(x)=\ln x$, $f(x)$ 在 $[b,a]$ 上连续,在 (b,a) 内可导,由拉格朗日中值定理知,至少存在一点 $\xi\in(b,a)$,使

$$f(a)-f(b)=f'(\xi)(a-b),$$

即　　　　　　　　　$\ln a-\ln b=\dfrac{1}{\xi}(a-b).$

又, $0<b<\xi<a$, 故 $0<\dfrac{1}{a}<\dfrac{1}{\xi}<\dfrac{1}{b},$

因此
$$\frac{a-b}{a}<\frac{a-b}{\xi}<\frac{a-b}{b},$$

即
$$\frac{a-b}{a}<\ln\frac{a}{b}<\frac{a-b}{b}.$$

11. 证明下列不等式：

(1) $|\arctan a-\arctan b|\leqslant|a-b|$；

(2) 当 $x>1$ 时，$e^x>e\cdot x$.

证 (1) 当 $a=b$ 时，显然成立. 当 $a\neq b$ 时，取函数 $f(x)=\arctan x$，$f(x)$ 在 $[a,b]$ 或 $[b,a]$ 上连续，在 (a,b) 或 (b,a) 内可导，由拉格朗日中值定理知至少存在一点 $\xi\in(a,b)$ 或 (b,a) 使

$$f(a)-f(b)=f'(\xi)(a-b),$$

即
$$\arctan a-\arctan b=\frac{1}{1+\xi^2}(a-b),$$

故
$$|\arctan a-\arctan b|=\frac{1}{1+\xi^2}|a-b|\leqslant|a-b|.$$

(2) 取函数 $f(t)=e^t$，$f(t)$ 在 $[1,x]$ 上连续，在 $(1,x)$ 内可导. 由拉格朗日中值定理知，至少存在一点 $\xi\in(1,x)$，使

$$f(x)-f(1)=f'(\xi)(x-1),$$

即
$$e^x-e=e^\xi(x-1).$$

又，$1<\xi<x$，故 $e^\xi>e$，因此

$$e^x-e>e(x-1),$$

即
$$e^x>x\cdot e.$$

12. 证明方程 $x^5+x-1=0$ 只有一个正根.

证 取函数 $f(x)=x^5+x-1$，$f(x)$ 在 $[0,1]$ 上连续，

$$f(0)=-1<0,f(1)=1>0,$$

由零点定理知至少存在点 $x_1\in(0,1)$ 使 $f(x_1)=0$，即方程 $x^5+x-1=0$ 在 $(0,1)$ 内至少有一个正根.

若方程 $x^5+x-1=0$ 还有一个正根 x_2，即 $f(x_2)=0$. 则由 $f(x)=x^5+x-1$ 在 $[x_1,x_2]$（或 $[x_2,x_1]$）上连续，在 (x_1,x_2)（或 (x_2,x_1)）内可导知 $f(x)$ 满足罗尔定理条件，故少存在点 $\xi\in(x_1,x_2)$（或 (x_2,x_1)），使

$$f'(\xi)=0.$$

但 $f'(\xi)=5\xi^4+1>0$，矛盾. 因此方程 $x^5+x-1=0$ 只有一个正根.

13. 设 $f(x),g(x)$ 在 $[a,b]$ 上连续，在 (a,b) 内可导，证明在 (a,b) 内有一点 ξ，使

$$\begin{vmatrix} f(a) & f(b) \\ g(a) & g(b) \end{vmatrix}=(b-a)\begin{vmatrix} f(a) & f'(\xi) \\ g(a) & g'(\xi) \end{vmatrix}.$$

证　取函数 $F(x)=\begin{vmatrix} f(a) & f(x) \\ g(a) & g(x) \end{vmatrix}$，由 $f(x),g(x)$ 在 $[a,b]$ 上连续，在 (a,b) 内可导知 $F(x)$ 在 $[a,b]$ 上连续，在 (a,b) 内可导，由拉格朗日中值定理知至少存在一点 $\xi\in(a,b)$，使 $F(b)-F(a)=F'(\xi)(b-a)$.

即　　　　$F(b)=\begin{vmatrix} f(a) & f(b) \\ g(a) & g(b) \end{vmatrix}$，　$F(a)=\begin{vmatrix} f(a) & f(a) \\ g(a) & g(a) \end{vmatrix}=0$，

$$F'(x)=\begin{vmatrix} 0 & f(x) \\ 0 & g(x) \end{vmatrix}+\begin{vmatrix} f(a) & f'(x) \\ g(a) & g'(x) \end{vmatrix}=\begin{vmatrix} f(a) & f'(x) \\ g(a) & g'(x) \end{vmatrix},$$

故　　　　$\begin{vmatrix} f(a) & f(b) \\ g(a) & g(b) \end{vmatrix}=\begin{vmatrix} f(a) & f'(\xi) \\ g(a) & g'(\xi) \end{vmatrix}(b-a).$

14. 证明:若函数 $f(x)$ 在 $(-\infty,+\infty)$ 内满足关系式 $f'(x)=f(x)$，且 $f(0)=1$，则 $f(x)=e^x$.

证　取函数 $F(x)=\dfrac{f(x)}{e^x}$，因

$$F'(x)=\frac{f'(x)e^x-f(x)e^x}{e^{2x}}=\frac{f'(x)-f(x)}{e^x}=0,$$

故 $F(x)=C.$ 又 $F(0)=C=f(0)=1$，因此 $F(x)=1$，即 $\dfrac{f(x)}{e^x}=1$，故 $f(x)=e^x$.

*15. 设函数 $y=f(x)$ 在 $x=0$ 的某邻域内具有 n 阶导数，且 $f(0)=f'(0)=\cdots=f^{(n-1)}(0)=0$，试用柯西中值定理证明:

$$\frac{f(x)}{x^n}=\frac{f^{(n)}(\theta x)}{n!}(0<\theta<1).$$

证　已知 $f(x)$ 在 $x=0$ 的某邻域内具有 n 阶导数，在该邻域内任取点 x，由柯西中值定理得

$$\frac{f(x)}{x^n}=\frac{f(x)-f(0)}{x^n-0^n}=\frac{f'(\xi_1)}{n\xi_1^{n-1}}，其中\ \xi_1\ 介于\ 0,x\ 之间.$$

又　　$\dfrac{f'(\xi_1)}{n\xi_1^{n-1}}=\dfrac{f'(\xi_1)-f'(0)}{n(\xi_1^{n-1}-0^{n-1})}=\dfrac{f''(\xi_2)}{n(n-1)\xi_2^{n-2}}$，其中 ξ_2 介于 $0,\xi_1$ 之间.

依此类推，得

$$\frac{f^{(n-1)}(\xi_{n-1})}{n!\ \xi_{n-1}}=\frac{f^{(n-1)}(\xi_{n-1})-f^{(n-1)}(0)}{n!\ (\xi_{n-1}-0)}=\frac{f^{(n)}(\xi_n)}{n!}，其中\ \xi_n\ 介于\ 0,\xi_{n-1}\ 之间，记$$

$\xi_n=\theta x(0<\theta<1)$，因此 $\dfrac{f(x)}{x^n}=\dfrac{f^{(n)}(\xi_n)}{n!}=\dfrac{f^{(n)}(\theta x)}{n!}(0<\theta<1).$

习题 3-2　洛必达法则

1. 用洛必达法则求下列极限:

(1) $\lim\limits_{x\to 0}\dfrac{\ln(1+x)}{x}$;　　　　(2) $\lim\limits_{x\to 0}\dfrac{e^x-e^{-x}}{\sin x}$;

(3) $\lim\limits_{x\to a}\dfrac{\sin x-\sin a}{x-a}$;　　(4) $\lim\limits_{x\to \pi}\dfrac{\sin 3x}{\tan 5x}$;

(5) $\lim\limits_{x\to \frac{\pi}{2}}\dfrac{\ln\sin x}{(\pi-2x)^2}$;　　(6) $\lim\limits_{x\to a}\dfrac{x^m-a^m}{x^n-a^n}(a\neq 0)$;

(7) $\lim\limits_{x\to 0^+}\dfrac{\ln\tan 7x}{\ln\tan 2x}$;　　(8) $\lim\limits_{x\to \frac{\pi}{2}}\dfrac{\tan x}{\tan 3x}$;

(9) $\lim\limits_{x\to +\infty}\dfrac{\ln\left(1+\dfrac{1}{x}\right)}{\operatorname{arccot} x}$;　　(10) $\lim\limits_{x\to 0}\dfrac{\ln(1+x^2)}{\sec x-\cos x}$;

(11) $\lim\limits_{x\to 0}x\cot 2x$;　　(12) $\lim\limits_{x\to 0}x^2 e^{1/x^2}$;

(13) $\lim\limits_{x\to 1}\left(\dfrac{2}{x^2-1}-\dfrac{1}{x-1}\right)$;　(14) $\lim\limits_{x\to \infty}\left(1+\dfrac{a}{x}\right)^x$;

(15) $\lim\limits_{x\to 0^+}x^{\sin x}$;　　(16) $\lim\limits_{x\to 0^+}\left(\dfrac{1}{x}\right)^{\tan x}$.

解　(1) $\lim\limits_{x\to 0}\dfrac{\ln(1+x)}{x}=\lim\limits_{x\to 0}\dfrac{\dfrac{1}{1+x}}{1}=1.$

(2) $\lim\limits_{x\to 0}\dfrac{e^x-e^{-x}}{\sin x}=\lim\limits_{x\to 0}\dfrac{e^x+e^{-x}}{\cos x}=\dfrac{2}{1}=2.$

(3) $\lim\limits_{x\to a}\dfrac{\sin x-\sin a}{x-a}=\lim\limits_{x\to a}\dfrac{\cos x}{1}=\cos a.$

(4) $\lim\limits_{x\to \pi}\dfrac{\sin 3x}{\tan 5x}=\lim\limits_{x\to \pi}\dfrac{3\cos 3x}{5\sec^2 5x}=-\dfrac{3}{5}.$

(5) $\lim\limits_{x\to \frac{\pi}{2}}\dfrac{\ln\sin x}{(\pi-2x)^2}=\lim\limits_{x\to \frac{\pi}{2}}\dfrac{\dfrac{1}{\sin x}\cos x}{2(\pi-2x)\cdot(-2)}=-\lim\limits_{x\to \frac{\pi}{2}}\dfrac{\cot x}{4(\pi-2x)}$

$\qquad\qquad =-\lim\limits_{x\to \frac{\pi}{2}}\dfrac{-\csc^2 x}{-8}=-\dfrac{1}{8}.$

(6) $\lim\limits_{x\to a}\dfrac{x^m-a^m}{x^n-a^n}=\lim\limits_{x\to a}\dfrac{mx^{m-1}}{nx^{n-1}}=\dfrac{m}{n}a^{m-n}(a\neq 0).$

(7) $\lim\limits_{x\to 0^+}\dfrac{\ln\tan 7x}{\ln\tan 2x}=\lim\limits_{x\to 0^+}\dfrac{\dfrac{1}{\tan 7x}\cdot\sec^2 7x\cdot 7}{\dfrac{1}{\tan 2x}\sec^2 2x\cdot 2}=\lim\limits_{x\to 0^+}\dfrac{\tan 2x}{\tan 7x}\cdot\dfrac{\sec^2 7x}{\sec^2 2x}\cdot\dfrac{7}{2}$

$\qquad\qquad =\lim\limits_{x\to 0^+}\dfrac{2x}{7x}\cdot\dfrac{\sec^2 7x}{\sec^2 2x}\cdot\dfrac{7}{2}=1.$

(8) $\lim\limits_{x\to \frac{\pi}{2}}\dfrac{\tan x}{\tan 3x}=\lim\limits_{x\to \frac{\pi}{2}}\dfrac{\sec^2 x}{3\sec^2 3x}=\lim\limits_{x\to \frac{\pi}{2}}\dfrac{\cos^2 3x}{3\cos^2 x}=\lim\limits_{x\to \frac{\pi}{2}}\dfrac{-6\cos 3x\sin 3x}{-6\cos x\sin x}$

$$=-\lim_{x\to\frac{\pi}{2}}\frac{\cos 3x}{\cos x}=-\lim_{x\to\frac{\pi}{2}}\frac{-3\sin 3x}{-\sin x}=3.$$

(9) $\lim\limits_{x\to+\infty}\dfrac{\ln\left(1+\dfrac{1}{x}\right)}{\operatorname{arccot} x}=\lim\limits_{x\to+\infty}\dfrac{\dfrac{1}{1+\dfrac{1}{x}}\left(-\dfrac{1}{x^2}\right)}{-\dfrac{1}{1+x^2}}=\lim\limits_{x\to+\infty}\dfrac{1+x^2}{x+x^2}=\lim\limits_{x\to+\infty}\dfrac{\dfrac{1}{x^2}+1}{\dfrac{1}{x}+1}=1.$

(10) $\lim\limits_{x\to0}\dfrac{\ln(1+x^2)}{\sec x-\cos x}=\lim\limits_{x\to0}\dfrac{\dfrac{2x}{1+x^2}}{\sec x\tan x+\sin x}$

$$=\lim_{x\to0}\dfrac{x}{\sin x}\cdot\dfrac{\cos^2 x}{1+\cos^2 x}\cdot\dfrac{2}{1+x^2}=1.$$

(11) $\lim\limits_{x\to0}x\cot 2x=\lim\limits_{x\to0}\dfrac{x}{\tan 2x}=\lim\limits_{x\to0}\dfrac{1}{2\sec^2 2x}=\dfrac{1}{2}.$

(12) $\lim\limits_{x\to0}x^2\mathrm{e}^{1/x^2}=\lim\limits_{x\to0}\dfrac{\mathrm{e}^{1/x^2}}{\dfrac{1}{x^2}}=\lim\limits_{x\to0}\dfrac{\mathrm{e}^{1/x^2}\left(\dfrac{1}{x^2}\right)'}{\left(\dfrac{1}{x^2}\right)'}=\lim\limits_{x\to0}\mathrm{e}^{1/x^2}=+\infty.$

(13) $\lim\limits_{x\to1}\left(\dfrac{2}{x^2-1}-\dfrac{1}{x-1}\right)=\lim\limits_{x\to1}\dfrac{-x+1}{x^2-1}=\lim\limits_{x\to1}\dfrac{-1}{2x}=-\dfrac{1}{2}.$

(14) $\lim\limits_{x\to\infty}\left(1+\dfrac{a}{x}\right)^x=\mathrm{e}^{\lim\limits_{x\to\infty}x\ln\left(1+\frac{a}{x}\right)}=\mathrm{e}^{\lim\limits_{x\to\infty}\frac{\ln\left(1+\frac{a}{x}\right)}{\frac{1}{x}}}$

$$=\mathrm{e}^{\lim\limits_{x\to\infty}\frac{\frac{1}{1+\frac{a}{x}}\left(-\frac{a}{x^2}\right)}{-\frac{1}{x^2}}}=\mathrm{e}^{\lim\limits_{x\to\infty}\frac{a}{1+\frac{a}{x}}}=\mathrm{e}^a.$$

(15) $\lim\limits_{x\to0^+}x^{\sin x}=\mathrm{e}^{\lim\limits_{x\to0^+}\sin x\ln x}=\mathrm{e}^{\lim\limits_{x\to0^+}\frac{\sin x}{x}\cdot\frac{\ln x}{\frac{1}{x}}}$

$$=\mathrm{e}^{\lim\limits_{x\to0^+}\frac{\frac{1}{x}}{-\frac{1}{x^2}}}=\mathrm{e}^{\lim\limits_{x\to0^+}(-x)}=\mathrm{e}^0=1.$$

(16) $\lim\limits_{x\to0^+}\left(\dfrac{1}{x}\right)^{\tan x}=\mathrm{e}^{\lim\limits_{x\to0^+}\tan x\ln\frac{1}{x}}=\mathrm{e}^{\lim\limits_{x\to0^+}\frac{\tan x}{x}\cdot\frac{-\ln x}{\frac{1}{x}}}$

$$=\mathrm{e}^{\lim\limits_{x\to0^+}\frac{-\frac{1}{x}}{-\frac{1}{x^2}}}=\mathrm{e}^{\lim\limits_{x\to0^+}x}=\mathrm{e}^0=1.$$

注 在用洛必达法则求极限时,除了注意用洛必达法则对极限类型等的要求以外,还要注意求极限的过程中合理地应用重要极限、等价无穷小、初等变换等方法,以使运算过程更快捷、简洁.

2. 验证极限 $\lim\limits_{x\to\infty}\dfrac{x+\sin x}{x}$ 存在,但不能用洛必达法则得出.

证 由于 $\lim\limits_{x\to\infty}\dfrac{(x+\sin x)'}{(x)'}=\lim\limits_{x\to\infty}\dfrac{1+\cos x}{1}$ 不存在,故不能使用洛必达法则来

求此极限,但并不表明此极限不存在,此极限可用以下方法求得:

$$\lim_{x\to\infty}\frac{x+\sin x}{x}=\lim_{x\to\infty}\left(1+\frac{\sin x}{x}\right)=1+0=1.$$

3. 验证极限 $\lim\limits_{x\to 0}\dfrac{x^2\sin\frac{1}{x}}{\sin x}$ 存在,但不能用洛必达法则得出.

证 由于 $\lim\limits_{x\to 0}\dfrac{\left(x^2\sin\frac{1}{x}\right)'}{(\sin x)'}=\lim\limits_{x\to 0}\dfrac{2x\sin\frac{1}{x}-\cos\frac{1}{x}}{\cos x}$ 不存在,故不能使用洛必达

法则来求此极限,但可用以下方法求此极限:

$$\lim_{x\to 0}\frac{x^2\sin\frac{1}{x}}{\sin x}=\lim_{x\to 0}\left(\frac{x}{\sin x}\cdot x\sin\frac{1}{x}\right)=\lim_{x\to 0}\frac{x}{\sin x}\cdot\lim_{x\to 0}x\sin\frac{1}{x}=1\cdot 0=0.$$

*4. 讨论函数

$$f(x)=\begin{cases}\left[\dfrac{(1+x)^{\frac{1}{x}}}{\mathrm{e}}\right]^{\frac{1}{x}}, & x>0,\\[3mm] \mathrm{e}^{-\frac{1}{2}}, & x\leqslant 0\end{cases}$$

在点 $x=0$ 处的连续性.

解 $\lim\limits_{x\to 0^+}f(x)=\lim\limits_{x\to 0^+}\left[\dfrac{(1+x)^{\frac{1}{x}}}{\mathrm{e}}\right]^{\frac{1}{x}}=\mathrm{e}^{\lim\limits_{x\to 0^+}\frac{1}{x}\ln\left[\frac{(1+x)^{\frac{1}{x}}}{\mathrm{e}}\right]}$,

而 $\lim\limits_{x\to 0^+}\dfrac{1}{x}\left[\dfrac{1}{x}\ln(1+x)-1\right]=\lim\limits_{x\to 0^+}\dfrac{\ln(1+x)-x}{x^2}=\lim\limits_{x\to 0^+}\dfrac{\frac{1}{1+x}-1}{2x}$

$$=\lim_{x\to 0^+}-\frac{1}{2(1+x)}=-\frac{1}{2},$$

故 $\lim\limits_{x\to 0^+}f(x)=\mathrm{e}^{-\frac{1}{2}}$,

又 $\lim\limits_{x\to 0^-}f(x)=\lim\limits_{x\to 0^-}\mathrm{e}^{-\frac{1}{2}}=\mathrm{e}^{-\frac{1}{2}},f(0)=\mathrm{e}^{-\frac{1}{2}}$.

因为 $\lim\limits_{x\to 0^+}f(x)=\lim\limits_{x\to 0^-}f(x)=f(0)$,故函数 $f(x)$ 在 $x=0$ 处连续.

习题 3-3 泰勒公式

1. 按 $(x-4)$ 的幂展开多项式 $f(x)=x^4-5x^3+x^2-3x+4$.

解 因为 $f'(x)=4x^3-15x^2+2x-3,f''(x)=12x^2-30x+2$,

$f'''(x)=24x-30,f^{(4)}(x)=24,f^{(n)}(x)=0(n\geqslant 5)$.

$f(4)=-56,f'(4)=21,f''(4)=74,f'''(4)=66,f^{(4)}(4)=24$,

故 $x^4-5x^3+x^2-3x+4$

$$=f(4)+f'(4)(x-4)+\frac{f''(4)}{2!}(x-4)^2+\frac{f'''(4)}{3!}(x-4)^3+\frac{f^{(4)}(4)}{4!}(x-4)^4$$

$$=-56+21(x-4)+37(x-4)^2+11(x-4)^3+(x-4)^4.$$

2. 应用麦克劳林公式, 按 x 的幂展开函数 $f(x)=(x^2-3x+1)^3$.

解 $f(x)=x^6-9x^5+30x^4-45x^3+30x^2-9x+1$, $f(0)=1$,

$\qquad f'(x)=6x^5-45x^4+120x^3-135x^2+60x-9$, $f'(0)=-9$,

$\qquad f''(x)=30x^4-180x^3+360x^2-270x+60$, $f''(0)=60$,

$\qquad f'''(x)=120x^3-540x^2+720x-270$, $f'''(0)=-270$,

$\qquad f^{(4)}(x)=360x^2-1\,080x+720$, $f^{(4)}(0)=720$,

$\qquad f^{(5)}(x)=720x-1\,080$, $f^{(5)}(0)=-1\,080$,

$\qquad f^{(6)}(x)=720$, $f^{(6)}(0)=720$,

$\qquad f^{(n)}(x)=0 \quad (n\geqslant 7)$,

故 $(x^2-3x+1)^3$

$$=f(0)+f'(0)x+\frac{f''(0)}{2!}x^2+\frac{f'''(0)}{3!}x^3+\frac{f^{(4)}(0)}{4!}x^4+\frac{f^{(5)}(0)}{5!}x^5+\frac{f^{(6)}(0)}{6!}x^6$$

$$=1-9x+30x^2-45x^3+30x^4-9x^5+x^6.$$

3. 求函数 $f(x)=\sqrt{x}$ 按 $(x-4)$ 的幂展开的带有拉格朗日型余项的 3 阶泰勒公式.

解 因为 $f(x)=\sqrt{x}, f'(x)=\frac{1}{2}x^{-\frac{1}{2}}, f''(x)=-\frac{1}{4}x^{-\frac{3}{2}}, f'''(x)=\frac{3}{8}x^{-\frac{5}{2}}$,

$f^{(4)}(x)=-\frac{15}{16}x^{-\frac{7}{2}}$. $f(4)=2, f'(4)=\frac{1}{4}, f''(4)=-\frac{1}{32}, f'''(4)=\frac{3}{256}$.

故 $\sqrt{x}=f(4)+f'(4)(x-4)+\frac{f''(4)}{2!}(x-4)^2+\frac{f'''(4)}{3!}(x-4)^3+\frac{f^{(4)}(\xi)}{4!}(x-4)^4$,

$$=2+\frac{1}{4}(x-4)-\frac{1}{64}(x-4)^2+\frac{1}{512}(x-4)^3-\frac{15}{384\xi^{7/2}}(x-4)^4,$$

其中 ξ 介于 x 与 4 之间.

4. 求函数 $f(x)=\ln x$ 按 $(x-2)$ 的幂展开的带有佩亚诺型余项的 n 阶泰勒公式.

解 因为 $f^{(n)}(x)=\frac{(-1)^{n-1}(n-1)!}{x^n}, f^{(n)}(2)=\frac{(-1)^{n-1}(n-1)!}{2^n}$,

故 $\ln x=f(2)+f'(2)(x-2)+\frac{f''(2)}{2!}(x-2)^2+\frac{f'''(2)}{3!}(x-2)^3+\cdots+$

$\qquad \frac{f^{(n)}(2)}{n!}(x-2)^n+o[(x-2)^n]$

$$=\ln 2+\frac{1}{2}(x-2)-\frac{1}{2^3}(x-2)^2+\frac{1}{3\cdot 2^3}(x-2)^3+\cdots+$$

$$(-1)^{n-1}\frac{1}{n\cdot 2^n}(x-2)^n+o[(x-2)^n].$$

5. 求函数 $f(x)=\frac{1}{x}$ 按 $(x+1)$ 的幂展开的带有拉格朗日型余项的 n 阶泰勒公式.

解 因为 $\qquad f^{(n)}(x)=\frac{(-1)^n n!}{x^{n+1}}, f^{(n)}(-1)=-n!,$

故 $\frac{1}{x}=f(-1)+f'(-1)(x+1)+\frac{f''(-1)}{2!}(x+1)^2+\frac{f'''(-1)}{3!}(x+1)^3+\cdots+$

$\qquad \frac{f^{(n)}(-1)}{n!}(x+1)^n+\frac{f^{(n+1)}(\xi)}{(n+1)!}(x+1)^{n+1}$

$\quad =-[1+(x+1)+(x+1)^2+\cdots+(x+1)^n]+$

$\qquad (-1)^{n+1}\xi^{-(n+2)}(x+1)^{n+1}$,其中 ξ 介于 x 与 -1 之间.

6. 求函数 $f(x)=\tan x$ 的带有佩亚诺型余项的 3 阶麦克劳林公式.

解 因为 $f(x)=\tan x, f'(x)=\sec^2 x, f''(x)=2\sec^2 x\tan x$,

$\qquad f'''(x)=4\sec^2 x\tan^2 x+2\sec^4 x$,

$\qquad f^{(4)}(x)=8\sec^2 x\tan^3 x+8\sec^4 x\tan x+8\sec^4 x\tan x$

$\qquad\qquad =8\sec^2 x\tan^3 x+16\sec^4 x\tan x$

$\qquad\qquad =\frac{8(\sin^2 x+2)\sin x}{\cos^5 x}$,

$\qquad f(0)=0, f'(0)=1, f''(0)=0, f'''(0)=2$,

且 $\lim\limits_{x\to 0}f^{(4)}(x)=0$,从而存在 0 的一个邻域,使 $f^{(4)}(x)$ 在该邻域内有界,

因此 $\qquad f(x)=x+\frac{x^3}{3}+o(x^3)$.

7. 求函数 $f(x)=xe^x$ 的带有佩亚诺型余项的 n 阶麦克劳林公式.

解 因为 $f(x)=xe^x, f^{(n)}(x)=(n+x)e^x$(见习题 2-3,8(4)),$f^{(n)}(0)=n$,故

$\qquad xe^x=f(0)+f'(0)x+\frac{1}{2!}f''(0)x^2+\cdots+\frac{1}{n!}f^{(n)}(0)x^n+o(x^n)$

$\qquad\qquad =x+x^2+\frac{x^3}{2!}+\cdots+\frac{x^n}{(n-1)!}+o(x^n)$.

8. 验证当 $0<x\leqslant\frac{1}{2}$ 时,按公式 $e^x\approx 1+x+\frac{x^2}{2}+\frac{x^3}{6}$ 计算 e^x 的近似值时,所产生的误差小于 0.01,并求 $\sqrt{e}$ 的近似值,使误差小于 0.01.

证 设 $f(x)=e^x$,则 $f^{(n)}(0)=1$,故 $f(x)=e^x$ 的三阶麦克劳林公式为

$e^x=1+x+\frac{x^2}{2!}+\frac{x^3}{3!}+\frac{e^\xi}{4!}x^4$,其中 ξ 介于 $0, x$ 之间. 按 $e^x\approx 1+x+\frac{x^2}{2}+\frac{x^3}{6}$ 计算 e^x 的近似值时,其误差为

$$|R_3(x)| = \frac{e^\xi}{4!}x^4.$$

当 $0 < x \leqslant \frac{1}{2}$ 时,$0 < \xi < \frac{1}{2}$,$|R_3(x)| \leqslant \frac{3^{\frac{1}{2}}}{4!}\left(\frac{1}{2}\right)^4 \approx 0.0045 < 0.01$,

$$\sqrt{e} \approx 1 + \frac{1}{2} + \frac{1}{2}\left(\frac{1}{2}\right)^2 + \frac{1}{6}\left(\frac{1}{2}\right)^3 \approx 1.645.$$

9. 应用三阶泰勒公式求下列各数的近似值,并估计误差:

(1) $\sqrt[3]{30}$；   (2) $\sin 18°$.

解 (1) 因为 $f(x) = \sqrt[3]{1+x} = (1+x)^{\frac{1}{3}}$

$$\approx 1 + \frac{1}{3}x + \frac{\frac{1}{3}\left(\frac{1}{3}-1\right)}{2!}x^2 + \frac{\frac{1}{3}\left(\frac{1}{3}-1\right)\left(\frac{1}{3}-2\right)}{3!}x^3$$

$$= 1 + \frac{1}{3}x - \frac{1}{9}x^2 + \frac{5}{81}x^3,$$

$$R_3(x) = \frac{\frac{1}{3}\left(\frac{1}{3}-1\right)\left(\frac{1}{3}-2\right)\left(\frac{1}{3}-3\right)}{4!}(1+\xi)^{\frac{1}{3}-4}x^4,$$

其中 ξ 介于 $0, x$ 之间. 故

$$\sqrt[3]{30} = \sqrt[3]{27+3} = 3\sqrt[3]{1+\frac{1}{9}} \approx 3\left[1 + \frac{1}{3} \cdot \frac{1}{9} - \frac{1}{9}\left(\frac{1}{9}\right)^2 + \frac{5}{81}\left(\frac{1}{9}\right)^3\right] \approx 3.10724.$$

误差 $|R_3| = 3 \cdot \left|\frac{\frac{1}{3}\left(\frac{1}{3}-1\right)\left(\frac{1}{3}-2\right)\left(\frac{1}{3}-3\right)}{4!}(1+\xi)^{\frac{1}{3}-4}\left(\frac{1}{9}\right)^4\right|,$

ξ 介于 0 与 $\frac{1}{9}$ 之间,即 $0 < \xi < \frac{1}{9}$,因此

$$|R_3| = \left|\frac{80}{4! \cdot 3^{11}}\right| \approx 1.88 \times 10^{-5}.$$

(2) 已知 $\sin x \approx x - \frac{x^3}{3!}$,$R_4(x) = \frac{\sin\left(\xi + \frac{5}{2}\pi\right)}{5!}x^5$,$\xi$ 介于 0 与 $\frac{\pi}{10}$ 之间,故

$$\sin 18° = \sin\frac{\pi}{10} \approx \frac{\pi}{10} - \frac{1}{3!}\left(\frac{\pi}{10}\right)^3 \approx 0.3090,$$

$$|R_4| \leqslant \frac{1}{5!}\left(\frac{\pi}{10}\right)^5 \approx 2.55 \times 10^{-5}.$$

注 利用 $R_3(x) = \frac{\sin\left(\xi + \frac{4}{2}\pi\right)}{4!}x^4$,$\xi \in \left(0, \frac{\pi}{10}\right)$,可得

误差 $|R_3| \leqslant \frac{1}{4!}\left(\frac{\pi}{10}\right)^4 \approx 1.3 \times 10^{-4}.$

*10. 利用泰勒公式求下列极限:

(1) $\lim\limits_{x\to+\infty}(\sqrt[3]{x^3+3x^2}-\sqrt[4]{x^4-2x^3})$;

(2) $\lim\limits_{x\to0}\dfrac{\cos x-\mathrm{e}^{-\frac{x^2}{2}}}{x^2[x+\ln(1-x)]}$;

(3) $\lim\limits_{x\to0}\dfrac{1+\frac{1}{2}x^2-\sqrt{1+x^2}}{(\cos x-\mathrm{e}^{x^2})\sin x^2}$.

解 (1) $\lim\limits_{x\to+\infty}(\sqrt[3]{x^3+3x^2}-\sqrt[4]{x^4-2x^3})=\lim\limits_{x\to+\infty}x\left[\left(1+\dfrac{3}{x}\right)^{\frac{1}{3}}-\left(1-\dfrac{2}{x}\right)^{\frac{1}{4}}\right]$

$$=\lim_{x\to+\infty}x\left[1+\dfrac{1}{3}\cdot\dfrac{3}{x}+o\left(\dfrac{1}{x}\right)-1+\dfrac{1}{4}\cdot\dfrac{2}{x}+o\left(\dfrac{1}{x}\right)\right]$$

$$=\lim_{x\to+\infty}\left[\dfrac{3}{2}+\dfrac{o\left(\dfrac{1}{x}\right)}{\dfrac{1}{x}}\right]=\dfrac{3}{2}.$$

(2) $\lim\limits_{x\to0}\dfrac{\cos x-\mathrm{e}^{-\frac{x^2}{2}}}{x^2[x+\ln(1-x)]}=\lim\limits_{x\to0}\dfrac{1-\dfrac{x^2}{2}+\dfrac{x^4}{4!}+o(x^4)-1-\left(-\dfrac{x^2}{2}\right)-\dfrac{1}{2}\left(-\dfrac{x^2}{2}\right)^2+o(x^4)}{x^2\left[x+\left(-x-\dfrac{1}{2}x^2+o(x^2)\right)\right]}$

$$=\lim_{x\to0}\dfrac{\left(\dfrac{1}{4!}-\dfrac{1}{8}\right)x^4+o(x^4)}{-\dfrac{1}{2}x^4+o(x^4)}=\lim_{x\to0}\dfrac{-\dfrac{1}{12}+\dfrac{o(x^4)}{x^4}}{-\dfrac{1}{2}+\dfrac{o(x^4)}{x^4}}=\dfrac{-\dfrac{1}{12}}{-\dfrac{1}{2}}=\dfrac{1}{6}.$$

(3) $\lim\limits_{x\to0}\dfrac{1+\dfrac{1}{2}x^2-\sqrt{1+x^2}}{(\cos x-\mathrm{e}^{x^2})\sin x^2}=\lim\limits_{x\to0}\dfrac{1+\dfrac{1}{2}x^2-\left(1+\dfrac{1}{2}x^2-\dfrac{1}{8}x^4+o(x^4)\right)}{\left[1-\dfrac{1}{2}x^2+o(x^2)-1-x^2+o(x^2)\right][x^2+o(x^2)]}$

$$=\lim_{x\to0}\dfrac{\dfrac{1}{8}x^4+o(x^4)}{-\dfrac{3}{2}x^4+o(x^4)}=\lim_{x\to0}\dfrac{\dfrac{1}{8}+\dfrac{o(x^4)}{x^4}}{-\dfrac{3}{2}+\dfrac{o(x^4)}{x^4}}=\dfrac{\dfrac{1}{8}}{-\dfrac{3}{2}}=-\dfrac{1}{12}.$$

习题 3-4　函数的单调性与曲线的凹凸性

1. 判定函数 $f(x)=\arctan x-x$ 的单调性.

解 $f'(x)=\dfrac{1}{1+x^2}-1=-\dfrac{x^2}{1+x^2}\leqslant0$ 且 $f'(x)=0$ 仅在 $x=0$ 时成立. 因此函数 $f(x)=\arctan x-x$ 在 $(-\infty,+\infty)$ 内单调减少.

2. 判定函数 $f(x)=x+\cos x(0\leqslant x\leqslant2\pi)$ 的单调性.

解 $f'(x)=1-\sin x\geqslant 0$ 且 $f'(x)=0$ 仅在 $x=\dfrac{\pi}{2}$ 时成立,因此函数 $f(x)=x+\cos x$ 在 $[0,2\pi]$ 上单调增加.

3. 确定下列函数的单调区间:

(1) $y=2x^3-6x^2-18x-7$;　　(2) $y=2x+\dfrac{8}{x}$　$(x>0)$;

(3) $y=\dfrac{10}{4x^3-9x^2+6x}$;　　(4) $y=\ln(x+\sqrt{1+x^2})$;

(5) $y=(x-1)(x+1)^3$;　　(6) $y=\sqrt[3]{(2x-a)(a-x)^2}$　$(a>0)$;

(7) $y=x^n\mathrm{e}^{-x}$　$(n>0,x\geqslant 0)$;　　(8) $y=x+|\sin 2x|$.

解 (1) 函数的定义域为 $(-\infty,+\infty)$,在 $(-\infty,+\infty)$ 内可导,且
$$y'=6x^2-12x-18=6(x-3)(x+1).$$

令 $y'=0$ 得驻点 $x_1=-1,x_2=3$,这两个驻点把 $(-\infty,+\infty)$ 分成三个部分区间 $(-\infty,-1),(-1,3),(3,+\infty)$.

当 $-\infty<x<-1$ 及 $3<x<+\infty$ 时,$y'>0$,因此函数在 $(-\infty,-1]$,$[3,+\infty)$ 上单调增加;

当 $-1<x<3$ 时,$y'<0$,因此函数在 $[-1,3]$ 上单调减少.

(2) 函数的定义域为 $(0,+\infty)$,在 $(0,+\infty)$ 内可导,且
$$y'=2-\dfrac{8}{x^2}=\dfrac{2x^2-8}{x^2}=\dfrac{2(x-2)(x+2)}{x^2}.$$

令 $y'=0$,得驻点 $x_1=-2$(舍去),$x_2=2$. 它把 $(0,+\infty)$ 分成二个部分区间 $(0,2),(2,+\infty)$.

当 $0<x<2$ 时,$y'<0$,因此函数在 $(0,2]$ 上单调减少;

当 $2<x<+\infty$ 时,$y'>0$,因此函数在 $[2,+\infty)$ 上单调增加.

(3) 函数除 $x=0$ 外处处可导,且
$$y'=\dfrac{-10(12x^2-18x+6)}{(4x^3-9x^2+6x)^2}=\dfrac{-120\left(x-\dfrac{1}{2}\right)(x-1)}{(4x^3-9x^2+6x)^2}.$$

令 $y'=0$,得驻点 $x_1=\dfrac{1}{2},x_2=1$. 这两个驻点及点 $x=0$ 把区间 $(-\infty,+\infty)$ 分成四个部分区间 $(-\infty,0),\left(0,\dfrac{1}{2}\right),\left(\dfrac{1}{2},1\right),(1,+\infty)$.

当 $-\infty<x<0,0<x<\dfrac{1}{2},1<x<+\infty$ 时,$y'<0$,因此函数在 $(-\infty,0)$,$\left(0,\dfrac{1}{2}\right],[1,+\infty)$ 内单调减少;

当 $\dfrac{1}{2}<x<1$ 时,$y'>0$,因此函数在 $\left[\dfrac{1}{2},1\right]$ 上单调增加.

(4) 函数在 $(-\infty,+\infty)$ 内可导,且
$$y'=\frac{1}{x+\sqrt{1+x^2}}\left(1+\frac{2x}{2\sqrt{1+x^2}}\right)=\frac{1}{\sqrt{1+x^2}}>0,$$
因此函数在 $(-\infty,+\infty)$ 内单调增加.

(5) 函数在 $(-\infty,+\infty)$ 内可导,且
$$y'=(x+1)^3+(x-1)\cdot 3(x+1)^2$$
$$=(x+1)^2(4x-2)=4(x+1)^2\left(x-\frac{1}{2}\right).$$

令 $y'=0$,得驻点 $x_1=-1,x_2=\frac{1}{2}$,这两个驻点把区间 $(-\infty,+\infty)$ 分成三个部分区间 $(-\infty,-1),\left(-1,\frac{1}{2}\right)$ 及 $\left(\frac{1}{2},+\infty\right)$.

当 $-\infty<x<-1$ 及 $-1<x<\frac{1}{2}$ 时,$y'<0$,因此函数在 $\left(-\infty,\frac{1}{2}\right]$ 上单调减少;

当 $\frac{1}{2}<x<+\infty$ 时,$y'>0$,因此函数在 $\left[\frac{1}{2},+\infty\right)$ 上单调增加.

(6) 函数在 $x_1=\frac{a}{2},x_2=a$ 处不可导且在 $\left(-\infty,\frac{a}{2}\right),\left(\frac{a}{2},a\right),(a,+\infty)$ 内可导,$y'=\dfrac{-6\left(x-\dfrac{2a}{3}\right)}{3\sqrt[3]{(2x-a)^2(a-x)}}.$

令 $y'=0$,得驻点 $x_3=\frac{2a}{3}$,这个驻点及 $x_1=\frac{a}{2},x_2=a$ 把区间 $(-\infty,+\infty)$ 分成四个部分区间 $\left(-\infty,\frac{a}{2}\right),\left(\frac{a}{2},\frac{2}{3}a\right),\left(\frac{2}{3}a,a\right),(a,+\infty)$.

当 $-\infty<x<\frac{a}{2}$ 及 $\frac{a}{2}<x<\frac{2}{3}a,a<x<+\infty$ 时,$y'>0$,因此函数在 $\left(-\infty,\frac{2}{3}a\right],[a,+\infty)$ 上单调增加;

当 $\frac{2a}{3}<x<a$ 时 $y'<0$,因此函数在 $\left[\frac{2}{3}a,a\right]$ 上单调减少.

(7) 函数在 $[0,+\infty)$ 内可导,且
$$y'=nx^{n-1}e^{-x}-x^n e^{-x}=x^{n-1}e^{-x}(n-x).$$
令 $y'=0$,得驻点 $x_1=n$,这个驻点把区间 $[0,+\infty)$ 分成两个部分区间 $[0,n],[n,+\infty)$.

当 $0<x<n$ 时,$y'>0$,因此函数在 $[0,n]$ 上单调增加;

当 $n<x<+\infty$ 时,$y'<0$,因此函数在 $[n,+\infty)$ 上单调减少.

(8) 函数的定义域为 $(-\infty,+\infty)$，且

$$y=\begin{cases} x+\sin 2x, & n\pi\leqslant x\leqslant n\pi+\dfrac{\pi}{2}, \\[2mm] x-\sin 2x, & n\pi+\dfrac{\pi}{2}<x\leqslant(n+1)\pi \end{cases}\quad(n=0,\pm1,\pm2,\cdots),$$

$$y'=\begin{cases} 1+2\cos 2x, & n\pi<x<n\pi+\dfrac{\pi}{2}, \\[2mm] 1-2\cos 2x, & n\pi+\dfrac{\pi}{2}<x<(n+1)\pi \end{cases}\quad(n=0,\pm1,\pm2,\cdots),$$

令 $y'=0$ 得驻点 $x=n\pi+\dfrac{\pi}{3}$ 及 $x=n\pi+\dfrac{5\pi}{6}$，按照这些驻点将区间 $(-\infty,+\infty)$ 分成下列部分区间

$$\left(n\pi,n\pi+\dfrac{\pi}{3}\right),\left(n\pi+\dfrac{\pi}{3},n\pi+\dfrac{\pi}{2}\right),\left(n\pi+\dfrac{\pi}{2},n\pi+\dfrac{5\pi}{6}\right),\left(n\pi+\dfrac{5\pi}{6},(n+1)\pi\right)$$

$$(n=0,\pm1,\pm2,\cdots).$$

当 $n\pi<x<n\pi+\dfrac{\pi}{3}$ 时，$y'>0$，因此函数在该区间内单调增加；

当 $n\pi+\dfrac{\pi}{3}<x<n\pi+\dfrac{\pi}{2}$ 时，$y'<0$，因此函数在该区间内单调减少；

当 $n\pi+\dfrac{\pi}{2}<x<n\pi+\dfrac{5\pi}{6}$ 时，$y'>0$，因此函数在该区间内单调增加；

当 $n\pi+\dfrac{5\pi}{6}<x<(n+1)\pi$ 时，$y'<0$，因此函数在该区间内单调减少.

综上可知，函数在 $\left[\dfrac{k\pi}{2},\dfrac{k\pi}{2}+\dfrac{\pi}{3}\right]$ 上单调增加，在 $\left[\dfrac{k\pi}{2}+\dfrac{\pi}{3},\dfrac{k\pi}{2}+\dfrac{\pi}{2}\right]$ 上单调减少 $(k=0,\pm1,\pm2,\cdots)$.

4. 设函数 $f(x)$ 在定义域内可导，$y=f(x)$ 的图形如图 3-1 所示，则导函数 $f'(x)$ 的图形为图 3-2 中所示的四个图形中的哪一个？

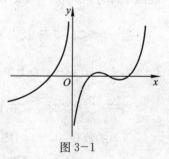

图 3-1

解 由所给图形知，当 $x<0$ 时，$y=f(x)$ 单调增加，从而 $f'(x)\geqslant 0$，故排除(A),(C)；当 $x>0$ 时，随着 x 增大，$y=f(x)$ 先单调增加，然后单调减少，再单调增加，因此随着 x 增大，先有 $f'(x)\geqslant 0$，然后 $f'(x)\leqslant 0$，继而又有 $f'(x)\geqslant 0$，故应选(D).

5. 证明下列不等式：

(1) 当 $x>0$ 时，$1+\dfrac{1}{2}x>\sqrt{1+x}$；

(2) 当 $x>0$ 时，$1+x\ln(x+\sqrt{1+x^2})>\sqrt{1+x^2}$；

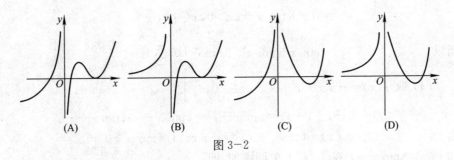

(A)　　　　　(B)　　　　　(C)　　　　　(D)

图 3-2

(3) 当 $0<x<\dfrac{\pi}{2}$ 时, $\sin x+\tan x>2x$;

(4) 当 $0<x<\dfrac{\pi}{2}$ 时, $\tan x>x+\dfrac{1}{3}x^3$;

(5) 当 $x>4$ 时, $2^x>x^2$.

解 (1) 取 $f(t)=1+\dfrac{1}{2}t-\sqrt{1+t}\,,t\in[0,x]$.

$$f'(t)=\dfrac{1}{2}-\dfrac{1}{2\sqrt{1+t}}=\dfrac{\sqrt{1+t}-1}{2\sqrt{1+t}}>0,\quad t\in(0,x).$$

因此,函数 $f(t)$ 在 $[0,x]$ 上单调增加,故当 $x>0$ 时, $f(x)>f(0)$. 即

$$1+\dfrac{1}{2}x-\sqrt{1+x}>1+\dfrac{1}{2}\cdot 0-\sqrt{1+0}=0,$$

亦即
$$1+\dfrac{x}{2}>\sqrt{1+x}\quad (x>0).$$

(2) 取 $f(t)=1+t\ln(t+\sqrt{1+t^2})-\sqrt{1+t^2}\,,t\in[0,x]$.

$$f'(t)=\ln(t+\sqrt{1+t^2})+\dfrac{t}{\sqrt{1+t^2}}-\dfrac{t}{\sqrt{1+t^2}}=\ln(t+\sqrt{1+t^2})>0,t\in(0,x).$$

因此,函数 $f(t)$ 在 $[0,x]$ 上单调增加,故当 $x>0$ 时, $f(x)>f(0)$,即

$$1+x\ln(x+\sqrt{1+x^2})-\sqrt{1+x^2}>1+0-1=0,$$

亦即
$$1+x\ln(x+\sqrt{1+x^2})>\sqrt{1+x^2}\quad (x>0).$$

(3) 取 $f(x)=\sin x+\tan x-2x,x\in\left(0,\dfrac{\pi}{2}\right)$.

$$f'(x)=\cos x+\sec^2 x-2,$$

$$f''(x)=-\sin x+2\sec^2 x\tan x=\sin x(2\sec^3 x-1)>0,x\in\left(0,\dfrac{\pi}{2}\right).$$

因此, $f'(x)$ 在 $\left[0,\dfrac{\pi}{2}\right]$ 上单调增加,故当 $x\in\left(0,\dfrac{\pi}{2}\right)$ 时, $f'(x)>f'(0)=0$,从而

$f(x)$ 在 $\left[0,\dfrac{\pi}{2}\right]$ 上单调增加,即 $f(x)>f(0)=0$,亦即

$$\sin x + \tan x - 2x > 0, x \in \left(0, \frac{\pi}{2}\right),$$

所以 $$\sin x + \tan x > 2x, x \in \left(0, \frac{\pi}{2}\right).$$

(4) 取 $f(x) = \tan x - x - \frac{1}{3}x^3, x \in \left[0, \frac{\pi}{2}\right].$

$$f'(x) = \sec^2 x - 1 - x^2 = \tan^2 x - x^2 = (\tan x - x)(\tan x + x).$$

由 $$g'(x) = (\tan x - x)' = \sec^2 x - 1 = \tan^2 x > 0$$

知 $g(x) = \tan x - x$ 在 $[0, x]$ 上单调增加,即

$$g(x) = \tan x - x > g(0) = 0.$$

故 $f'(x) > 0, x \in \left(0, \frac{\pi}{2}\right).$ 从而 $f(x)$ 在 $\left[0, \frac{\pi}{2}\right]$ 上单调增加,因此 $f(x) > f(0),$ $x \in \left(0, \frac{\pi}{2}\right).$ 即当 $0 < x < \frac{\pi}{2}$ 时,$\tan x - x - \frac{1}{3}x^3 > 0.$ 从而

$$\tan x > x + \frac{1}{3}x^3 \quad \left(0 < x < \frac{\pi}{2}\right).$$

(5) 取 $f(t) = t\ln 2 - 2\ln t, t \in [4, x].$

$$f'(t) = \ln 2 - \frac{2}{t} = \frac{\ln 4}{2} - \frac{2}{x} > \frac{\ln \mathrm{e}}{2} - \frac{2}{4} = 0,$$

故当 $x > 4$ 时,$f(x)$ 单调增加,从而 $f(x) > f(4) = 0,$ 即

$$x\ln 2 - 2\ln x > 0,$$

亦即 $$2^x > x^2 \quad (x > 4).$$

6. 讨论方程 $\ln x = ax$(其中 $a > 0$)有几个实根?

解 取函数 $f(x) = \ln x - ax, x \in (0, +\infty).$

$$f'(x) = \frac{1}{x} - a.$$

令 $f'(x) = 0,$ 得驻点 $x = \frac{1}{a}.$

当 $0 < x < \frac{1}{a}$ 时,$f'(x) > 0,$ 因此函数 $f(x)$ 在 $\left(0, \frac{1}{a}\right)$ 内单调增加;

当 $\frac{1}{a} < x < +\infty$ 时,$f'(x) < 0,$ 因此函数 $f(x)$ 在 $\left(\frac{1}{a}, +\infty\right)$ 内单调减少.

从而 $f\left(\frac{1}{a}\right)$ 为最大值,又 $\lim\limits_{x \to 0^+} f(x) = -\infty,$ $\lim\limits_{x \to +\infty} f(x) = -\infty,$ 故

当 $f\left(\frac{1}{a}\right) = \ln\frac{1}{a} - 1 = 0,$ 即 $a = \frac{1}{\mathrm{e}}$ 时,曲线 $y = \ln x - ax$ 与 x 轴仅有一个交点,这时,原方程有惟一实根.

当 $f\left(\frac{1}{a}\right) = \ln\frac{1}{a} - 1 > 0,$ 即 $0 < a < \frac{1}{\mathrm{e}}$ 时,曲线 $y = \ln x - ax$ 与 x 轴有两个

交点,这时,原方程有两个实根.

当 $f\left(\dfrac{1}{a}\right)=\ln\dfrac{1}{a}-1<0$,即 $a>\dfrac{1}{e}$ 时,曲线 $y=\ln x-ax$ 与 x 轴没有交点,这时,原方程没有实根.

7. 单调函数的导函数是否必为单调函数? 研究下面这个例子:
$$f(x)=x+\sin x.$$

解 单调函数的导函数不一定是单调函数. 例如函数 $f(x)=x+\sin x$,由于 $f'(x)=1+\cos x\geqslant0$,且 $f'(x)$ 在任何有限区间内只有有限个零点. 因此函数 $f(x)$ 在 $(-\infty,+\infty)$ 内为单调增加函数. 但它的导函数 $f'(x)=1+\cos x$ 在 $(-\infty,+\infty)$ 内却不是单调函数.

8. 判定下列曲线的凹凸性:

(1) $y=4x-x^2$;　　　　(2) $y=\text{sh }x$;

(3) $y=x+\dfrac{1}{x}$ $(x>0)$;(4) $y=x\arctan x$.

解 (1) $y'=4-2x,y''=-2<0$. 故曲线 $y=4x-x^2$ 在 $(-\infty,+\infty)$ 内是凸的.

(2) $y'=\text{ch }x,y''=\text{sh }x,$令 $y''=0$,得 $x=0$.

当 $-\infty<x<0$ 时,$y''<0$,曲线 $y=\text{sh }x$ 在 $(-\infty,0]$ 上是凸的.

当 $0<x<+\infty$ 时,$y''>0$,曲线 $y=\text{sh }x$ 在 $[0,+\infty)$ 上是凹的.

(3) $y'=1-\dfrac{1}{x^2},y''=\dfrac{2}{x^3}>0(x>0)$,故曲线 $y=x+\dfrac{1}{x}$ 在 $(0,+\infty)$ 内是凹的.

(4) $y'=\arctan x+\dfrac{x}{1+x^2},y''=\dfrac{1}{1+x^2}+\dfrac{1+x^2-x\cdot2x}{(1+x^2)^2}=\dfrac{2}{(1+x^2)^2}>0,$

故曲线 $y=x\arctan x$ 在 $(-\infty,+\infty)$ 内是凹的.

9. 求下列函数图形的拐点及凹或凸的区间:

(1) $y=x^3-5x^2+3x+5$;　　　　(2) $y=xe^{-x}$;

(3) $y=(x+1)^4+e^x$;　　　　(4) $y=\ln(x^2+1)$;

(5) $y=e^{\arctan x}$;　　　　(6) $y=x^4(12\ln x-7)$.

解 (1) $y'=3x^2-10x+3,y''=6x-10,$令 $y''=0$ 得 $x=\dfrac{5}{3}$.

当 $-\infty<x<\dfrac{5}{3}$ 时,$y''<0$,因此曲线在 $\left(-\infty,\dfrac{5}{3}\right]$ 上是凸的;

当 $\dfrac{5}{3}<x<+\infty$ 时,$y''>0$,因此曲线在 $\left[\dfrac{5}{3},+\infty\right)$ 上是凹的.

故点 $\left(\dfrac{5}{3},\dfrac{20}{27}\right)$ 为拐点.

(2) $y'=e^{-x}-xe^{-x}=(1-x)e^{-x},y''=-e^{-x}+(1-x)(-e^{-x})=e^{-x}(x-2),$

令 $y''=0$,得 $x=2,$

当 $-\infty<x<2$ 时，$y''<0$，因此曲线在 $(-\infty,2]$ 上是凸的；

当 $2<x<+\infty$ 时，$y''>0$，因此曲线在 $(2,+\infty)$ 上是凹的，

故点 $\left(2,\dfrac{2}{e^2}\right)$ 为拐点.

(3) $y'=4(x+1)^3+e^x$，$y''=12(x+1)^2+e^x>0$，

因此曲线在 $(-\infty,+\infty)$ 内是凹的，曲线没有拐点.

(4) $y'=\dfrac{2x}{x^2+1}$，$y''=\dfrac{2(x^2+1)-2x\cdot 2x}{(x^2+1)^2}=\dfrac{-2(x-1)(x+1)}{(x^2+1)^2}$.

令 $y''=0$，得 $x_1=-1$，$x_2=1$.

当 $-\infty<x<-1$ 时，$y''<0$，因此曲线在 $(-\infty,-1]$ 上是凸的；

当 $-1<x<1$ 时，$y''>0$，因此曲线在 $[-1,1]$ 上是凹的；

当 $1<x<+\infty$ 时，$y''<0$，因此曲线在 $[1,+\infty)$ 上是凸的，

曲线有两个拐点，分别为 $(-1,\ln 2)$，$(1,\ln 2)$.

(5) $y'=e^{\arctan x}\dfrac{1}{1+x^2}$，$y''=\dfrac{-2e^{\arctan x}\left(x-\dfrac{1}{2}\right)}{(1+x^2)^2}$，令 $y''=0$，得 $x=\dfrac{1}{2}$.

当 $-\infty<x<\dfrac{1}{2}$ 时，$y''>0$，因此曲线在 $\left(-\infty,\dfrac{1}{2}\right]$ 上是凹的；

当 $\dfrac{1}{2}<x<+\infty$ 时，$y''<0$，因此曲线在 $\left[\dfrac{1}{2},+\infty\right)$ 上是凸的，

故点 $\left(\dfrac{1}{2},e^{\arctan \frac{1}{2}}\right)$ 为拐点.

(6) $y'=4x^3(12\ln x-7)+x^4\cdot 12\dfrac{1}{x}=4x^3(12\ln x-4)$，

$y''=12x^2(12\ln x-4)+4x^3\cdot 12\dfrac{1}{x}=144x^2\ln x\ (x>0)$.

令 $y''=0$，得 $x=1$.

当 $0<x<1$ 时，$y''<0$，因此曲线在 $(0,1]$ 上是凸的；

当 $1<x<+\infty$ 时，$y''>0$，因此曲线在 $[1,+\infty)$ 上是凹的，

故点 $(1,-7)$ 为拐点.

10. 利用函数图形的凹凸性，证明下列不等式：

(1) $\dfrac{1}{2}(x^n+y^n)>\left(\dfrac{x+y}{2}\right)^n$ $(x>0,y>0,x\neq y,n>1)$；

(2) $\dfrac{e^x+e^y}{2}>e^{\frac{x+y}{2}}$ $(x\neq y)$；

(3) $x\ln x+y\ln y>(x+y)\ln\dfrac{x+y}{2}$ $(x>0,y>0,x\neq y)$.

证 (1) 取函数 $f(t)=t^n$，$t\in(0,+\infty)$.

$$f'(t)=nt^{n-1}, f''(t)=n(n-1)t^{n-2}, t\in(0,+\infty).$$

当 $n>1$ 时,$f''(t)>0, t\in(0,+\infty)$. 因此 $f(t)=t^n$ 在 $(0,+\infty)$ 内图形是凹的,故对任何 $x>0, y>0, x\neq y$,恒有

$$\frac{1}{2}[f(x)+f(y)]>f\left(\frac{x+y}{2}\right),$$

即

$$\frac{1}{2}(x^n+y^n)>\left(\frac{x+y}{2}\right)^n \quad (x>0, y>0, x\neq y, n>1).$$

(2) 取函数 $f(t)=e^t, t\in(-\infty,+\infty)$. $f'(t)=e^t, f''(t)=e^t>0, t\in(-\infty,+\infty)$. 因此 $f(t)=e^t$ 在 $(-\infty,+\infty)$ 内图形是凹的,故对任何 $x, y\in(-\infty,+\infty), x\neq y$,恒有 $\frac{1}{2}[f(x)+f(y)]>f\left(\frac{x+y}{2}\right)$,即

$$\frac{1}{2}(e^x+e^y)>e^{\frac{x+y}{2}} \quad (x\neq y).$$

(3) 取函数 $f(t)=t\ln t, t\in(0,+\infty), f'(t)=\ln t+1, f''(t)=\frac{1}{t}>0$, $t\in(0,+\infty)$,因此 $f(t)=t\ln t$ 在 $(0,+\infty)$ 内图形是凹的,故对任何 $x, y\in(0,+\infty)$, $x\neq y$,恒有 $\frac{1}{2}[f(x)+f(y)]>f\left(\frac{x+y}{2}\right)$,即

$$\frac{1}{2}(x\ln x+y\ln y)>\frac{x+y}{2}\ln\frac{x+y}{2},$$

亦即

$$x\ln x+y\ln y>(x+y)\ln\frac{x+y}{2} \quad (x\neq y).$$

*11. 试证明曲线 $y=\dfrac{x-1}{x^2+1}$ 有三个拐点位于同一直线上.

证 $\quad y'=\dfrac{(x^2+1)-2x(x-1)}{(x^2+1)^2}=\dfrac{-x^2+2x+1}{(x^2+1)^2}$,

$\qquad y''=\dfrac{(-2x+2)(x^2+1)^2-2(x^2+1)\cdot 2x(-x^2+2x+1)}{(x^2+1)^4}$

$\qquad\quad =\dfrac{2x^3-6x^2-6x+2}{(x^2+1)^3}$

$\qquad\quad =\dfrac{2(x+1)[x-(2-\sqrt{3})][x-(2+\sqrt{3})]}{(x^2+1)^3}.$

令 $y''=0$,得 $x_1=-1, x_2=2-\sqrt{3}, x_3=2+\sqrt{3}$.

当 $-\infty<x<-1$ 时,$y''<0$,因此曲线在 $(-\infty,-1]$ 上是凸的;

当 $-1<x<2-\sqrt{3}$ 时,$y''>0$,因此曲线在 $[-1,2-\sqrt{3}]$ 上是凹的;

当 $2-\sqrt{3}<x<2+\sqrt{3}$ 时,$y''<0$,因此曲线在 $[2-\sqrt{3},2+\sqrt{3}]$ 上是凸的;

当 $2+\sqrt{3}<x<+\infty$ 时,$y''>0$,因此曲线在 $[2+\sqrt{3},+\infty)$ 上是凹的,

故曲线有三个拐点,分别为 $(-1,-1)$,$\left(2-\sqrt{3},\dfrac{1-\sqrt{3}}{4(2-\sqrt{3})}\right)$,$\left(2+\sqrt{3},\dfrac{1+\sqrt{3}}{4(2+\sqrt{3})}\right)$.

由于 $\dfrac{\dfrac{1-\sqrt{3}}{4(2-\sqrt{3})}-(-1)}{2-\sqrt{3}-(-1)}=\dfrac{\dfrac{1+\sqrt{3}}{4(2+\sqrt{3})}-(-1)}{2+\sqrt{3}-(-1)}=\dfrac{1}{4}$,故这三个拐点在一条直线上.

12. 问 a,b 为何值时,点 $(1,3)$ 为曲线 $y=ax^3+bx^2$ 的拐点?

解 $y'=3ax^2+2bx$,$y''=6ax+2b=6a\left(x+\dfrac{b}{3a}\right)$.

令 $y''=0$,得 $x_0=-\dfrac{b}{3a}$.

当 $-\infty<x<-\dfrac{b}{3a}$ 时,$y''<0$,因此曲线在 $\left(-\infty,-\dfrac{b}{3a}\right]$ 上是凸的;

当 $-\dfrac{b}{3a}<x<+\infty$ 时,$y''>0$.因此曲线在 $\left[-\dfrac{b}{3a},+\infty\right)$ 上是凹的;

当 $x_0=-\dfrac{b}{3a}$ 时,$y_0=a\left(-\dfrac{b}{3a}\right)^3+b\left(-\dfrac{b}{3a}\right)^2=\dfrac{2b^3}{27a^2}$. 由于 y'' 在 x_0 的两侧变号,故点 $\left(-\dfrac{b}{3a},\dfrac{2b^3}{27a^2}\right)$ 为曲线的惟一拐点.

从而要使点 $(1,3)$ 为拐点,则 $\begin{cases}-\dfrac{b}{3a}=1,\\[2mm]\dfrac{2b^3}{27a^2}=3.\end{cases}$ 解得 $a=-\dfrac{3}{2}$,$b=\dfrac{9}{2}$.

13. 试决定曲线 $y=ax^3+bx^2+cx+d$ 中的 a,b,c,d,使得 $x=-2$ 处曲线有水平切线,$(1,-10)$ 为拐点,且点 $(-2,44)$ 在曲线上.

解 $y'=3ax^2+2bx+c$,$y''=6ax+2b$.

根据题意有 $y(-2)=44$,$y'(-2)=0$,$y(1)=-10$,$y''(1)=0$. 即

$$\begin{cases}-8a+4b-2c+d=44,\\ 12a-4b+c=0,\\ a+b+c+d=-10,\\ 6a+2b=0.\end{cases}$$

解此方程组得 $a=1,b=-3,c=-24,d=16$.

14. 试决定 $y=k(x^2-3)^2$ 中 k 的值,使曲线的拐点处的法线通过原点.

解 $y'=2k(x^2-3)\cdot2x=4kx(x^2-3)$,

$y''=4k(x^2-3)+4kx\cdot2x=12k(x-1)(x+1)$.

令 $y''=0$,得 $x_1=-1$,$x_2=1$.

当 $-\infty<x<-1$ 时,$y''>0$,因此曲线在 $(-\infty,-1]$ 上是凹的;

当$-1<x<1$时,$y''<0$,因此曲线在$[-1,1]$上是凸的;

当$1<x<+\infty$时,$y''>0$,因此曲线在$[1,+\infty)$上是凹的,

从而知$(-1,4k)$,$(1,4k)$为曲线的拐点.

由$y'|_{x=-1}=8k$知过点$(-1,4k)$的法线方程为

$$Y-4k=-\frac{1}{8k}(X+1).$$

要使该法线过原点,则$(0,0)$应满足这方程,将$X=0,Y=0$代入上式,得

$$k=\pm\frac{\sqrt{2}}{8}.$$

由$y'|_{x=1}=-8k$知过点$(1,4k)$的法线方程为

$$Y-4k=\frac{1}{8k}(X-1).$$

同理,要使该法线过原点,故将$X=0,Y=0$代入上式得$k=\pm\frac{\sqrt{2}}{8}$.

所以,当$k=\pm\frac{\sqrt{2}}{8}$时,该曲线的拐点处的法线通过原点.

*15. 设$y=f(x)$在$x=x_0$的某邻域内具有三阶连续导数,如果$f''(x_0)=0$,而$f'''(x_0)\neq0$,试问$(x_0,f(x_0))$是否为拐点? 为什么?

解 已知$f'''(x_0)\neq0$,不妨设$f'''(x_0)>0$,由于$f'''(x)$在$x=x_0$的某个邻域内连续,因此必存在$\delta>0$,当$x\in(x_0-\delta,x_0+\delta)$时$f'''(x)>0$,故在$(x_0-\delta,x_0+\delta)$内$f''(x)$单调增加. 又已知$f''(x_0)=0$,从而当$x\in(x_0-\delta,x_0)$时$f''(x)<f''(x_0)=0$,即函数$f(x)$在$(x_0-\delta,x_0)$内的图形是凸的,当$x\in(x_0,x_0+\delta)$时,$f''(x)>f''(x_0)=0$,即函数$f(x)$在$(x_0,x_0+\delta)$内的图形是凹的,所以点$(x_0,f(x_0))$为曲线的拐点.

习题 3-5   函数的极值与最大值最小值

1. 求下列函数的极值:

(1) $y=2x^3-6x^2-18x+7$;

(2) $y=x-\ln(1+x)$;

(3) $y=-x^4+2x^2$;

(4) $y=x+\sqrt{1-x}$;

(5) $y=\dfrac{1+3x}{\sqrt{4+5x^2}}$;

(6) $y=\dfrac{3x^2+4x+4}{x^2+x+1}$;

(7) $y=e^x\cos x$;

(8) $y=x^{\frac{1}{x}}$;

(9) $y=3-2(x+1)^{\frac{1}{3}}$;

(10) $y=x+\tan x$.

解 (1) $y'=6x^2-12x-18,y''=12x-12$.

令 $y'=0$ 得驻点 $x_1=-1, x_2=3$.

由 $y''|_{x=-1}=-24<0$ 知 $y|_{x=-1}=17$ 为极大值, 由 $y''|_{x=3}=24>0$ 知 $y|_{x=3}=-47$ 为极小值.

(2) 函数的定义域为 $(-1,+\infty)$, 在 $(-1,+\infty)$ 内可导, 且

$$y'=1-\frac{1}{1+x}, y''=\frac{1}{(1+x)^2} \quad (x>-1).$$

令 $y'=0$ 得驻点 $x=0$. 由 $y''|_{x=0}=1>0$ 知 $y|_{x=0}=0$ 为极小值.

(3) $y'=-4x^3+4x=-4x(x^2-1), y''=-12x^2+4$.

令 $y'=0$ 得驻点 $x_1=-1, x_2=1, x_3=0$.

由 $y''|_{x=-1}=-8<0$ 知 $y|_{x=-1}=1$ 为极大值, 由 $y''|_{x=1}=-8<0$ 知 $y|_{x=1}=1$ 为极大值, 由 $y''|_{x=0}=4>0$ 知 $y|_{x=0}=0$ 为极小值.

(4) 函数的定义域为 $(-\infty,1]$, 在 $(-\infty,-1)$ 内可导, 且

$$y'=1-\frac{1}{2\sqrt{1-x}}=\frac{2\sqrt{1-x}-1}{2\sqrt{1-x}}, y''=-\frac{1}{4}\cdot\frac{1}{(1-x)^{3/2}}.$$

令 $y'=0$ 得驻点 $x=\frac{3}{4}$, 由 $y''|_{x=\frac{3}{4}}=-2<0$ 知 $y|_{x=\frac{3}{4}}=\frac{5}{4}$ 为极大值.

(5) $y'=\dfrac{3\sqrt{4+5x^2}-(1+3x)\cdot\dfrac{10x}{2\sqrt{4+5x^2}}}{4+5x^2}=\dfrac{12-5x}{(4+5x^2)^{3/2}}=\dfrac{-5\left(x-\dfrac{12}{5}\right)}{(4+5x^2)^{3/2}}.$

令 $y'=0$ 得驻点 $x=\frac{12}{5}$.

当 $-\infty<x<\frac{12}{5}$ 时, $y'>0$, 因此函数在 $\left(-\infty,\frac{12}{5}\right]$ 上单调增加; 当 $\frac{12}{5}<x<+\infty$ 时 $y'<0$, 因此函数在 $\left[\frac{12}{5},+\infty\right)$ 上单调减少, 从而 $y\left(\frac{12}{5}\right)=\frac{\sqrt{205}}{10}$ 为极大值.

(6) $y'=\dfrac{(6x+4)(x^2+x+1)-(2x+1)(3x^2+4x+4)}{(x^2+x+1)^2}=\dfrac{-x(x+2)}{(x^2+x+1)^2}.$

令 $y'=0$ 得驻点 $x_1=-2, x_2=0$.

当 $-\infty<x<-2$ 时, $y'<0$. 因此函数在 $(-\infty,-2]$ 上单调减少; 当 $-2<x<0$ 时 $y'>0$, 因此函数在 $[-2,0]$ 上单调增加; 当 $0<x<+\infty$ 时, $y'<0$, 因此函数在 $[0,+\infty)$ 上单调减少. 从而可知 $y(-2)=\frac{8}{3}$ 为极小值, $y(0)=4$ 为极大值.

(7) $y'=\mathrm{e}^x\cos x-\mathrm{e}^x\sin x=\mathrm{e}^x(\cos x-\sin x), y''=-2\mathrm{e}^x\sin x$.

令 $y'=0$, 得驻点 $x_k=2k\pi+\frac{\pi}{4}, x'_k=2k\pi+\frac{5}{4}\pi \quad (k=0,\pm1,\pm2,\cdots)$.

由 $y''|_{x=2k\pi+\frac{\pi}{4}}=-\sqrt{2}\,\mathrm{e}^{2k\pi+\frac{\pi}{4}}<0$ 知 $y|_{x=2k\pi+\frac{\pi}{4}}=\dfrac{\sqrt{2}}{2}\mathrm{e}^{2k\pi+\frac{\pi}{4}}$ $(k=0,\pm1,\pm2,\cdots)$

为极大值.

由 $y''|_{x'=2k\pi+\frac{5\pi}{4}}=\sqrt{2}\,\mathrm{e}^{2k\pi+\frac{5\pi}{4}}>0$ 知 $y|_{x=2k\pi+\frac{5\pi}{4}}=\dfrac{-\sqrt{2}}{2}\mathrm{e}^{2k\pi+\frac{5}{4}\pi}$ $(k=0,\pm1,\pm2,\cdots)$

为极小值.

(8) 函数的定义域为 $(0,+\infty)$,在 $(0,+\infty)$ 内可导,且

$$y'=\left(\mathrm{e}^{\frac{1}{x}\ln x}\right)'=\mathrm{e}^{\frac{1}{x}\ln x}\cdot\frac{1-\ln x}{x^2}=x^{\frac{1}{x}-2}(1-\ln x),$$

令 $y'=0$,得驻点 $x=\mathrm{e}$.

当 $0<x<\mathrm{e}$ 时,$y'>0$,因此函数在 $(0,\mathrm{e}]$ 上单调增加;当 $\mathrm{e}<x<+\infty$ 时 $y'<0$,因此函数在 $[\mathrm{e},+\infty)$ 上单调减少,从而可知 $y(\mathrm{e})=\mathrm{e}^{\frac{1}{\mathrm{e}}}$ 为极大值.

(9) 当 $x\neq-1$ 时,$y'=-\dfrac{2}{3}\cdot\dfrac{1}{(x+1)^{2/3}}<0$. 又 $x=-1$ 时函数有定义. 因此可知函数在 $(-\infty,+\infty)$ 内单调减少,从而函数在 $(-\infty,+\infty)$ 内无极值.

(10) 由 $y'=1+\sec^2 x>0$ 知所给函数在 $(-\infty,+\infty)$ 内单调增加,从而函数在 $(-\infty,+\infty)$ 内无极值.

2. 试证明:如果函数 $y=ax^3+bx^2+cx+d$ 满足条件 $b^2-3ac<0$,那么这函数没有极值.

证 $y'=3ax^2+2bx+c$. 由 $b^2-3ac<0$ 知 $a\neq0,c\neq0$. y' 是二次三项式,

$$\Delta=(2b)^2-4(3a)\cdot c=4(b^2-3ac)<0.$$

当 $a>0$ 时,y' 的图像开口向上,且在 x 轴上方,故 $y'>0$,从而所给函数在 $(-\infty,+\infty)$ 内单调增加. 当 $a<0$ 时,y' 的图像开口向下,且在 x 轴下方,故 $y'<0$,从而所给函数在 $(-\infty,+\infty)$ 内单调减少. 因此,只要条件 $b^2-3ac<0$ 成立,所给函数在 $(-\infty,+\infty)$ 内单调,故函数在 $(-\infty,+\infty)$ 内无极值.

3. 试问 a 为何值时,函数 $f(x)=a\sin x+\dfrac{1}{3}\sin 3x$ 在 $x=\dfrac{\pi}{3}$ 处取得极值? 它是极大值还是极小值? 并求此极值.

解 $f'(x)=a\cos x+\cos 3x$,函数在 $x=\dfrac{\pi}{3}$ 处取得极值,则 $f'\left(\dfrac{\pi}{3}\right)=0$,即

$a\cos\dfrac{\pi}{3}+\cos\pi=0$,故 $a=2$.

又 $f''(x)=-2\sin x-3\sin 3x$,$f''\left(\dfrac{\pi}{3}\right)=-2\sin\dfrac{\pi}{3}-3\sin\pi=-\sqrt{3}<0$,因此

$f\left(\dfrac{\pi}{3}\right)=2\sin\dfrac{\pi}{3}+\dfrac{1}{3}\sin\pi=\sqrt{3}$ 为极大值.

4. 求下列函数的最大值、最小值:

(1) $y=2x^3-3x^2,\ -1\leqslant x\leqslant4$;

(2) $y = x^4 - 8x^2 + 2, -1 \leqslant x \leqslant 3$;

(3) $y = x + \sqrt{1-x}, -5 \leqslant x \leqslant 1$.

解 （1）函数在$[-1,4]$上可导，且$y' = 6x^2 - 6x = 6x(x-1)$.

令$y' = 0$，得驻点$x_1 = 0, x_2 = 1$. 比较$y|_{x=-1} = -5, y|_{x=0} = 0, y|_{x=1} = -1$, $y|_{x=4} = 80$，得函数的最大值为$y|_{x=4} = 80$，最小值为$y|_{x=-1} = -5$.

（2）函数在$[-1,3]$上可导，且

$$y' = 4x^3 - 16x = 4x(x-2)(x+2).$$

令$y' = 0$得驻点$x_1 = -2$（舍去），$x_2 = 0, x_3 = 2$.

比较$y|_{x=-1} = -5, y|_{x=0} = 2, y|_{x=2} = -14, y|_{x=3} = 11$，得函数的最大值为$y|_{x=3} = 11$，最小值为$y|_{x=2} = -14$.

（3）函数在$[-5,1)$上可导，且$y' = 1 - \dfrac{1}{2\sqrt{1-x}} = \dfrac{2\sqrt{1-x}-1}{2\sqrt{1-x}}$.

令$y' = 0$，得驻点$x = \dfrac{3}{4}$. 比较$y|_{x=-5} = -5 + \sqrt{6}, y|_{x=\frac{3}{4}} = \dfrac{5}{4}, y|_{x=1} = 1$，得函数的最大值为$y|_{x=\frac{3}{4}} = \dfrac{5}{4}$，最小值为$y|_{x=-5} = \sqrt{6} - 5$.

5. 问函数$y = 2x^3 - 6x^2 - 18x - 7 (1 \leqslant x \leqslant 4)$在何处取得最大值？并求出它的最大值.

解 函数在$[1,4]$上可导，且$y' = 6x^2 - 12x - 18 = 6(x+1)(x-3)$.

令$y' = 0$，得驻点$x_1 = -1$（舍去），$x_2 = 3$. 比较$y|_{x=1} = -29, y|_{x=3} = -61$, $y|_{x=4} = -47$，得函数在$x = 1$处取得最大值，且最大值为$y|_{x=1} = -29$.

6. 问函数$y = x^2 - \dfrac{54}{x} (x < 0)$在何处取得最小值？

解 函数在$(-\infty, 0)$内可导，且$y' = 2x + \dfrac{54}{x^2} = \dfrac{2(x^3+27)}{x^2}, y'' = 2 - \dfrac{108}{x^3}$.

令$y' = 0$，得驻点$x = -3$. 由$y''|_{x=-3} = 6 > 0$ 知$x = -3$为极小值点.

又函数在$(-\infty, 0)$内的驻点惟一，故极小值点就是最小值点，即$x = -3$为最小值点，且最小值为$y|_{x=-3} = 27$.

7. 问函数$y = \dfrac{x}{x^2+1} (x \geqslant 0)$在何处取得最大值？

解 函数在$[0, +\infty)$上可导，且

$$y' = \frac{x^2 + 1 - x \cdot 2x}{(x^2+1)^2} = \frac{1-x^2}{(x^2+1)^2},$$

$$y'' = \frac{-2x(3-x^2)}{(x^2+1)^3}.$$

令$y' = 0$，得驻点$x = -1$（舍去），$x = 1$. 由 $y''|_{x=1} = \dfrac{-4}{8} = -\dfrac{1}{2} < 0$ 知 $x = 1$

为极大值点，又函数在$[0,+\infty)$上的驻点惟一，故极大值点就是最大值点，即$x=1$为最大值点，且最大值为$y|_{x=1}=\dfrac{1}{2}$.

8. 某车间靠墙壁要盖一间长方形小屋，现有存砖只够砌 20 m 长的墙壁. 问应围成怎样的长方形才能使这间小屋的面积最大？

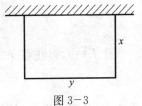

解 如图 3-3，设这间小屋的宽为 x，长为 y，则小屋的面积为 $S=xy$.

图 3-3

已知 $2x+y=20$，即 $y=20-2x$. 故
$$S=x(20-2x)=20x-2x^2,x\in(0,10).$$
$S'=20-4x,S''=-4.$ 令 $S'=0$，得驻点 $x=5.$

由 $S''<0$ 知 $x=5$ 为极大值点，又驻点惟一，故极大值点就是最大值点，即当宽为 5 m，长为 10 m 时这间小屋的面积最大.

9. 要造一圆柱形油罐，体积为 V，问底半径 r 和高 h 等于多少时，才能使表面积最小？这时底直径与高的比是多少？

解 已知 $\pi r^2 h=V$，即 $h=\dfrac{V}{\pi r^2}$. 圆柱形油罐的表面积
$$A=2\pi r^2+2\pi rh=2\pi r^2+2\pi r\cdot\dfrac{V}{\pi r^2}$$
$$=2\pi r^2+\dfrac{2V}{r},r\in(0,+\infty).$$
$$A'=4\pi r-\dfrac{2V}{r^2},A''=4\pi+\dfrac{4V}{r^3}.$$

令 $A'=0$，得 $r=\sqrt[3]{\dfrac{V}{2\pi}}$. 由 $A''\Big|_{r=\sqrt[3]{\frac{V}{2\pi}}}=4\pi+8\pi=12\pi>0$，知 $r=\sqrt[3]{\dfrac{V}{2\pi}}$ 为极小值点，又驻点惟一，故极小值点就是最小值点. 此时 $h=\dfrac{V}{\pi r^2}=2\sqrt[3]{\dfrac{V}{2\pi}}=2r$，即 $2r:h=1:1$. 所以当底半径为 $r=\sqrt[3]{\dfrac{V}{2\pi}}$ 和高 $h=2\sqrt[3]{\dfrac{V}{2\pi}}$ 时，才能使表面积最小. 这时底直径与高的比为 $1:1$.

10. 某地区防空洞的截面拟建成矩形加半圆（图 3-4）. 截面的面积为 5 m². 问底宽 x 为多少时才能使截面的周长最小，从而使建造时所用的材料最省？

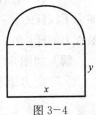

解 设截面的周长为 l，已知 $l=x+2y+\dfrac{\pi x}{2}$ 及 $xy+\dfrac{\pi}{2}\left(\dfrac{x}{2}\right)^2=5$，即 $y=\dfrac{5}{x}-\dfrac{\pi x}{8}$.

图 3-4

故
$$l=x+\frac{\pi x}{4}+\frac{10}{x}, x\in\left(0,\sqrt{\frac{40}{\pi}}\right).$$

$$l'=1+\frac{\pi}{4}-\frac{10}{x^2}, l''=\frac{20}{x^3}.$$

令 $l'=0$，得驻点 $x=\sqrt{\frac{40}{4+\pi}}$。由 $l''\bigg|_{x=\sqrt{\frac{40}{4+\pi}}}=\frac{20}{\left(\frac{40}{4+\pi}\right)^{3/2}}>0$ 知 $x=\sqrt{\frac{40}{4+\pi}}$ 为极

小值点，又驻点惟一，故极小值点就是最小值点。所以当截面的底宽为 $x=\sqrt{\frac{40}{4+\pi}}$
时，才能使截面的周长最小，从而使建造时所用的材料最省。

11. 设有质量为 5 kg 的物体，置于水平面上，受力 F 的作用而开始移动（图 3-5）。设摩擦系数 $\mu=0.25$，问力 F 与水平线的交角 α 为多少时，才可使力 F 的大小为最小。

解 如图 3-5，力 F 的大小用 $|F|$ 表示，则由 $|F|\cos\alpha=(P-|F|\sin\alpha)\mu$ 知

$$|F|=\frac{\mu P}{\cos\alpha+\mu\sin\alpha}, \alpha\in\left[0,\frac{\pi}{2}\right).$$

设 $y=\cos\alpha+\mu\sin\alpha, \alpha\in\left[0,\frac{\pi}{2}\right)$，则 $y'=-\sin\alpha+\mu\cos\alpha$。

令 $y'=0$，得驻点 $\alpha_0=\arctan\mu$。又 $y''\bigg|_{\alpha=\alpha_0}=-\cos\alpha_0-\mu\sin\alpha_0<0$，所以驻点
α_0 为极大值点，又驻点惟一，因此 α_0 为函数 $y=y(\alpha)$ 的最大值点，这时，
即 $\alpha=\alpha_0=\arctan(0.25)\approx14°2'$ 时，力 F 的大小为最小。

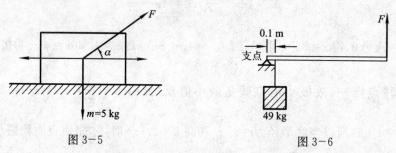

图 3-5   图 3-6

12. 有一杠杆，支点在它的一端。在距支点 0.1 m 处挂一质量为 49 kg 的物体。加力于杠杆的另一端使杠杆保持水平（图 3-6）。如果杠杆的线密度为 5 kg/m，求最省力的杆长？

解 如图 3-6，设最省力的杆长为 x，则此时杠杆的重力为 $5gx$，
由力矩平衡公式

$$x|F|=49g\times0.1+5gx\cdot\frac{x}{2}\ (x>0),$$

知 $$|F|=\frac{4.9}{x}g+\frac{5}{2}gx,\quad|F|'=-\frac{4.9}{x^2}g+\frac{5}{2}g,$$

$$|F|''=\frac{9.8}{x^3}g.$$

令 $|F|'=0$,得驻点 $x=1.4.$

又, $|F|''\big|_{x=1.4}=\frac{9.8}{(1.4)^3}g>0$,故 $x=1.4$ 为极小值点,又驻点惟一,因此 $x=1.4$ 也是最小值点,即杆长为 1.4 m 时最省力.

13. 从一块半径为 R 的圆铁片上挖去一个扇形做成一个漏斗(图 3-7). 问留下的扇形的中心角 φ 取多大时,做成的漏斗的容积最大?

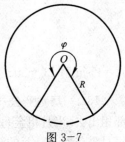

图 3-7

解 如图 3-7,设漏斗的高为 h,顶面的圆半径为 r,则漏斗的容积为 $V=\frac{1}{3}\pi r^2 h$,又

$$2\pi r=R\varphi,\quad h=\sqrt{R^2-r^2}.$$

故 $V=\dfrac{R^3}{24\pi^2}\sqrt{4\pi^2\varphi^4-\varphi^6}\ (0<\varphi<2\pi).$

$$V'=\frac{R^3}{24\pi^2}\cdot\frac{16\pi^2\varphi^3-6\varphi^5}{2\sqrt{4\pi^2\varphi^4-\varphi^6}}=\frac{R^3}{24\pi^2}\cdot\frac{8\pi^2\varphi-3\varphi^3}{\sqrt{4\pi^2-\varphi^2}}.$$

令 $V'=0$ 得 $\varphi=\sqrt{\dfrac{8}{3}}\pi=\dfrac{2\sqrt{6}}{3}\pi.$ 当 $0<\varphi<\dfrac{2\sqrt{6}}{3}\pi$ 时,$V'>0$,故 V 在 $\left[0,\dfrac{2\sqrt{6}}{3}\pi\right]$ 内单调增加;当 $\dfrac{2\sqrt{6}}{3}<\varphi<2\pi$ 时,$V'<0$,故 V 在 $\left[\dfrac{2\sqrt{6}}{3}\pi,2\pi\right)$ 内单调减少. 因此 $\varphi=\dfrac{2\sqrt{6}}{3}\pi$ 为极大值点,又驻点惟一,从而 $\varphi=\dfrac{2\sqrt{6}}{3}\pi$ 也是最大值点,即当 φ 取 $\dfrac{2\sqrt{6}}{3}\pi$ 时,做成的漏斗的容积最大.

14. 某吊车的车身高为 1.5 m,吊臂长 15 m. 现在要把一个 6 m 宽、2 m 高的屋架,水平地吊到 6 m 高的柱子上去(图 3-8),问能否吊得上去?

解 如图 3-8,设吊臂对地面的倾角为 φ,屋架能够吊到最大高度为 h,由 $15\sin\varphi=h-1.5+2+3\tan\varphi$ 知

$$h=15\sin\varphi-3\tan\varphi-\frac{1}{2}.$$

$$h'=15\cos\varphi-\frac{3}{\cos^2\varphi},\quad h''=-15\sin\varphi-\frac{6\sin\varphi}{\cos^3\varphi}.$$

令 $h'=0$,得 $\cos\varphi=\sqrt[3]{\dfrac{1}{5}}$,即得惟一驻点 $\varphi_0=\arccos\sqrt[3]{\dfrac{1}{5}}\approx54°13'.$ 又,$h''\big|_{\varphi=\varphi_0}<0$,故 $\varphi_0\approx54°13'$ 为极大值点也是最大值点. 即当 $\varphi_0\approx54°13'$ 时,h 达到最大值

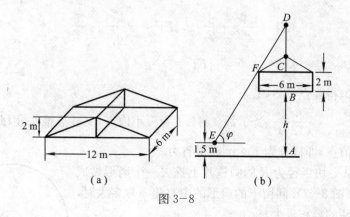

图 3-8

$h_0 = 15\sin 54°13' - 3\tan 54°13' - \dfrac{1}{2} \approx 7.506\,\text{m}$, 而柱子高只有 6 m, 所以能吊得上去.

15. 一房地产公司有 50 套公寓要出租. 当月租金定为 1 000 元时, 公寓会全部租出去. 当月租金每增加 50 元时, 就会多一套公寓租不出去. 而租出去的公寓每月需花费 100 元的维修费. 试问房租定为多少时可获得最大收入?

解 设每套月房租为 x 元, 则租不出去的房子套数为 $\dfrac{x-1\,000}{50} = \dfrac{x}{50} - 20$, 租出去的套数为 $50 - \left(\dfrac{x}{50} - 20\right) = 70 - \dfrac{x}{50}$, 租出的每套房子获利 $(x-100)$ 元. 故总利润为

$$y = \left(70 - \dfrac{x}{50}\right)(x-100) = -\dfrac{x^2}{50} + 72x - 7\,000.$$

$$y' = -\dfrac{x}{25} + 72,\quad y'' = \dfrac{-1}{25}.$$

令 $y'=0$, 得驻点 $x=1\,800$. 由 $y''<0$ 知 $x=1\,800$ 为极大值点, 又驻点惟一, 这极大值点就是最大值点. 即当每套月房租定在 1 800 元时, 可获得最大收入.

16. 已知制作一个背包的成本为 40 元, 如果每一个背包的售出价为 x 元, 售出的背包数由

$$n = \dfrac{a}{x-40} + b(80-x)$$

给出, 其中 a,b 为正常数. 问什么样的售出价格能带来最大利润?

解 设利润函数为 $p(x)$, 则

$$p(x) = (x-40)n = a + b(x-40)(80-x).$$
$$p'(x) = b(120-2x),$$

令 $p'(x)=0$, 得 $x=60$(元).

由 $p''(x) = -2b < 0$ 知 $x=60$ 为极大值点, 又驻点惟一, 这极大值点就是最大值点, 即售出价格定在 60 元时能带来最大利润.

描绘下列函数的图形:

1. $y=\dfrac{1}{5}(x^4-6x^2+8x+7)$;

2. $y=\dfrac{x}{1+x^2}$;

3. $y=\mathrm{e}^{-(x-1)^2}$;

4. $y=x^2+\dfrac{1}{x}$;

5. $y=\dfrac{\cos x}{\cos 2x}$.

解　1. (1) 所给函数 $y=\dfrac{1}{5}(x^4-6x^2+8x+7)$ 的定义域为 $(-\infty,+\infty)$. 而

$$y'=\frac{1}{5}(4x^3-12x+8)=\frac{4}{5}(x+2)(x-1)^2,\quad y''=\frac{4}{5}(3x^2-3)=\frac{12}{5}(x+1)(x-1).$$

(2) 令 $y'=0$, 得 $x=-2,x=1$, 令 $y''=0$, 得 $x=1,x=-1$. 根据上述点将区间 $(-\infty,+\infty)$ 分成下列四个部分区间:

$$(-\infty,-2],[-2,-1],[-1,1],[1,+\infty).$$

(3) 在各部分区间内 $f'(x)$ 及 $f''(x)$ 的符号、相应曲线弧的升降及凹凸以及极值点和拐点等如下表:

x	$(-\infty,-2)$	-2	$(-2,-1)$	-1	$(-1,1)$	1	$(1,+\infty)$
y'	$-$	0	$+$	$+$	$+$	0	$+$
y''	$+$	$+$	$+$	0	$-$	0	$+$
$y=f(x)$ 的图形	↘	极小	↗	拐点	↗	拐点	↗

(4) $\lim\limits_{x\to+\infty}f(x)=\lim\limits_{x\to-\infty}f(x)=+\infty$, 图形没有铅直、水平、斜渐近线.

(5) 由 $f(-2)=-\dfrac{17}{5},f(-1)=-\dfrac{6}{5},f(1)=2,f(0)=\dfrac{7}{5}$ 得图形上的四个点 $\left(-2,-\dfrac{17}{5}\right),\left(-1,-\dfrac{6}{5}\right),(1,2),\left(0,\dfrac{7}{5}\right)$.

(6) 作图如图 3-9.

2. (1) 所给函数 $y=\dfrac{x}{1+x^2}$ 的定义域为 $(-\infty,+\infty)$. 由于 $y=\dfrac{x}{1+x^2}$ 是奇函数, 它的图形关于原点对称, 因此可以只讨论 $[0,+\infty)$ 上该函数的图形, 求出

$$y'=\frac{1+x^2-x\cdot 2x}{(1+x^2)^2}=\frac{1-x^2}{(1+x^2)^2},$$

$$y'' = \frac{2x(x^2-3)}{(1+x^2)^3}.$$

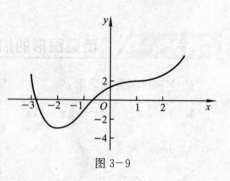

图 3-9

(2) 在 $[0,+\infty)$ 内 y' 的零点为 $x=1$, y'' 的零点为 $x=\sqrt{3}$, 根据这两点把区间 $[0,+\infty)$ 分成三个区间: $[0,1]$, $[1,\sqrt{3}]$, $[\sqrt{3},+\infty)$.

(3) 在 $[0,+\infty)$ 内的各部分区间内 $f'(x)$ 及 $f''(x)$ 的符号、相应曲线弧的升降及凹凸以及极值点和拐点等如下表:

x	0	$(0,1)$	1	$(1,\sqrt{3})$	$\sqrt{3}$	$(\sqrt{3},+\infty)$
y'	+	+	0	−	−	−
y''	−	−		−	0	+
$y=f(x)$ 的图形	拐点	⤴	极大	⤵	拐点	⤵

(4) 由于 $\lim\limits_{x\to\infty}\dfrac{x}{1+x^2}=0$, 所以图形有一条水平渐近线 $y=0$, 图形无铅直渐近线及斜渐近线.

(5) 由 $f(0)=0$, $f(1)=\dfrac{1}{2}$, $f(\sqrt{3})=\dfrac{\sqrt{3}}{4}$ 得在 $[0,+\infty)$ 内图形上的点 $(0,0)$, $\left(1,\dfrac{1}{2}\right)$, $\left(\sqrt{3},\dfrac{\sqrt{3}}{4}\right)$.

(6) 利用图形的对称性, 作出图形如图 3-10.

3. (1) 所给函数 $y=e^{-(x-1)^2}$ 的定义域为 $(-\infty,+\infty)$, 而
$$y'=-2(x-1)e^{-(x-1)^2},$$
$$y''=-4(2x^2-4x+1)e^{-(x-1)^2}.$$

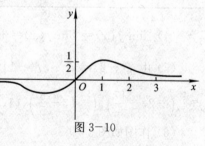

图 3-10

(2) 令 $y'=0$, 得驻点 $x=1$; 令 $y''=0$, 得 $x=1-\dfrac{\sqrt{2}}{2}$, $x=1+\dfrac{\sqrt{2}}{2}$, 根据上述点将区间 $(-\infty,+\infty)$ 分成四个部分区间:
$$\left(-\infty,1-\frac{\sqrt{2}}{2}\right], \left[1-\frac{\sqrt{2}}{2},1\right], \left[1,1+\frac{\sqrt{2}}{2}\right), \left[1+\frac{\sqrt{2}}{2},+\infty\right).$$

(3) 在各部分区间内 $f'(x)$ 及 $f''(x)$ 的符号, 相应曲线弧的升降及凹凸, 以

及极值点和拐点等如下表：

x	$\left(-\infty,1-\frac{\sqrt{2}}{2}\right)$	$1-\frac{\sqrt{2}}{2}$	$\left(1-\frac{\sqrt{2}}{2},1\right)$	1	$\left(1,1+\frac{\sqrt{2}}{2}\right)$	$1+\frac{\sqrt{2}}{2}$	$\left(1+\frac{\sqrt{2}}{2},+\infty\right)$
y'	$+$	$+$	$+$	0	$-$	$-$	$-$
y''	$+$	0	$-$	$-$	$-$	0	$+$
$y=f(x)$ 的图形	↗	拐点	↗	极大	↘	拐点	↘

（4）由 $\lim\limits_{x\to\infty}e^{-(x-1)^2}=0$ 知图形有一条水平渐近线 $y=0$，图形无铅直渐近线及斜渐近线.

（5）由 $f(1)=1,f\left(1-\frac{\sqrt{2}}{2}\right)=e^{-\frac{1}{2}},f(0)=e^{-1},f\left(1+\frac{\sqrt{2}}{2}\right)=e^{-\frac{1}{2}}$，得图形上的点 $(1,1),\left(1-\frac{\sqrt{2}}{2},e^{-\frac{1}{2}}\right),(0,e^{-1}),\left(1+\frac{\sqrt{2}}{2},e^{-\frac{1}{2}}\right)$.

（6）作图如图 3—11.

4.（1）所给函数 $y=x^2+\frac{1}{x}$ 的定义域为 $(-\infty,0)\bigcup(0,+\infty)$.

$$y'=2x-\frac{1}{x^2},\quad y''=2+\frac{2}{x^3}.$$

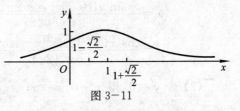

图 3—11

（2）令 $y'=0$，得 $x=\frac{1}{\sqrt[3]{2}}$；令 $y''=0$，得 $x=-1$，又 $x=0$ 时函数无定义，根据上述点，将区间 $(-\infty,0),(0,+\infty)$ 分成四个部分区间：$(-\infty,-1]$，$[-1,0)$，$\left(0,\frac{1}{\sqrt[3]{2}}\right]$，$\left[\frac{1}{\sqrt[3]{2}},+\infty\right)$.

（3）在各部分区间内 $f'(x)$ 及 $f''(x)$ 的符号，相应曲线弧的升降及凹凸以及极值点和拐点等如下表：

x	$(-\infty,-1)$	-1	$(-1,0)$	0	$\left(0,\frac{1}{\sqrt[3]{2}}\right)$	$\frac{1}{\sqrt[3]{2}}$	$\left(\frac{1}{\sqrt[3]{2}},+\infty\right)$
y'	$-$	$-$	$-$			0	$+$
y''	$+$	0	$-$		$+$	$+$	$+$
$y=f(x)$ 的图形	↘	拐点	↘		↘	极小	↗

(4) $\lim\limits_{x\to 0}\left(x^2+\dfrac{1}{x}\right)=\infty$，所以图形有一条铅直渐近线 $x=0$，图形无水平、斜渐近线.

(5) 由 $f(-1)=0,f\left(\dfrac{1}{\sqrt[3]{2}}\right)=\dfrac{3}{2}\sqrt[3]{2}$ 得在

$(-\infty,0),(0,+\infty)$ 内图形上的点 $(-1,0)$，

$\left(\dfrac{1}{\sqrt[3]{2}},\dfrac{3}{2}\sqrt[3]{2}\right)$.

(6) 作图如图 3－12.

5. (1) 所给函数 $y=\dfrac{\cos x}{\cos 2x}$ 的定义域 $D=$

$\{x\mid x\neq\dfrac{n\pi}{2}+\dfrac{\pi}{4},x\in\mathbf{R},n=0,\pm 1,\pm 2,\cdots\}$. 由

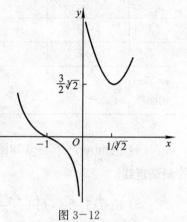

图 3－12

于 $y=\dfrac{\cos x}{\cos 2x}$ 是偶函数，它的图形关于 y 轴对

称，且由于函数是以 2π 为周期的函数，因此可以只讨论 $[0,\pi]$ 部分的图形. 求出

$$y'=\dfrac{-\sin x\cos 2x+\cos x\cdot 2\sin 2x}{\cos^2(2x)}=\dfrac{\sin x(3-2\sin^2 x)}{\cos^2(2x)},$$

$$y''=\dfrac{\cos x(3+12\sin^2 x-4\sin^4 x)}{\cos^3(2x)}.$$

(2) 令 $y'=0$，得 $x=0,x=\pi$；令 $y''=0$，得 $x=\dfrac{\pi}{2}$；又函数在点 $x=\dfrac{\pi}{4}$ 及

$x=\dfrac{3}{4}\pi$ 处无定义. 根据这些点把区间 $[0,\pi]$ 分成四个部分区间：$\left[0,\dfrac{\pi}{4}\right)$，

$\left(\dfrac{\pi}{4},\dfrac{\pi}{2}\right]$，$\left[\dfrac{\pi}{2},\dfrac{3\pi}{4}\right)$，$\left(\dfrac{3\pi}{4},\pi\right]$.

(3) 在 $[0,\pi]$ 内的各部分区间内 $f'(x)$ 及 $f''(x)$ 的符号，相应曲线弧的升降及凹凸，以及极值点和拐点等如下表：

x	0	$\left(0,\dfrac{\pi}{4}\right)$	$\dfrac{\pi}{4}$	$\left(\dfrac{\pi}{4},\dfrac{\pi}{2}\right)$	$\dfrac{\pi}{2}$	$\left(\dfrac{\pi}{2},\dfrac{3\pi}{4}\right)$	$\dfrac{3\pi}{4}$	$\left(\dfrac{3\pi}{4},\pi\right)$	π
y'	0	$+$		$+$	$+$	$+$		$+$	0
y''	$+$	$+$		$-$	$+$	$+$		$-$	$-$
$y=f(x)$ 的图形	极小	↗		↗	拐点	↗		↗	极大

(4) 由 $\lim\limits_{x\to\frac{\pi}{4}}f(x)=\infty$ 及 $\lim\limits_{x\to\frac{3\pi}{4}}f(x)=\infty$，知图形有两条铅直渐近线：$x=\dfrac{\pi}{4}$

及 $x=\dfrac{3}{4}\pi$，图形无水平及斜渐近线.

(5) 由 $f(0)=1, f\left(\dfrac{\pi}{2}\right)=0$ 得图形上的点 $(0,1)$，$\left(\dfrac{\pi}{2},0\right)$.

(6) 利用图形对称性及函数的周期性，作图如图 3-13.

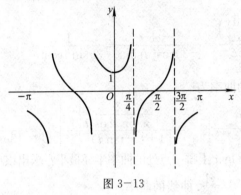

图 3-13

习题 3-7　曲率

1. 求椭圆 $4x^2+y^2=4$ 在点 $(0,2)$ 处的曲率.

解　由 $8x+2yy'=0$ 知 $y'=\dfrac{-4x}{y}$，$y''=\dfrac{-16}{y^3}$. 故 $y'|_{x=0}=0$，$y''|_{x=0}=-2$，故在点 $(0,2)$ 处的曲率为

$$K=\frac{|y''|}{[1+y'^2]^{\frac{3}{2}}}\bigg|_{(0,2)}=2.$$

2. 求曲线 $y=\ln\sec x$ 在点 (x,y) 处的曲率及曲率半径.

解　$y'=\dfrac{1}{\sec x}\cdot\sec x\tan x=\tan x$，$y''=\sec^2 x$. 故曲率

$$K=\frac{|y''|}{[1+(y')^2]^{3/2}}=\frac{\sec^2 x}{(1+\tan^2 x)^{3/2}}=|\cos x|,$$

曲率半径　　　　　　　　　　　$\rho=\dfrac{1}{K}=|\sec x|.$

3. 求抛物线 $y=x^2-4x+3$ 在其顶点处的曲率及曲率半径.

解　抛物线的顶点为 $(2,-1)$，$y'=2x-4$，$y''=2$.

抛物线 $y=x^2-4x+3$ 在其顶点处的曲率

$$K=\frac{|y''|}{(1+y'^2)^{3/2}}\bigg|_{(2,-1)}=2,$$

曲率半径 $\rho=\dfrac{1}{K}=\dfrac{1}{2}.$

4. 求曲线 $x=a\cos^3 t$，$y=a\sin^3 t$ 在 $t=t_0$ 处的曲率.

解 $\dfrac{dy}{dx} = \dfrac{\dfrac{dy}{dt}}{\dfrac{dx}{dt}} = \dfrac{3a\sin^2 t\cos t}{-3a\cos^2 t\sin t} = -\tan t,$

$$\frac{d^2 y}{dx^2} = \frac{\dfrac{d}{dt}\left(\dfrac{dy}{dx}\right)}{\dfrac{dx}{dt}} = \frac{-\sec^2 t}{-3a\cos^2 t\sin t} = \frac{1}{3a\sin t\cos^4 t}.$$

故曲线在 $t=t_0$ 处的曲率为

$$K = \frac{|y''|}{(1+y'^2)^{3/2}}\bigg|_{t=t_0} = \frac{\left|\dfrac{\dfrac{1}{3a\sin t\cos^4 t}}{[1+(-\tan t)^2]^{3/2}}\right|}{}\bigg|_{t=t_0} = \frac{2}{|3a\sin(2t_0)|}.$$

5. 对数曲线 $y=\ln x$ 上哪一点处的曲率半径最小? 求出该点处的曲率半径.

解 $y' = \dfrac{1}{x}, y'' = -\dfrac{1}{x^2}.$ 曲线的曲率

$$K = \frac{|y''|}{(1+y'^2)^{\frac{3}{2}}} = \frac{\left|-\dfrac{1}{x^2}\right|}{\left[1+\left(\dfrac{1}{x}\right)^2\right]^{3/2}} = \frac{x}{(1+x^2)^{3/2}},$$

曲率半径为

$$\rho = \frac{(1+x^2)^{\frac{3}{2}}}{x}.$$

又,$\rho' = \dfrac{(1+x^2)^{\frac{1}{2}}(2x^2-1)}{x^2}.$ 令 $\rho'=0$ 得驻点 $x_1 = \dfrac{\sqrt{2}}{2}, x_2 = -\dfrac{\sqrt{2}}{2}$(舍去).

当 $0<x<\dfrac{\sqrt{2}}{2}$ 时,$\rho'<0$,即 ρ 在 $\left(0,\dfrac{\sqrt{2}}{2}\right)$ 上单调减少;当 $\dfrac{\sqrt{2}}{2}<x<+\infty$ 时,

$\rho'>0$,即 ρ 在 $\left[\dfrac{\sqrt{2}}{2},+\infty\right)$ 上单调增加.因此在 $x=\dfrac{\sqrt{2}}{2}$ 处 ρ 取得极小值;驻点惟一,

从而 ρ 的极小值就是最小值,因此最小的曲率半径为

$$\rho\bigg|_{x=\frac{\sqrt{2}}{2}} = \frac{\left(1+\dfrac{1}{2}\right)^{\frac{3}{2}}}{\dfrac{\sqrt{2}}{2}} = \frac{3\sqrt{3}}{2}.$$

6. 证明曲线 $y = a\,\mathrm{ch}\,\dfrac{x}{a}$ 在点 (x,y) 处的曲率半径为 $\dfrac{y^2}{a}$.

证 $y' = \mathrm{sh}\,\dfrac{x}{a}, y'' = \dfrac{1}{a}\mathrm{ch}\,\dfrac{x}{a}$,曲线在点 (x,y) 处的曲率为

$$K = \frac{|y''|}{(1+y'^2)^{\frac{3}{2}}} = \frac{\left|\dfrac{1}{a}\mathrm{ch}\,\dfrac{x}{a}\right|}{\left(1+\mathrm{sh}^2\,\dfrac{x}{a}\right)^{\frac{3}{2}}} = \frac{1}{a\,\mathrm{ch}^2\,\dfrac{x}{a}},$$

曲率半径为 $\quad \rho = \dfrac{1}{K} = a \mathrm{ch}^2 \dfrac{x}{a} = \dfrac{y^2}{a}$.

7. 一飞机沿抛物线路径 $y = \dfrac{x^2}{10\,000}$（y 轴铅直向上，单位为 m）作俯冲飞行. 在坐标原点 O 处飞机的速度为 $v = 200$ m/s. 飞行员体重 $G = 70$ kg. 求飞机俯冲至最低点即原点 O 处时座椅对飞行员的反力.

解 $\quad y' = \dfrac{2x}{10\,000} = \dfrac{x}{5\,000},\ y'' = \dfrac{1}{5\,000}$.

抛物线在坐标原点的曲率半径为

$$\rho = \dfrac{1}{K}\bigg|_{x=0} = \dfrac{(1 + y'^2)^{\frac{3}{2}}}{|y''|}\bigg|_{x=0} = 5\,000.$$

所以向心力为 $F_1 = \dfrac{mv^2}{\rho} = \dfrac{70 \times 200^2}{5\,000} = 560$（N）.

座椅对飞行员的反力 F 等于飞行员的离心力及飞行员本身的重量对座椅的压力之和，因此

$$F = mg + F_1 = 70 \times 9.8 + 560 = 1\,246\text{（N）}.$$

8. 汽车连同载重共 5 t，在抛物线拱桥上行驶，速度为 21.6 km/h，桥的跨度为 10 m，拱的矢高为 0.25 m（图 3-14）. 求汽车越过桥顶时对桥的压力.

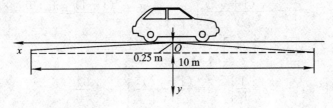

图 3-14

解 设立直角坐标系如图 3-14 所示，设抛物线拱桥方程为

$$y = ax^2.$$

由于抛物线过点 $(5, 0.25)$，代入方程得 $a = \dfrac{y}{x^2}\bigg|_{(5, 0.25)} = \dfrac{0.25}{25} = 0.01.$

$$y' = 2ax, \qquad y'' = 2a,$$

因此 $\qquad y'\big|_{x=0} = 0,\ y''\big|_{x=0} = 0.02,$

$$\rho\big|_{x=0} = \dfrac{1}{K}\bigg|_{x=0} = \dfrac{(1 + y'^2)^{\frac{3}{2}}}{|y''|}\bigg|_{x=0} = 50.$$

汽车越过桥顶点时对桥的压力为

$$F = mg - \dfrac{mv^2}{\rho} = 5 \times 10^3 \times 9.8 - \dfrac{5 \times 10^3 \times \left(\dfrac{21.6 \times 10^3}{3\,600}\right)^2}{50} = 45\,400\text{（N）}.$$

*9. 求曲线 $y=\ln x$ 在与 x 轴交点处的曲率圆方程.

解 解方程组 $\begin{cases} y=\ln x, \\ y=0, \end{cases}$ 得曲线与 x 轴的交点为 $(1,0)$.

$$y'=\frac{1}{x}, y''=-\frac{1}{x^2}, \text{故 } y'|_{x=1}=1, y''\Big|_{x=1}=-1.$$

设曲线在点 $(1,0)$ 处的曲率中心为 (α,β)，则

$$\alpha=\left[x-\frac{y'(1+y'^2)}{y''}\right]_{(1,0)}=1-\frac{1\cdot(1+1^2)}{-1}=3,$$

$$\beta=\left[y+\frac{1+y'^2}{y''}\right]_{(1,0)}=0+\frac{1+1^2}{-1}=-2.$$

曲率半径 $\quad\rho=\frac{1}{K}\Big|_{x=1}=\frac{(1+y'^2)^{\frac{3}{2}}}{|y''|}\Big|_{x=1}=\frac{(1+1^2)^{\frac{3}{2}}}{1}=\sqrt{8},$

因此所求的曲率圆方程为 $(\xi-3)^2+(\eta+2)^2=8$.

*10. 求曲线 $y=\tan x$ 在点 $\left(\frac{\pi}{4},1\right)$ 处的曲率圆方程.

解 $y'=\sec^2 x, y''=2\sec^2 x\tan x, \text{故 } y'|_{x=\frac{\pi}{4}}=2, y''|_{x=\frac{\pi}{4}}=4.$

设曲线在点 $\left(\frac{\pi}{4},1\right)$ 处的曲率中心的坐标为 (α,β)，则

$$\alpha=\left[x-\frac{y'(1+y'^2)}{y''}\right]_{(\frac{\pi}{4},1)}=\frac{\pi}{4}-\frac{2(1+4)}{4}=\frac{\pi-10}{4},$$

$$\beta=\left[y+\frac{1+y'^2}{y''}\right]_{(\frac{\pi}{4},1)}=1+\frac{1+4}{4}=\frac{9}{4}.$$

曲率半径 $\quad\rho=\frac{1}{K}\Big|_{x=\frac{\pi}{4}}=\frac{(1+y'^2)^{\frac{3}{2}}}{|y''|}\Big|_{x=\frac{\pi}{4}}=\frac{5^{\frac{3}{2}}}{4},$

因此所求的曲率圆方程为 $\left(\xi-\frac{\pi-10}{4}\right)^2+\left(\eta-\frac{9}{4}\right)^2=\frac{125}{16}$.

*11. 求抛物线 $y^2=2px$ 的渐屈线方程.

解 由 $2yy'=2p$，及 $y'^2+yy''=0$ 知 $y'=\frac{p}{y}, y''=-\frac{p^2}{y^3}$.

故抛物线 $y^2=2px$ 的渐屈线方程为

$$\begin{cases} \alpha=x-\dfrac{y'(1+y'^2)}{y''}=x-\dfrac{\dfrac{p}{y}\left[1+\left(\dfrac{p}{y}\right)^2\right]}{-\dfrac{p^2}{y^3}}=\dfrac{3y^2}{2p}+p, \\[4mm] \beta=y+\dfrac{1+y'^2}{y''}=y+\dfrac{1+\left(\dfrac{p}{y}\right)^2}{-\dfrac{p^2}{y^3}}=-\dfrac{y^3}{p^2}, \end{cases}$$

其中 y 为参数. 或消去参数 y 得渐屈线方程为

$$27p\beta^2 = 8(\alpha - p)^3.$$

1. 试证明方程 $x^3 - 3x^2 + 6x - 1 = 0$ 在区间 $(0,1)$ 内有惟一的实根,并用二分法求这个根的近似值,使误差不超过 0.01.

解 设函数 $f(x) = x^3 - 3x^2 + 6x - 1$,$f(x)$ 在 $[0,1]$ 上连续,且 $f(0) = -1 < 0$,$f(1) = 3 > 0$. 由零点定理知至少存在一点 $\xi \in (0,1)$,使 $f(\xi) = 0$,即方程 $x^3 - 3x^2 + 6x - 1 = 0$ 在 $(0,1)$ 内至少有一个实根.

又 $f'(x) = 3x^2 - 6x + 6 = 3(x-1)^2 + 3 > 0$,故函数 $f(x)$ 在 $[0,1]$ 上单调增加,从而方程 $f(x) = 0$,即 $x^3 - 3x^2 + 6x - 1 = 0$ 在 $(0,1)$ 内至多有一个实根. 因此方程 $x^3 - 3x^2 + 6x - 1 = 0$ 在 $(0,1)$ 内有惟一的实根.

现用二分法求这个实根的近似值:

n	1	2	3	4	5	6	7	8	9	10	11
a_n	0	0	0	0.125	0.125	0.157	0.173	0.180	0.180	0.182	0.183
b_n	1	0.5	0.25	0.25	0.188	0.188	0.188	0.188	0.184	0.184	0.184
中点 x_n	0.5	0.25	0.125	0.188	0.157	0.173	0.180	0.184	0.182	0.183	0.183
$f(x_n)$符号	+	+	−	+	−	−	−	+	−	+	+

故使误差不超过 0.01 的根的近似值为 $\xi = 0.183$.

2. 试证明方程 $x^5 + 5x + 1 = 0$ 在区间 $(-1,0)$ 内有惟一的实根,并用切线法求这个根的近似值,使误差不超过 0.01.

解 设函数 $f(x) = x^5 + 5x + 1$. $f(x)$ 在 $[-1,0]$ 上连续,且 $f(-1) = -5 < 0$,$f(0) = 1 > 0$. 由零点定理知至少存在一点 $\xi \in (-1,0)$,使 $f(\xi) = 0$ 即方程 $x^5 + 5x + 1 = 0$ 在区间 $(-1,0)$ 内至少有一实根.

又 $f'(x) = 5x^4 + 5 > 0$,故函数 $f(x)$ 在 $[-1,0]$ 上单调增加,从而方程 $f(x) = 0$ 即 $x^5 + 5x + 1 = 0$ 在 $(-1,0)$ 内至多有一个实根,因此方程 $x^5 + 5x + 1 = 0$ 在区间 $(-1,0)$ 内有惟一的实根.

现用切线法求这个实根的近似值:

由 $f''(x) = 20x^3$,$f''(-1) = -20 < 0$ 知取 $x_0 = -1$,利用递推公式 $x_n = x_{n-1} - \dfrac{f(x_{n-1})}{f'(x_{n-1})}$,得:

$$x_1 = x_0 - \frac{f(x_0)}{f'(x_0)} = -1 - \frac{f(-1)}{f'(-1)} = -0.5,$$

$$x_2 = x_1 - \frac{f(x_1)}{f'(x_1)} = -0.5 - \frac{f(-0.5)}{f'(-0.5)} = -0.26,$$

$$x_3 = x_2 - \frac{f(x_2)}{f'(x_2)} = -0.26 - \frac{f(-0.26)}{f'(-0.26)} \approx -0.20,$$

$$x_4 = x_3 - \frac{f(x_3)}{f'(x_3)} = -0.20 - \frac{f(-0.20)}{f'(-0.20)} \approx -0.20.$$

故使误差不超过 0.01 的根的近似值为 $\xi = -0.20$.

3. 求方程 $x^3 + 3x - 1 = 0$ 的近似根,使误差不超过 0.01.

解 设函数 $f(x) = x^3 + 3x - 1$, $f(x)$ 在 $[0,1]$ 上连续,且 $f(0) = -1 < 0$, $f(1) = 3 > 0$,由零点定理知至少存在一点 $\xi \in (0,1)$,使 $f(\xi) = 0$,即方程 $x^3 + 3x - 1 = 0$ 在区间 $(0,1)$ 内至少有一实根.

又 $f'(x) = 3x^2 + 3 > 0$,故函数 $f(x)$ 在 $[0,1]$ 上单调增加,从而方程 $f(x) = 0$ 即 $x^3 + 3x - 1 = 0$ 在区间 $(0,1)$ 内至多有一实根. 因此方程 $x^3 + 3x - 1 = 0$ 在区间 $(0,1)$ 内有惟一的实根.

现用切线法求这个根的近似值:

由 $f''(x) = 6x$, $f''(1) = 6 > 0$ 知取 $x_0 = 1$,利用递推公式

$$x_n = x_{n-1} - \frac{f(x_{n-1})}{f'(x_{n-1})},$$

得:

$$x_1 = x_0 - \frac{f(x_0)}{f'(x_0)} = 1 - \frac{f(1)}{f'(1)} = 0.5,$$

$$x_2 = x_1 - \frac{f(x_1)}{f'(x_1)} = 0.5 - \frac{f(0.5)}{f'(0.5)} \approx 0.33,$$

$$x_3 = x_2 - \frac{f(x_2)}{f'(x_2)} = 0.33 - \frac{f(0.33)}{f'(0.33)} \approx 0.32,$$

$$x_4 = x_3 - \frac{f(x_3)}{f'(x_3)} = 0.32 - \frac{f(0.32)}{f'(0.32)} \approx 0.32.$$

故使误差不超过 0.01 的根的近似值为 $\xi = 0.32$.

4. 求方程 $x \lg x = 1$ 的近似根,使误差不超过 0.01.

解 设函数 $f(x) = x \lg x - 1$. $f(x)$ 在 $[1,3]$ 上连续,且

$$f(1) = -1 < 0, \quad f(3) = 3\lg 3 - 1 > 0,$$

由零点定理知至少存在一点 $\xi \in (1,3)$,使 $f(\xi) = 0$,即方程 $x \lg x = 1$ 在区间 $(1,3)$ 内至少有一实根.

又,$f'(x) = \lg x + x \cdot \frac{1}{x \ln 10} = \lg x + \frac{1}{\ln 10} > 0 (x \geqslant 1)$,故函数 $f(x)$ 在 $[1,3]$ 上单调增加,从而方程 $f(x) = 0$ 即 $x \lg x = 1$ 在 $(1,3)$ 内至多有一个实根,因此方程 $x \lg x = 1$ 在 $(1,3)$ 内有惟一的实根.

现用二分法求这个根的近似值:

n	1	2	3	4	5	6	7	8	9
a_n	1	2	2.50	2.50	2.50	2.50	2.50	2.50	2.50
b_n	3	3	3	2.75	2.63	2.57	2.53	2.52	2.51
中点 x_n	2	2.50	2.75	2.63	2.57	2.53	2.52	2.51	2.51
$f(x_n)$ 符号	$-$	$-$	$+$	$+$	$+$	$+$	$+$	$+$	$+$

故误差不超过 0.01 的根的近似值为 $\xi = 2.51$.

总习题三

1. 填空:

设常数 $k > 0$,函数 $f(x) = \ln x - \dfrac{x}{e} + k$ 在 $(0, +\infty)$ 内零点的个数为 _____.

解 $f'(x) = \dfrac{1}{x} - \dfrac{1}{e} = \dfrac{e-x}{xe}$,令 $f'(x) = 0$,得驻点 $x = e$.

当 $0 < x < e$ 时,$f'(x) > 0$,故函数 $f(x)$ 在 $(0, e]$ 上单调增加;

当 $e < x < +\infty$ 时,$f'(x) < 0$,故函数 $f(x)$ 在 $[e, +\infty)$ 上单调减少.

从而 $x = e$ 为函数 $f(x)$ 的极大值点. 由于驻点惟一,极大值也是最大值且最大值 $f(e) = k > 0$. 又

$$\lim_{x \to 0^+} f(x) = -\infty, \ \lim_{x \to +\infty} f(x) = -\infty,$$

故曲线 $y = \ln x - \dfrac{x}{e} + k$ 与 x 轴有两个交点,因此函数 $f(x) = \ln x - \dfrac{x}{e} + k$ 在 $(0, +\infty)$ 内的零点的个数为 2.

2. 选择以下两题中给出的四个结论中一个正确的结论:

(1) 设在 $[0,1]$ 上 $f''(x) > 0$,则 $f'(0), f'(1), f(1) - f(0)$ 或 $f(0) - f(1)$ 几个数的大小顺序为( ).

(A) $f'(1) > f'(0) > f(1) - f(0)$.   (B) $f'(1) > f(1) - f(0) > f'(0)$.

(C) $f(1) - f(0) > f'(1) > f'(0)$.   (D) $f'(1) > f(0) - f(1) > f'(0)$.

(2) 设 $f'(x_0) = f''(x_0) = 0$,$f'''(x_0) > 0$,则( ).

(A) $f'(x_0)$ 是 $f'(x)$ 的极大值.

(B) $f(x_0)$ 是 $f(x)$ 的极大值.

(C) $f(x_0)$ 是 $f(x)$ 的极小值.

(D) $(x_0, f(x_0))$ 是曲线 $y = f(x)$ 的拐点.

解 (1)由拉格朗日中值定理知 $f(1) - f(0) = f'(\xi)$,其中 $\xi \in (0,1)$. 由于

$f''(x)>0$, $f'(x)$ 单调增加,故 $f'(0)<f'(\xi)<f'(1)$. 即

$$f'(0)<f(1)-f(0)<f'(1).$$

因此应填(B).

(2) **解法一** 取 $f(x)=x^3$, $f'(x)=3x^2$, $f''(x)=6x$, $f'''(x)=6>0$, $x_0=0$, 符合题意,但明显排除(A)、(B)、(C). 因此应填(D).

解法二 由已知条件及 $f'''(x_0)=\lim\limits_{x\to x_0}\dfrac{f''(x)-f''(x_0)}{x-x_0}=\lim\limits_{x\to x_0}\dfrac{f''(x)}{x-x_0}>0$ 知,在 x_0 某邻域内,当 $x<x_0$ 时,$f''(x)<0$;当 $x>x_0$ 时,$f''(x)>0$,所以 $(x_0,f(x_0))$ 是曲线 $y=f(x)$ 的拐点.

由此可知,在 x_0 的某去心邻域内有 $f'(x)>f'(x_0)=0$,所以 $f(x)$ 在 x_0 的某邻域内是单调增加的,从而 $f(x_0)$ 不是 $f(x)$ 的极值。再由已知条件及极值的第二充分判别法知,$f'(x_0)$ 是 $f'(x)$ 的极小值。综上所述,本题只能选(D).

3. 列举一个函数 $f(x)$ 满足:$f(x)$ 在 $[a,b]$ 上连续,在 (a,b) 内除某一点外处处可导,但在 (a,b) 内不存在点 ξ,使 $f(b)-f(a)=f'(\xi)(b-a)$.

解 取 $f(x)=|x|$,区间为 $[-1,1]$. 函数 $f(x)$ 在 $[-1,1]$ 上连续,在 $(-1,1)$ 内除点 $x=0$ 外处处可导,但 $f(x)$ 在 $(-1,1)$ 内不存在点 ξ,使 $f'(\xi)=0$,即不存在 $\xi\in(-1,1)$ 使 $f(1)-f(-1)=f'(\xi)[1-(-1)]$.

4. 设 $\lim\limits_{x\to\infty}f'(x)=k$,求 $\lim\limits_{x\to\infty}[f(x+a)-f(x)]$.

解 由拉格朗日中值定理知

$$f(x+a)-f(x)=f'(\xi)a, \xi \text{ 介于 } x,x+a \text{ 之间},$$

当 $x\to\infty$ 时,$\xi\to\infty$. 故

$$\lim\limits_{x\to\infty}[f(x+a)-f(x)]=\lim\limits_{\xi\to\infty}f'(\xi)a=ka.$$

5. 证明多项式 $f(x)=x^3-3x+a$ 在 $[0,1]$ 上不可能有两个零点.

证 假设多项式 $f(x)=x^3-3x+a$ 在 $[0,1]$ 上有两个零点,即存在 $x_1,x_2\in[0,1]$ 使 $f(x_1)=f(x_2)=0$,不妨设 $x_1<x_2$.

函数 $f(x)$ 在 $[x_1,x_2]$ 上连续,在 (x_1,x_2) 内可导,由罗尔定理知至少存在一点 $\xi\in(x_1,x_2)\subset(0,1)$,使 $f'(\xi)=0$,但 $f'(x)=3x^2-3$ 在 $(0,1)$ 内恒不等于零,故多项式 $f(x)=x^3-3x+a$ 在 $[0,1]$ 上不可能有两个零点.

6. 设 $a_0+\dfrac{a_1}{2}+\cdots+\dfrac{a_n}{n+1}=0$,证明多项式 $f(x)=a_0+a_1x+\cdots+a_nx^n$ 在 $(0,1)$ 内至少有一个零点.

证 取函数 $F(x)=a_0x+\dfrac{a_1}{2}x^2+\cdots+\dfrac{a_n}{n+1}x^{n+1}$. $F(x)$ 在 $[0,1]$ 上连续,在 $(0,1)$ 内可导且 $F(0)=0$,$F(1)=a_0+\dfrac{a_1}{2}+\cdots+\dfrac{a_n}{n+1}=0$,由罗尔定理知至少存

在一点 $\xi \in (0,1)$，使 $F'(\xi)=0$，即多项式 $f(x)=F'(x)=a_0+a_1x+\cdots+a_nx^n$ 在 $(0,1)$ 内至少有一个零点.

7. 设 $f(x)$ 在 $[0,a]$ 上连续，在 $(0,a)$ 内可导，且 $f(a)=0$，证明存在一点 $\xi \in (0,a)$，使 $f(\xi)+\xi f'(\xi)=0$.

证 取函数 $F(x)=xf(x)$. $F(x)$ 在 $[0,a]$ 上连续，在 $(0,a)$ 内可导，且 $F(0)=0$，$F(a)=af(a)=0$，由罗尔定理知至少存在一点 $\xi \in (0,a)$，使

$$F'(\xi)=[xf(x)]'|_{x=\xi}=f(\xi)+\xi f'(\xi)=0.$$

*8. 设 $0<a<b$，函数 $f(x)$ 在 $[a,b]$ 上连续，在 (a,b) 内可导，试利用柯西中值定理，证明存在一点 $\xi \in (a,b)$，使

$$f(b)-f(a)=\xi f'(\xi)\ln \frac{b}{a}.$$

证 取函数 $F(x)=\ln x$，$f(x)$、$F(x)$ 在 $[a,b]$ 上连续，在 (a,b) 内可导，且 $F'(x)=\dfrac{1}{x}\neq 0$，$x\in(a,b)$. 由柯西中值定理知至少存在一点 $\xi \in (a,b)$，使

$$\frac{f(b)-f(a)}{F(b)-F(a)}=\frac{f'(\xi)}{F'(\xi)}.$$

即

$$\frac{f(b)-f(a)}{\ln b-\ln a}=\frac{f'(\xi)}{\frac{1}{\xi}},$$

亦即

$$f(b)-f(a)=\xi f'(\xi)\ln \frac{b}{a}.$$

9. 设 $f(x)$，$g(x)$ 都是可导函数，且 $|f'(x)|<g'(x)$，证明：当 $x>a$ 时，

$$|f(x)-f(a)|<g(x)-g(a).$$

分析 要证 $x>a$ 时，$\qquad |f(x)-f(a)|<g(x)-g(a)$，

即要证 $\qquad -[g(x)-g(a)]<f(x)-f(a)<g(x)-g(a)$，

亦即要证 $\qquad f(x)-g(x)<f(a)-g(a)$，

$$f(x)+g(x)>f(a)+g(a).$$

证 取 $F(x)=f(x)-g(x)$，$G(x)=f(x)+g(x)$，$x\in(a,+\infty)$.

由 $|f'(x)|<g'(x)$ 知

$$f'(x)-g'(x)<0 \text{ 及 } f'(x)+g'(x)>0,$$

故 $F'(x)=f'(x)-g'(x)<0$，$G'(x)=f'(x)+g'(x)>0$，即当 $x>a$ 时函数 $F(x)$ 单调减少，$G(x)$ 单调增加. 因此

$$F(x)<F(a) \text{ 及 } G(x)>G(a) \qquad (x>a).$$

从而 $f(x)-g(x)<f(a)-g(a)$，$f(x)+g(x)>f(a)+g(a)$ （$x>a$）.

即当 $x>a$ 时，$|f(x)-f(a)|<g(x)-g(a)$.

10. 求下列极限：

(1) $\lim\limits_{x\to1}\dfrac{x-x^x}{1-x+\ln x}$;

(2) $\lim\limits_{x\to0}\left[\dfrac{1}{\ln(1+x)}-\dfrac{1}{x}\right]$;

(3) $\lim\limits_{x\to+\infty}\left(\dfrac{2}{\pi}\arctan x\right)^x$;

(4) $\lim\limits_{x\to\infty}\left[(a_1^{\frac{1}{x}}+a_2^{\frac{1}{x}}+\cdots+a_n^{\frac{1}{x}})/n\right]^{nx}$ （其中 $a_1,a_2,\cdots,a_n>0$）.

解 (1) $\lim\limits_{x\to1}\dfrac{x-x^x}{1-x+\ln x}=\lim\limits_{x\to1}\dfrac{1-x^x(1+\ln x)}{-1+\dfrac{1}{x}}$

$$=\lim\limits_{x\to1}\dfrac{x^x\ln x+x^x-1}{x-1}\cdot x$$

$$=\lim\limits_{x\to1}\dfrac{x^x(\ln x+1)\ln x+x^{x-1}+x^x(\ln x+1)}{1}$$

$$=2.$$

(2) $\lim\limits_{x\to0}\left[\dfrac{1}{\ln(1+x)}-\dfrac{1}{x}\right]=\lim\limits_{x\to0}\dfrac{x-\ln(1+x)}{x\ln(1+x)}$

$$=\lim\limits_{x\to0}\dfrac{x-\ln(1+x)}{x^2}=\lim\limits_{x\to0}\dfrac{1-\dfrac{1}{1+x}}{2x}=\lim\limits_{x\to0}\dfrac{1}{2(1+x)}=\dfrac{1}{2}.$$

(3) $\lim\limits_{x\to+\infty}\left(\dfrac{2}{\pi}\arctan x\right)^x=\mathrm{e}^{\lim\limits_{x\to+\infty}x\ln\left(\frac{2}{\pi}\arctan x\right)}$

$$=\mathrm{e}^{\lim\limits_{x\to+\infty}\frac{\ln\frac{2}{\pi}+\ln\arctan x}{\frac{1}{x}}}=\mathrm{e}^{\lim\limits_{x\to+\infty}\frac{\frac{1}{\arctan x}\cdot\frac{1}{1+x^2}}{-\frac{1}{x^2}}}$$

$$=\mathrm{e}^{-\lim\limits_{x\to+\infty}\frac{1}{\arctan x}\cdot\frac{x^2}{1+x^2}}=\mathrm{e}^{-\frac{2}{\pi}}.$$

(4) $\lim\limits_{x\to\infty}\left[(a_1^{\frac{1}{x}}+a_2^{\frac{1}{x}}+\cdots+a_n^{\frac{1}{x}})/n\right]^{nx}$

$$=\mathrm{e}^{\lim\limits_{x\to\infty}nx\left[\ln(a_1^{\frac{1}{x}}+a_2^{\frac{1}{x}}+\cdots+a_n^{\frac{1}{x}})-\ln n\right]}=\mathrm{e}^{n\lim\limits_{x\to\infty}\frac{\ln(a_1^{\frac{1}{x}}+a_2^{\frac{1}{x}}+\cdots+a_n^{\frac{1}{x}})-\ln n}{\frac{1}{x}}}$$

$$=\mathrm{e}^{n\lim\limits_{x\to\infty}\frac{\frac{1}{a_1^{\frac{1}{x}}+a_2^{\frac{1}{x}}+\cdots+a_n^{\frac{1}{x}}}[a_1^{\frac{1}{x}}\ln a_1+a_2^{\frac{1}{x}}\ln a_2+\cdots+a_n^{\frac{1}{x}}\ln a_n]\left(\frac{1}{x}\right)'}{\left(\frac{1}{x}\right)'}}$$

$$=\mathrm{e}^{n\cdot\frac{1}{n}(\ln a_1+\ln a_2+\cdots+\ln a_n)}=\mathrm{e}^{\ln(a_1\cdot a_2\cdot\cdots\cdot a_n)}=a_1a_2\cdots a_n.$$

11. 证明下列不等式：

(1) 当 $0<x_1<x_2<\dfrac{\pi}{2}$ 时，$\dfrac{\tan x_2}{\tan x_1}>\dfrac{x_2}{x_1}$；

(2) 当 $x>0$ 时，$\ln(1+x)>\dfrac{\arctan x}{1+x}$.

(3) 当 $e<a<b<e^2$ 时,$\ln^2 b-\ln^2 a>\dfrac{4}{e^2}(b-a)$.

证 (1) 取函数 $f(x)=\dfrac{\tan x}{x},0<x<\dfrac{\pi}{2}$.

当 $0<x<\dfrac{\pi}{2}$ 时,

$$f'(x)=\dfrac{x\sec^2 x-\tan x}{x^2}>0(x\sec^2 x-\tan x>x-\tan x>0)$$

故 $f(x)$ 在 $\left(0,\dfrac{\pi}{2}\right)$ 内单调增加,因此,当 $0<x_1<x_2<\dfrac{\pi}{2}$ 时,

$$f(x_2)>f(x_1),$$

即

$$\dfrac{\tan x_2}{x_2}>\dfrac{\tan x_1}{x_1},$$

亦即

$$\dfrac{\tan x_2}{\tan x_1}>\dfrac{x_2}{x_1}.$$

(2) 取函数 $f(x)=(1+x)\ln(1+x)-\arctan x(x>0)$.

当 $x>0$ 时,

$$f'(x)=\ln(1+x)+1-\dfrac{1}{1+x^2}>0,$$

故 $f(x)$ 在 $(0,+\infty)$ 内单调增加,因此,当 $x>0$ 时,

$$f(x)>f(0),$$

即

$$(1+x)\ln(1+x)-\arctan x>0,$$

亦即

$$\ln(1+x)>\dfrac{\arctan x}{1+x}.$$

(3) 设 $f(x)=\ln^2 x(e<a<x<b<e^2)$.

$f(x)$ 在 $[a,b]$ 上连续,在 (a,b) 内可导,由拉格朗日中值定理知,至少存在一点 $\xi\in(a,b)$,使

$$\ln^2 b-\ln^2 a=\dfrac{2\ln\xi}{\xi}(b-a).$$

设 $\varphi(t)=\dfrac{\ln t}{t}$,则 $\varphi'(t)=\dfrac{1-\ln t}{t^2}$.

当 $t>e$ 时,$\varphi'(t)<0$,所以 $\varphi(t)$ 在 $[e,+\infty)$ 上单调减少,而 $e<a<\xi<b<e^2$,从而 $\varphi(\xi)>\varphi(e^2)$,即

$$\dfrac{\ln\xi}{\xi}>\dfrac{\ln e^2}{e^2}=\dfrac{2}{e^2},$$

因此,

$$\ln^2 b-\ln^2 a>\dfrac{4}{e^2}(b-a).$$

12. 设 $a>1,f(x)=a^x-ax$ 在 $(-\infty,+\infty)$ 内的驻点为 $x(a)$. 问 a 为何值

时，$x(a)$ 最小？并求出最小值.

解 由 $f'(x)=a^x\ln a-a=0$，得惟一驻点

$$x(a)=1-\frac{\ln\ln a}{\ln a}.$$

考察函数 $x(a)=1-\dfrac{\ln\ln a}{\ln a}$ 在 $a>1$ 时的最小值. 令

$$x'(a)=-\frac{\dfrac{1}{a}-\dfrac{1}{a}\ln\ln a}{(\ln a)^2}=-\frac{1-\ln\ln a}{a(\ln a)^2}=0,$$

得惟一驻点，$a=e^e$，当 $a>e^e$ 时，$x'(a)>0$；当 $a<e^e$ 时，$x'(a)<0$，因此

$$x(e^e)=1-\frac{1}{e}$$

为极小值，也是最小值.

13. 求椭圆 $x^2-xy+y^2=3$ 上纵坐标最大和最小的点.

解 在椭圆方程两端分别对 x 求导，得

$$2x-y-xy'+2yy'=0,$$

$$y'=\frac{y-2x}{2y-x}.$$

令 $y'=0$，得 $y=2x$. 将 $y=2x$ 代入椭圆方程后得 $x^2=1$，故 $x=\pm1$. 从而得到椭圆上的点 $(1,2),(-1,-2)$. 根据题意即知点 $(1,2),(-1,-2)$ 为椭圆 $x^2-xy+y^2=3$ 上纵坐标最大和最小的点.

14. 求数列 $\{\sqrt[n]{n}\}$ 的最大项.

解 取函数 $f(x)=x^{\frac{1}{x}}(x>0)$.

$$f'(x)=x^{\frac{1}{x}-2}(1-\ln x).$$

令 $f'(x)=0$，得驻点 $x=e$. 当 $0<x<e$ 时，$f'(x)>0$；当 $e<x<+\infty$ 时，$f'(x)<0$，因此点 $x=e$ 为 $f(x)$ 的极大值点. 由于驻点惟一，极大值点也是最大值点且最大值为 $f(e)=e^{\frac{1}{e}}$.

由 $1<\sqrt{2}$ 及 $f(x)$ 在 $(e,+\infty)$ 内单调减少，知

$$\sqrt[3]{3}>\sqrt[4]{4}>\cdots>\sqrt[n]{n}>\cdots$$

又 $\max\{\sqrt{2},\sqrt[3]{3}\}=\sqrt[3]{3}$，故数列 $\{\sqrt[n]{n}\}$ 的最大项为 $\sqrt[3]{3}$.

15. 曲线弧 $y=\sin x(0<x<\pi)$ 上哪一点处的曲率半径最小？求出该点处的曲率半径.

解 $y'=\cos x$，$y''=-\sin x$，曲线 $y=\sin x\ (0<x<\pi)$ 的曲率为

$$K=\frac{|-\sin x|}{(1+\cos^2 x)^{\frac{3}{2}}}=\frac{\sin x}{(1+\cos^2 x)^{3/2}},$$

由 $K'=\dfrac{2\cos x(1+\sin^2 x)}{(1+\cos^2 x)^{\frac{5}{2}}}=0$ 知 $x=\dfrac{\pi}{2}$.

当 $0<x<\dfrac{\pi}{2}$ 时,$K'>0$;当 $\dfrac{\pi}{2}<x<\pi$ 时,$K'<0$. 因此 $x=\dfrac{\pi}{2}$ 为 K 的极大值点. 又驻点惟一,故极大值点也是最大值点,且 K 的最大值为 $K=\dfrac{\sin x}{(1+\cos^2 x)^{\frac{3}{2}}}\bigg|_{x=\frac{\pi}{2}}=1$.

此时曲率半径 $\rho=1$ 最小,故曲线弧 $y=\sin x\,(0<x<\pi)$ 上点 $x=\dfrac{\pi}{2}$ 处的曲率半径最小且曲率半径为 $\rho=1$.

16. 证明方程 $x^3-5x-2=0$ 只有一个正根,并求此正根的近似值,精确到 10^{-3}.

证 取函数 $f(x)=x^3-5x-2$. $f'(x)=3x^2-5$.

令 $f'(x)=0$ 得驻点 $x=\sqrt{\dfrac{5}{3}}$.

当 $0<x<\sqrt{\dfrac{5}{3}}$ 时,$f'(x)<0$,故 $f(x)$ 在 $\left[0,\sqrt{\dfrac{5}{3}}\right]$ 上单调减少,又

$$f(0)=-2<0,\ f\left(\sqrt{\dfrac{5}{3}}\right)=\left(\dfrac{5}{3}\right)^{\frac{3}{2}}-5\sqrt{\dfrac{5}{3}}-2<0.$$

因此方程 $f(x)=0$ 即 $x^3-5x-2=0$ 在 $\left(0,\sqrt{\dfrac{5}{3}}\right)$ 内没有实根.

当 $\sqrt{\dfrac{5}{3}}<x<+\infty$ 时,$f'(x)>0$,故 $f(x)$ 在 $\left[\sqrt{\dfrac{5}{3}},+\infty\right)$ 上单调增加,因此方程 $f(x)=0$ 在 $\left[\sqrt{\dfrac{5}{3}},+\infty\right)$ 上至多有一实根,又 $f(3)=10>0$,由零点定理知至少存在一点 $\xi\in\left(\sqrt{\dfrac{5}{3}},3\right)$ 使 $f(\xi)=0$,即方程 $f(x)=0$ 亦即 $x^3-5x-2=0$ 在 $\left(\sqrt{\dfrac{5}{3}},3\right)$ 内至少有一实根,因此方程 $x^3-5x-2=0$ 在 $\left(\sqrt{\dfrac{5}{3}},3\right)$ 内只有一正根.

综上,方程 $x^3-5x-2=0$ 只有一个正根.

现在用二分法来求该方程正根的近似值,由 $f(2)=-4<0$,为了方便起见,取区间 $[2,3]$.

n	1	2	3	4	5	6	7	8	9	10	11
a_n	2	2	2.25	2.375	2.375	2.406	2.406	2.414	2.414	2.414	2.414
b_n	3	2.5	2.5	2.5	2.438	2.438	2.422	2.422	2.418	2.416	2.415
中点 x_n	2.5	2.25	2.375	2.438	2.406	2.422	2.414	2.418	2.416	2.415	2.415
$f(x_n)$符号	+	−	−	+	−	+	−	+	+	+	+

故误差不超过 10^{-3} 的正根的近似值为 $\xi = 2.415$.

*17. 设 $f''(x_0)$ 存在,证明

$$\lim_{h \to 0} \frac{f(x_0+h)+f(x_0-h)-2f(x_0)}{h^2} = f''(x_0).$$

证 $\quad \lim\limits_{h \to 0} \dfrac{f(x_0+h)+f(x_0-h)-2f(x_0)}{h^2} = \lim\limits_{h \to 0} \dfrac{f'(x_0+h)-f'(x_0-h)}{2h}$

$$= \frac{1}{2} \lim_{h \to 0} \left[\frac{f'(x_0+h)-f'(x_0)}{h} + \frac{f'(x_0-h)-f'(x_0)}{-h} \right]$$

$$= \frac{1}{2} \left[f''(x_0) + f''(x_0) \right]$$

$$= f''(x_0).$$

*18. 设 $f^{(n)}(x_0)$ 存在,且 $f(x_0) = f'(x_0) = \cdots = f^{(n)}(x_0) = 0$,证明

$$f(x) = o[(x-x_0)^n] \quad (x \to x_0).$$

证 根据题设,使用泰勒中值定理 $n-1$ 次

$$\frac{f(x)}{(x-x_0)^n} = \frac{f(x)-f(x_0)}{(x-x_0)^n-(x_0-x_0)^n} = \frac{f'(\xi_1)}{n(\xi_1-x_0)^{n-1}}$$

$$= \frac{f'(\xi_1)-f'(x_0)}{n[(\xi_1-x_0)^{n-1}-(x_0-x_0)^{n-1}]}$$

$$= \frac{f''(\xi_2)}{n(n-1)(\xi_2-x_0)^{n-2}} = \cdots = \frac{f^{(n-1)}(\xi_{n-1})}{n!\ (\xi_{n-1}-x_0)},$$

其中 $\xi_1,\cdots,\xi_{n-1}$ 均介于 x,x_0 之间,且当 $x \to x_0$ 时,$\xi_1,\cdots,\xi_{n-1}$ 均趋于 x_0,利用 $f^{(n)}(x_0)$ 的定义即有

$$\lim_{x \to x_0} \frac{f(x)}{(x-x_0)^n} = \lim_{x \to x_0} \frac{f^{(n-1)}(\xi_{n-1})}{n!\ (\xi_{n-1}-x_0)} = \frac{1}{n!} \lim_{\xi_{n-1} \to x_0} \frac{f^{(n-1)}(\xi_{n-1})-f^{(n-1)}(x_0)}{\xi_{n-1}-x_0}$$

$$= \frac{1}{n!} f^{(n)}(x_0) = 0,$$

故 $f(x) = o[(x-x_0)^n]$.

19. 设 $f(x)$ 在 (a,b) 内二阶可导,且 $f''(x) \geqslant 0$. 证明对于 (a,b) 内任意两点 x_1,x_2 及 $0 \leqslant t \leqslant 1$,有

$$f[(1-t)x_1+tx_2] \leqslant (1-t)f(x_1)+tf(x_2).$$

证 由 $x_1,x_2 \in (a,b)$ 知 $x_0 = (1-t)x_1+tx_2 \in (a,b)$,利用泰勒公式有

$$f(x_1) = f(x_0)+f'(x_0)(x_1-x_0)+\frac{1}{2!}f''(\xi_1)(x_1-x_0)^2, \xi_1 \text{ 介于 } x_1,x_0 \text{ 之间};$$

$$f(x_2) = f(x_0)+f'(x_0)(x_2-x_0)+\frac{1}{2!}f''(\xi_2)(x_2-x_0)^2, \xi_2 \text{ 介于 } x_2,x_0 \text{ 之间}.$$

由 $f''(x) \geqslant 0$ 知 $f''(\xi_1) \geqslant 0, f''(\xi_2) \geqslant 0$,故

$$f(x_1) \geqslant f(x_0)+f'(x_0)(x_1-x_0) \text{ 及 } f(x_2) \geqslant f(x_0)+f'(x_0)(x_2-x_0),$$

因此，$(1-t)f(x_1)+tf(x_2)$

$\geqslant (1-t)f(x_0)+tf(x_0)+f'(x_0)[(1-t)(x_1-x_0)+t(x_2-x_0)]$

$=f(x_0)+f'(x_0)[(1-t)x_1+tx_2-x_0]=f(x_0)$，

即 $f[(1-t)x_1+tx_2]\leqslant(1-t)f(x_1)+tf(x_2)$.

20. 试确定常数 a 和 b，使 $f(x)=x-(a+b\cos x)\sin x$ 为当 $x\to 0$ 时关于 x 的 5 阶无穷小.

解 利用泰勒公式

$$f(x)=x-a\sin x-\frac{b}{2}\sin 2x$$

$$=x-a\left[x-\frac{x^3}{3!}+\frac{x^5}{5!}+o(x^5)\right]-\frac{b}{2}\left[2x-\frac{(2x)^3}{3!}+\frac{(2x)^5}{5!}+o(x^5)\right]$$

$$=(1-a-b)x+\left(\frac{a}{6}+\frac{2b}{3}\right)x^3-\left(\frac{a}{120}+\frac{2b}{15}\right)x^5+o(x^5)$$

按题意，应有 $\begin{cases}1-a-b=0,\\[2mm]\dfrac{a}{6}+\dfrac{2b}{3}=0,\\[2mm]\dfrac{a}{120}+\dfrac{2b}{15}\neq 0,\end{cases}$ 得 $a=\dfrac{4}{3}$，$b=-\dfrac{1}{3}$.

因此，当 $a=\dfrac{4}{3}$，$b=-\dfrac{1}{3}$ 时，$f(x)=x-(a+b\cos x)\sin x$ 是 $x\to 0$ 时关于 x 的 5 阶无穷小.

第四章 不定积分

不定积分的概念与性质

1. 利用导数验证下列等式：

(1) $\int \dfrac{1}{\sqrt{x^2+1}}\mathrm{d}x = \ln(x+\sqrt{x^2+1})+C$；

(2) $\int \dfrac{1}{x^2\sqrt{x^2-1}}\mathrm{d}x = \dfrac{\sqrt{x^2-1}}{x}+C$；

(3) $\int \dfrac{2x}{(x^2+1)(x+1)^2}\mathrm{d}x = \arctan x + \dfrac{1}{x+1}+C$；

(4) $\int \sec x\,\mathrm{d}x = \ln|\tan x + \sec x|+C$；

(5) $\int x\cos x\,\mathrm{d}x = x\sin x + \cos x + C$；

(6) $\int \mathrm{e}^x\sin x\,\mathrm{d}x = \dfrac{1}{2}\mathrm{e}^x(\sin x - \cos x)+C$.

解 (1) $\dfrac{\mathrm{d}}{\mathrm{d}x}[\ln(x+\sqrt{x^2+1})+C] = \dfrac{1}{x+\sqrt{x^2+1}}\cdot\left(1+\dfrac{x}{\sqrt{x^2+1}}\right) = \dfrac{1}{\sqrt{x^2+1}}$.

(2) $\dfrac{\mathrm{d}}{\mathrm{d}x}\left(\dfrac{\sqrt{x^2-1}}{x}+C\right) = \dfrac{\dfrac{x}{\sqrt{x^2-1}}\cdot x - \sqrt{x^2-1}}{x^2} = \dfrac{1}{x^2\sqrt{x^2-1}}$.

(3) $\dfrac{\mathrm{d}}{\mathrm{d}x}\left(\arctan x + \dfrac{1}{x+1}+C\right) = \dfrac{1}{x^2+1} - \dfrac{1}{(x+1)^2} = \dfrac{2x}{(x^2+1)(x+1)^2}$.

(4) $\dfrac{\mathrm{d}}{\mathrm{d}x}(\ln|\tan x + \sec x|+C) = \dfrac{1}{\tan x + \sec x}\cdot(\sec^2 x + \sec x\tan x) = \sec x$.

(5) $\dfrac{\mathrm{d}}{\mathrm{d}x}(x\sin x + \cos x + C) = \sin x + x\cos x - \sin x = x\cos x$.

(6) $\dfrac{\mathrm{d}}{\mathrm{d}x}\left[\dfrac{1}{2}\mathrm{e}^x(\sin x - \cos x)+C\right] = \dfrac{1}{2}\mathrm{e}^x(\sin x - \cos x) + \dfrac{1}{2}\mathrm{e}^x(\cos x + \sin x)$
$$= \mathrm{e}^x\sin x.$$

2. 求下列不定积分：

(1) $\int \dfrac{\mathrm{d}x}{x^2}$;

(2) $\int x\sqrt{x}\,\mathrm{d}x$;

(3) $\int \dfrac{\mathrm{d}x}{\sqrt{x}}$;

(4) $\int x^2\sqrt[3]{x}\,\mathrm{d}x$;

(5) $\int \dfrac{\mathrm{d}x}{x^2\sqrt{x}}$;

(6) $\int \sqrt[m]{x^n}\,\mathrm{d}x$;

(7) $\int 5x^3\,\mathrm{d}x$;

(8) $\int (x^2-3x+2)\,\mathrm{d}x$;

(9) $\int \dfrac{\mathrm{d}h}{\sqrt{2gh}}$ (g 是常数);

(10) $\int (x^2+1)^2\,\mathrm{d}x$;

(11) $\int (\sqrt{x}+1)(\sqrt{x^3}-1)\,\mathrm{d}x$;

(12) $\int \dfrac{(1-x)^2}{\sqrt{x}}\,\mathrm{d}x$;

(13) $\int \left(2\mathrm{e}^x+\dfrac{3}{x}\right)\mathrm{d}x$;

(14) $\int \left(\dfrac{3}{1+x^2}-\dfrac{2}{\sqrt{1-x^2}}\right)\mathrm{d}x$;

(15) $\int \mathrm{e}^x\left(1-\dfrac{\mathrm{e}^{-x}}{\sqrt{x}}\right)\mathrm{d}x$;

(16) $\int 3^x\mathrm{e}^x\,\mathrm{d}x$;

(17) $\int \dfrac{2\cdot 3^x-5\cdot 2^x}{3^x}\,\mathrm{d}x$;

(18) $\int \sec x(\sec x-\tan x)\,\mathrm{d}x$;

(19) $\int \cos^2\dfrac{x}{2}\,\mathrm{d}x$;

(20) $\int \dfrac{\mathrm{d}x}{1+\cos 2x}$;

(21) $\int \dfrac{\cos 2x}{\cos x-\sin x}\,\mathrm{d}x$;

(22) $\int \dfrac{\cos 2x}{\cos^2 x\sin^2 x}\,\mathrm{d}x$;

(23) $\int \cot^2 x\,\mathrm{d}x$;

(24) $\int \cos\theta(\tan\theta+\sec\theta)\,\mathrm{d}\theta$;

(25) $\int \dfrac{x^2}{x^2+1}\,\mathrm{d}x$;

(26) $\int \dfrac{3x^4+2x^2}{x^2+1}\,\mathrm{d}x$.

解 (1) $\int \dfrac{\mathrm{d}x}{x^2}=\int x^{-2}\,\mathrm{d}x=\dfrac{1}{-2+1}x^{-2+1}+C=-\dfrac{1}{x}+C$.

(2) $\int x\sqrt{x}\,\mathrm{d}x=\int x^{\frac{3}{2}}\,\mathrm{d}x=\dfrac{1}{\frac{3}{2}+1}x^{\frac{3}{2}+1}+C=\dfrac{2}{5}x^{\frac{5}{2}}+C$.

(3) $\int \dfrac{\mathrm{d}x}{\sqrt{x}}=\int x^{-\frac{1}{2}}\,\mathrm{d}x=\dfrac{1}{-\frac{1}{2}+1}x^{-\frac{1}{2}+1}+C=2\sqrt{x}+C$.

(4) $\int x^2\sqrt[3]{x}\,\mathrm{d}x=\int x^{\frac{7}{3}}\,\mathrm{d}x=\dfrac{1}{\frac{7}{3}+1}x^{\frac{7}{3}+1}+C=\dfrac{3}{10}x^{\frac{10}{3}}+C$.

(5) $\int \dfrac{\mathrm{d}x}{x^2\sqrt{x}}=\int x^{-\frac{5}{2}}\,\mathrm{d}x=\dfrac{1}{-\frac{5}{2}+1}x^{-\frac{5}{2}+1}+C=-\dfrac{2}{3}x^{-\frac{3}{2}}+C$.

(6) $\int \sqrt[m]{x^n}\,\mathrm{d}x = \dfrac{1}{\dfrac{n}{m}+1}x^{\frac{n}{m}+1}+C = \dfrac{m}{m+n}x^{\frac{m+n}{m}}+C.$

(7) $\int 5x^3\,\mathrm{d}x = \dfrac{5}{3+1}x^{3+1}+C = \dfrac{5}{4}x^4+C.$

(8) $\int (x^2-3x+2)\,\mathrm{d}x = \int x^2\,\mathrm{d}x - 3\int x\,\mathrm{d}x + 2\int \mathrm{d}x = \dfrac{x^3}{3}-\dfrac{3}{2}x^2+2x+C.$

(9) $\int \dfrac{\mathrm{d}h}{\sqrt{2gh}} = \dfrac{1}{\sqrt{2g}}\int h^{-\frac{1}{2}}\,\mathrm{d}h = \dfrac{1}{\sqrt{2g}}\times 2\sqrt{h}+C = \sqrt{\dfrac{2h}{g}}+C.$

(10) $\int (x^2+1)^2\,\mathrm{d}x = \int (x^4+2x^2+1)\,\mathrm{d}x = \int x^4\,\mathrm{d}x + 2\int x^2\,\mathrm{d}x + \int \mathrm{d}x$

$\qquad = \dfrac{x^5}{5}+\dfrac{2}{3}x^3+x+C.$

(11) $\int (\sqrt{x}+1)(\sqrt{x^3}-1)\,\mathrm{d}x = \int (x^2+x^{\frac{3}{2}}-x^{\frac{1}{2}}-1)\,\mathrm{d}x$

$\qquad\qquad = \int x^2\,\mathrm{d}x + \int x^{\frac{3}{2}}\,\mathrm{d}x - \int x^{\frac{1}{2}}\,\mathrm{d}x - \int \mathrm{d}x$

$\qquad\qquad = \dfrac{x^3}{3}+\dfrac{2}{5}x^{\frac{5}{2}}-\dfrac{2}{3}x^{\frac{3}{2}}-x+C.$

(12) $\int \dfrac{(1-x)^2}{\sqrt{x}}\,\mathrm{d}x = \int (x^{\frac{3}{2}}-2x^{\frac{1}{2}}+x^{-\frac{1}{2}})\,\mathrm{d}x$

$\qquad\qquad = \int x^{\frac{3}{2}}\,\mathrm{d}x - 2\int x^{\frac{1}{2}}\,\mathrm{d}x + \int x^{-\frac{1}{2}}\,\mathrm{d}x$

$\qquad\qquad = \dfrac{2}{5}x^{\frac{5}{2}}-\dfrac{4}{3}x^{\frac{3}{2}}+2x^{\frac{1}{2}}+C.$

(13) $\int \left(2\mathrm{e}^x+\dfrac{3}{x}\right)\mathrm{d}x = 2\int \mathrm{e}^x\,\mathrm{d}x + 3\int \dfrac{\mathrm{d}x}{x} = 2\mathrm{e}^x+3\ln|x|+C.$

(14) $\int \left(\dfrac{3}{1+x^2}-\dfrac{2}{\sqrt{1-x^2}}\right)\mathrm{d}x = 3\int \dfrac{\mathrm{d}x}{1+x^2} - 2\int \dfrac{\mathrm{d}x}{\sqrt{1-x^2}}$

$\qquad\qquad = 3\arctan x - 2\arcsin x + C.$

(15) $\int \mathrm{e}^x\left(1-\dfrac{\mathrm{e}^{-x}}{\sqrt{x}}\right)\mathrm{d}x = \int \mathrm{e}^x\,\mathrm{d}x - \int x^{-\frac{1}{2}}\,\mathrm{d}x = \mathrm{e}^x-2x^{\frac{1}{2}}+C.$

(16) $\int 3^x\mathrm{e}^x\,\mathrm{d}x = \int (3\mathrm{e})^x\,\mathrm{d}x = \dfrac{(3\mathrm{e})^x}{\ln(3\mathrm{e})}+C = \dfrac{3^x\mathrm{e}^x}{\ln 3+1}+C.$

(17) $\int \dfrac{2\cdot 3^x-5\cdot 2^x}{3^x}\,\mathrm{d}x = 2\int \mathrm{d}x - 5\int \left(\dfrac{2}{3}\right)^x\,\mathrm{d}x = 2x-\dfrac{5}{\ln\dfrac{2}{3}}\left(\dfrac{2}{3}\right)^x+C$

$\qquad\qquad = 2x-\dfrac{5}{\ln 2-\ln 3}\left(\dfrac{2}{3}\right)^x+C.$

(18) $\displaystyle\int \sec x(\sec x-\tan x)\mathrm{d}x=\int \sec^2 x\mathrm{d}x-\int \sec x\tan x\mathrm{d}x$

$$=\tan x-\sec x+C.$$

(19) $\displaystyle\int \cos^2 \frac{x}{2}\mathrm{d}x=\int \frac{1+\cos x}{2}\mathrm{d}x=\frac{x+\sin x}{2}+C.$

(20) $\displaystyle\int \frac{\mathrm{d}x}{1+\cos 2x}=\int \frac{\sec^2 x}{2}\mathrm{d}x=\frac{\tan x}{2}+C.$

(21) $\displaystyle\int \frac{\cos 2x}{\cos x-\sin x}\mathrm{d}x=\int \frac{\cos^2 x-\sin^2 x}{\cos x-\sin x}\mathrm{d}x=\sin x-\cos x+C.$

(22) $\displaystyle\int \frac{\cos 2x}{\cos^2 x\sin^2 x}\mathrm{d}x=\int \frac{\cos^2 x-\sin^2 x}{\cos^2 x\sin^2 x}\mathrm{d}x=\int (\csc^2 x-\sec^2 x)\mathrm{d}x$

$$=\int \csc^2 x\mathrm{d}x-\int \sec^2 x\mathrm{d}x=-(\cot x+\tan x)+C.$$

(23) $\displaystyle\int \cot^2 x\mathrm{d}x=\int \csc^2 x\mathrm{d}x-\int \mathrm{d}x=-\cot x-x+C.$

(24) $\displaystyle\int \cos\theta(\tan\theta+\sec\theta)\mathrm{d}\theta=\int \sin\theta\mathrm{d}\theta+\int \mathrm{d}\theta=-\cos\theta+\theta+C.$

(25) $\displaystyle\int \frac{x^2}{x^2+1}\mathrm{d}x=\int \mathrm{d}x-\int \frac{1}{x^2+1}\mathrm{d}x=x-\arctan x+C.$

(26) $\displaystyle\int \frac{3x^4+2x^2}{x^2+1}\mathrm{d}x=\int 3x^2\mathrm{d}x-\int \mathrm{d}x+\int \frac{1}{x^2+1}\mathrm{d}x=x^3-x+\arctan x+C.$

3. 含有未知函数的导数的方程称为微分方程,例如方程 $\dfrac{\mathrm{d}y}{\mathrm{d}x}=f(x)$,其中 $\dfrac{\mathrm{d}y}{\mathrm{d}x}$ 为未知函数的导数,$f(x)$ 为已知函数. 如果函数 $y=\varphi(x)$ 代入微分方程,使微分方程成为恒等式,那么函数 $y=\varphi(x)$ 就称为这个微分方程的解. 求下列微分方程满足所给条件的解:

(1) $\dfrac{\mathrm{d}y}{\mathrm{d}x}=(x-2)^2, y|_{x=2}=0$;

(2) $\dfrac{\mathrm{d}^2 x}{\mathrm{d}t^2}=\dfrac{2}{t^3},\dfrac{\mathrm{d}x}{\mathrm{d}t}\Big|_{t=1}=1,x|_{t=1}=1.$

解 (1) $\qquad y=\displaystyle\int (x-2)^2\mathrm{d}x=\frac{1}{3}(x-2)^3+C,$

由 $y|_{x=2}=0$,得 $C=0$,于是所求的解为 $y=\dfrac{1}{3}(x-2)^3.$

(2) $\qquad \dfrac{\mathrm{d}x}{\mathrm{d}t}=\displaystyle\int \frac{2}{t^3}\mathrm{d}t=-\frac{1}{t^2}+C_1,$

由 $\dfrac{\mathrm{d}x}{\mathrm{d}t}\Big|_{t=1}=1$,得 $C_1=2$ 故 $\dfrac{\mathrm{d}x}{\mathrm{d}t}=-\dfrac{1}{t^2}+2,$

$$x=\int \left(-\frac{1}{t^2}+2\right)\mathrm{d}t=\frac{1}{t}+2t+C_2,$$

由 $x|_{t=1}=1$，得 $C_2=-2$，于是所求的解为 $x=\dfrac{1}{t}+2t-2$.

4. 汽车以 20 m/s 的速度行驶，刹车后匀减速行驶了 50 m 停住，求刹车加速度．可执行下列步骤：

(1) 求微分方程 $\dfrac{\mathrm{d}^2 s}{\mathrm{d}t^2}=-k$ 满足条件 $\dfrac{\mathrm{d}s}{\mathrm{d}t}\Big|_{t=0}=20$ 及 $s|_{t=0}=0$ 的解；

(2) 求使 $\dfrac{\mathrm{d}s}{\mathrm{d}t}=0$ 的 t 值；

(3) 求使 $s=50$ 的 k 值．

解 (1)
$$\frac{\mathrm{d}s}{\mathrm{d}t}=\int -k\mathrm{d}t=-kt+C_1,$$

由 $\dfrac{\mathrm{d}s}{\mathrm{d}t}\Big|_{t=0}=20$，得 $C_1=20$，故

$$\frac{\mathrm{d}s}{\mathrm{d}t}=-kt+20,$$

$$s=\int(-kt+20)\mathrm{d}t=-\frac{1}{2}kt^2+20t+C_2,$$

由 $s|_{t=0}=0$，得 $C_2=0$，于是所求的解为

$$s=-\frac{1}{2}kt^2+20t.$$

(2) 令 $\dfrac{\mathrm{d}s}{\mathrm{d}t}=0$，解得 $t=\dfrac{20}{k}$.

(3) 根据题意，当 $t=\dfrac{20}{k}$ 时，$s=50$，即

$$-\frac{1}{2}k\left(\frac{20}{k}\right)^2+\frac{400}{k}=50,$$

解得 $k=4$，即得刹车加速度为 $-4\,\mathrm{m/s^2}$.

5. 一曲线通过点 $(\mathrm{e}^2,3)$，且在任一点处的切线的斜率等于该点横坐标的倒数，求该曲线的方程．

解 设曲线方程为 $y=f(x)$，则点 (x,y) 处的切线斜率为 $f'(x)$，由条件得

$$f'(x)=\frac{1}{x},$$

因此 $f(x)$ 为 $\dfrac{1}{x}$ 的一个原函数，故有 $f(x)=\displaystyle\int\frac{1}{x}\mathrm{d}x=\ln|x|+C.$

又，根据条件曲线过点 $(\mathrm{e}^2,3)$，有 $f(\mathrm{e}^2)=3$ 解得 $C=1$，即得所求曲线方程为

$$y=\ln x+1.$$

6. 一物体由静止开始运动，经 t 秒后的速度是 $3t^2(\mathrm{m/s})$，问

(1) 在 3 秒后物体离开出发点的距离是多少？

(2) 物体走完 360 m 需要多少时间?

解 (1) 设此物体自原点沿横轴正向由静止开始运动,位移函数为 $s=s(t)$,则

$$s(t)=\int v(t)\mathrm{d}t=\int 3t^2\mathrm{d}t=t^3+C,$$

于是由假设可知 $s(0)=0$,故 $s(t)=t^3$,所求距离为 $s(3)=27(\mathrm{m})$.

(2) 由 $t^3=360$,得 $t=\sqrt[3]{360}\approx 7.11(\mathrm{s})$.

7. 证明函数 $\arcsin(2x-1)$,$\arccos(1-2x)$ 和 $2\arctan\sqrt{\dfrac{x}{1-x}}$ 都是 $\dfrac{1}{\sqrt{x-x^2}}$ 的原函数.

证

$$[\arcsin(2x-1)]'=\frac{1}{\sqrt{1-(2x-1)^2}}\cdot 2=\frac{1}{\sqrt{x-x^2}},$$

$$[\arccos(1-2x)]'=-\frac{1}{\sqrt{1-(1-2x)^2}}\cdot(-2)=\frac{1}{\sqrt{x-x^2}},$$

$$\left[2\arctan\sqrt{\frac{x}{1-x}}\right]'=2\,\frac{1}{1+\dfrac{x}{1-x}}\cdot\frac{1}{2}\sqrt{\frac{1-x}{x}}\cdot\frac{1}{(1-x)^2}=\frac{1}{\sqrt{x-x^2}}.$$

故结论成立.

习题 4-2 换元积分法

1. 在下列各式等号右端的空白处填入适当的系数,使等式成立(例如:$\mathrm{d}x=\dfrac{1}{4}\mathrm{d}(4x+7)$):

(1) $\mathrm{d}x=\quad \mathrm{d}(ax)$; (2) $\mathrm{d}x=\quad \mathrm{d}(7x-3)$;

(3) $x\mathrm{d}x=\quad \mathrm{d}(x^2)$; (4) $x\mathrm{d}x=\quad \mathrm{d}(5x^2)$;

(5) $x\mathrm{d}x=\quad \mathrm{d}(1-x^2)$; (6) $x^3\mathrm{d}x=\quad \mathrm{d}(3x^4-2)$;

(7) $\mathrm{e}^{2x}\mathrm{d}x=\quad \mathrm{d}(\mathrm{e}^{2x})$; (8) $\mathrm{e}^{-\frac{x}{2}}\mathrm{d}x=\quad \mathrm{d}(1+\mathrm{e}^{-\frac{x}{2}})$;

(9) $\sin\dfrac{3}{2}x\mathrm{d}x=\quad \mathrm{d}(\cos\dfrac{3}{2}x)$; (10) $\dfrac{\mathrm{d}x}{x}=\quad \mathrm{d}(5\ln|x|)$;

(11) $\dfrac{\mathrm{d}x}{x}=\quad \mathrm{d}(3-5\ln|x|)$; (12) $\dfrac{\mathrm{d}x}{1+9x^2}=\quad \mathrm{d}(\arctan 3x)$;

(13) $\dfrac{\mathrm{d}x}{\sqrt{1-x^2}}=\quad \mathrm{d}(1-\arcsin x)$; (14) $\dfrac{x\mathrm{d}x}{\sqrt{1-x^2}}=\quad \mathrm{d}(\sqrt{1-x^2})$.

解 (1) $\dfrac{1}{a}$; (2) $\dfrac{1}{7}$; (3) $\dfrac{1}{2}$; (4) $\dfrac{1}{10}$; (5) $-\dfrac{1}{2}$;

(6) $\dfrac{1}{12}$;　　(7) $\dfrac{1}{2}$;　　(8) -2;　　(9) $-\dfrac{2}{3}$;　　(10) $\dfrac{1}{5}$;

(11) $-\dfrac{1}{5}$;　　(12) $\dfrac{1}{3}$;　　(13) -1;　　(14) -1.

2. 求下列不定积分(其中 a、b、ω、φ 均为常数):

(1) $\displaystyle\int \mathrm{e}^{5t}\,\mathrm{d}t$;

(2) $\displaystyle\int (3-2x)^3\,\mathrm{d}x$;

(3) $\displaystyle\int \dfrac{\mathrm{d}x}{1-2x}$;

(4) $\displaystyle\int \dfrac{\mathrm{d}x}{\sqrt[3]{2-3x}}$;

(5) $\displaystyle\int (\sin ax - \mathrm{e}^{\frac{x}{b}})\,\mathrm{d}x$;

(6) $\displaystyle\int \dfrac{\sin\sqrt{t}}{\sqrt{t}}\,\mathrm{d}t$;

(7) $\displaystyle\int x\mathrm{e}^{-x^2}\,\mathrm{d}x$;

(8) $\displaystyle\int x\cos(x^2)\,\mathrm{d}x$;

(9) $\displaystyle\int \dfrac{x}{\sqrt{2-3x^2}}\,\mathrm{d}x$;

(10) $\displaystyle\int \dfrac{3x^3}{1-x^4}\,\mathrm{d}x$;

(11) $\displaystyle\int \dfrac{x+1}{x^2+2x+5}\,\mathrm{d}x$;

(12) $\displaystyle\int \cos^2(\omega t+\varphi)\sin(\omega t+\varphi)\,\mathrm{d}t$;

(13) $\displaystyle\int \dfrac{\sin x}{\cos^3 x}\,\mathrm{d}x$;

(14) $\displaystyle\int \dfrac{\sin x+\cos x}{\sqrt[3]{\sin x-\cos x}}\,\mathrm{d}x$;

(15) $\displaystyle\int \tan^{10} x \cdot \sec^2 x\,\mathrm{d}x$;

(16) $\displaystyle\int \dfrac{\mathrm{d}x}{x\ln x\ln\ln x}$;

(17) $\displaystyle\int \dfrac{\mathrm{d}x}{(\arcsin x)^2\sqrt{1-x^2}}$;

(18) $\displaystyle\int \dfrac{10^{2\arccos x}}{\sqrt{1-x^2}}\,\mathrm{d}x$;

(19) $\displaystyle\int \tan\sqrt{1+x^2} \cdot \dfrac{x\,\mathrm{d}x}{\sqrt{1+x^2}}$;

(20) $\displaystyle\int \dfrac{\arctan\sqrt{x}}{\sqrt{x}(1+x)}$;

(21) $\displaystyle\int \dfrac{1+\ln x}{(x\ln x)^2}\,\mathrm{d}x$;

(22) $\displaystyle\int \dfrac{\mathrm{d}x}{\sin x\cos x}$;

(23) $\displaystyle\int \dfrac{\ln\tan x}{\cos x\sin x}\,\mathrm{d}x$;

(24) $\displaystyle\int \cos^3 x\,\mathrm{d}x$;

(25) $\displaystyle\int \cos^2(\omega t+\varphi)\,\mathrm{d}t$;

(26) $\displaystyle\int \sin 2x\cos 3x\,\mathrm{d}x$;

(27) $\displaystyle\int \cos x\cos\dfrac{x}{2}\,\mathrm{d}x$;

(28) $\displaystyle\int \sin 5x\sin 7x\,\mathrm{d}x$;

(29) $\displaystyle\int \tan^3 x\sec x\,\mathrm{d}x$;

(30) $\displaystyle\int \dfrac{\mathrm{d}x}{\mathrm{e}^x+\mathrm{e}^{-x}}$;

(31) $\displaystyle\int \dfrac{1-x}{\sqrt{9-4x^2}}\,\mathrm{d}x$;

(32) $\displaystyle\int \dfrac{x^3}{9+x^2}\,\mathrm{d}x$;

(33) $\displaystyle\int \dfrac{\mathrm{d}x}{2x^2-1}$;

(34) $\displaystyle\int \dfrac{\mathrm{d}x}{(x+1)(x-2)}$;

(35) $\displaystyle\int \frac{x}{x^2-x-2}\mathrm{d}x$；

(36) $\displaystyle\int \frac{x^2\,\mathrm{d}x}{\sqrt{a^2-x^2}}(a>0)$；

(37) $\displaystyle\int \frac{\mathrm{d}x}{x\sqrt{x^2-1}}$；

(38) $\displaystyle\int \frac{\mathrm{d}x}{\sqrt{(x^2+1)^3}}$；

(39) $\displaystyle\int \frac{\sqrt{x^2-9}}{x}\mathrm{d}x$；

(40) $\displaystyle\int \frac{\mathrm{d}x}{1+\sqrt{2x}}$；

(41) $\displaystyle\int \frac{\mathrm{d}x}{1+\sqrt{1-x^2}}$；

(42) $\displaystyle\int \frac{\mathrm{d}x}{x+\sqrt{1-x^2}}$；

(43) $\displaystyle\int \frac{x-1}{x^2+2x+3}\mathrm{d}x$；

(44) $\displaystyle\int \frac{x^3+1}{(x^2+1)^2}\mathrm{d}x$.

解 (1) 令 $u=5t$，由第一类换元法得

$$\int \mathrm{e}^{5t}\mathrm{d}t=\frac{1}{5}\int \mathrm{e}^u\mathrm{d}u=\frac{1}{5}\mathrm{e}^u+C=\frac{1}{5}\mathrm{e}^{5t}+C.$$

(2) 令 $u=3-2x$，由第一类换元法得

$$\int (3-2x)^3\mathrm{d}x=-\frac{1}{2}\int u^3\mathrm{d}u=-\frac{u^4}{8}+C=-\frac{(3-2x)^4}{8}+C.$$

(3) 令 $u=1-2x$，由第一类换元法得

$$\int \frac{\mathrm{d}x}{1-2x}=-\frac{1}{2}\int \frac{\mathrm{d}u}{u}=-\frac{1}{2}\ln|u|+C=-\frac{1}{2}\ln|1-2x|+C.$$

(4) $\displaystyle\int \frac{\mathrm{d}x}{\sqrt[3]{2-3x}}=\int -\frac{1}{3}(2-3x)^{-\frac{1}{3}}\mathrm{d}(2-3x)$

$$=-\frac{1}{3}\cdot\frac{3}{2}(2-3x)^{\frac{2}{3}}+C=-\frac{1}{2}(2-3x)^{\frac{2}{3}}+C.$$

(5) $\displaystyle\int (\sin ax-\mathrm{e}^{\frac{x}{b}})\mathrm{d}x=\int \sin ax\mathrm{d}x-\int \mathrm{e}^{\frac{x}{b}}\mathrm{d}x$

$$=\int \frac{1}{a}\sin ax\mathrm{d}(ax)-\int b\mathrm{e}^{\frac{x}{b}}\mathrm{d}\left(\frac{x}{b}\right)$$

$$=\frac{1}{a}(-\cos ax)-b\mathrm{e}^{\frac{x}{b}}+C=-\frac{\cos ax}{a}-b\mathrm{e}^{\frac{x}{b}}+C.$$

(6) $\displaystyle\int \frac{\sin\sqrt{t}}{\sqrt{t}}\mathrm{d}t=\int 2\sin\sqrt{t}\mathrm{d}\sqrt{t}=-2\cos\sqrt{t}+C.$

(7) $\displaystyle\int x\mathrm{e}^{-x^2}\mathrm{d}x=-\frac{1}{2}\int \mathrm{e}^{-x^2}\mathrm{d}(-x^2)=-\frac{1}{2}\mathrm{e}^{-x^2}+C.$

(8) $\displaystyle\int x\cos(x^2)\mathrm{d}x=\frac{1}{2}\int \cos(x^2)\mathrm{d}(x^2)=\frac{1}{2}\sin(x^2)+C.$

(9) $\displaystyle\int \frac{x}{\sqrt{2-3x^2}}\mathrm{d}x=-\frac{1}{6}\int (2-3x^2)^{-\frac{1}{2}}\mathrm{d}(2-3x^2)$

$$=-\frac{1}{6} \cdot 2(2-3x^2)^{\frac{1}{2}}+C=-\frac{\sqrt{2-3x^2}}{3}+C.$$

(10) $\displaystyle\int \frac{3x^3}{1-x^4}dx=-\frac{3}{4}\int \frac{1}{1-x^4}d(1-x^4)=-\frac{3}{4}\ln|1-x^4|+C.$

(11) $\displaystyle\int \frac{x+1}{x^2+2x+5}dx=\frac{1}{2}\int \frac{d(x^2+2x+5)}{x^2+2x+5}=\frac{1}{2}\ln(x^2+2x+5)+C.$

(12) $\displaystyle\int \cos^2(\omega t+\varphi)\sin(\omega t+\varphi)dt=-\frac{1}{\omega}\int \cos^2(\omega t+\varphi)d[\cos(\omega t+\varphi)]$

$$=-\frac{1}{3\omega}\cos^3(\omega t+\varphi)+C.$$

(13) $\displaystyle\int \frac{\sin x}{\cos^3 x}dx=-\int \frac{1}{\cos^3 x}d(\cos x)=\frac{1}{2\cos^2 x}+C.$

(14) $\displaystyle\int \frac{\sin x+\cos x}{\sqrt[3]{\sin x-\cos x}}dx=\int \frac{d(\sin x-\cos x)}{\sqrt[3]{\sin x-\cos x}}=\frac{3}{2}(\sin x-\cos x)^{\frac{2}{3}}+C.$

(15) $\displaystyle\int \tan^{10}x \cdot \sec^2 xdx=\int \tan^{10}xd(\tan x)=\frac{1}{11}\tan^{11}x+C.$

(16) $\displaystyle\int \frac{dx}{x\ln x\ln \ln x}=\int \frac{d(\ln x)}{\ln x\ln \ln x}=\int \frac{d(\ln \ln x)}{\ln \ln x}=\ln|\ln \ln x|+C.$

(17) $\displaystyle\int \frac{dx}{(\arcsin x)^2\sqrt{1-x^2}}=\int \frac{d(\arcsin x)}{(\arcsin x)^2}=-\frac{1}{\arcsin x}+C.$

(18) $\displaystyle\int \frac{10^{2\arccos x}}{\sqrt{1-x^2}}dx=\int -10^{2\arccos x}d(\arccos x)=-\frac{10^{2\arccos x}}{2\ln 10}+C.$

(19) $\displaystyle\int \tan\sqrt{1+x^2} \cdot \frac{xdx}{\sqrt{1+x^2}}=\frac{1}{2}\int \tan\sqrt{1+x^2} \cdot \frac{d(1+x^2)}{\sqrt{1+x^2}}$

$$=\int \tan\sqrt{1+x^2}d(\sqrt{1+x^2})$$

$$=-\ln\left|\cos\sqrt{1+x^2}\right|+C.$$

(20) $\displaystyle\int \frac{\arctan\sqrt{x}}{\sqrt{x}(1+x)}dx=\int \frac{2\arctan\sqrt{x}}{1+x}d\sqrt{x}=\int 2\arctan\sqrt{x}d(\arctan\sqrt{x})$

$$=(\arctan\sqrt{x})^2+C.$$

(21) $\displaystyle\int \frac{1+\ln x}{(x\ln x)^2}dx=\int \frac{d(x\ln x)}{(x\ln x)^2}=-\frac{1}{x\ln x}+C.$

(22) $\displaystyle\int \frac{dx}{\sin x\cos x}=\int \csc 2xd(2x)=\ln|\csc 2x-\cot 2x|+C=\ln|\tan x|+C.$

(23) $\displaystyle\int \frac{\ln \tan x}{\cos x\sin x}dx=\int \frac{\ln \tan x}{\tan x}d(\tan x)=\int \ln \tan xd(\ln \tan x)$

$$=\frac{(\ln \tan x)^2}{2}+C.$$

(24) $\displaystyle\int \cos^3 x\,\mathrm{d}x=\int (1-\sin^2 x)\mathrm{d}(\sin x)=\sin x-\frac{1}{3}\sin^3 x+C.$

(25) $\displaystyle\int \cos^2 (\omega t+\varphi)\,\mathrm{d}t=\int \frac{\cos 2(\omega t+\varphi)+1}{2}\mathrm{d}t=\frac{\sin 2(\omega t+\varphi)}{4\omega}+\frac{t}{2}+C.$

(26) $\displaystyle\int \sin 2x\cos 3x\,\mathrm{d}x=\int \frac{1}{2}(\sin 5x-\sin x)\mathrm{d}x=-\frac{1}{10}\cos 5x+\frac{1}{2}\cos x+C.$

(27) $\displaystyle\int \cos x\cos \frac{x}{2}\,\mathrm{d}x=\int \frac{1}{2}\left(\cos \frac{3}{2}x+\cos \frac{1}{2}x\right)\mathrm{d}x$

$\displaystyle\qquad\qquad\qquad\quad =\frac{1}{3}\sin \frac{3}{2}x+\sin \frac{1}{2}x+C.$

(28) $\displaystyle\int \sin 5x\sin 7x\,\mathrm{d}x=\int -\frac{1}{2}(\cos 12x-\cos 2x)\mathrm{d}x$

$\displaystyle\qquad\qquad\qquad\quad =-\frac{1}{24}\sin 12x+\frac{1}{4}\sin 2x+C.$

(29) $\displaystyle\int \tan^3 x\sec x\,\mathrm{d}x=\int (\sec^2 x-1)\mathrm{d}(\sec x)=\frac{1}{3}\sec^3 x-\sec x+C.$

(30) $\displaystyle\int \frac{\mathrm{d}x}{\mathrm{e}^x+\mathrm{e}^{-x}}=\int \frac{\mathrm{e}^x\,\mathrm{d}x}{\mathrm{e}^{2x}+1}=\int \frac{\mathrm{d}(\mathrm{e}^x)}{\mathrm{e}^{2x}+1}=\arctan(\mathrm{e}^x)+C.$

(31) $\displaystyle\int \frac{1-x}{\sqrt{9-4x^2}}\,\mathrm{d}x=\frac{1}{2}\int \frac{\mathrm{d}\left(\dfrac{2x}{3}\right)}{\sqrt{1-\left(\dfrac{2x}{3}\right)^2}}+\frac{1}{8}\int \frac{\mathrm{d}(9-4x^2)}{\sqrt{9-4x^2}}$

$\displaystyle\qquad\qquad\qquad\quad =\frac{\arcsin \dfrac{2x}{3}}{2}+\frac{\sqrt{9-4x^2}}{4}+C.$

(32) $\displaystyle\int \frac{x^3}{9+x^2}\,\mathrm{d}x=\int x\,\mathrm{d}x-\frac{9}{2}\int \frac{\mathrm{d}(9+x^2)}{9+x^2}=\frac{x^2}{2}-\frac{9}{2}\ln(9+x^2)+C.$

(33) $\displaystyle\int \frac{\mathrm{d}x}{2x^2-1}=\frac{1}{2}\int \left(\frac{1}{\sqrt{2}x-1}-\frac{1}{\sqrt{2}x+1}\right)\mathrm{d}x=\frac{1}{2\sqrt{2}}\ln\left|\frac{\sqrt{2}x-1}{\sqrt{2}x+1}\right|+C.$

(34) $\displaystyle\int \frac{\mathrm{d}x}{(x+1)(x-2)}=\int \frac{1}{3}\left(\frac{1}{x-2}-\frac{1}{x+1}\right)\mathrm{d}x$

$\displaystyle\qquad\qquad\qquad\quad =\frac{1}{3}\int \frac{1}{x-2}\mathrm{d}x-\frac{1}{3}\int \frac{1}{x+1}\mathrm{d}x$

$\displaystyle\qquad\qquad\qquad\quad =\frac{1}{3}\ln|x-2|-\frac{1}{3}\ln|x+1|+C=\frac{1}{3}\ln\left|\frac{x-2}{x+1}\right|+C.$

(35) $\displaystyle\int \frac{x}{x^2-x-2}\,\mathrm{d}x=\int \frac{x}{(x-2)(x+1)}\mathrm{d}x=\int \frac{1}{3}\left(\frac{2}{x-2}+\frac{1}{x+1}\right)\mathrm{d}x$

$\displaystyle\qquad\qquad\qquad\quad =\frac{2}{3}\ln|x-2|+\frac{1}{3}\ln|x+1|+C.$

(36) 设 $x = a\sin u\left(-\dfrac{\pi}{2} < u < \dfrac{\pi}{2}\right)$, 则 $\sqrt{a^2 - x^2} = a\cos u$, $dx = a\cos u\,du$, 于是

$$\int \frac{x^2\,dx}{\sqrt{a^2 - x^2}} = \int a^2 \sin^2 u\,du = a^2 \int \frac{1 - \cos 2u}{2}\,du$$

$$= \frac{a^2}{2}\left(u - \frac{\sin 2u}{2}\right) + C$$

$$= \frac{a^2}{2}\arcsin \frac{x}{a} - \frac{x\sqrt{a^2 - x^2}}{2} + C.$$

(37) 当 $x > 1$ 时, $\displaystyle\int \frac{dx}{x\sqrt{x^2 - 1}} \xlongequal{x = \frac{1}{t}} -\int \frac{dt}{\sqrt{1 - t^2}} = -\arcsin t + C$

$$= -\arcsin \frac{1}{x} + C,$$

当 $x < -1$ 时, $\displaystyle\int \frac{dx}{x\sqrt{x^2 - 1}} \xlongequal{x = \frac{1}{t}} \int \frac{dt}{\sqrt{1 - t^2}} = \arcsin t + C = \arcsin \frac{1}{x} + C,$

故在 $(-\infty, -1)$ 或 $(1, +\infty)$ 内, 有

$$\int \frac{dx}{x\sqrt{x^2 - 1}} = -\arcsin \frac{1}{|x|} + C.$$

(38) 设 $x = \tan u\left(-\dfrac{\pi}{2} < u < \dfrac{\pi}{2}\right)$, 则 $\sqrt{x^2 + 1} = \sec u$, $dx = \sec^2 u\,du$, 于是

$$\int \frac{dx}{\sqrt{(x^2 + 1)^3}} = \int \cos u\,du = \sin u + C = \frac{x}{\sqrt{1 + x^2}} + C.$$

(39) 当 $x > 0$ 时, 令 $x = 3\sec u\left(0 \leqslant u < \dfrac{\pi}{2}\right)$,

$$\int \frac{\sqrt{x^2 - 9}}{x}\,dx = \int 3\tan^2 u\,du = 3\int (\sec^2 u - 1)\,du = 3\tan u - 3u + C$$

$$= \sqrt{x^2 - 9} - 3\arccos \frac{3}{x} + C;$$

当 $x < 0$ 时, 令 $x = 3\sec u\left(\dfrac{\pi}{2} < u \leqslant \pi\right)$,

$$\int \frac{\sqrt{x^2 - 9}}{x}\,dx = -\int 3\tan^2 u\,du = -3\int (\sec^2 u - 1)\,du = -3\tan u + 3u + C$$

$$= \sqrt{x^2 - 9} + 3\arccos \frac{3}{x} + C'$$

$$= \sqrt{x^2 - 9} - 3\arccos \frac{3}{-x} + C' + 3\pi,$$

故可统一写作 $\displaystyle\int \frac{\sqrt{x^2 - 9}}{x}\,dx = \sqrt{x^2 - 9} - 3\arccos \frac{3}{|x|} + C.$

$(40) \int \dfrac{\mathrm{d}x}{1+\sqrt{2x}} \stackrel{x=\frac{u^2}{2}}{=\!=\!=\!=} \int \dfrac{u\mathrm{d}u}{1+u} = u-\ln(1+u)+C = \sqrt{2x}-\ln(1+\sqrt{2x})+C.$

(41) 令 $x=\sin t\left(-\dfrac{\pi}{2}<t<\dfrac{\pi}{2}\right)$,则$\sqrt{1-x^2}=\cos t$,$\mathrm{d}x=\cos t\mathrm{d}t$,于是

$$\int \dfrac{\mathrm{d}x}{1+\sqrt{1-x^2}} = \int \dfrac{\cos t}{1+\cos t}\mathrm{d}t = \int \dfrac{2\cos^2 \dfrac{t}{2}-1}{2\cos^2 \dfrac{t}{2}}\mathrm{d}t = t-\tan \dfrac{t}{2}+C$$

$$= t-\dfrac{\sin t}{1+\cos t}+C = \arcsin x - \dfrac{x}{1+\sqrt{1-x^2}}+C.$$

(42) 设 $x=\sin t\left(-\dfrac{\pi}{4}<t<\dfrac{\pi}{2}\right)$,则$\sqrt{1-x^2}=\cos t$,$\mathrm{d}x=\cos t\mathrm{d}t$,于是

$$\int \dfrac{\mathrm{d}x}{x+\sqrt{1-x^2}} = \int \dfrac{\cos t\mathrm{d}t}{\sin t+\cos t},$$

记 $I_1 = \int \dfrac{\cos t\mathrm{d}t}{\sin t+\cos t}$,$I_2 = \int \dfrac{\sin t\mathrm{d}t}{\sin t+\cos t}$,利用

$I_1+I_2 = \int \mathrm{d}t = t+C,$

$I_1-I_2 = \int \dfrac{\cos t-\sin t}{\sin t+\cos t}\mathrm{d}t = \int \dfrac{\mathrm{d}(\sin t+\cos t)}{\sin t+\cos t} = \ln|\sin t+\cos t|+C,$

求得

$$I_1 = \int \dfrac{\cos t\mathrm{d}t}{\sin t+\cos t} = \dfrac{1}{2}(t+\ln|\sin t+\cos t|)+C,$$

即求得在$(-\dfrac{\sqrt{2}}{2},1)$内,有

$$\int \dfrac{\mathrm{d}x}{x+\sqrt{1-x^2}} = \dfrac{1}{2}(\arcsin x+\ln|x+\sqrt{1-x^2}|)+C;$$

再设 $x=\sin t(-\dfrac{\pi}{2}<t<-\dfrac{\pi}{4})$,重复上面的过程,可得在$(-1,-\dfrac{\sqrt{2}}{2})$内有与

上面不定积分形式相同的结果. 从而在$(-1,-\dfrac{\sqrt{2}}{2})$或$(-\dfrac{\sqrt{2}}{2},1)$内,有

$$\int \dfrac{\mathrm{d}x}{x+\sqrt{1-x^2}} = \dfrac{1}{2}(\arcsin x+\ln|x+\sqrt{1-x^2}|)+C.$$

$(43) \int \dfrac{x-1}{x^2+2x+3}\mathrm{d}x = \int \dfrac{x+1-2}{(x+1)^2+2}\mathrm{d}x = \dfrac{1}{2}\int \dfrac{\mathrm{d}[(x+1)^2+2]}{(x+1)^2+2} - \sqrt{2}\int \dfrac{\mathrm{d}\left(\dfrac{x+1}{\sqrt{2}}\right)}{\left(\dfrac{x+1}{\sqrt{2}}\right)^2+1}$

$$= \frac{1}{2}\ln(x^2+2x+3) - \sqrt{2}\arctan\frac{x+1}{\sqrt{2}} + C.$$

(44) 设 $x = \tan t\left(-\frac{\pi}{2} < t < \frac{\pi}{2}\right)$，则 $x^2+1 = \sec^2 t$，$\mathrm{d}x = \sec^2 t\mathrm{d}t$，于是

$$\int \frac{x^3+1}{(x^2+1)^2}\mathrm{d}x = \int \frac{\tan^3 t+1}{\sec^2 t}\mathrm{d}t$$

$$= \int \frac{\cos^2 t-1}{\cos t}\mathrm{d}(\cos t) + \int \frac{1+\cos 2t}{2}\mathrm{d}t$$

$$= \frac{1}{2}\cos^2 t - \ln\cos t + \frac{t}{2} + \frac{1}{4}\sin 2t + C$$

$$= \frac{1}{2}\cos^2 t - \ln\cos t + \frac{t}{2} + \frac{1}{2}\sin t\cos t + C.$$

按 $\tan t = x$ 作辅助三角形（图 4-1），便有

$$\cos t = \frac{1}{\sqrt{1+x^2}}, \sin t = \frac{x}{\sqrt{1+x^2}},$$

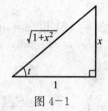

图 4-1

于是

$$\int \frac{x^3+1}{(x^2+1)^2}\mathrm{d}x = \frac{1+x}{2(1+x^2)} + \frac{1}{2}\ln(1+x^2) + \frac{1}{2}\arctan x + C.$$

习题 4-3　　分部积分法

求下列不定积分：

1. $\displaystyle\int x\sin x\mathrm{d}x.$

2. $\displaystyle\int \ln x\mathrm{d}x.$

3. $\displaystyle\int \arcsin x\mathrm{d}x.$

4. $\displaystyle\int x\mathrm{e}^{-x}\mathrm{d}x.$

5. $\displaystyle\int x^2\ln x\mathrm{d}x.$

6. $\displaystyle\int \mathrm{e}^{-x}\cos x\mathrm{d}x.$

7. $\displaystyle\int \mathrm{e}^{-2x}\sin\frac{x}{2}\mathrm{d}x.$

8. $\displaystyle\int x\cos\frac{x}{2}\mathrm{d}x.$

9. $\displaystyle\int x^2\arctan x\mathrm{d}x.$

10. $\displaystyle\int x\tan^2 x\mathrm{d}x.$

11. $\displaystyle\int x^2\cos x\mathrm{d}x.$

12. $\displaystyle\int t\mathrm{e}^{-2t}\mathrm{d}t.$

13. $\displaystyle\int \ln^2 x\mathrm{d}x.$

14. $\displaystyle\int x\sin x\cos x\mathrm{d}x.$

15. $\displaystyle\int x^2\cos^2\frac{x}{2}\mathrm{d}x.$

16. $\displaystyle\int x\ln(x-1)\mathrm{d}x.$

17. $\displaystyle\int (x^2-1)\sin 2x\mathrm{d}x.$

18. $\displaystyle\int \frac{\ln^3 x}{x^2}\mathrm{d}x.$

19. $\int e^{\sqrt[3]{x}} dx.$

20. $\int \cos \ln x \, dx.$

21. $\int (\arcsin x)^2 \, dx.$

22. $\int e^x \sin^2 x \, dx.$

23. $\int x \ln^2 x \, dx.$

24. $\int e^{\sqrt{3x+9}} \, dx.$

解 1. $\int x\sin x \, dx = -\int x \, d(\cos x) = -x\cos x + \int \cos x \, dx$

$$= -x\cos x + \sin x + C.$$

2. $\int \ln x \, dx = x\ln x - \int x \cdot \dfrac{1}{x} \, dx = x\ln x - x + C.$

3. $\int \arcsin x \, dx = x\arcsin x - \int x \cdot \dfrac{1}{\sqrt{1-x^2}} \, dx = x\arcsin x + \sqrt{1-x^2} + C.$

4. $\int xe^{-x} \, dx = -\int x \, de^{-x} = -xe^{-x} + \int e^{-x} \, dx = -xe^{-x} - e^{-x} + C.$

5. $\int x^2 \ln x \, dx = \dfrac{1}{3} \int \ln x \, d(x^3) = \dfrac{x^3 \ln x}{3} - \dfrac{1}{3} \int x^3 \cdot \dfrac{1}{x} \, dx = \dfrac{x^3 \ln x}{3} - \dfrac{x^3}{9} + C.$

6. $\int e^{-x} \cos x \, dx = -\int \cos x \, d(e^{-x}) = -e^{-x}\cos x + \int e^{-x}(-\sin x) \, dx$

$$= -e^{-x}\cos x + \int \sin x \, d(e^{-x})$$

$$= -e^{-x}\cos x + e^{-x}\sin x - \int e^{-x}\cos x \, dx,$$

故有

$$\int e^{-x}\cos x \, dx = \frac{e^{-x}(\sin x - \cos x)}{2} + C.$$

7. $\int e^{-2x} \sin \dfrac{x}{2} \, dx = -\dfrac{1}{2} \int \sin \dfrac{x}{2} \, d(e^{-2x})$

$$= -\frac{1}{2}e^{-2x}\sin\frac{x}{2} + \frac{1}{2}\int e^{-2x} \cdot \frac{1}{2}\cos\frac{x}{2} \, dx$$

$$= -\frac{1}{2}e^{-2x}\sin\frac{x}{2} - \frac{1}{8}\int \cos\frac{x}{2} \, d(e^{-2x})$$

$$= -\frac{1}{2}e^{-2x}\sin\frac{x}{2} - \frac{1}{8}e^{-2x}\cos\frac{x}{2} + \frac{1}{8}\int e^{-2x} \cdot \left(-\frac{1}{2}\sin\frac{x}{2}\right) \, dx$$

$$= -\frac{1}{8}\left(4\sin\frac{x}{2} + \cos\frac{x}{2}\right)e^{-2x} - \frac{1}{16}\int e^{-2x}\sin\frac{x}{2} \, dx,$$

故 $$\int e^{-2x}\sin\frac{x}{2} \, dx = -\frac{2}{17}\left(4\sin\frac{x}{2} + \cos\frac{x}{2}\right)e^{-2x} + C.$$

8. $\int x\cos\dfrac{x}{2} \, dx = 2\int x \, d\left(\sin\dfrac{x}{2}\right) = 2x\sin\dfrac{x}{2} - 2\int \sin\dfrac{x}{2} \, dx$

$$=2x\sin\frac{x}{2}+4\cos\frac{x}{2}+C.$$

9. $\displaystyle\int x^2\arctan x\,dx=\frac{1}{3}\int\arctan x\,d(x^3)=\frac{1}{3}x^3\arctan x-\frac{1}{3}\int\frac{x^3}{1+x^2}dx$

$$=\frac{1}{3}x^3\arctan x-\frac{1}{3}\int\left(x-\frac{x}{1+x^2}\right)dx$$

$$=\frac{1}{3}x^3\arctan x-\frac{1}{6}x^2+\frac{1}{6}\ln(1+x^2)+C.$$

10. $\displaystyle\int x\tan^2 x\,dx=\int x(\sec^2 x-1)dx=\int x\,d(\tan x)-\frac{x^2}{2}$

$$=x\tan x+\ln|\cos x|-\frac{x^2}{2}+C.$$

11. $\displaystyle\int x^2\cos x\,dx=\int x^2\,d(\sin x)=x^2\sin x-\int 2x\sin x\,dx$

$$=x^2\sin x+\int 2x\,d(\cos x)$$

$$=x^2\sin x+2x\cos x-\int 2\cos x\,dx$$

$$=x^2\sin x+2x\cos x-2\sin x+C.$$

12. $\displaystyle\int te^{-2t}\,dt=-\frac{1}{2}\int t\,d(e^{-2t})=-\frac{1}{2}te^{-2t}+\frac{1}{2}\int e^{-2t}\,dt$

$$=-\frac{1}{2}te^{-2t}-\frac{1}{4}e^{-2t}+C.$$

13. $\displaystyle\int\ln^2 x\,dx=x\ln^2 x-\int 2\ln x\,dx=x\ln^2 x-2x\ln x+\int 2\,dx$

$$=x\ln^2 x-2x\ln x+2x+C.$$

14. $\displaystyle\int x\sin x\cos x\,dx=\int-\frac{x}{4}d(\cos 2x)=-\frac{x\cos 2x}{4}+\frac{1}{4}\int\cos 2x\,dx$

$$=-\frac{x\cos 2x}{4}+\frac{\sin 2x}{8}+C.$$

15. $\displaystyle\int x^2\cos^2\frac{x}{2}\,dx=\frac{1}{2}\int x^2(1+\cos x)dx=\frac{1}{6}x^3+\frac{1}{2}\int x^2\,d(\sin x)$

$$=\frac{1}{6}x^3+\frac{1}{2}x^2\sin x-\int x\sin x\,dx$$

$$=\frac{1}{6}x^3+\frac{1}{2}x^2\sin x+\int x\,d(\cos x)$$

$$=\frac{1}{6}x^3+\frac{1}{2}x^2\sin x+x\cos x-\int\cos x\,dx$$

$$=\frac{1}{6}x^3+\frac{1}{2}x^2\sin x+x\cos x-\sin x+C.$$

16. $\displaystyle\int x\ln(x-1)\mathrm{d}x=\frac{1}{2}\int \ln(x-1)\mathrm{d}(x^2-1)$

$\displaystyle\qquad=\frac{1}{2}(x^2-1)\ln(x-1)-\frac{1}{2}\int (x+1)\mathrm{d}x$

$\displaystyle\qquad=\frac{1}{2}(x^2-1)\ln(x-1)-\frac{1}{4}x^2-\frac{1}{2}x+C.$

17. $\displaystyle\int (x^2-1)\sin 2x\mathrm{d}x=-\frac{1}{2}\int (x^2-1)\mathrm{d}(\cos 2x)$

$\displaystyle\qquad=-\frac{1}{2}(x^2-1)\cos 2x+\int x\cos 2x\mathrm{d}x$

$\displaystyle\qquad=-\frac{1}{2}(x^2-1)\cos 2x+\frac{1}{2}\int x\mathrm{d}(\sin 2x)$

$\displaystyle\qquad=-\frac{1}{2}(x^2-1)\cos 2x+\frac{1}{2}x\sin 2x-\frac{1}{2}\int \sin 2x\mathrm{d}x$

$\displaystyle\qquad=-\frac{1}{2}\left(x^2-\frac{3}{2}\right)\cos 2x+\frac{1}{2}x\sin 2x+C.$

18. $\displaystyle\int \frac{\ln^3 x}{x^2}\mathrm{d}x=\int -\ln^3 x\mathrm{d}\left(\frac{1}{x}\right)=-\frac{\ln^3 x}{x}-3\int \ln^2 x\mathrm{d}\left(\frac{1}{x}\right)$

$\displaystyle\qquad=-\frac{\ln^3 x}{x}-3\left[\frac{\ln^2 x}{x}+2\int \ln x\mathrm{d}\left(\frac{1}{x}\right)\right]$

$\displaystyle\qquad=-\frac{\ln^3 x+3\ln^2 x+6\ln x+6}{x}+C.$

19. $\displaystyle\int \mathrm{e}^{\sqrt[3]{x}}\mathrm{d}x\xlongequal{x=u^3}\int 3u^2\mathrm{e}^u\mathrm{d}u=\int 3u^2\mathrm{d}(\mathrm{e}^u)=3u^2\mathrm{e}^u-\int 6u\mathrm{d}(\mathrm{e}^u)$

$\displaystyle\qquad=(3u^2-6u+6)\mathrm{e}^u+C=3\mathrm{e}^{\sqrt[3]{x}}(x^{2/3}-2x^{1/3}+2)+C.$

20. $\displaystyle\int \cos \ln x\mathrm{d}x\xlongequal{x=\mathrm{e}^u}\int \mathrm{e}^u\cos u\mathrm{d}u,$

而 $\displaystyle\qquad\int \mathrm{e}^u\cos u\mathrm{d}u=\int \cos u\mathrm{d}(\mathrm{e}^u)=\mathrm{e}^u\cos u+\int \mathrm{e}^u\sin u\mathrm{d}u$

$\displaystyle\qquad=\mathrm{e}^u\cos u+\int \sin u\mathrm{d}(\mathrm{e}^u)$

$\displaystyle\qquad=\mathrm{e}^u\cos u+\mathrm{e}^u\sin u-\int \mathrm{e}^u\cos u\mathrm{d}u,$

因此 $\displaystyle\int \mathrm{e}^u\cos u\mathrm{d}u=\frac{\mathrm{e}^u(\cos u+\sin u)}{2}+C,$ 故有

$\displaystyle\qquad\int \cos \ln x\mathrm{d}x=\frac{x(\cos \ln x+\sin \ln x)}{2}+C.$

21. $\displaystyle\int (\arcsin x)^2\mathrm{d}x=x(\arcsin x)^2-\int \frac{2x\arcsin x}{\sqrt{1-x^2}}\mathrm{d}x$

$$= x(\arcsin x)^2 + \int 2\arcsin x\,\mathrm{d}(\sqrt{1-x^2})$$

$$= x(\arcsin x)^2 + 2\sqrt{1-x^2}\arcsin x - 2x + C.$$

22. $\displaystyle\int \mathrm{e}^x \sin^2 x\,\mathrm{d}x = \frac{1}{2}\int \mathrm{e}^x(1-\cos 2x)\,\mathrm{d}x = \frac{1}{2}\mathrm{e}^x - \frac{1}{2}\int \mathrm{e}^x \cos 2x\,\mathrm{d}x,$

$$\int \mathrm{e}^x \cos 2x\,\mathrm{d}x = \int \cos 2x\,\mathrm{d}(\mathrm{e}^x) = \mathrm{e}^x \cos 2x + 2\int \mathrm{e}^x \sin 2x\,\mathrm{d}x$$

$$= \mathrm{e}^x \cos 2x + 2\int \sin 2x\,\mathrm{d}(\mathrm{e}^x)$$

$$= \mathrm{e}^x \cos 2x + 2\mathrm{e}^x \sin 2x - 4\int \mathrm{e}^x \cos 2x\,\mathrm{d}x,$$

得 $\displaystyle\int \mathrm{e}^x \cos 2x\,\mathrm{d}x = \frac{\mathrm{e}^x \cos 2x + 2\mathrm{e}^x \sin 2x}{5} + C$,因此有

$$\int \mathrm{e}^x \sin^2 x\,\mathrm{d}x = \frac{1}{2}\mathrm{e}^x - \frac{1}{5}\mathrm{e}^x \sin 2x - \frac{1}{10}\mathrm{e}^x \cos 2x + C.$$

23. $\displaystyle\int x\ln^2 x\,\mathrm{d}x = \int \ln^2 x\,\mathrm{d}\left(\frac{x^2}{2}\right) = \frac{x^2}{2}\ln^2 x - \int x\ln x\,\mathrm{d}x$

$$= \frac{x^2}{2}\ln^2 x - \int \ln x\,\mathrm{d}\left(\frac{x^2}{2}\right) = \frac{x^2}{2}\ln^2 x - \frac{x^2}{2}\ln x + \int \frac{x}{2}\,\mathrm{d}x$$

$$= \frac{x^2}{4}(2\ln^2 x - 2\ln x + 1) + C.$$

24. 设 $\sqrt{3x+9} = u$,即 $x = \frac{1}{3}(u^2 - 9)$,$\mathrm{d}x = \frac{2}{3}u\,\mathrm{d}u$,则

$$\int \mathrm{e}^{\sqrt{3x+9}}\,\mathrm{d}x = \int \frac{2}{3}u\mathrm{e}^u\,\mathrm{d}u = \int \frac{2}{3}u\,\mathrm{d}(\mathrm{e}^u)$$

$$= \frac{2}{3}u\mathrm{e}^u - \int \frac{2}{3}\mathrm{e}^u\,\mathrm{d}u = \frac{2}{3}u\mathrm{e}^u - \frac{2}{3}\mathrm{e}^u + C$$

$$= \frac{2}{3}\mathrm{e}^{\sqrt{3x+9}}(\sqrt{3x+9} - 1) + C.$$

习题 4-4　　有理函数的积分

求下列不定积分：

1. $\displaystyle\int \frac{x^3}{x+3}\,\mathrm{d}x.$

2. $\displaystyle\int \frac{2x+3}{x^2+3x-10}\,\mathrm{d}x.$

3. $\displaystyle\int \frac{x+1}{x^2-2x+5}\,\mathrm{d}x.$

4. $\displaystyle\int \frac{\mathrm{d}x}{x(x^2+1)}.$

5. $\displaystyle\int \frac{3}{x^3+1}\,\mathrm{d}x.$

6. $\displaystyle\int \frac{x^2+1}{(x+1)^2(x-1)}\,\mathrm{d}x.$

7. $\displaystyle\int \frac{x\mathrm{d}x}{(x+1)(x+2)(x+3)}.$

8. $\displaystyle\int \frac{x^5+x^4-8}{x^3-x}\mathrm{d}x.$

9. $\displaystyle\int \frac{\mathrm{d}x}{(x^2+1)(x^2+x)}.$

10. $\displaystyle\int \frac{1}{x^4-1}\mathrm{d}x.$

11. $\displaystyle\int \frac{\mathrm{d}x}{(x^2+1)(x^2+x+1)}.$

12. $\displaystyle\int \frac{(x+1)^2}{(x^2+1)^2}\mathrm{d}x.$

13. $\displaystyle\int \frac{-x^2-2}{(x^2+x+1)^2}\mathrm{d}x.$

14. $\displaystyle\int \frac{\mathrm{d}x}{3+\sin^2 x}.$

15. $\displaystyle\int \frac{\mathrm{d}x}{3+\cos x}.$

16. $\displaystyle\int \frac{\mathrm{d}x}{2+\sin x}.$

17. $\displaystyle\int \frac{\mathrm{d}x}{1+\sin x+\cos x}.$

18. $\displaystyle\int \frac{\mathrm{d}x}{2\sin x-\cos x+5}.$

19. $\displaystyle\int \frac{\mathrm{d}x}{1+\sqrt[3]{x+1}}.$

20. $\displaystyle\int \frac{(\sqrt{x})^3-1}{\sqrt{x}+1}\mathrm{d}x.$

21. $\displaystyle\int \frac{\sqrt{x+1}-1}{\sqrt{x+1}+1}\mathrm{d}x.$

22. $\displaystyle\int \frac{\mathrm{d}x}{\sqrt{x}+\sqrt[4]{x}}.$

23. $\displaystyle\int \sqrt{\frac{1-x}{1+x}}\frac{\mathrm{d}x}{x}.$

24. $\displaystyle\int \frac{\mathrm{d}x}{\sqrt[3]{(x+1)^2(x-1)^4}}.$

解 1. $\displaystyle\int \frac{x^3}{x+3}\mathrm{d}x = \int \left(x^2-3x+9-\frac{27}{x+3}\right)\mathrm{d}x$

$$=\frac{1}{3}x^3-\frac{3}{2}x^2+9x-27\ln|x+3|+C.$$

2. $\displaystyle\int \frac{2x+3}{x^2+3x-10}\mathrm{d}x = \int \frac{\mathrm{d}(x^2+3x-10)}{x^2+3x-10} = \ln|x^2+3x-10|+C.$

3. $\displaystyle\int \frac{x+1}{x^2-2x+5}\mathrm{d}x = \int \frac{x-1}{(x-1)^2+4}\mathrm{d}x+\frac{1}{2}\int \frac{1}{\left(\frac{x-1}{2}\right)^2+1}\mathrm{d}x$

$$=\frac{1}{2}\ln(x^2-2x+5)+\arctan\frac{x-1}{2}+C.$$

4. $\displaystyle\int \frac{\mathrm{d}x}{x(x^2+1)} = \int \left(\frac{1}{x}-\frac{x}{x^2+1}\right)\mathrm{d}x = \ln|x|-\frac{1}{2}\int \frac{\mathrm{d}(x^2+1)}{x^2+1}$

$$=\ln|x|-\frac{1}{2}\ln(x^2+1)+C.$$

5. $\displaystyle\int \frac{3}{1+x^3}\mathrm{d}x = \int \frac{3}{(1+x)(x^2-x+1)}\mathrm{d}x = \int \left(\frac{1}{1+x}+\frac{2-x}{x^2-x+1}\right)\mathrm{d}x$

$$=\ln|1+x|-\frac{1}{2}\int \frac{(x^2-x+1)'}{x^2-x+1}\mathrm{d}x+\frac{3}{2}\int \frac{1}{x^2-x+1}\mathrm{d}x$$

$$=\ln|1+x|-\frac{1}{2}\ln(x^2-x+1)+\sqrt{3}\int \frac{1}{\left(\frac{2x-1}{\sqrt{3}}\right)^2+1}\mathrm{d}\left(\frac{2x-1}{\sqrt{3}}\right)$$

$$=\ln|1+x|-\frac{1}{2}\ln(x^2-x+1)+\sqrt{3}\arctan\frac{2x-1}{\sqrt{3}}+C.$$

6. $\displaystyle\int\frac{x^2+1}{(x+1)^2(x-1)}dx=\int\left[\frac{1}{2(x-1)}+\frac{1}{2(x+1)}-\frac{1}{(x+1)^2}\right]dx$

$$=\frac{1}{2}\ln|x-1|+\frac{1}{2}\ln|x+1|+\frac{1}{x+1}+C$$

$$=\frac{1}{2}\ln|x^2-1|+\frac{1}{x+1}+C.$$

7. $\displaystyle\int\frac{xdx}{(x+1)(x+2)(x+3)}=\int\left[-\frac{1}{2(x+1)}+\frac{2}{x+2}-\frac{3}{2(x+3)}\right]dx$

$$=-\frac{1}{2}\ln|x+1|+2\ln|x+2|-\frac{3}{2}\ln|x+3|+C.$$

8. $\displaystyle\int\frac{x^5+x^4-8}{x^3-x}dx=\int\left(x^2+x+1+\frac{8}{x}-\frac{3}{x-1}-\frac{4}{x+1}\right)dx$

$$=\frac{x^3}{3}+\frac{x^2}{2}+x+8\ln|x|-3\ln|x-1|-4\ln|x+1|+C.$$

9. $\displaystyle\int\frac{dx}{(x^2+1)(x^2+x)}=\int\left[\frac{1}{x}-\frac{1}{2(x+1)}-\frac{1+x}{2(x^2+1)}\right]dx$

$$=\ln|x|-\frac{1}{2}\ln|x+1|-\frac{1}{2}\arctan x-\frac{1}{4}\int\frac{d(x^2+1)}{x^2+1}$$

$$=\ln|x|-\frac{1}{2}\ln|x+1|-\frac{1}{2}\arctan x-\frac{1}{4}\ln(x^2+1)+C.$$

10. $\displaystyle\int\frac{1}{x^4-1}dx=\int\frac{1}{(x-1)(x+1)(x^2+1)}dx$

$$=\frac{1}{4}\int\frac{1}{x-1}dx-\frac{1}{4}\int\frac{1}{x+1}dx-\frac{1}{2}\int\frac{1}{x^2+1}dx$$

$$=\frac{1}{4}\ln\left|\frac{x-1}{x+1}\right|-\frac{1}{2}\arctan x+C.$$

11. $\displaystyle\int\frac{dx}{(x^2+1)(x^2+x+1)}=\int\left(\frac{-x}{x^2+1}+\frac{x+1}{x^2+x+1}\right)dx$

$$=-\frac{\ln(x^2+1)}{2}+\frac{1}{2}\int\frac{d(x^2+x+1)}{x^2+x+1}+$$

$$\frac{1}{2}\int\frac{1}{\left(x+\frac{1}{2}\right)^2+\frac{3}{4}}dx$$

$$=-\frac{\ln(x^2+1)}{2}+\frac{\ln(x^2+x+1)}{2}+\frac{1}{\sqrt{3}}\arctan\frac{2x+1}{\sqrt{3}}+C.$$

12. $\displaystyle\int\frac{(x+1)^2}{(x^2+1)^2}dx=\int\frac{x^2+1}{(x^2+1)^2}dx+\int\frac{2xdx}{(x^2+1)^2}$

$$= \arctan x - \frac{1}{x^2+1} + C.$$

13. $\displaystyle\int \frac{-x^2-2}{(x^2+x+1)^2}\mathrm{d}x = \int \left[-\frac{1}{x^2+x+1} + \frac{x-1}{(x^2+x+1)^2} \right]\mathrm{d}x$

$$= -\int \frac{1}{x^2+x+1}\mathrm{d}x + \frac{1}{2}\int \frac{\mathrm{d}(x^2+x+1)}{(x^2+x+1)^2} - \frac{3}{2}\int \frac{1}{(x^2+x+1)^2}\mathrm{d}x,$$

令 $u = x + \dfrac{1}{2}$，并记 $a = \dfrac{\sqrt{3}}{2}$，则

$$\int \frac{1}{(x^2+x+1)^2}\mathrm{d}x = \int \frac{1}{(u^2+a^2)^2}\mathrm{d}u = \frac{1}{2a^2}\left[\frac{u}{u^2+a^2} + \int \frac{1}{u^2+a^2}\mathrm{d}u \right]$$

$$= \frac{u}{2a^2(u^2+a^2)} + \frac{1}{2a^2}\int \frac{1}{u^2+a^2}\mathrm{d}u,$$

由此得

$$\int \frac{1}{x^2+x+1}\mathrm{d}x + \frac{3}{2}\int \frac{1}{(x^2+x+1)^2}\mathrm{d}x$$

$$= \int \frac{1}{u^2+a^2}\mathrm{d}u + \frac{3}{2}\left[\frac{u}{2a^2(u^2+a^2)} + \frac{1}{2a^2}\int \frac{1}{u^2+a^2}\mathrm{d}u \right]$$

$$= \frac{3u}{4a^2(u^2+a^2)} + \left(\frac{3}{4a^2}+1 \right)\int \frac{1}{u^2+a^2}\mathrm{d}u$$

$$= \frac{3u}{4a^2(u^2+a^2)} + \frac{1}{a}\left(\frac{3}{4a^2}+1 \right)\arctan \frac{u}{a} + C_1$$

$$= \frac{2x+1}{2(x^2+x+1)} + \frac{4}{\sqrt{3}}\arctan \frac{2x+1}{\sqrt{3}} + C_1,$$

因此有

$$\int \frac{-x^2-2}{(x^2+x+1)^2}\mathrm{d}x = -\frac{1}{2(x^2+x+1)} - \frac{2x+1}{2(x^2+x+1)} -$$

$$\frac{4}{\sqrt{3}}\arctan \frac{2x+1}{\sqrt{3}} + C$$

$$= -\frac{x+1}{x^2+x+1} - \frac{4}{\sqrt{3}}\arctan \frac{2x+1}{\sqrt{3}} + C.$$

14. $\displaystyle\int \frac{\mathrm{d}x}{3+\sin^2 x} = -\int \frac{\mathrm{d}(\cot x)}{3\csc^2 x+1} \xlongequal{u=\cot x} -\int \frac{\mathrm{d}u}{3u^2+4}$

$$= -\frac{1}{2\sqrt{3}}\arctan \frac{\sqrt{3}u}{2} + C$$

$$= -\frac{1}{2\sqrt{3}}\arctan \frac{\sqrt{3}\cot x}{2} + C.$$

15. 令 $u = \tan \dfrac{x}{2}$，则

$$\int \frac{\mathrm{d}x}{3+\cos x} = \int \frac{1}{3+\dfrac{1-u^2}{1+u^2}} \cdot \frac{2}{1+u^2}\mathrm{d}u = \int \frac{1}{2+u^2}\mathrm{d}u$$

$$= \frac{1}{\sqrt{2}}\arctan \frac{u}{\sqrt{2}} + C = \frac{1}{\sqrt{2}}\arctan \frac{\tan\dfrac{x}{2}}{\sqrt{2}} + C.$$

16. 令 $u=\tan\dfrac{x}{2}$，则

$$\int \frac{\mathrm{d}x}{2+\sin x} = \int \frac{1}{2+\dfrac{2u}{1+u^2}} \cdot \frac{2}{1+u^2}\mathrm{d}u = \int \frac{1}{u^2+u+1}\mathrm{d}u$$

$$= \int \frac{1}{\left(u+\dfrac{1}{2}\right)^2 + \left(\dfrac{\sqrt{3}}{2}\right)^2}\mathrm{d}u = \frac{2}{\sqrt{3}}\arctan\frac{2u+1}{\sqrt{3}} + C$$

$$= \frac{2}{\sqrt{3}}\arctan\frac{2\tan\dfrac{x}{2}+1}{\sqrt{3}} + C.$$

17. 令 $u=\tan\dfrac{x}{2}$，则

$$\int \frac{\mathrm{d}x}{1+\sin x+\cos x} = \int \frac{1}{1+\dfrac{2u}{1+u^2}+\dfrac{1-u^2}{1+u^2}} \cdot \frac{2}{1+u^2}\mathrm{d}u$$

$$= \int \frac{\mathrm{d}u}{1+u} = \ln|1+u| + C = \ln\left|1+\tan\frac{x}{2}\right| + C.$$

18. 令 $u=\tan\dfrac{x}{2}$，则

$$\int \frac{\mathrm{d}x}{2\sin x-\cos x+5} = \int \frac{1}{\dfrac{4u}{1+u^2}-\dfrac{1-u^2}{1+u^2}+5} \cdot \frac{2}{1+u^2}\mathrm{d}u$$

$$= \int \frac{1}{3u^2+2u+2}\mathrm{d}u$$

$$= \frac{1}{3}\int \frac{1}{\left(u+\dfrac{1}{3}\right)^2 + \left(\dfrac{\sqrt{5}}{3}\right)^2}\mathrm{d}\left(u+\frac{1}{3}\right)$$

$$= \frac{1}{\sqrt{5}}\arctan\frac{3u+1}{\sqrt{5}} + C$$

$$= \frac{1}{\sqrt{5}}\arctan\frac{3\tan\dfrac{x}{2}+1}{\sqrt{5}} + C.$$

19. 令 $u=\sqrt[3]{x+1}$，即 $x=u^3-1$，则

$$\int \frac{\mathrm{d}x}{1+\sqrt[3]{x+1}} = \int \frac{3u^2}{1+u}\mathrm{d}u = \int \left(3u-3+\frac{3}{1+u}\right)\mathrm{d}u$$

$$= \frac{3}{2}u^2 - 3u + 3\ln|1+u| + C$$

$$= \frac{3}{2}\sqrt[3]{(x+1)^2} - 3\sqrt[3]{x+1} + 3\ln\left|1+\sqrt[3]{x+1}\right| + C.$$

20. $\int \dfrac{(\sqrt{x})^3 - 1}{\sqrt{x}+1}\mathrm{d}x = \int \left(x - \sqrt{x} + 1 - \dfrac{2}{\sqrt{x}+1}\right)\mathrm{d}x$

$$= \frac{x^2}{2} - \frac{2}{3}x\sqrt{x} + x - \int \frac{4t}{t+1}\mathrm{d}t$$

$$= \frac{x^2}{2} - \frac{2}{3}x\sqrt{x} + x - 4\int \left(1 - \frac{1}{t+1}\right)\mathrm{d}t$$

$$= \frac{x^2}{2} - \frac{2}{3}x\sqrt{x} + x - 4\sqrt{x} + 4\ln(\sqrt{x}+1) + C.$$

21. 令 $u = \sqrt{x+1}$，即 $x = u^2 - 1$，则

$$\int \frac{\sqrt{x+1}-1}{\sqrt{x+1}+1}\mathrm{d}x = \int \frac{u-1}{u+1}\cdot 2u\mathrm{d}u = 2\int \left(u - 2 + \frac{2}{u+1}\right)\mathrm{d}u$$

$$= u^2 - 4u + 4\ln|u+1| + C$$

$$= x - 4\sqrt{x+1} + 4\ln(\sqrt{x+1}+1) + C.$$

22. 令 $u = \sqrt[4]{x}$，即 $x = u^4$，则

$$\int \frac{\mathrm{d}x}{\sqrt{x}+\sqrt[4]{x}} = \int \frac{1}{u^2+u}\cdot 4u^3\mathrm{d}u = 4\int \left(u - 1 + \frac{1}{u+1}\right)\mathrm{d}u$$

$$= 2u^2 - 4u + 4\ln|u+1| + C$$

$$= 2\sqrt{x} - 4\sqrt[4]{x} + 4\ln(\sqrt[4]{x}+1) + C.$$

23. **方法一**

令 $u = \sqrt{\dfrac{1-x}{1+x}}$，即 $x = \dfrac{1-u^2}{1+u^2}$，则

$$\int \sqrt{\frac{1-x}{1+x}}\cdot \frac{\mathrm{d}x}{x} = \int u\cdot \frac{1+u^2}{1-u^2}\cdot \frac{-4u}{(1+u^2)^2}\mathrm{d}u = \int \frac{-4u^2}{(1-u^2)(1+u^2)}\mathrm{d}u$$

$$= \int \left(\frac{2}{1+u^2} - \frac{1}{1-u} - \frac{1}{1+u}\right)\mathrm{d}u$$

$$= 2\arctan u + \ln|1-u| - \ln|1+u| + C$$

$$= 2\arctan\sqrt{\frac{1-x}{1+x}} + \ln\left|\frac{\sqrt{1+x}-\sqrt{1-x}}{\sqrt{1+x}+\sqrt{1-x}}\right| + C.$$

方法二

$$\int \sqrt{\frac{1-x}{1+x}}\frac{\mathrm{d}x}{x} = \int \frac{1-x}{x\sqrt{1-x^2}}\mathrm{d}x \xlongequal{x=\sin u} \int \frac{1-\sin u}{\sin u}\mathrm{d}u$$

$$= \int \csc u\,\mathrm{d}u - \int \mathrm{d}u = \ln|\csc u - \cot u| - u + C$$

$$= \ln \frac{1-\sqrt{1-x^2}}{|x|} - \arcsin x + C.$$

24. $\displaystyle \int \frac{\mathrm{d}x}{\sqrt[3]{(x+1)^2(x-1)^4}} = \int \frac{1}{x^2-1}\sqrt[3]{\frac{x+1}{x-1}}\mathrm{d}x$,

令 $u = \sqrt[3]{\dfrac{x+1}{x-1}}$，即 $x = \dfrac{u^3+1}{u^3-1}$，得到

$$\int \frac{\mathrm{d}x}{\sqrt[3]{(x+1)^2(x-1)^4}} = \int \frac{u}{\left(\dfrac{u^3+1}{u^3-1}\right)^2-1}\cdot\frac{-6u^2}{(u^3-1)^2}\mathrm{d}u = -\frac{3}{2}\int \mathrm{d}u$$

$$= -\frac{3}{2}u + C = -\frac{3}{2}\sqrt[3]{\frac{x+1}{x-1}} + C.$$

习题 4-5　　积分表的使用

利用积分表计算下列不定积分：

1. $\displaystyle \int \frac{\mathrm{d}x}{\sqrt{4x^2-9}}.$

2. $\displaystyle \int \frac{1}{x^2+2x+5}\mathrm{d}x.$

3. $\displaystyle \int \frac{\mathrm{d}x}{\sqrt{5-4x+x^2}}.$

4. $\displaystyle \int \sqrt{2x^2+9}\,\mathrm{d}x.$

5. $\displaystyle \int \sqrt{3x^2-2}\,\mathrm{d}x.$

6. $\displaystyle \int \mathrm{e}^{2x}\cos x\,\mathrm{d}x.$

7. $\displaystyle \int x\arcsin \frac{x}{2}\mathrm{d}x.$

8. $\displaystyle \int \frac{\mathrm{d}x}{(x^2+9)^2}.$

9. $\displaystyle \int \frac{\mathrm{d}x}{\sin^3 x}.$

10. $\displaystyle \int \mathrm{e}^{-2x}\sin 3x\,\mathrm{d}x.$

11. $\displaystyle \int \sin 3x\sin 5x\,\mathrm{d}x.$

12. $\displaystyle \int \ln^3 x\,\mathrm{d}x.$

13. $\displaystyle \int \frac{1}{x^2(1-x)}\mathrm{d}x.$

14. $\displaystyle \int \frac{\sqrt{x-1}}{x}\mathrm{d}x.$

15. $\displaystyle \int \frac{1}{(1+x^2)^2}\mathrm{d}x.$

16. $\displaystyle \int \frac{1}{x\sqrt{x^2-1}}\mathrm{d}x.$

17. $\displaystyle \int \frac{x}{(2+3x)^2}\mathrm{d}x.$

18. $\displaystyle \int \cos^6 x\,\mathrm{d}x.$

19. $\int x^2\sqrt{x^2-2}\,dx$.

20. $\int\dfrac{1}{2+5\cos x}\,dx$.

21. $\int\dfrac{dx}{x^2\sqrt{2x-1}}$.

22. $\int\sqrt{\dfrac{1-x}{1+x}}\,dx$.

23. $\int\dfrac{x+5}{x^2-2x-1}\,dx$.

24. $\int\dfrac{x\,dx}{\sqrt{1+x-x^2}}$.

25. $\int\dfrac{x^4}{25+4x^2}\,dx$.

解 注意:下列各题中最后括号内所标的是所用积分公式在教材上册附录 Ⅲ 积分表中的编号.

1. $\displaystyle\int\dfrac{dx}{\sqrt{4x^2-9}}=\dfrac{1}{2}\int\dfrac{d(2x)}{\sqrt{(2x)^2-3^2}}=\dfrac{1}{2}\ln\left|2x+\sqrt{(2x)^2-3^2}\right|+C$

$\qquad\qquad=\dfrac{1}{2}\ln\left|2x+\sqrt{4x^2-9}\right|+C.\ (45)$

2. $\displaystyle\int\dfrac{1}{x^2+2x+5}\,dx=\int\dfrac{1}{(x+1)^2+2^2}\,d(x+1)=\dfrac{1}{2}\arctan\dfrac{x+1}{2}+C.\ (19)$

3. $\displaystyle\int\dfrac{dx}{\sqrt{5-4x+x^2}}=\int\dfrac{d(x-2)}{\sqrt{(x-2)^2+1}}=\ln\left[x-2+\sqrt{(x-2)^2+1}\right]+C$

$\qquad\qquad=\ln\left(x-2+\sqrt{5-4x+x^2}\right)+C.\ (31)$

4. $\displaystyle\int\sqrt{2x^2+9}\,dx=\dfrac{1}{\sqrt{2}}\int\sqrt{(\sqrt{2}x)^2+3^2}\,d(\sqrt{2}x)$

$\qquad=\dfrac{1}{\sqrt{2}}\left\{\dfrac{\sqrt{2}x}{2}\sqrt{(\sqrt{2}x)^2+3^2}+\dfrac{3^2}{2}\ln\left[\sqrt{2}x+\sqrt{(\sqrt{2}x)^2+3^2}\right]\right\}+C$

$\qquad=\dfrac{x}{2}\sqrt{2x^2+9}+\dfrac{9\sqrt{2}}{4}\ln\left(\sqrt{2}x+\sqrt{2x^2+9}\right)+C.\ (39)$

5. $\displaystyle\int\sqrt{3x^2-2}\,dx=\dfrac{1}{\sqrt{3}}\int\sqrt{(\sqrt{3}x)^2-(\sqrt{2})^2}\,d(\sqrt{3}x)$

$\qquad=\dfrac{1}{\sqrt{3}}\left[\dfrac{\sqrt{3}x}{2}\sqrt{(\sqrt{3}x)^2-(\sqrt{2})^2}-\dfrac{(\sqrt{2})^2}{2}\ln\left|\sqrt{3}x+\sqrt{(\sqrt{3}x)^2-(\sqrt{2})^2}\right|\right]+C$

$\qquad=\dfrac{x}{2}\sqrt{3x^2-2}-\dfrac{\sqrt{3}}{3}\ln\left|\sqrt{3}x+\sqrt{3x^2-2}\right|+C.\ (53)$

6. $\displaystyle\int e^{2x}\cos x\,dx=\dfrac{1}{2^2+1^2}e^{2x}(\sin x+2\cos x)+C$

$\qquad\qquad=\dfrac{1}{5}e^{2x}(\sin x+2\cos x)+C.\ (129)$

7. $\displaystyle\int x\arcsin\dfrac{x}{2}\,dx=\left(\dfrac{x^2}{2}-\dfrac{2^2}{4}\right)\arcsin\dfrac{x}{2}+\dfrac{x}{4}\sqrt{2^2-x^2}+C$

$$= \left(\frac{x^2}{2} - 1\right) \arcsin \frac{x}{2} + \frac{x}{4}\sqrt{4-x^2} + C. \ (114)$$

8. $\displaystyle \int \frac{\mathrm{d}x}{(x^2+9)^2} = \int \frac{\mathrm{d}x}{(x^2+3^2)^2}$

$$= \frac{x}{2(2-1)3^2(x^2+3^2)} + \frac{2\times 2 - 3}{2(2-1)3^2}\int \frac{\mathrm{d}x}{x^2+3^2}$$

$$= \frac{x}{18(x^2+9)} + \frac{1}{18}\cdot\frac{1}{3}\arctan\frac{x}{3} + C$$

$$= \frac{x}{18(x^2+9)} + \frac{1}{54}\arctan\frac{x}{3} + C. \ (20,19)$$

9. $\displaystyle \int \frac{\mathrm{d}x}{\sin^3 x} = -\frac{1}{2}\cdot\frac{\cos x}{\sin^2 x} + \frac{1}{2}\int \frac{\mathrm{d}x}{\sin x}$

$$= -\frac{\cos x}{2\sin^2 x} + \frac{1}{2}\ln\left|\tan\frac{x}{2}\right| + C. \ (97,88)$$

10. $\displaystyle \int e^{-2x}\sin 3x\mathrm{d}x = \frac{1}{(-2)^2+3^2}e^{-2x}(-2\sin 3x - 3\cos 3x) + C$

$$= -\frac{e^{-2x}}{13}(2\sin 3x + 3\cos 3x) + C. \ (128)$$

11. $\displaystyle \int \sin 3x\sin 5x\mathrm{d}x = -\frac{1}{2(3+5)}\sin(3+5)x + \frac{1}{2(3-5)}\sin(3-5)x + C$

$$= -\frac{1}{16}\sin 8x + \frac{1}{4}\sin 2x + C. \ (101)$$

12. $\displaystyle \int \ln^3 x\mathrm{d}x = x(\ln x)^3 - 3\int \ln^2 x\mathrm{d}x$

$$= x(\ln x)^3 - 3\left[x(\ln x)^2 - 2\int \ln x\mathrm{d}x\right]$$

$$= x(\ln x)^3 - 3x(\ln x)^2 + 6\int \ln x\mathrm{d}x$$

$$= x(\ln x)^3 - 3x(\ln x)^2 + 6(x\ln x - x) + C$$

$$= x\ln^3 x - 3x\ln^2 x + 6x\ln x - 6x + C. \ (135,132)$$

13. $\displaystyle \int \frac{1}{x^2(1-x)}\mathrm{d}x = -\frac{1}{x} - \ln\left|\frac{1-x}{x}\right| + C. \ (6)$

14. $\displaystyle \int \frac{\sqrt{x-1}}{x}\mathrm{d}x = 2\sqrt{x-1} - \int \frac{1}{x\sqrt{x-1}}\mathrm{d}x$

$$= 2\sqrt{x-1} - 2\arctan\sqrt{x-1} + C. \ (17,15)$$

15. $\displaystyle \int \frac{1}{(1+x^2)^2}\mathrm{d}x = \frac{x}{2(1+x^2)} + \frac{1}{2}\int \frac{1}{1+x^2}\mathrm{d}x$

$$= \frac{x}{2(1+x^2)} + \frac{1}{2}\arctan x + C. \ (20,19)$$

16. $\int \dfrac{1}{x\sqrt{x^2-1}}\mathrm{d}x = \arccos\dfrac{1}{|x|} + C.$ (51)

17. $\int \dfrac{x}{(2+3x)^2}\mathrm{d}x = \dfrac{1}{9}\Big(\ln|2+3x|+\dfrac{2}{2+3x}\Big)+C.$ (7)

18. $\int\cos^6 x\mathrm{d}x = \dfrac{1}{6}\cos^5 x\sin x + \dfrac{5}{6}\int\cos^4 x\mathrm{d}x$

$= \dfrac{1}{6}\cos^5 x\sin x + \dfrac{5}{6}\Big(\dfrac{1}{4}\cos^3 x\sin x + \dfrac{3}{4}\int\cos^2 x\mathrm{d}x\Big)$

$= \dfrac{1}{6}\cos^5 x\sin x + \dfrac{5}{24}\cos^3 x\sin x + \dfrac{5}{8}\int\cos^2 x\mathrm{d}x$

$= \dfrac{1}{6}\cos^5 x\sin x + \dfrac{5}{24}\cos^3 x\sin x + \dfrac{5}{8}\Big(\dfrac{1}{2}\cos x\sin x + \dfrac{1}{2}\int\mathrm{d}x\Big)$

$= \dfrac{1}{6}\cos^5 x\sin x + \dfrac{5}{24}\cos^3 x\sin x + \dfrac{5}{16}\cos x\sin x + \dfrac{5}{16}x + C.$ (96)

19. $\int x^2\sqrt{x^2-2}\mathrm{d}x = \dfrac{x}{8}(2x^2-2)\sqrt{x^2-2} - \dfrac{4}{8}\ln\big|x+\sqrt{x^2-2}\big|+C$

$= \dfrac{x}{4}(x^2-1)\sqrt{x^2-2} - \dfrac{1}{2}\ln\big|x+\sqrt{x^2-2}\big|+C.$ (56)

20. $\int\dfrac{1}{2+5\cos x}\mathrm{d}x = \dfrac{1}{7}\sqrt{\dfrac{7}{3}}\ln\left|\dfrac{\tan\dfrac{x}{2}+\sqrt{\dfrac{7}{3}}}{\tan\dfrac{x}{2}-\sqrt{\dfrac{7}{3}}}\right|+C$

$= \dfrac{1}{\sqrt{21}}\ln\left|\dfrac{\sqrt{3}\tan\dfrac{x}{2}+\sqrt{7}}{\sqrt{3}\tan\dfrac{x}{2}-\sqrt{7}}\right|+C.$ (106)

21. $\int\dfrac{\mathrm{d}x}{x^2\sqrt{2x-1}} = -\dfrac{\sqrt{2x-1}}{-x} - \dfrac{2}{-2}\int\dfrac{\mathrm{d}x}{x\sqrt{2x-1}}$

$= \dfrac{\sqrt{2x-1}}{x} + 2\arctan\sqrt{2x-1}+C.$ (16,15)

22. **方法一**

$\int\sqrt{\dfrac{1-x}{1+x}}\mathrm{d}x = \int\dfrac{1-x}{\sqrt{1-x^2}}\mathrm{d}x = \int\dfrac{1}{\sqrt{1-x^2}}\mathrm{d}x - \int\dfrac{x}{\sqrt{1-x^2}}\mathrm{d}x$

$= \arcsin x + \sqrt{1-x^2}+C.$ (59,61)

方法二

$\int\sqrt{\dfrac{1-x}{1+x}}\mathrm{d}x = (x+1)\sqrt{\dfrac{1-x}{1+x}} - 2\arcsin\sqrt{\dfrac{1-x}{2}}+C$

$$= \sqrt{1-x^2} - 2\arcsin\sqrt{\frac{1-x}{2}} + C. \ (80)$$

23. $\displaystyle\int \frac{x+5}{x^2-2x-1}dx = \int \frac{x}{x^2-2x-1}dx + 5\int \frac{1}{x^2-2x-1}dx$

$\displaystyle = \frac{1}{2}\ln|x^2-2x-1| - \frac{-2}{2}\int \frac{1}{x^2-2x-1}dx + 5\int \frac{1}{x^2-2x-1}dx$

$\displaystyle = \frac{1}{2}\ln|x^2-2x-1| + 6\cdot\frac{1}{\sqrt{(-2)^2-4\cdot1\cdot(-1)}}\cdot$

$\displaystyle \ln\left|\frac{2x-2-\sqrt{(-2)^2-4\cdot1\cdot(-1)}}{2x-2+\sqrt{(-2)^2-4\cdot1\cdot(-1)}}\right| + C$

$\displaystyle = \frac{1}{2}\ln|x^2-2x-1| + \frac{3}{\sqrt{2}}\ln\left|\frac{x-(\sqrt{2}+1)}{x+(\sqrt{2}-1)}\right| + C. \ (30,29)$

24. $\displaystyle\int \frac{x\,dx}{\sqrt{1+x-x^2}} = -\sqrt{1+x-x^2} + \frac{1}{2}\arcsin\frac{2x-1}{\sqrt{5}} + C. \ (78)$

25. $\displaystyle\int \frac{x^4}{25+4x^2}dx = \int\left(\frac{1}{4}x^2 - \frac{25}{16} + \frac{625}{16}\cdot\frac{1}{25+4x^2}\right)dx$

$\displaystyle = \frac{x^3}{12} - \frac{25}{16}x + \frac{625}{32}\int \frac{1}{5^2+(2x)^2}d(2x)$

$\displaystyle = \frac{x^3}{12} - \frac{25}{16}x + \frac{625}{32}\cdot\frac{1}{5}\arctan\frac{2x}{5} + C$

$\displaystyle = \frac{x^3}{12} - \frac{25}{16}x + \frac{125}{32}\arctan\frac{2x}{5} + C. \ (19)$

总习题四

求下列不定积分(其中 a,b 为常数):

1. $\displaystyle\int \frac{dx}{e^x - e^{-x}}.$ 2. $\displaystyle\int \frac{x}{(1-x)^3}dx.$

3. $\displaystyle\int \frac{x^2}{a^6 - x^6}dx \ (a>0).$ 4. $\displaystyle\int \frac{1+\cos x}{x+\sin x}dx.$

5. $\displaystyle\int \frac{\ln\ln x}{x}dx.$ 6. $\displaystyle\int \frac{\sin x\cos x}{1+\sin^4 x}dx.$

7. $\displaystyle\int \tan^4 x\,dx.$ 8. $\displaystyle\int \sin x\sin 2x\sin 3x\,dx.$

9. $\displaystyle\int \frac{dx}{x(x^6+4)}.$ 10. $\displaystyle\int \sqrt{\frac{a+x}{a-x}}dx \ (a>0).$

11. $\displaystyle\int \frac{dx}{\sqrt{x(1+x)}}.$ 12. $\displaystyle\int x\cos^2 x\,dx.$

13. $\int e^{ax} \cos bx \, dx$.

14. $\int \dfrac{dx}{\sqrt{1+e^x}}$.

15. $\int \dfrac{dx}{x^2 \sqrt{x^2-1}}$.

16. $\int \dfrac{dx}{(a^2-x^2)^{5/2}}$.

17. $\int \dfrac{dx}{x^4 \sqrt{1+x^2}}$.

18. $\int \sqrt{x} \sin \sqrt{x} \, dx$.

19. $\int \ln(1+x^2) \, dx$.

20. $\int \dfrac{\sin^2 x}{\cos^3 x} \, dx$.

21. $\int \arctan \sqrt{x} \, dx$.

22. $\int \dfrac{\sqrt{1+\cos x}}{\sin x} \, dx$.

23. $\int \dfrac{x^3}{(1+x^8)^2} \, dx$.

24. $\int \dfrac{x^{11}}{x^8+3x^4+2} \, dx$.

25. $\int \dfrac{dx}{16-x^4}$.

26. $\int \dfrac{\sin x}{1+\sin x} \, dx$.

27. $\int \dfrac{x+\sin x}{1+\cos x} \, dx$.

28. $\int e^{\sin x} \dfrac{x\cos^3 x - \sin x}{\cos^2 x} \, dx$.

29. $\int \dfrac{\sqrt[3]{x}}{x(\sqrt{x}+\sqrt[3]{x})} \, dx$.

30. $\int \dfrac{dx}{(1+e^x)^2}$.

31. $\int \dfrac{e^{3x}+e^x}{e^{4x}-e^{2x}+1} \, dx$.

32. $\int \dfrac{xe^x}{(e^x+1)^2} \, dx$.

33. $\int \ln^2(x+\sqrt{1+x^2}) \, dx$.

34. $\int \dfrac{\ln x}{(1+x^2)^{\frac{3}{2}}} \, dx$.

35. $\int \sqrt{1-x^2} \arcsin x \, dx$.

36. $\int \dfrac{x^3 \arccos x}{\sqrt{1-x^2}} \, dx$.

37. $\int \dfrac{\cot x}{1+\sin x} \, dx$.

38. $\int \dfrac{dx}{\sin^3 x \cos x}$.

39. $\int \dfrac{dx}{(2+\cos x)\sin x}$.

40. $\int \dfrac{\sin x \cos x}{\sin x + \cos x} \, dx$.

解 1. $\displaystyle\int \dfrac{dx}{e^x-e^{-x}} = \int \dfrac{e^x \, dx}{e^{2x}-1} = \dfrac{1}{2}\int \left(\dfrac{1}{e^x-1}-\dfrac{1}{e^x+1}\right) d(e^x)$

$$= \dfrac{1}{2}\ln\dfrac{|e^x-1|}{e^x+1}+C.$$

2. $\displaystyle\int \dfrac{x}{(1-x)^3} \, dx \xrightarrow{u=1-x} \int \left(\dfrac{1}{u^2}-\dfrac{1}{u^3}\right) du = -\dfrac{1}{u}+\dfrac{1}{2u^2}+C$

$$= -\dfrac{1}{1-x}+\dfrac{1}{2(1-x)^2}+C.$$

3. $\displaystyle\int \dfrac{x^2}{a^6-x^6} \, dx = \int \dfrac{d(x^3)}{3(a^6-x^6)} \xrightarrow{u=x^3} \int \dfrac{du}{3(a^6-u^2)}$

$$= \frac{1}{6a^3}\int\left(\frac{1}{a^3+u}+\frac{1}{a^3-u}\right)\mathrm{d}u$$

$$= \frac{1}{6a^3}\ln\left|\frac{a^3+u}{a^3-u}\right|+C = \frac{1}{6a^3}\ln\left|\frac{a^3+x^3}{a^3-x^3}\right|+C.$$

4. $\displaystyle\int\frac{1+\cos x}{x+\sin x}\mathrm{d}x = \int\frac{\mathrm{d}(x+\sin x)}{x+\sin x} = \ln|x+\sin x|+C.$

5. $\displaystyle\int\frac{\ln\ln x}{x}\mathrm{d}x = \int\ln\ln x\,\mathrm{d}(\ln x) = \ln x\ln\ln x - \int\ln x\cdot\frac{1}{x\ln x}\mathrm{d}x$

$$= \ln x(\ln\ln x - 1)+C.$$

6. $\displaystyle\int\frac{\sin x\cos x}{1+\sin^4 x}\mathrm{d}x = \frac{1}{2}\int\frac{\mathrm{d}(\sin^2 x)}{1+\sin^4 x} = \frac{\arctan(\sin^2 x)}{2}+C.$

7. $\displaystyle\int\tan^4 x\,\mathrm{d}x = \int\tan^2 x(\sec^2 x - 1)\mathrm{d}x$

$$= \int\tan^2 x\,\mathrm{d}(\tan x) - \int(\sec^2 x - 1)\mathrm{d}x$$

$$= \frac{1}{3}\tan^3 x - \tan x + x + C.$$

8. $\displaystyle\int\sin x\sin 2x\sin 3x\,\mathrm{d}x = \int\frac{1}{2}(\cos x - \cos 3x)\sin 3x\,\mathrm{d}x$

$$= \frac{1}{2}\int\cos x\sin 3x\,\mathrm{d}x - \frac{1}{2}\int\cos 3x\sin 3x\,\mathrm{d}x$$

$$= \frac{1}{4}\int(\sin 2x + \sin 4x)\mathrm{d}x - \frac{1}{12}\sin^2 3x$$

$$= -\frac{1}{16}\cos 4x - \frac{1}{8}\cos 2x - \frac{1}{12}\sin^2 3x + C.$$

9. $\displaystyle\int\frac{\mathrm{d}x}{x(x^6+4)} \xlongequal{x=\frac{1}{u}} \int\frac{-u^5\,\mathrm{d}u}{1+4u^6} = -\frac{1}{24}\int\frac{\mathrm{d}(1+4u^6)}{1+4u^6}$

$$= -\frac{1}{24}\ln(1+4u^6)+C = -\frac{1}{24}\ln\frac{x^6+4}{x^6}+C$$

$$= \frac{1}{4}\ln|x| - \frac{1}{24}\ln(x^6+4)+C.$$

10. **方法一**

$$\int\sqrt{\frac{a+x}{a-x}}\mathrm{d}x = \int\frac{a+x}{\sqrt{a^2-x^2}}\mathrm{d}x = a\int\frac{1}{\sqrt{1-\left(\frac{x}{a}\right)^2}}\mathrm{d}\left(\frac{x}{a}\right) - \frac{1}{2}\int\frac{\mathrm{d}(a^2-x^2)}{\sqrt{a^2-x^2}}$$

$$= a\arcsin\frac{x}{a} - \sqrt{a^2-x^2}+C.$$

方法二 令 $u = \sqrt{\dfrac{a+x}{a-x}}$，即 $x = a\dfrac{u^2-1}{u^2+1}$，则

$$\int \sqrt{\frac{a+x}{a-x}} \mathrm{d}x = \int u \cdot \frac{4au}{(1+u^2)^2} \mathrm{d}u = \int -2au \mathrm{d}\left(\frac{1}{1+u^2}\right)$$

$$= -\frac{2au}{1+u^2} + \int \frac{2a}{1+u^2} \mathrm{d}u$$

$$= -\frac{2au}{1+u^2} + 2a \arctan u + C$$

$$= (x-a)\sqrt{\frac{a+x}{a-x}} + 2a \arctan \sqrt{\frac{a+x}{a-x}} + C$$

$$= -\sqrt{a^2 - x^2} + 2a \arctan \sqrt{\frac{a+x}{a-x}} + C.$$

11. 方法一

$$\int \frac{\mathrm{d}x}{\sqrt{x(1+x)}} = \int \frac{\mathrm{d}x}{\sqrt{\left(x+\frac{1}{2}\right)^2 - \left(\frac{1}{2}\right)^2}}$$

$$\xlongequal{x=-\frac{1}{2}+\frac{1}{2}\sec u} \int \sec u \mathrm{d}u = \ln|\sec u + \tan u| + C$$

$$= \ln\left|2x+1+2\sqrt{x(1+x)}\right| + C.$$

方法二　当 $x > 0$ 时,因为 $\dfrac{1}{\sqrt{x(1+x)}} = \dfrac{1}{x}\sqrt{\dfrac{x}{1+x}}$,故令 $u = \sqrt{\dfrac{x}{1+x}}$,即

$x = \dfrac{u^2}{1-u^2}$,则

$$\int \frac{\mathrm{d}x}{\sqrt{x(1+x)}} = \int \frac{2}{1-u^2} \mathrm{d}u = \int \left(\frac{1}{1-u} + \frac{1}{1+u}\right) \mathrm{d}u$$

$$= \ln\left|\frac{1+u}{1-u}\right| + C = \ln\left|\frac{\sqrt{1+x} + \sqrt{x}}{\sqrt{1+x} - \sqrt{x}}\right| + C$$

$$= \ln\left|2x+1+2\sqrt{x(1+x)}\right| + C,$$

当 $x < -1$ 时,同样可得 $\displaystyle\int \frac{\mathrm{d}x}{\sqrt{x(1+x)}} = \ln\left|2x+1+2\sqrt{x(1+x)}\right| + C.$

12. $\displaystyle\int x\cos^2 x \mathrm{d}x = \frac{1}{2}\int x(1+\cos 2x) \mathrm{d}x = \frac{1}{4}\int x \mathrm{d}(2x+\sin 2x)$

$$= \frac{x(2x+\sin 2x)}{4} - \frac{1}{4}\int (2x+\sin 2x) \mathrm{d}x$$

$$= \frac{x^2}{4} + \frac{x\sin 2x}{4} + \frac{\cos 2x}{8} + C.$$

13. 当 $a \neq 0$ 时,

$$\int e^{ax}\cos bx \mathrm{d}x = \frac{1}{a}\int \cos bx \mathrm{d}(e^{ax})$$

$$= \frac{1}{a}e^{ax}\cos bx + \frac{b}{a}\int e^{ax}\sin bx\,dx$$

$$= \frac{1}{a}e^{ax}\cos bx + \frac{b}{a^2}\int \sin bx\,d(e^{ax})$$

$$= \frac{1}{a}e^{ax}\cos bx + \frac{b}{a^2}e^{ax}\sin bx - \frac{b^2}{a^2}\int e^{ax}\cos bx\,dx.$$

因此有

$$\int e^{ax}\cos bx\,dx = \frac{1}{a^2+b^2}e^{ax}(a\cos bx + b\sin bx) + C,$$

当 $a=0$ 时，
$$\int e^{ax}\cos bx\,dx = \begin{cases} \dfrac{\sin bx}{b}+C, & b\neq 0\ \text{时}, \\ x+C, & b=0\ \text{时}. \end{cases}$$

14. 令 $u=\sqrt{1+e^x}$，即作换元 $x=\ln(u^2-1)$，得

$$\int \frac{dx}{\sqrt{1+e^x}} = \int \frac{2du}{u^2-1} = \ln\left|\frac{u-1}{u+1}\right| + C = \ln\frac{\sqrt{1+e^x}-1}{\sqrt{1+e^x}+1} + C.$$

15. $\displaystyle\int \frac{dx}{x^2\sqrt{x^2-1}} \xlongequal{x=\frac{1}{u}} -\int \frac{u\,du}{\sqrt{1-u^2}} = \sqrt{1-u^2}+C = \frac{\sqrt{x^2-1}}{x}+C,$

易知当 $x<0$ 和 $x>0$ 时的结果相同.

16. 设 $x=a\sin u\left(-\dfrac{\pi}{2}<u<\dfrac{\pi}{2}\right)$，则 $\sqrt{a^2-x^2}=a\cos u, dx=a\cos u\,du$，于是

$$\int \frac{dx}{(a^2-x^2)^{5/2}} = \frac{1}{a^4}\int \sec^4 u\,du = \frac{1}{a^4}\int (\tan^2 u+1)d(\tan u)$$

$$= \frac{\tan^3 u}{3a^4} + \frac{\tan u}{a^4} + C$$

$$= \frac{1}{3a^4}\left[\frac{x^3}{\sqrt{(a^2-x^2)^3}} + \frac{3x}{\sqrt{a^2-x^2}}\right] + C.$$

17. $\displaystyle\int \frac{dx}{x^4\sqrt{1+x^2}} \xlongequal{x=\frac{1}{u}} \int \frac{-u^3\,du}{\sqrt{1+u^2}} = -\int\left(u\sqrt{1+u^2} - \frac{u}{\sqrt{1+u^2}}\right)du$

$$= -\frac{1}{3}(1+u^2)^{\frac{3}{2}} + \sqrt{1+u^2} + C$$

$$= -\frac{1}{3}\frac{\sqrt{(1+x^2)^3}}{x^3} + \frac{\sqrt{1+x^2}}{x} + C,$$

易知当 $x<0$ 和 $x>0$ 时结果相同.

18. $\displaystyle\int \sqrt{x}\sin\sqrt{x}\,dx \xlongequal{x=u^2} \int 2u^2\sin u\,du = -\int 2u^2\,d(\cos u)$

$$=-2u^2\cos u+\int 4u\cos u\,du$$

$$=-2u^2\cos u+\int 4u\,d(\sin u)$$

$$=-2u^2\cos u+4u\sin u-\int 4\sin u\,du$$

$$=-2u^2\cos u+4u\sin u+4\cos u+C$$

$$=-2x\cos\sqrt{x}+4\sqrt{x}\sin\sqrt{x}+4\cos\sqrt{x}+C.$$

19. $\displaystyle\int\ln(1+x^2)\,dx=x\ln(1+x^2)-\int\frac{2x^2}{1+x^2}\,dx$

$$=x\ln(1+x^2)-2x+2\arctan x+C.$$

20. $\displaystyle\int\frac{\sin^2 x}{\cos^3 x}\,dx=\int\tan^2 x\sec x\,dx=\int\sec^3 x\,dx-\int\sec x\,dx$

$$=\left(\frac{1}{2}\sec x\tan x+\frac{1}{2}\int\sec x\,dx\right)-\int\sec x\,dx$$

$$=\frac{1}{2}\sec x\tan x-\frac{1}{2}\int\sec x\,dx$$

$$=\frac{1}{2}\sec x\tan x-\frac{1}{2}\ln|\sec x+\tan x|+C.$$

21. $\displaystyle\int\arctan\sqrt{x}\,dx=\int\arctan\sqrt{x}\,d(1+x)=(1+x)\arctan\sqrt{x}-\int\frac{1}{2\sqrt{x}}\,dx$

$$=(1+x)\arctan\sqrt{x}-\sqrt{x}+C.$$

22. $\displaystyle\int\frac{\sqrt{1+\cos x}}{\sin x}\,dx=\int\frac{\sqrt{2}\left|\cos\dfrac{x}{2}\right|}{2\sin\dfrac{x}{2}\cos\dfrac{x}{2}}\,dx=\pm\sqrt{2}\int\csc\frac{x}{2}\,d\left(\frac{x}{2}\right)$

$$=\pm\sqrt{2}\ln\left|\csc\frac{x}{2}-\cot\frac{x}{2}\right|+C,$$

上式当 $\cos\dfrac{x}{2}>0$ 时取正,当 $\cos\dfrac{x}{2}<0$ 时取负.

当 $\cos\dfrac{x}{2}>0$ 时,$\ln\left|\csc\dfrac{x}{2}-\cot\dfrac{x}{2}\right|=\ln\dfrac{1-\cos\dfrac{x}{2}}{\left|\sin\dfrac{x}{2}\right|}$

$$=\ln\left(\left|\csc\frac{x}{2}\right|-\left|\cot\frac{x}{2}\right|\right),$$

当 $\cos\dfrac{x}{2}<0$ 时,$\ln\left|\csc\dfrac{x}{2}-\cot\dfrac{x}{2}\right|=\ln\dfrac{1-\cos\dfrac{x}{2}}{\left|\sin\dfrac{x}{2}\right|}$

$$= \ln\left(\left|\csc\frac{x}{2}\right| + \left|\cot\frac{x}{2}\right|\right) = -\ln\left(\left|\csc\frac{x}{2}\right| - \left|\cot\frac{x}{2}\right|\right),$$

因此有 $\displaystyle\int\frac{\sqrt{1+\cos x}}{\sin x}\mathrm{d}x = \sqrt{2}\ln\left(\left|\csc\frac{x}{2}\right| - \left|\cot\frac{x}{2}\right|\right) + C.$

23. $\displaystyle\int\frac{x^3}{(1+x^8)^2}\mathrm{d}x = \frac{1}{4}\int\frac{1}{(1+x^8)^2}\mathrm{d}(x^4) \xrightarrow{u=x^4} \frac{1}{4}\int\frac{1}{(1+u^2)^2}\mathrm{d}u,$

设 $u = \tan t\left(-\dfrac{\pi}{2} < t < \dfrac{\pi}{2}\right)$, 则 $1+u^2 = \sec^2 t, \mathrm{d}u = \sec^2 t\mathrm{d}t$, 于是

$$原式 = \frac{1}{4}\int\cos^2 t\mathrm{d}t = \frac{2t+\sin 2t}{16} + C$$

$$= \frac{\arctan x^4}{8} + \frac{x^4}{8(1+x^8)} + C.$$

24. $\displaystyle\int\frac{x^{11}}{x^8+3x^4+2}\mathrm{d}x \xrightarrow{u=x^4} \frac{1}{4}\int\frac{u^2}{u^2+3u+2}\mathrm{d}u$

$$= \frac{1}{4}\int\left(1 + \frac{1}{u+1} - \frac{4}{u+2}\right)\mathrm{d}u$$

$$= \frac{1}{4}u + \frac{1}{4}\ln|1+u| - \ln|2+u| + C$$

$$= \frac{x^4}{4} + \ln\frac{\sqrt[4]{1+x^4}}{2+x^4} + C.$$

25. $\displaystyle\int\frac{\mathrm{d}x}{16-x^4} = \int\frac{1}{(2-x)(2+x)(4+x^2)}\mathrm{d}x$

$$= \int\left[\frac{1}{32(2-x)} + \frac{1}{32(2+x)} + \frac{1}{8(4+x^2)}\right]\mathrm{d}x$$

$$= \frac{1}{32}\ln\left|\frac{2+x}{2-x}\right| + \frac{1}{16}\arctan\frac{x}{2} + C.$$

26. **方法一**　令 $u = \tan\dfrac{x}{2}$, 得

$$\int\frac{\sin x}{1+\sin x}\mathrm{d}x = \int\frac{4u}{(1+u)^2(1+u^2)}\mathrm{d}u = \int\left[\frac{-2}{(1+u)^2} + \frac{2}{1+u^2}\right]\mathrm{d}u$$

$$= \frac{2}{1+u} + 2\arctan u + C = \frac{2}{1+\tan\dfrac{x}{2}} + x + C.$$

方法二　$\displaystyle\int\frac{\sin x}{1+\sin x}\mathrm{d}x = \int\frac{\sin x(1-\sin x)}{\cos^2 x}\mathrm{d}x$

$$= -\int\frac{1}{\cos^2 x}\mathrm{d}(\cos x) - \int(\sec^2 x - 1)\mathrm{d}x$$

$$= \sec x - \tan x + x + C.$$

27. $\displaystyle\int\frac{x+\sin x}{1+\cos x}\mathrm{d}x = \int\frac{x}{2}\sec^2\frac{x}{2}\mathrm{d}x + \int\tan\frac{x}{2}\mathrm{d}x$

$$= \int x \mathrm{d}\left(\tan \frac{x}{2}\right) + \int \tan \frac{x}{2} \mathrm{d}x$$

$$= x \tan \frac{x}{2} + C.$$

28. $\displaystyle\int e^{\sin x} \frac{x \cos^3 x - \sin x}{\cos^2 x} \mathrm{d}x = \int x e^{\sin x} \cos x \mathrm{d}x - \int e^{\sin x} \tan x \sec x \mathrm{d}x$

$$= \int x \mathrm{d}(e^{\sin x}) - \int e^{\sin x} \mathrm{d}(\sec x)$$

$$= x e^{\sin x} - \int e^{\sin x} \mathrm{d}x - (\sec x e^{\sin x} - \int e^{\sin x} \mathrm{d}x)$$

$$= (x - \sec x) e^{\sin x} + C.$$

29. $\displaystyle\int \frac{\sqrt[3]{x}}{x(\sqrt{x} + \sqrt[3]{x})} \mathrm{d}x \xrightarrow{x = u^6} \int \frac{6}{u(u+1)} \mathrm{d}u = 6\int \left(\frac{1}{u} - \frac{1}{u+1}\right) \mathrm{d}u$

$$= 6\ln\left|\frac{u}{1+u}\right| + C = \ln \frac{x}{(\sqrt[6]{x} + 1)^6} + C.$$

30. $\displaystyle\int \frac{\mathrm{d}x}{(1 + e^x)^2} \xrightarrow{x = \ln u} \int \frac{\mathrm{d}u}{u(1+u)^2} = \int \left[\frac{1}{u} - \frac{1}{1+u} - \frac{1}{(1+u)^2}\right] \mathrm{d}u$

$$= \ln u - \ln(1+u) + \frac{1}{1+u} + C$$

$$= x - \ln(1 + e^x) + \frac{1}{1 + e^x} + C.$$

31. $\displaystyle\int \frac{e^{3x} + e^x}{e^{4x} - e^{2x} + 1} \mathrm{d}x = \int \frac{e^x + e^{-x}}{e^{2x} - 1 + e^{-2x}} \mathrm{d}x = \int \frac{\mathrm{d}(e^x - e^{-x})}{(e^x - e^{-x})^2 + 1}$

$$= \arctan(e^x - e^{-x}) + C.$$

32. $\displaystyle\int \frac{x e^x}{(e^x + 1)^2} \mathrm{d}x = -\int x \mathrm{d}\left(\frac{1}{e^x + 1}\right) = -\frac{x}{e^x + 1} + \int \frac{\mathrm{d}x}{e^x + 1}$

$$= -\frac{x}{e^x + 1} + \int \frac{e^{-x} \mathrm{d}x}{1 + e^{-x}}$$

$$= -\frac{x}{e^x + 1} - \ln(1 + e^{-x}) + C.$$

33. $\displaystyle\int \ln^2(x + \sqrt{1 + x^2}) \mathrm{d}x = x\ln^2(x + \sqrt{1 + x^2}) - \int \frac{2x\ln(x + \sqrt{1 + x^2})}{\sqrt{1 + x^2}} \mathrm{d}x$

$$= x\ln^2(x + \sqrt{1 + x^2}) - \int 2\ln(x + \sqrt{1 + x^2}) \mathrm{d}(\sqrt{1 + x^2})$$

$$= x\ln^2(x + \sqrt{1 + x^2}) - 2\sqrt{1 + x^2}\ln(x + \sqrt{1 + x^2}) + 2x + C.$$

34. $\displaystyle\int \frac{\ln x}{(1 + x^2)^{\frac{3}{2}}} \mathrm{d}x \xrightarrow{x = \frac{1}{u}} \int \frac{u\ln u}{(1 + u^2)^{\frac{3}{2}}} \mathrm{d}u = -\int \ln u \mathrm{d}((1 + u^2)^{-\frac{1}{2}})$

$$=-\frac{\ln u}{\sqrt{1+u^2}}+\int\frac{\mathrm{d}u}{u\sqrt{1+u^2}}$$

$$=\frac{x\ln x}{\sqrt{1+x^2}}-\int\frac{\mathrm{d}x}{\sqrt{1+x^2}}$$

$$=\frac{x\ln x}{\sqrt{1+x^2}}-\ln(x+\sqrt{1+x^2})+C.$$

35. 设 $x=\sin u\left(-\dfrac{\pi}{2}<u<\dfrac{\pi}{2}\right)$，则 $\sqrt{1-x^2}=\cos u,\mathrm{d}x=\cos u\mathrm{d}u$，于是

$$\int\sqrt{1-x^2}\arcsin x\mathrm{d}x=\int u\cos^2 u\mathrm{d}u=\frac{1}{2}\int u(1+\cos 2u)\mathrm{d}u$$

$$=\frac{1}{4}\int u\mathrm{d}(2u+\sin 2u)$$

$$=\frac{u(2u+\sin 2u)}{4}-\frac{1}{4}\int(2u+\sin 2u)\mathrm{d}u$$

$$=\frac{u^2}{4}+\frac{u}{4}\sin 2u-\frac{\sin^2 u}{4}+C$$

$$=\frac{(\arcsin x)^2}{4}+\frac{x}{2}\sqrt{1-x^2}\arcsin x-\frac{x^2}{4}+C.$$

36. 设 $x=\cos u(0<u<\pi)$，则 $\sqrt{1-x^2}=\sin u,\mathrm{d}x=-\sin u\mathrm{d}u$，于是

$$\int\frac{x^3\arccos x}{\sqrt{1-x^2}}\mathrm{d}x=-\int u\cos^3 u\mathrm{d}u=-\int u\mathrm{d}\left(\sin u-\frac{1}{3}\sin^3 u\right)$$

$$=-u\left(\sin u-\frac{1}{3}\sin^3 u\right)+\int\left(\sin u-\frac{1}{3}\sin^3 u\right)\mathrm{d}u$$

$$=-u\left(\sin u-\frac{1}{3}\sin^3 u\right)-\frac{1}{3}\int(2+\cos^2 u)\mathrm{d}(\cos u)$$

$$=-u\left(\sin u-\frac{1}{3}\sin^3 u\right)-\frac{2}{3}\cos u-\frac{1}{9}\cos^3 u+C$$

$$=-\frac{1}{3}\sqrt{1-x^2}(2+x^2)\arccos x-\frac{1}{9}x(6+x^2)+C.$$

37. $\displaystyle\int\frac{\cot x}{1+\sin x}\mathrm{d}x=\int\frac{\cos x}{\sin x(1+\sin x)}\mathrm{d}x=\int\left(\frac{1}{\sin x}-\frac{1}{1+\sin x}\right)\mathrm{d}(\sin x)$

$$=\ln\left|\frac{\sin x}{1+\sin x}\right|+C.$$

38. $\displaystyle\int\frac{\mathrm{d}x}{\sin^3 x\cos x}=-\int\cot x\sec^2 x\mathrm{d}(\cot x)\xlongequal{u=\cot x}-\int u\left(1+\frac{1}{u^2}\right)\mathrm{d}u$

$$=-\frac{u^2}{2}-\ln|u|+C=-\frac{\cot^2 x}{2}-\ln|\cot x|+C.$$

39. $\displaystyle\int\frac{\mathrm{d}x}{(2+\cos x)\sin x}=\int\frac{\mathrm{d}(\cos x)}{(2+\cos x)(\cos^2 x-1)}$

$$\xrightarrow{u=\cos x}\int\frac{\mathrm{d}u}{(2+u)(u^2-1)}$$

$$=\int\left[\frac{1}{6(u-1)}-\frac{1}{2(u+1)}+\frac{1}{3(u+2)}\right]\mathrm{d}u$$

$$=\frac{1}{6}\ln|u-1|-\frac{1}{2}\ln|u+1|+\frac{1}{3}\ln|u+2|+C$$

$$=\frac{1}{6}\ln(1-\cos x)-\frac{1}{2}\ln(1+\cos x)+\frac{1}{3}\ln(2+\cos x)+C.$$

40. 方法一

$$\int\frac{\sin x\cos x}{\sin x+\cos x}\mathrm{d}x=\int\frac{\dfrac{1}{2}(\sin x+\cos x)^2-\dfrac{1}{2}}{\sin x+\cos x}\mathrm{d}x$$

$$=\frac{1}{2}\int(\sin x+\cos x)\mathrm{d}x-\frac{1}{2}\int\frac{1}{\sin x+\cos x}\mathrm{d}x$$

$$=\frac{1}{2}(-\cos x+\sin x)-\frac{1}{2}\int\frac{1}{\sin x+\cos x}\mathrm{d}x,$$

令 $u=\tan\dfrac{x}{2}$，则 $\sin x=\dfrac{2u}{1+u^2}$，$\cos x=\dfrac{1-u^2}{1+u^2}$，$\mathrm{d}x=\dfrac{2}{1+u^2}\mathrm{d}u$，故有

$$\int\frac{1}{\sin x+\cos x}\mathrm{d}x=\int\frac{2}{2u+1-u^2}\mathrm{d}u=-\int\frac{2}{(u-1)^2-(\sqrt{2})^2}\mathrm{d}u$$

$$=-\frac{1}{\sqrt{2}}\int\frac{1}{u-1-\sqrt{2}}\mathrm{d}u+\frac{1}{\sqrt{2}}\int\frac{1}{u-1+\sqrt{2}}\mathrm{d}u$$

$$=\frac{1}{\sqrt{2}}\ln\left|\frac{u-1+\sqrt{2}}{u-1-\sqrt{2}}\right|+C',$$

因此有 $\displaystyle\int\frac{\sin x\cos x}{\sin x+\cos x}\mathrm{d}x=\frac{1}{2}(\sin x-\cos x)-\frac{1}{2\sqrt{2}}\ln\left|\frac{\tan\dfrac{x}{2}-1+\sqrt{2}}{\tan\dfrac{x}{2}-1-\sqrt{2}}\right|+C.$

方法二

$$\int\frac{\sin x\cos x}{\sin x+\cos x}\mathrm{d}x=\int\frac{\sin x\cos x}{\sqrt{2}\sin\left(x+\dfrac{\pi}{4}\right)}\mathrm{d}x\xrightarrow{u=x+\frac{\pi}{4}}\int\frac{2\sin^2u-1}{2\sqrt{2}\sin u}\mathrm{d}u$$

$$=\frac{1}{\sqrt{2}}\int\sin u\mathrm{d}u-\frac{1}{2\sqrt{2}}\int\csc u\mathrm{d}u$$

$$=-\frac{\cos\left(x+\dfrac{\pi}{4}\right)}{\sqrt{2}}-\frac{1}{2\sqrt{2}}\ln\left|\csc\left(x+\frac{\pi}{4}\right)-\cot\left(x+\frac{\pi}{4}\right)\right|+C.$$

第五章 定 积 分

定积分的概念与性质

*1. 利用定积分定义计算由抛物线 $y = x^2 + 1$，两直线 $x = a$、$x = b(b > a)$ 及 x 轴所围成的图形的面积.

解 由于函数 $f(x) = x^2 + 1$ 在区间 $[a, b]$ 上连续，因此可积，为计算方便，不妨把 $[a, b]$ 分成 n 等份，则分点为 $x_i = a + \dfrac{i(b-a)}{n}(i = 0, 1, 2, \cdots, n)$，每个小区间长度为 $\Delta x_i = \dfrac{b-a}{n}$，取 ξ_i 为小区间的右端点 x_i，则

$$\sum_{i=1}^{n} f(\xi_i) \Delta x_i$$

$$= \sum_{i=1}^{n} \left[\left(a + \frac{i(b-a)}{n} \right)^2 + 1 \right] \frac{b-a}{n}$$

$$= \frac{b-a}{n} \sum_{i=1}^{n} (a^2 + 1) + 2 \frac{a(b-a)^2}{n^2} \sum_{i=1}^{n} i + \frac{(b-a)^3}{n^3} \sum_{i=1}^{n} i^2$$

$$= (b-a)(a^2 + 1) + a(b-a)^2 \frac{(n+1)}{n} + (b-a)^3 \frac{(n+1)(2n+1)}{6n^2}.$$

当 $n \to \infty$ 时，上式极限为

$$(b-a)(a^2 + 1) + a(b-a)^2 + \frac{1}{3}(b-a)^3 = \frac{b^3 - a^3}{3} + b - a,$$

即为所求图形的面积.

*2. 利用定积分定义计算下列积分：

(1) $\displaystyle\int_a^b x \, dx (a < b)$;   (2) $\displaystyle\int_0^1 e^x \, dx$.

解 由于被积函数在积分区间上连续，因此把积分区间分成 n 等份，并取 ξ_i 为小区间的右端点，得到

$$(1) \int_a^b x \, dx = \lim_{n \to \infty} \sum_{i=1}^{n} \left[a + \frac{i(b-a)}{n} \right] \frac{b-a}{n}$$

$$= \lim_{n \to \infty} \left[a(b-a) + \frac{(b-a)^2}{n^2} \frac{n(n+1)}{2} \right]$$

$$= a(b-a) + \frac{(b-a)^2}{2} = \frac{b^2 - a^2}{2}.$$

(2) $\int_0^1 e^x dx = \lim_{n \to \infty} \sum_{i=1}^n \frac{1}{n} e^{\frac{i}{n}} = \lim_{n \to \infty} \frac{(e^{\frac{1}{n}})^{n+1} - 1}{n(e^{\frac{1}{n}} - 1)}$

$$= \frac{\lim_{n \to \infty}(e^{\frac{n+1}{n}} - 1)}{\lim_{n \to \infty} n(e^{\frac{1}{n}} - 1)} = e - 1.$$

3. 利用定积分的几何意义,证明下列等式:

(1) $\int_0^1 2x dx = 1$;   (2) $\int_0^1 \sqrt{1-x^2} dx = \frac{\pi}{4}$;

(3) $\int_{-\pi}^{\pi} \sin x dx = 0$;   (4) $\int_{-\frac{\pi}{2}}^{\frac{\pi}{2}} \cos x dx = 2 \int_0^{\frac{\pi}{2}} \cos x dx.$

证 (1) 根据定积分的几何意义,定积分 $\int_0^1 2x dx$ 表示由直线 $y = 2x$、$x = 1$ 及 x 轴围成的图形的面积,该图形是三角形,底边长为 1,高为 2,因此面积为 1,即 $\int_0^1 2x \, dx = 1.$

(2) 根据定积分的几何意义,定积分 $\int_0^1 \sqrt{1-x^2} \, dx$ 表示的是由曲线 $y = \sqrt{1-x^2}$ 以及 x 轴、y 轴围成的在第 I 象限内的图形面积,即单位圆的四分之一的图形,因此有 $\int_0^1 \sqrt{1-x^2} dx = \frac{\pi}{4}.$

(3) 由于函数 $y = \sin x$ 在区间 $[0, \pi]$ 上非负,在区间 $[-\pi, 0]$ 上非正. 根据定积分的几何意义,定积分 $\int_{-\pi}^{\pi} \sin x dx$ 表示曲线 $y = \sin x (x \in [0, \pi])$ 与 x 轴所围成的图形 D_1 的面积减去曲线 $y = \sin x (x \in [-\pi, 0])$ 与 x 轴所围成的图形 D_2 的面积,显然图形 D_1 与 D_2 的面积是相等的,因此有 $\int_{-\pi}^{\pi} \sin x dx = 0.$

(4) 由于函数 $y = \cos x$ 在区间 $\left[-\frac{\pi}{2}, \frac{\pi}{2}\right]$ 上非负. 根据定积分的几何意义,定积分 $\int_{-\frac{\pi}{2}}^{\frac{\pi}{2}} \cos x dx$ 表示曲线 $y = \cos x \left(x \in \left[0, \frac{\pi}{2}\right]\right)$ 与 x 轴和 y 轴所围成的图形 D_1 的面积加上曲线 $y = \cos x \left(x \in \left[-\frac{\pi}{2}, 0\right]\right)$ 与 x 轴和 y 轴所围成的图形 D_2 的面积,而图形 D_1 的面积和图形 D_2 的面积显然相等,因此有 $\int_{-\frac{\pi}{2}}^{\frac{\pi}{2}} \cos x dx = 2 \int_0^{\frac{\pi}{2}} \cos x dx.$

4. 利用定积分的几何意义,求下列积分:

(1) $\int_0^t x dx (t > 0)$;   (2) $\int_{-2}^4 \left(\frac{x}{2} + 3\right) dx$;

(3) $\displaystyle\int_{-1}^{2}\mid x\mid\mathrm{d}x$;　　　　(4) $\displaystyle\int_{-3}^{3}\sqrt{9-x^{2}}\mathrm{d}x$.

解　(1) 根据定积分的几何意义, $\displaystyle\int_{0}^{t}x\mathrm{d}x$ 表示的是由直线 $y=x,x=t$ 以及 x 轴所围成的直角三角形面积,该直角三角形的两条直角边的长均为 t,因此面积为 $\dfrac{t^{2}}{2}$,故有 $\displaystyle\int_{0}^{t}x\mathrm{d}x=\dfrac{t^{2}}{2}$.

(2) 根据定积分的几何意义, $\displaystyle\int_{-2}^{4}\left(\dfrac{x}{2}+3\right)\mathrm{d}x$ 表示的是由直线 $y=\dfrac{x}{2}+3,x=-2$, $x=4$ 以及 x 轴所围成的梯形的面积,该梯形的两底长分别为 $\dfrac{-2}{2}+3=2$ 和 $\dfrac{4}{2}+3=5$, 梯形的高为 $4-(-2)=6$,因此面积为 21. 故 $\displaystyle\int_{-2}^{4}\left(\dfrac{x}{2}+3\right)\mathrm{d}x=21$.

(3) 根据定积分的几何意义, $\displaystyle\int_{-1}^{2}\mid x\mid\mathrm{d}x$ 表示的是由直线 $y=\mid x\mid,x=-1$, $x=2$ 以及 x 轴所围成的图形的面积. 该图形由两个等腰直角三角形组成,分别由直线 $y=-x,x=-1$ 和 x 轴所围成,其直角边长为 1,面积为 $\dfrac{1}{2}$;由直线 $y=x$, $x=2$ 和 x 轴所围成,其直角边长为 2,面积为 2. 因此 $\displaystyle\int_{-1}^{2}\mid x\mid\mathrm{d}x=\dfrac{5}{2}$.

(4) 根据定积分的几何意义, $\displaystyle\int_{-3}^{3}\sqrt{9-x^{2}}\mathrm{d}x$ 表示的是由上半圆周 $y=\sqrt{9-x^{2}}$ 以及 x 轴所围成的半圆的面积,因此有 $\displaystyle\int_{-3}^{3}\sqrt{9-x^{2}}\mathrm{d}x=\dfrac{9}{2}\pi$.

5. 设 $a<b$,问 a,b 取什么值时,积分 $\displaystyle\int_{a}^{b}(x-x^{2})\mathrm{d}x$ 取得最大值?

解　根据定积分几何意义, $\displaystyle\int_{a}^{b}(x-x^{2})\mathrm{d}x$ 表示的是由 $y=x-x^{2},x=a$, $x=b$,以及 x 轴所围成的图形在 x 轴上方部分的面积减去 x 轴下方部分面积. 因此如果下方部分面积为 0,上方部分面积为最大时, $\displaystyle\int_{a}^{b}(x-x^{2})\mathrm{d}x$ 的值最大,即当 $a=0,b=1$ 时,积分 $\displaystyle\int_{a}^{b}(x-x^{2})\mathrm{d}x$ 取得最大值.

6. 已知 $\ln2=\displaystyle\int_{0}^{1}\dfrac{1}{1+x}\mathrm{d}x$,试用抛物线法公式(6)求出 $\ln2$ 的近似值(取 $n=10$,计算时取 4 位小数).

解　计算 y_i 并列表

i	0	1	2	3	4	5	6	7	8	9	10
x_i	0.000 0	0.100 0	0.200 0	0.300 0	0.400 0	0.500 0	0.600 0	0.700 0	0.800 0	0.900 0	1.000 0

i	0	1	2	3	4	5	6	7	8	9	10
y_i	1.000 0	0.909 1	0.833 3	0.769 2	0.714 3	0.666 7	0.625 0	0.588 2	0.555 6	0.526 3	0.500 0

按抛物线法公式(6),求得

$$s = \frac{1}{30}\left[(y_0 + y_{10}) + 2(y_2 + y_4 + y_6 + y_8) + 4(y_1 + y_3 + y_5 + y_7 + y_9)\right]$$

$$\approx 0.693\ 1.$$

7. 设 $\int_{-1}^{1} 3f(x)\mathrm{d}x = 18$,$\int_{-1}^{3} f(x)\mathrm{d}x = 4$,$\int_{-1}^{3} g(x)\mathrm{d}x = 3$. 求

(1) $\int_{-1}^{1} f(x)\mathrm{d}x$; (2) $\int_{1}^{3} f(x)\mathrm{d}x$;

(3) $\int_{3}^{-1} g(x)\mathrm{d}x$; (4) $\int_{-1}^{3} \frac{1}{5}\left[4f(x) + 3g(x)\right]\mathrm{d}x$.

解 (1) $\int_{-1}^{1} f(x)\mathrm{d}x = \frac{1}{3}\int_{-1}^{1} 3f(x)\mathrm{d}x = 6$.

(2) $\int_{1}^{3} f(x)\mathrm{d}x = \int_{-1}^{3} f(x)\mathrm{d}x - \int_{-1}^{1} f(x)\mathrm{d}x = -2$.

(3) $\int_{3}^{-1} g(x)\mathrm{d}x = -\int_{-1}^{3} g(x)\mathrm{d}x = -3$.

(4) $\int_{-1}^{3} \frac{1}{5}\left[4f(x) + 3g(x)\right]\mathrm{d}x = \frac{4}{5}\int_{-1}^{3} f(x)\mathrm{d}x + \frac{3}{5}\int_{-1}^{3} g(x)\mathrm{d}x = 5$.

8. 水利工程中要计算拦水闸门所受的水压力. 已知闸门上水的压强 p 与水深 h 存在函数关系,且有 $p = 9.8h(\mathrm{kN/m^2})$. 若闸门高 $H = 3\,\mathrm{m}$,宽 $L = 2\,\mathrm{m}$,求水面与闸门顶相齐时闸门所受的水压力 P.

解 在区间 $[0,3]$ 上插入 $n-1$ 个分点 $0 = h_0 < h_1 < \cdots < h_n = 3$,取 $\xi_i \in [h_{i-1}, h_i]$ 并记 $\Delta h_i = h_i - h_{i-1}$,得到闸门所受水压力的近似值为 $\sum_{i=1}^{n} p(\xi_i)2\Delta h_i$,根据定积分的定义可知闸门所受的水压力为

$$P = \int_{0}^{3} 2p(h)\mathrm{d}h = 19.6\int_{0}^{3} h\mathrm{d}h,$$

由于被积函数连续,而连续函数是可积的,因此积分值与积分区间的分法和 ξ_i 的取法无关. 为方便计算,对区间 $[0,3]$ 进行 n 等分,并取 ξ_i 为小区间的端点 $h_i = \frac{3i}{n}$,于是

$$\int_{0}^{3} h\mathrm{d}h = \lim_{n\to\infty} \sum_{i=1}^{n} \frac{9i}{n^2} = \lim_{n\to\infty} \frac{9(n+1)}{2n} = \frac{9}{2},$$

故 $$P = 19.6\int_{0}^{3} h\mathrm{d}h = 88.2\ (\mathrm{kN}).$$

9. 证明定积分性质:

(1) $\int_a^b kf(x)\mathrm{d}x = k\int_a^b f(x)\mathrm{d}x$ (k 是常数); (2) $\int_a^b 1 \cdot \mathrm{d}x = \int_a^b \mathrm{d}x = b - a$.

证 根据定积分的定义,在区间 $[a,b]$ 中插入 $n-1$ 个点 $a = x_0 < x_1 < x_2 < \cdots < x_n = b$,记 $\Delta x_i = x_i - x_{i-1}$,任取 $\xi_i \in [x_{i-1}, x_i]$,则

(1) $\int_a^b kf(x)\mathrm{d}x = \lim_{\lambda \to 0} \sum_{i=1}^n kf(\xi_i)\Delta x_i = k\lim_{\lambda \to 0} \sum_{i=1}^n f(\xi_i)\Delta x_i = k\int_a^b f(x)\mathrm{d}x$.

(2) $\int_a^b 1 \cdot \mathrm{d}x = \lim_{\lambda \to 0} \sum_{i=1}^n \Delta x_i = \lim_{\lambda \to 0}(b-a) = b - a$.

10. 估计下列各积分的值:

(1) $\int_1^4 (x^2 + 1)\mathrm{d}x$;   (2) $\int_{\frac{\pi}{4}}^{\frac{5}{4}\pi} (1 + \sin^2 x)\mathrm{d}x$;

(3) $\int_{\frac{1}{\sqrt{3}}}^{\sqrt{3}} x\arctan x\,\mathrm{d}x$;   (4) $\int_2^0 \mathrm{e}^{x^2 - x}\mathrm{d}x$.

解 (1) 在区间 $[1,4]$ 上,$2 \leqslant x^2 + 1 \leqslant 17$,因此有
$$6 = \int_1^4 2\mathrm{d}x \leqslant \int_1^4 (x^2 + 1)\mathrm{d}x \leqslant \int_1^4 17\mathrm{d}x = 51.$$

(2) 在区间 $\left[\frac{1}{4}\pi, \frac{5}{4}\pi\right]$ 上,$1 = 1 + 0 \leqslant 1 + \sin^2 x \leqslant 1 + 1 = 2$,因此有
$$\pi = \int_{\frac{\pi}{4}}^{\frac{5}{4}\pi} \mathrm{d}x \leqslant \int_{\frac{\pi}{4}}^{\frac{5}{4}\pi} (1 + \sin^2 x)\mathrm{d}x \leqslant \int_{\frac{\pi}{4}}^{\frac{5}{4}\pi} 2\mathrm{d}x = 2\pi.$$

(3) 在区间 $\left[\frac{1}{\sqrt{3}}, \sqrt{3}\right]$ 上,函数 $f(x) = x\arctan x$ 是单调增加的,因此

$f\left(\dfrac{1}{\sqrt{3}}\right) \leqslant f(x) \leqslant f(\sqrt{3})$,即 $\dfrac{\pi}{6\sqrt{3}} \leqslant x\arctan x \leqslant \dfrac{\pi}{\sqrt{3}}$,故有
$$\frac{\pi}{9} = \int_{\frac{1}{\sqrt{3}}}^{\sqrt{3}} \frac{\pi}{6\sqrt{3}}\mathrm{d}x \leqslant \int_{\frac{1}{\sqrt{3}}}^{\sqrt{3}} x\arctan x\,\mathrm{d}x \leqslant \int_{\frac{1}{\sqrt{3}}}^{\sqrt{3}} \frac{\pi}{\sqrt{3}}\mathrm{d}x = \frac{2}{3}\pi.$$

(4) 设 $f(x) = x^2 - x$,$x \in [0,2]$,则 $f'(x) = 2x - 1$,$f(x)$ 在 $[0,2]$ 上的最大值、最小值必为 $f(0)$,$f\left(\dfrac{1}{2}\right)$,$f(2)$ 中的最大值和最小值,即最大值和最小值分别为 $f(2) = 2$ 和 $f\left(\dfrac{1}{2}\right) = -\dfrac{1}{4}$,因此有
$$2\mathrm{e}^{-\frac{1}{4}} = \int_0^2 \mathrm{e}^{-\frac{1}{4}}\mathrm{d}x \leqslant \int_0^2 \mathrm{e}^{x^2 - x}\mathrm{d}x \leqslant \int_0^2 \mathrm{e}^2\mathrm{d}x = 2\mathrm{e}^2,$$

而 $\int_2^0 \mathrm{e}^{x^2 - x}\mathrm{d}x = -\int_0^2 \mathrm{e}^{x^2 - x}\mathrm{d}x$,故 $-2\mathrm{e}^2 \leqslant \int_2^0 \mathrm{e}^{x^2 - x}\mathrm{d}x \leqslant -2\mathrm{e}^{-\frac{1}{4}}$.

11. 设 $f(x)$ 在 $[0,1]$ 上连续,证明 $\int_0^1 f^2(x)\mathrm{d}x \geqslant \left(\int_0^1 f(x)\mathrm{d}x\right)^2$.

证 记 $a = \int_0^1 f(x)\mathrm{d}x$，则由定积分性质 5，得

$$\int_0^1 [f(x) - a]^2 \mathrm{d}x \geqslant 0,$$

即

$$\int_0^1 [f(x) - a]^2 \mathrm{d}x = \int_0^1 f^2(x)\mathrm{d}x - 2a\int_0^1 f(x)\mathrm{d}x + a^2$$

$$= \int_0^1 f^2(x)\mathrm{d}x - \left[\int_0^1 f(x)\mathrm{d}x\right]^2 \geqslant 0,$$

由此结论成立.

12. 设 $f(x)$ 及 $g(x)$ 在 $[a, b]$ 上连续，证明

(1) 若在 $[a, b]$ 上，$f(x) \geqslant 0$，且 $\int_a^b f(x)\mathrm{d}x = 0$，则在 $[a, b]$ 上 $f(x) \equiv 0$；

(2) 若在 $[a, b]$ 上，$f(x) \geqslant 0$，且 $f(x) \not\equiv 0$，则 $\int_a^b f(x)\mathrm{d}x > 0$；

(3) 若在 $[a, b]$ 上，$f(x) \leqslant g(x)$，且 $\int_a^b f(x)\mathrm{d}x = \int_a^b g(x)\mathrm{d}x$，则在 $[a, b]$ 上 $f(x) \equiv g(x)$.

证 先证明 (2).

(2) 根据条件必定存在 $x_0 \in [a, b]$，使得 $f(x_0) > 0$. 由函数 $f(x)$ 在 x_0 连续可知，存在 $a \leqslant \alpha < \beta \leqslant b$，使得当 $x \in [\alpha, \beta]$ 时 $f(x) \geqslant \dfrac{f(x_0)}{2}$. 因此有

$$\int_a^b f(x)\mathrm{d}x = \int_a^\alpha f(x)\mathrm{d}x + \int_\alpha^\beta f(x)\mathrm{d}x + \int_\beta^b f(x)\mathrm{d}x,$$

由定积分性质得到：

$$\int_a^\alpha f(x)\mathrm{d}x \geqslant 0, \quad \int_\alpha^\beta f(x)\mathrm{d}x \geqslant \int_\alpha^\beta \frac{f(x_0)}{2}\mathrm{d}x = \frac{\beta - \alpha}{2}f(x_0) > 0, \quad \int_\beta^b f(x)\mathrm{d}x \geqslant 0,$$

故得到结论 $\int_a^b f(x)\mathrm{d}x > 0$.

(1) 用反证法. 如果 $f(x) \not\equiv 0$，则由 (2) 得到 $\int_a^b f(x)\mathrm{d}x > 0$，与假设条件矛盾，因此 (1) 成立.

(3) 因为 $h(x) = g(x) - f(x) \geqslant 0$，且

$$\int_a^b h(x)\mathrm{d}x = \int_a^b g(x)\mathrm{d}x - \int_a^b f(x)\mathrm{d}x = 0,$$

由 (1) 可得在 $[a, b]$ 上

$$h(x) \equiv 0,$$

从而结论成立.

13. 根据定积分的性质及第 12 题的结论，说明下列各对积分哪一个的值较大：

(1) $\int_0^1 x^2 \mathrm{d}x$ 还是 $\int_0^1 x^3 \mathrm{d}x$?

(2) $\int_1^2 x^2 \mathrm{d}x$ 还是 $\int_1^2 x^3 \mathrm{d}x$?

(3) $\int_1^2 \ln x \mathrm{d}x$ 还是 $\int_1^2 (\ln x)^2 \mathrm{d}x$?

(4) $\int_0^1 x \mathrm{d}x$ 还是 $\int_0^1 \ln(1+x) \mathrm{d}x$?

(5) $\int_0^1 \mathrm{e}^x \mathrm{d}x$ 还是 $\int_0^1 (1+x) \mathrm{d}x$?

解 (1) 在区间 $[0,1]$ 上 $x^2 \geqslant x^3$,因此 $\int_0^1 x^2 \mathrm{d}x$ 比 $\int_0^1 x^3 \mathrm{d}x$ 大.

(2) 在区间 $[1,2]$ 上 $x^2 \leqslant x^3$,因此 $\int_1^2 x^3 \mathrm{d}x$ 比 $\int_1^2 x^2 \mathrm{d}x$ 大.

(3) 在区间 $[1,2]$ 上由于 $0 \leqslant \ln x \leqslant 1$,得 $\ln x \geqslant (\ln x)^2$,因此 $\int_1^2 \ln x \mathrm{d}x$ 比 $\int_1^2 (\ln x)^2 \mathrm{d}x$ 大.

(4) 由教材第三章第一节例 1 可知当 $x > 0$ 时,$\ln(1+x) < x$,因此 $\int_0^1 x \mathrm{d}x$ 比 $\int_0^1 \ln(1+x)\,\mathrm{d}x$ 大.

(5) 由于当 $x > 0$ 时 $\ln(1+x) < x$,故此时有 $1+x < \mathrm{e}^x$,因此 $\int_0^1 \mathrm{e}^x \mathrm{d}x$ 比 $\int_0^1 (1+x)\mathrm{d}x$ 大.

习题 5-2　微积分基本公式

1. 试求函数 $y = \int_0^x \sin t \mathrm{d}t$ 当 $x = 0$ 及 $x = \dfrac{\pi}{4}$ 时的导数.

解 $\dfrac{\mathrm{d}y}{\mathrm{d}x} = \sin x$,因此 $\left.\dfrac{\mathrm{d}y}{\mathrm{d}x}\right|_{x=0} = 0,\left.\dfrac{\mathrm{d}y}{\mathrm{d}x}\right|_{x=\frac{\pi}{4}} = \dfrac{\sqrt{2}}{2}$.

2. 求由参数表达式 $x = \int_0^t \sin u \mathrm{d}u, y = \int_0^t \cos u \mathrm{d}u$ 所确定的函数对 x 的导数 $\dfrac{\mathrm{d}y}{\mathrm{d}x}$.

解 $\dfrac{\mathrm{d}y}{\mathrm{d}x} = \dfrac{\mathrm{d}y}{\mathrm{d}t} \Big/ \dfrac{\mathrm{d}x}{\mathrm{d}t} = \dfrac{\cos t}{\sin t} = \cot t$.

3. 求由 $\int_0^y \mathrm{e}^t \mathrm{d}t + \int_0^x \cos t \mathrm{d}t = 0$ 所决定的隐函数对 x 的导数 $\dfrac{\mathrm{d}y}{\mathrm{d}x}$.

解 方程两端分别对 x 求导,得 $e^y \dfrac{dy}{dx} + \cos x = 0$,故 $\dfrac{dy}{dx} = -e^{-y} \cos x$.

4. 当 x 为何值时,函数 $I(x) = \displaystyle\int_0^x te^{-t^2} dt$ 有极值.

解 容易知道 $I(x)$ 可导,而 $I'(x) = xe^{-x^2} = 0$ 只有惟一解 $x = 0$. 当 $x < 0$ 时 $I'(x) < 0$,当 $x > 0$ 时 $I'(x) > 0$,故 $x = 0$ 为函数 $I(x)$ 的惟一的极值点(极小值点).

5. 计算下列各导数:

(1) $\dfrac{d}{dx} \displaystyle\int_0^{x^2} \sqrt{1+t^2} \, dt$;　　　　(2) $\dfrac{d}{dx} \displaystyle\int_{x^2}^{x^3} \dfrac{dt}{\sqrt{1+t^4}}$;

(3) $\dfrac{d}{dx} \displaystyle\int_{\sin x}^{\cos x} \cos(\pi t^2) \, dt$.

解 (1) $\dfrac{d}{dx} \displaystyle\int_0^{x^2} \sqrt{1+t^2} \, dt = 2x\sqrt{1+x^4}$.

(2) $\dfrac{d}{dx} \displaystyle\int_{x^2}^{x^3} \dfrac{dt}{\sqrt{1+t^4}} = \dfrac{d}{dx}\left(\displaystyle\int_0^{x^3} \dfrac{dt}{\sqrt{1+t^4}} - \int_0^{x^2} \dfrac{dt}{\sqrt{1+t^4}} \right)$

$$= \dfrac{3x^2}{\sqrt{1+x^{12}}} - \dfrac{2x}{\sqrt{1+x^8}}.$$

(3) $\dfrac{d}{dx} \displaystyle\int_{\sin x}^{\cos x} \cos(\pi t^2) \, dt = \dfrac{d}{dx}\left[\displaystyle\int_0^{\cos x} \cos(\pi t^2) \, dt - \int_0^{\sin x} \cos(\pi t^2) \, dt \right]$

$$= -\sin x \cos(\pi\cos^2 x) - \cos x \cos(\pi\sin^2 x)$$

$$= -\sin x \cos(\pi - \pi\sin^2 x) - \cos x \cos(\pi\sin^2 x)$$

$$= (\sin x - \cos x)\cos(\pi\sin^2 x).$$

6. 计算下列积分:

(1) $\displaystyle\int_0^a (3x^2 - x + 1) \, dx$;　　　　(2) $\displaystyle\int_1^2 \left(x^2 + \dfrac{1}{x^4} \right) dx$;

(3) $\displaystyle\int_4^9 \sqrt{x}(1 + \sqrt{x}) \, dx$;　　　　(4) $\displaystyle\int_{\frac{1}{\sqrt{3}}}^{\sqrt{3}} \dfrac{dx}{1+x^2}$;

(5) $\displaystyle\int_{-\frac{1}{2}}^{\frac{1}{2}} \dfrac{dx}{\sqrt{1-x^2}}$;　　　　(6) $\displaystyle\int_0^{\sqrt{3}a} \dfrac{dx}{a^2+x^2}$;

(7) $\displaystyle\int_0^1 \dfrac{dx}{\sqrt{4-x^2}}$;　　　　(8) $\displaystyle\int_{-1}^0 \dfrac{3x^4 + 3x^2 + 1}{x^2+1} \, dx$;

(9) $\displaystyle\int_{-e-1}^{-2} \dfrac{dx}{1+x}$;　　　　(10) $\displaystyle\int_0^{\frac{\pi}{4}} \tan^2\theta \, d\theta$;

(11) $\displaystyle\int_0^{2\pi} |\sin x| \, dx$;

(12) $\int_0^2 f(x)\mathrm{d}x$，其中 $f(x)=\begin{cases} x+1, & x\leqslant 1, \\ \dfrac{1}{2}x^2, & x>1. \end{cases}$

解 (1) $\int_0^a (3x^2-x+1)\mathrm{d}x = \left[x^3-\dfrac{1}{2}x^2+x\right]_0^a$

$$= a^3-\dfrac{1}{2}a^2+a = a\left(a^2-\dfrac{1}{2}a+1\right).$$

(2) $\int_1^2 \left(x^2+\dfrac{1}{x^4}\right)\mathrm{d}x = \left[\dfrac{1}{3}x^3-\dfrac{1}{3x^3}\right]_1^2 = \dfrac{21}{8}.$

(3) $\int_4^9 \sqrt{x}(1+\sqrt{x})\mathrm{d}x = \int_4^9 (\sqrt{x}+x)\mathrm{d}x = \left[\dfrac{2}{3}x^{\frac{3}{2}}+\dfrac{x^2}{2}\right]_4^9 = \dfrac{271}{6}.$

(4) $\int_{\frac{1}{\sqrt{3}}}^{\sqrt{3}} \dfrac{\mathrm{d}x}{1+x^2} = \left[\arctan x\right]_{\frac{1}{\sqrt{3}}}^{\sqrt{3}} = \dfrac{\pi}{6}.$

(5) $\int_{-\frac{1}{2}}^{\frac{1}{2}} \dfrac{\mathrm{d}x}{\sqrt{1-x^2}} = \left[\arcsin x\right]_{-\frac{1}{2}}^{\frac{1}{2}} = \dfrac{\pi}{3}.$

(6) $\int_0^{\sqrt{3}a} \dfrac{\mathrm{d}x}{a^2+x^2} = \left[\dfrac{1}{a}\arctan \dfrac{x}{a}\right]_0^{\sqrt{3}a} = \dfrac{\pi}{3a}.$

(7) $\int_0^1 \dfrac{\mathrm{d}x}{\sqrt{4-x^2}} = \left[\arcsin \dfrac{x}{2}\right]_0^1 = \dfrac{\pi}{6}.$

(8) $\int_{-1}^0 \dfrac{3x^4+3x^2+1}{x^2+1}\mathrm{d}x = \int_{-1}^0 \left(3x^2+\dfrac{1}{x^2+1}\right)\mathrm{d}x$

$$= \left[x^3+\arctan x\right]_{-1}^0 = 1+\dfrac{\pi}{4}.$$

(9) $\int_{-\mathrm{e}-1}^{-2} \dfrac{\mathrm{d}x}{1+x} = \left[\ln|1+x|\right]_{-\mathrm{e}-1}^{-2} = \left[\ln(-x-1)\right]_{-\mathrm{e}-1}^{-2} = -1.$

(10) $\int_0^{\frac{\pi}{4}} \tan^2\theta\,\mathrm{d}\theta = \int_0^{\frac{\pi}{4}} (\sec^2\theta-1)\mathrm{d}\theta = \left[\tan\theta-\theta\right]_0^{\frac{\pi}{4}} = 1-\dfrac{\pi}{4}.$

(11) $\int_0^{2\pi} |\sin x|\,\mathrm{d}x = \int_0^{\pi} \sin x\,\mathrm{d}x + \int_{\pi}^{2\pi} (-\sin x)\mathrm{d}x$

$$= \left[-\cos x\right]_0^{\pi} + \left[\cos x\right]_{\pi}^{2\pi} = 4.$$

(12) $\int_0^2 f(x)\mathrm{d}x = \int_0^1 (x+1)\mathrm{d}x + \int_1^2 \dfrac{1}{2}x^2\,\mathrm{d}x$

$$= \left[\dfrac{x^2}{2}+x\right]_0^1 + \left[\dfrac{x^3}{6}\right]_1^2 = \dfrac{8}{3}.$$

7. 设 $k\in \mathbf{N}^+$，试证下列各题：

(1) $\displaystyle\int_{-\pi}^{\pi} \cos kx\,\mathrm{d}x = 0$;

(2) $\displaystyle\int_{-\pi}^{\pi} \sin kx\,\mathrm{d}x = 0$;

(3) $\displaystyle\int_{-\pi}^{\pi} \cos^2 kx\,\mathrm{d}x = \pi$;

(4) $\displaystyle\int_{-\pi}^{\pi} \sin^2 kx\,\mathrm{d}x = \pi.$

解 (1) $\displaystyle\int_{-\pi}^{\pi} \cos kx\, dx = \left[\frac{1}{k}\sin kx\right]_{-\pi}^{\pi} = 0.$

(2) $\displaystyle\int_{-\pi}^{\pi} \sin kx\, dx = \left[-\frac{1}{k}\cos kx\right]_{-\pi}^{\pi} = 0.$

(3) $\displaystyle\int_{-\pi}^{\pi} \cos^2 kx\, dx = \frac{1}{2}\int_{-\pi}^{\pi}(1+\cos 2kx)dx = \frac{1}{2}\int_{-\pi}^{\pi} dx = \pi$，其中由(1)得到

$\displaystyle\int_{-\pi}^{\pi} \cos 2kx\, dx = 0.$

(4) $\displaystyle\int_{-\pi}^{\pi} \sin^2 kx\, dx = \frac{1}{2}\int_{-\pi}^{\pi}(1-\cos 2kx)dx = \frac{1}{2}\int_{-\pi}^{\pi} dx = \pi$，其中由(1)得到

$\displaystyle\int_{-\pi}^{\pi} \cos 2kx\, dx = 0.$

8. 设 $k, l \in \mathbf{N}^+$，且 $k \neq l$. 证明：

(1) $\displaystyle\int_{-\pi}^{\pi} \cos kx \sin lx\, dx = 0$；　　　　(2) $\displaystyle\int_{-\pi}^{\pi} \cos kx \cos lx\, dx = 0$；

(3) $\displaystyle\int_{-\pi}^{\pi} \sin kx \sin lx\, dx = 0.$

解 (1) $\displaystyle\int_{-\pi}^{\pi} \cos kx \sin lx\, dx = \frac{1}{2}\int_{-\pi}^{\pi}\left[\sin(k+l)x - \sin(k-l)x\right]dx$

$\displaystyle\qquad\qquad = \frac{1}{2}\int_{-\pi}^{\pi} \sin(k+l)\,x\,dx - \frac{1}{2}\int_{-\pi}^{\pi} \sin(k-l)\,x\,dx$

$\displaystyle\qquad\qquad = 0,$

其中由上一题 $\displaystyle\int_{-\pi}^{\pi} \sin(k+l)x\,dx = 0$，　$\displaystyle\int_{-\pi}^{\pi} \sin(k-l)x\,dx = 0.$

(2) $\displaystyle\int_{-\pi}^{\pi} \cos kx \cos lx\, dx = \frac{1}{2}\int_{-\pi}^{\pi}\left[\cos(k+l)x + \cos(k-l)x\right]dx$

$\displaystyle\qquad\qquad = \frac{1}{2}\int_{-\pi}^{\pi} \cos(k+l)x\,dx + \frac{1}{2}\int_{-\pi}^{\pi} \cos(k-l)x\,dx$

$\displaystyle\qquad\qquad = 0,$

其中由上一题 $\displaystyle\int_{-\pi}^{\pi} \cos(k+l)x\,dx = 0$，　$\displaystyle\int_{-\pi}^{\pi} \cos(k-l)x\,dx = 0.$

(3) $\displaystyle\int_{-\pi}^{\pi} \sin kx \sin lx\, dx = -\frac{1}{2}\int_{-\pi}^{\pi}\left[\cos(k+l)x - \cos(k-l)x\right]dx$

$\displaystyle\qquad\qquad = -\frac{1}{2}\int_{-\pi}^{\pi} \cos(k+l)x\,dx + \frac{1}{2}\int_{-\pi}^{\pi} \cos(k-l)x\,dx$

$\displaystyle\qquad\qquad = 0,$

其中由上一题 $\displaystyle\int_{-\pi}^{\pi} \cos(k+l)x\,dx = 0, \int_{-\pi}^{\pi} \cos(k-l)x\,dx = 0.$

9. 求下列极限：

(1) $\lim\limits_{x \to 0} \dfrac{\int_0^x \cos t^2 \, \mathrm{d}t}{x}$;   (2) $\lim\limits_{x \to 0} \dfrac{\left(\int_0^x \mathrm{e}^{t^2} \, \mathrm{d}t \right)^2}{\int_0^x t\mathrm{e}^{2t^2} \, \mathrm{d}t}$.

解 (1) $\lim\limits_{x \to 0} \dfrac{\int_0^x \cos t^2 \, \mathrm{d}t}{x} = \lim\limits_{x \to 0} \dfrac{\cos x^2}{1} = 1$.

(2) $\lim\limits_{x \to 0} \dfrac{\left(\int_0^x \mathrm{e}^{t^2} \, \mathrm{d}t \right)^2}{\int_0^x t\mathrm{e}^{2t^2} \, \mathrm{d}t} = \lim\limits_{x \to 0} \dfrac{2\mathrm{e}^{x^2} \int_0^x \mathrm{e}^{t^2} \, \mathrm{d}t}{x\mathrm{e}^{2x^2}} = \lim\limits_{x \to 0} \dfrac{2 \int_0^x \mathrm{e}^{t^2} \, \mathrm{d}t}{x} = \lim\limits_{x \to 0} \dfrac{2\mathrm{e}^{x^2}}{1} = 2$.

10. 设

$$f(x) = \begin{cases} x^2, x \in [0,1), \\ x, x \in [1,2]. \end{cases}$$

求 $\Phi(x) = \int_0^x f(t) \, \mathrm{d}t$ 在 $[0,2]$ 上的表达式,并讨论 $\Phi(x)$ 在 $(0,2)$ 内的连续性.

解 当 $x \in [0,1)$ 时,$\Phi(x) = \int_0^x t^2 \, \mathrm{d}t = \dfrac{x^3}{3}$;当 $x \in [1,2]$ 时,$\Phi(x) = \int_0^1 t^2 \, \mathrm{d}t + \int_1^x t \, \mathrm{d}t = \dfrac{x^2}{2} - \dfrac{1}{6}$,即

$$\Phi(x) = \begin{cases} \dfrac{x^3}{3}, x \in [0,1), \\ \dfrac{x^2}{2} - \dfrac{1}{6}, x \in [1,2]. \end{cases}$$

由于 $\lim\limits_{x \to 1^-} \Phi(x) = \lim\limits_{x \to 1^-} \dfrac{x^3}{3} = \dfrac{1}{3}$,$\lim\limits_{x \to 1^+} \Phi(x) = \lim\limits_{x \to 1^+} \left(\dfrac{x^2}{2} - \dfrac{1}{6} \right) = \dfrac{1}{3}$,且 $\Phi(1) = \dfrac{1}{3}$,故函数 $\Phi(x)$ 在 $x = 1$ 处连续,而在其他点处显然连续,因此函数 $\Phi(x)$ 在区间 $(0, 2)$ 内连续.

注 事实上,由于 $f(x)$ 在 $(0,2)$ 内连续,故 $\Phi(x) = \int_0^x f(t) \, \mathrm{d}t$ 在 $(0,2)$ 内可导,因此 $\Phi(x)$ 必在 $(0,2)$ 内连续. 我们甚至有以下更强的结论:

若 $f(x)$ 在 $[a,b]$ 上有界并可积,则 $\Phi(x) = \int_0^x f(t) \, \mathrm{d}t$ 在 $[a,b]$ 上连续. 按照连续函数定义不难证明这一结论. 作为练习,请读者自己证明之.

11. 设

$$f(x) = \begin{cases} \dfrac{1}{2}\sin x, & 0 \leqslant x \leqslant \pi, \\ 0, & x < 0 \text{ 或 } x > \pi. \end{cases}$$

求 $\Phi(x) = \int_0^x f(t) \, \mathrm{d}t$ 在 $(-\infty, +\infty)$ 内的表达式.

解 当 $x<0$ 时, $\Phi(x) = \int_0^x f(t)\mathrm{d}t = 0$;

当 $0 \leqslant x \leqslant \pi$ 时, $\Phi(x) = \int_0^x f(t)\mathrm{d}t = \int_0^x \frac{1}{2}\sin t\mathrm{d}t = \frac{1-\cos x}{2}$;

当 $x > \pi$ 时, $\Phi(x) = \int_0^x f(t)\mathrm{d}t = \int_0^\pi f(t)\mathrm{d}t + \int_\pi^x f(t)\mathrm{d}t$

$$= \int_0^\pi \frac{1}{2}\sin x\mathrm{d}t = 1.$$

即

$$\Phi(x) = \begin{cases} 0, & x < 0, \\ \dfrac{1-\cos x}{2}, & 0 \leqslant x \leqslant \pi, \\ 1, & x > \pi. \end{cases}$$

12. 设 $f(x)$ 在 $[a,b]$ 上连续, 在 (a,b) 内可导且 $f'(x) \leqslant 0$,

$$F(x) = \frac{1}{x-a}\int_a^x f(t)\mathrm{d}t.$$

证明在 (a,b) 内有 $F'(x) \leqslant 0$.

证 $F'(x) = \dfrac{1}{(x-a)^2}\Big[(x-a)f(x) - \int_a^x f(t)\mathrm{d}t\Big]$

$$= \frac{1}{(x-a)^2}\big[(x-a)f(x) - (x-a)f(\xi)\big] \ (\xi \in (a,x) \subset [a,b])$$

$$= \frac{x-\xi}{x-a}f'(\eta) \ (\eta \in (\xi,x) \subset (a,b)),$$

由条件可知结论成立.

13. 设 $F(x) = \int_0^x \dfrac{\sin t}{t}\mathrm{d}t$, 求 $F'(0)$.

解 $F'(0) = \lim\limits_{x\to0} \dfrac{F(x)-F(0)}{x} = \lim\limits_{x\to0} \dfrac{\int_0^x \frac{\sin t}{t}\mathrm{d}t}{x}$

$$= \lim_{x\to0} \frac{\frac{\sin x}{x}}{1} = 1.$$

14. 设 $f(x)$ 在 $[0,+\infty)$ 内连续, 且 $\lim\limits_{x\to+\infty} f(x) = 1$. 证明函数

$$y = \mathrm{e}^{-x}\int_0^x \mathrm{e}^t f(t)\mathrm{d}t$$

满足微分方程 $\dfrac{\mathrm{d}y}{\mathrm{d}x} + y = f(x)$, 并求 $\lim\limits_{x\to+\infty} y(x)$.

证 $\dfrac{\mathrm{d}y}{\mathrm{d}x} = -\mathrm{e}^{-x}\int_0^x \mathrm{e}^t f(t)\mathrm{d}t + \mathrm{e}^{-x} \cdot \mathrm{e}^x f(x)$

$$=-y+f(x),$$

因此 $y(x)$ 满足微分方程 $\dfrac{\mathrm{d}y}{\mathrm{d}x}+y=f(x)$.

由条件 $\lim\limits_{x\to+\infty}f(x)=1$，从而存在 $X_0>0$，当 $x>X_0$ 时，有

$$f(x)>\frac{1}{2}.$$

因此，

$$\int_0^x \mathrm{e}^t f(t)\mathrm{d}t=\int_0^{X_0}\mathrm{e}^t f(t)\mathrm{d}t+\int_{X_0}^x \mathrm{e}^t f(t)\mathrm{d}t$$
$$\geqslant \int_0^{X_0}\mathrm{e}^t f(t)\mathrm{d}t+\int_{X_0}^x \frac{1}{2}\mathrm{e}^{X_0}\mathrm{d}t$$
$$=\int_0^{X_0}\mathrm{e}^t f(t)\mathrm{d}t+\frac{1}{2}\mathrm{e}^{X_0}(x-X_0),$$

故，当 $x\to+\infty$ 时，$\int_0^x \mathrm{e}^t f(t)\mathrm{d}t\to+\infty$，从而利用洛必达法则，有

$$\lim_{x\to+\infty}y(x)=\lim_{x\to+\infty}\frac{\int_0^x \mathrm{e}^t f(t)\mathrm{d}t}{\mathrm{e}^x}=\lim_{x\to+\infty}\frac{\mathrm{e}^x f(x)}{\mathrm{e}^x}=1.$$

习题 5-3　定积分的换元法和分部积分法

1. 计算下列定积分：

(1) $\displaystyle\int_{\frac{\pi}{3}}^{\pi}\sin\left(x+\frac{\pi}{3}\right)\mathrm{d}x$；

(2) $\displaystyle\int_{-2}^{1}\frac{\mathrm{d}x}{(11+5x)^3}$；

(3) $\displaystyle\int_0^{\frac{\pi}{2}}\sin\varphi\cos^3\varphi\,\mathrm{d}\varphi$；

(4) $\displaystyle\int_0^{\pi}(1-\sin^3\theta)\mathrm{d}\theta$；

(5) $\displaystyle\int_{\frac{\pi}{6}}^{\frac{\pi}{2}}\cos^2 u\,\mathrm{d}u$；

(6) $\displaystyle\int_0^{\sqrt{2}}\sqrt{2-x^2}\,\mathrm{d}x$；

(7) $\displaystyle\int_{-\sqrt{2}}^{\sqrt{2}}\sqrt{8-2y^2}\,\mathrm{d}y$；

(8) $\displaystyle\int_{\frac{1}{2}}^{1}\frac{\sqrt{1-x^2}}{x^2}\mathrm{d}x$；

(9) $\displaystyle\int_0^{a}x^2\sqrt{a^2-x^2}\,\mathrm{d}x\,(a>0)$；

(10) $\displaystyle\int_1^{\sqrt{3}}\frac{\mathrm{d}x}{x^2\sqrt{1+x^2}}$；

(11) $\displaystyle\int_{-1}^{1}\frac{x\mathrm{d}x}{\sqrt{5-4x}}$；

(12) $\displaystyle\int_1^{4}\frac{\mathrm{d}x}{1+\sqrt{x}}$；

(13) $\displaystyle\int_{\frac{3}{4}}^{1}\frac{\mathrm{d}x}{\sqrt{1-x}-1}$；

(14) $\displaystyle\int_0^{\sqrt{2}a}\frac{x\mathrm{d}x}{\sqrt{3a^2-x^2}}\,(a>0)$；

(15) $\displaystyle\int_0^{1}t\mathrm{e}^{-\frac{t^2}{2}}\mathrm{d}t$；

(16) $\displaystyle\int_1^{\mathrm{e}^2}\frac{\mathrm{d}x}{x\sqrt{1+\ln x}}$；

$(17) \displaystyle\int_{-2}^{0} \frac{(x+2)\mathrm{d}x}{x^2+2x+2};$

$(18) \displaystyle\int_{0}^{2} \frac{x\mathrm{d}x}{(x^2-2x+2)^2};$

$(19) \displaystyle\int_{-\pi}^{\pi} x^4\sin x\mathrm{d}x;$

$(20) \displaystyle\int_{-\frac{\pi}{2}}^{\frac{\pi}{2}} 4\cos^4\theta\mathrm{d}\theta;$

$(21) \displaystyle\int_{-\frac{1}{2}}^{\frac{1}{2}} \frac{(\arcsin x)^2}{\sqrt{1-x^2}}\mathrm{d}x;$

$(22) \displaystyle\int_{-5}^{5} \frac{x^3\sin^2 x}{x^4+2x^2+1}\mathrm{d}x;$

$(23) \displaystyle\int_{-\frac{\pi}{2}}^{\frac{\pi}{2}} \cos x\cos 2x\mathrm{d}x;$

$(24) \displaystyle\int_{-\frac{\pi}{2}}^{\frac{\pi}{2}} \sqrt{\cos x-\cos^3 x}\,\mathrm{d}x;$

$(25) \displaystyle\int_{0}^{\pi} \sqrt{1+\cos 2x}\,\mathrm{d}x;$

$(26) \displaystyle\int_{0}^{2\pi} |\sin(x+1)|\,\mathrm{d}x.$

解 $(1)\displaystyle\int_{\frac{\pi}{3}}^{\pi} \sin\left(x+\frac{\pi}{3}\right)\mathrm{d}x = \int_{\frac{\pi}{3}}^{\pi} \sin\left(x+\frac{\pi}{3}\right)\mathrm{d}\left(x+\frac{\pi}{3}\right)$

$$= \left[-\cos\left(x+\frac{\pi}{3}\right)\right]_{\frac{\pi}{3}}^{\pi} = 0.$$

$(2)\displaystyle\int_{-2}^{1} \frac{\mathrm{d}x}{(11+5x)^3} = \int_{-2}^{1} \frac{\mathrm{d}(11+5x)}{5(11+5x)^3} = \left[-\frac{1}{10(11+5x)^2}\right]_{-2}^{1} = \frac{51}{512}.$

$(3)\displaystyle\int_{0}^{\frac{\pi}{2}} \sin\varphi\cos^3\varphi\mathrm{d}\varphi = -\int_{0}^{\frac{\pi}{2}} \cos^3\varphi\mathrm{d}(\cos\varphi) = \left[-\frac{1}{4}\cos^4\varphi\right]_{0}^{\frac{\pi}{2}} = \frac{1}{4}.$

$(4)\displaystyle\int_{0}^{\pi} (1-\sin^3\theta)\mathrm{d}\theta = \pi + \int_{0}^{\pi} (1-\cos^2\theta)\mathrm{d}(\cos\theta)$

$$\xrightarrow{u=\cos\theta} \pi + \int_{1}^{-1} (1-u^2)\mathrm{d}u = \pi - \frac{4}{3}.$$

$(5)\displaystyle\int_{\frac{\pi}{6}}^{\frac{\pi}{2}} \cos^2 u\mathrm{d}u = \frac{1}{2}\int_{\frac{\pi}{6}}^{\frac{\pi}{2}} (1+\cos 2u)\mathrm{d}u$

$$= \frac{1}{2}\left[u+\frac{1}{2}\sin 2u\right]_{\frac{\pi}{6}}^{\frac{\pi}{2}} = \frac{\pi}{6}-\frac{\sqrt{3}}{8}.$$

$(6)\displaystyle\int_{0}^{\sqrt{2}} \sqrt{2-x^2}\,\mathrm{d}x \xrightarrow{x=\sqrt{2}\sin u} \int_{0}^{\frac{\pi}{2}} 2\cos^2 u\mathrm{d}u = 2\cdot\frac{\pi}{4} = \frac{\pi}{2}.$

$(7)\displaystyle\int_{-\sqrt{2}}^{\sqrt{2}} \sqrt{8-2y^2}\,\mathrm{d}y \xrightarrow{y=2\sin u} \int_{-\frac{\pi}{4}}^{\frac{\pi}{4}} 4\sqrt{2}\cos^2 u\mathrm{d}u$

$$= 2\sqrt{2}\int_{-\frac{\pi}{4}}^{\frac{\pi}{4}} (1+\cos 2u)\mathrm{d}u$$

$$= 2\sqrt{2}\left[u+\frac{1}{2}\sin 2u\right]_{-\frac{\pi}{4}}^{\frac{\pi}{4}} = \sqrt{2}(\pi+2).$$

$(8)\displaystyle\int_{\frac{1}{\sqrt{2}}}^{1} \frac{\sqrt{1-x^2}}{x^2}\mathrm{d}x \xrightarrow{x=\sin u} \int_{\frac{\pi}{4}}^{\frac{\pi}{2}} \frac{\cos^2 u}{\sin^2 u}\mathrm{d}u = \int_{\frac{\pi}{4}}^{\frac{\pi}{2}} (\csc^2 u-1)\mathrm{d}u$

$$= \left[-\cot u-u\right]_{\frac{\pi}{4}}^{\frac{\pi}{2}} = 1-\frac{\pi}{4}.$$

(9) $\displaystyle\int_0^a x^2\sqrt{a^2-x^2}\,\mathrm{d}x \xrightarrow{x=a\sin u} \int_0^{\frac{\pi}{2}} a^4\sin^2 u\cos^2 u\,\mathrm{d}u = \frac{a^4}{8}\int_0^{\frac{\pi}{2}}(\sin 2u)^2\mathrm{d}(2u)$

$\displaystyle\xrightarrow{t=2u} \frac{a^4}{8}\int_0^{\pi}\sin^2 t\,\mathrm{d}t = \frac{a^4}{4}\int_0^{\frac{\pi}{2}}\sin^2 t\,\mathrm{d}t$

$\displaystyle= \frac{a^4}{4}\cdot\frac{\pi}{4} = \frac{\pi}{16}a^4.$

(10) $\displaystyle\int_1^{\sqrt{3}}\frac{\mathrm{d}x}{x^2\sqrt{1+x^2}} \xrightarrow{x=\frac{1}{u}} \int_1^{\frac{1}{\sqrt{3}}}\frac{-u}{\sqrt{1+u^2}}\,\mathrm{d}u = \left[-\sqrt{1+u^2}\right]_1^{\frac{1}{\sqrt{3}}}$

$\displaystyle= \sqrt{2}-\frac{2\sqrt{3}}{3}.$

(11) 令 $u=\sqrt{5-4x}$，即 $x=\dfrac{5-u^2}{4}$，得

$$\int_{-1}^1\frac{x\mathrm{d}x}{\sqrt{5-4x}} = \int_3^1\frac{u^2-5}{8}\mathrm{d}u = \left[\frac{u^3}{24}-\frac{5}{8}u\right]_3^1 = \frac{1}{6}.$$

(12) 令 $u=\sqrt{x}$，即 $x=u^2$，得

$$\int_1^4\frac{\mathrm{d}x}{1+\sqrt{x}} = \int_1^2\frac{2u\mathrm{d}u}{1+u} = \left[2u-2\ln(1+u)\right]_1^2 = 2+2\ln\frac{2}{3}.$$

(13) 令 $u=\sqrt{1-x}$，即 $x=1-u^2$，得

$$\int_{\frac{3}{4}}^1\frac{\mathrm{d}x}{\sqrt{1-x}-1} = \int_{\frac{1}{2}}^0\frac{-2u\mathrm{d}u}{u-1} = -2\left[u+\ln(1-u)\right]_{\frac{1}{2}}^0 = 1-2\ln 2.$$

(14) $\displaystyle\int_0^{\sqrt{2}a}\frac{x\mathrm{d}x}{\sqrt{3a^2-x^2}} = -\frac{1}{2}\int_0^{\sqrt{2}a}\frac{\mathrm{d}(3a^2-x^2)}{\sqrt{3a^2-x^2}}$

$\displaystyle= -\left[\sqrt{3a^2-x^2}\right]_0^{\sqrt{2}a} = (\sqrt{3}-1)a.$

(15) $\displaystyle\int_0^1 te^{-\frac{t^2}{2}}\mathrm{d}t = -\int_0^1 e^{-\frac{t^2}{2}}\mathrm{d}\left(-\frac{t^2}{2}\right) = \left[-e^{-\frac{t^2}{2}}\right]_0^1 = 1-e^{-\frac{1}{2}}.$

(16) $\displaystyle\int_1^{e^2}\frac{\mathrm{d}x}{x\sqrt{1+\ln x}} \xrightarrow{x=e^u} \int_0^2\frac{\mathrm{d}u}{\sqrt{1+u}} = \left[2\sqrt{1+u}\right]_0^2 = 2\sqrt{3}-2.$

(17) $\displaystyle\int_{-2}^0\frac{(x+2)\mathrm{d}x}{x^2+2x+2} = \int_{-2}^0\frac{(x+1)+1}{(x+1)^2+1}\mathrm{d}x$

$\displaystyle= \left[\frac{1}{2}\ln(x^2+2x+2)+\arctan(x+1)\right]_{-2}^0$

$\displaystyle= \frac{\pi}{2}.$

(18) 令 $x=1+\tan u$，则 $\mathrm{d}x=\sec^2 u\mathrm{d}u$，因此

$$\int_0^2\frac{x\mathrm{d}x}{(x^2-2x+2)^2} = \int_0^2\frac{x\mathrm{d}x}{[(x-1)^2+1]^2} = \int_{-\frac{\pi}{4}}^{\frac{\pi}{4}}\frac{(1+\tan u)\mathrm{d}u}{\sec^2 u}$$

$$= 2\int_0^{\frac{\pi}{4}} \cos^2 u \, du = \int_0^{\frac{\pi}{4}} (1 + \cos 2u) \, du$$

$$= \frac{\pi}{4} + \frac{1}{2}.$$

(19) 由于被积函数为奇函数,因此 $\int_{-\pi}^{\pi} x^4 \sin x \, dx = 0.$

(20) 由于被积函数为偶函数,因此

$$\int_{-\frac{\pi}{2}}^{\frac{\pi}{2}} 4\cos^4\theta \, d\theta = 2\int_0^{\frac{\pi}{2}} 4\cos^4\theta \, d\theta = 8 \cdot \frac{3}{4} \cdot \frac{\pi}{4} = \frac{3}{2}\pi.$$

(21) 由于被积函数为偶函数,因此有

$$\int_{-\frac{1}{2}}^{\frac{1}{2}} \frac{(\arcsin x)^2}{\sqrt{1-x^2}} dx = 2\int_0^{\frac{1}{2}} \frac{(\arcsin x)^2}{\sqrt{1-x^2}} dx$$

$$= 2\int_0^{\frac{1}{2}} (\arcsin x)^2 d(\arcsin x)$$

$$= \frac{2}{3} \left[(\arcsin x)^3 \right]_0^{\frac{1}{2}} = \frac{\pi^3}{324}.$$

(22) 由于被积函数为奇函数,因此

$$\int_{-5}^5 \frac{x^3 \sin^2 x}{x^4 + 2x^2 + 1} dx = 0.$$

(23)
$$\int_{-\frac{\pi}{2}}^{\frac{\pi}{2}} \cos x \cos 2x \, dx = \int_{-\frac{\pi}{2}}^{\frac{\pi}{2}} \cos x (1 - 2\sin^2 x) \, dx$$

$$= \int_{-\frac{\pi}{2}}^{\frac{\pi}{2}} (1 - 2\sin^2 x) d(\sin x)$$

$$= \left[\sin x - \frac{2}{3} \sin^3 x \right]_{-\frac{\pi}{2}}^{\frac{\pi}{2}} = \frac{2}{3}.$$

或者

$$\int_{-\frac{\pi}{2}}^{\frac{\pi}{2}} \cos x \cos 2x \, dx = \frac{1}{2} \int_{-\frac{\pi}{2}}^{\frac{\pi}{2}} (\cos 3x + \cos x) \, dx$$

$$= \frac{1}{2} \left[\frac{1}{3} \sin 3x + \sin x \right]_{-\frac{\pi}{2}}^{\frac{\pi}{2}} = \frac{2}{3}.$$

(24)
$$\int_{-\frac{\pi}{2}}^{\frac{\pi}{2}} \sqrt{\cos x - \cos^3 x} \, dx = 2\int_0^{\frac{\pi}{2}} \sqrt{\cos x} \sin x \, dx$$

$$\xrightarrow{u = \cos x} -2\int_1^0 \sqrt{u} \, du = \frac{4}{3}.$$

(25)
$$\int_0^{\pi} \sqrt{1 + \cos 2x} \, dx = \int_0^{\pi} \sqrt{2} \sin x \, dx = \sqrt{2} \left[-\cos x \right]_0^{\pi} = 2\sqrt{2}.$$

(26)
$$\int_0^{2\pi} |\sin(x+1)| \, dx \xrightarrow{x = u - 1} \int_1^{2\pi+1} |\sin u| \, du,$$

由于 $|\sin x|$ 是以 π 为周期的周期函数,因此

$$上式 = 2\int_0^\pi |\sin u|\,\mathrm{d}u = 4.$$

2. 设 $f(x)$ 在 $[a,b]$ 上连续,证明

$$\int_a^b f(x)\mathrm{d}x = \int_a^b f(a+b-x)\mathrm{d}x.$$

证 令 $x = a+b-u$,则

$$\int_a^b f(x)\mathrm{d}x = -\int_b^a f(a+b-u)\mathrm{d}u = \int_a^b f(a+b-u)\mathrm{d}u$$

$$= \int_a^b f(a+b-x)\mathrm{d}x.$$

3. 证明:$\displaystyle\int_x^1 \frac{\mathrm{d}x}{1+x^2} = \int_1^{\frac{1}{x}} \frac{\mathrm{d}x}{1+x^2}\quad (x>0).$

证 $\displaystyle\int_x^1 \frac{\mathrm{d}x}{1+x^2} = \int_x^1 \frac{\mathrm{d}t}{1+t^2} \xlongequal{t=\frac{1}{u}} -\int_{\frac{1}{x}}^1 \frac{\mathrm{d}u}{1+u^2} = \int_1^{\frac{1}{x}} \frac{\mathrm{d}u}{1+u^2} = \int_1^{\frac{1}{x}} \frac{\mathrm{d}x}{1+x^2}.$

4. 证明:$\displaystyle\int_0^1 x^m(1-x)^n\mathrm{d}x = \int_0^1 x^n(1-x)^m\mathrm{d}x \,(m,n \in \mathbf{N}).$

证 令 $x = 1-u$,则

$$\int_0^1 x^m(1-x)^n\mathrm{d}x = \int_1^0 -(1-u)^m u^n\mathrm{d}u = \int_0^1 x^n(1-x)^m\mathrm{d}x.$$

5. 设 $f(x)$ 在 $[0,1]$ 上连续,$n \in \mathbf{Z}$ 证明

$$\int_{\frac{n}{2}\pi}^{\frac{n+1}{2}\pi} f(|\sin x|)\mathrm{d}x = \int_{\frac{n}{2}\pi}^{\frac{n+1}{2}\pi} f(|\cos x|)\mathrm{d}x = \int_0^{\frac{\pi}{2}} f(\sin x)\mathrm{d}x.$$

证 令 $x = u + \dfrac{n}{2}\pi$,则 $\mathrm{d}x = \mathrm{d}u$,因此

$$\int_{\frac{n}{2}\pi}^{\frac{n+1}{2}\pi} f(|\sin x|)\mathrm{d}x = \int_0^{\frac{\pi}{2}} f\left(\left|\sin\left(u+\frac{n}{2}\pi\right)\right|\right)\mathrm{d}u$$

$$= \begin{cases} \displaystyle\int_0^{\frac{\pi}{2}} f(\sin u)\mathrm{d}u, & n \text{ 为偶数}, \\[3mm] \displaystyle\int_0^{\frac{\pi}{2}} f(\cos u)\mathrm{d}u, & n \text{ 为奇数}. \end{cases}$$

$$\int_{\frac{n}{2}\pi}^{\frac{n+1}{2}\pi} f(|\cos x|)\mathrm{d}x = \int_0^{\frac{\pi}{2}} f\left(\left|\cos\left(u+\frac{n}{2}\pi\right)\right|\right)\mathrm{d}u$$

$$= \begin{cases} \displaystyle\int_0^{\frac{\pi}{2}} f(\cos u)\mathrm{d}u, & n \text{ 为偶数}, \\[3mm] \displaystyle\int_0^{\frac{\pi}{2}} f(\sin u)\mathrm{d}u, & n \text{ 为奇数}. \end{cases}$$

由于 $\int_0^{\frac{\pi}{2}} f(\sin x)\mathrm{d}x = \int_0^{\frac{\pi}{2}} f(\cos x)\mathrm{d}x$，因此结论成立.

6. 若 $f(x)$ 是连续的奇函数，证明 $\int_0^x f(t)\mathrm{d}t$ 是偶函数；若 $f(x)$ 是连续的偶函数，证明 $\int_0^x f(t)\mathrm{d}t$ 是奇函数.

证 记 $F(x) = \int_0^x f(t)\mathrm{d}t$，则有

$$F(-x) = \int_0^{-x} f(t)\mathrm{d}t \xlongequal{t=-u} -\int_0^x f(-u)\mathrm{d}u,$$

当 $f(x)$ 为奇函数时，$F(-x) = \int_0^x f(u)\mathrm{d}u = F(x)$，故 $\int_0^x f(t)\mathrm{d}t$ 是偶函数.

当 $f(x)$ 为偶函数时，$F(-x) = -\int_0^x f(u)\mathrm{d}u = -F(x)$，故 $\int_0^x f(t)\mathrm{d}t$ 是奇函数.

7. 计算下列定积分：

(1) $\int_0^1 x\mathrm{e}^{-x}\mathrm{d}x$；

(2) $\int_1^{\mathrm{e}} x\ln x\mathrm{d}x$；

(3) $\int_0^{\frac{2\pi}{\omega}} t\sin \omega t\mathrm{d}t(\omega$ 为常数$)$；

(4) $\int_{\frac{\pi}{4}}^{\frac{\pi}{3}} \dfrac{x}{\sin^2 x}\mathrm{d}x$；

(5) $\int_1^4 \dfrac{\ln x}{\sqrt{x}}\mathrm{d}x$；

(6) $\int_0^1 x\arctan x\mathrm{d}x$；

(7) $\int_0^{\frac{\pi}{2}} \mathrm{e}^{2x}\cos x\mathrm{d}x$；

(8) $\int_1^2 x\log_2 x\mathrm{d}x$；

(9) $\int_0^{\pi} (x\sin x)^2\mathrm{d}x$；

(10) $\int_1^{\mathrm{e}} \sin(\ln x)\mathrm{d}x$；

(11) $\int_{\frac{1}{\mathrm{e}}}^{\mathrm{e}} |\ln x|\mathrm{d}x$；

(12) $\int_0^1 (1-x^2)^{\frac{m}{2}}\mathrm{d}x(m \in \mathbf{N}^+)$；

(13) $J_m = \int_0^{\pi} x\sin^m x\mathrm{d}x(m \in \mathbf{N}^+)$.

解 (1) $\int_0^1 x\mathrm{e}^{-x}\mathrm{d}x = -\int_0^1 x\mathrm{d}(\mathrm{e}^{-x}) = -\left[x\mathrm{e}^{-x}\right]_0^1 + \int_0^1 \mathrm{e}^{-x}\mathrm{d}x$

$$= -\mathrm{e}^{-1} + \left[-\mathrm{e}^{-x}\right]_0^1 = 1 - \dfrac{2}{\mathrm{e}}.$$

(2) $\int_1^{\mathrm{e}} x\ln x\mathrm{d}x = \int_1^{\mathrm{e}} \dfrac{\ln x}{2}\mathrm{d}(x^2) = \left[\dfrac{1}{2}x^2\ln x\right]_1^{\mathrm{e}} - \int_1^{\mathrm{e}} \dfrac{x}{2}\mathrm{d}x = \dfrac{\mathrm{e}^2+1}{4}.$

(3) $\int_0^{\frac{2\pi}{\omega}} t\sin \omega t\mathrm{d}t = -\dfrac{1}{\omega}\int_0^{\frac{2\pi}{\omega}} t\mathrm{d}(\cos \omega t) = -\dfrac{1}{\omega}\left[t\cos \omega t\right]_0^{\frac{2\pi}{\omega}} + \dfrac{1}{\omega}\int_0^{\frac{2\pi}{\omega}} \cos \omega t\mathrm{d}t$

$$= -\dfrac{2\pi}{\omega^2} + \dfrac{1}{\omega^2}\left[\sin \omega t\right]_0^{\frac{2\pi}{\omega}} = -\dfrac{2\pi}{\omega^2}.$$

(4) $\int_{\frac{\pi}{4}}^{\frac{\pi}{3}} \dfrac{x}{\sin^2 x}\mathrm{d}x = -\int_{\frac{\pi}{4}}^{\frac{\pi}{3}} x\mathrm{d}(\cot x) = \left[-x\cot x\right]_{\frac{\pi}{4}}^{\frac{\pi}{3}} + \int_{\frac{\pi}{4}}^{\frac{\pi}{3}} \cot x\mathrm{d}x$

$$= -\dfrac{\pi}{3\sqrt{3}} + \dfrac{\pi}{4} + \left[\ln\sin x\right]_{\frac{\pi}{4}}^{\frac{\pi}{3}}$$

$$= \left(\dfrac{1}{4} - \dfrac{\sqrt{3}}{9}\right)\pi + \dfrac{1}{2}\ln\dfrac{3}{2}.$$

(5) $\int_1^4 \dfrac{\ln x}{\sqrt{x}}\mathrm{d}x = \int_1^4 2\ln x\mathrm{d}\sqrt{x} = \left[2\sqrt{x}\ln x\right]_1^4 - \int_1^4 \dfrac{2}{\sqrt{x}}\mathrm{d}x$

$$= 8\ln 2 - \left[4\sqrt{x}\right]_1^4 = 4(2\ln 2 - 1).$$

(6) $\int_0^1 x\arctan x\mathrm{d}x = \dfrac{1}{2}\int_0^1 \arctan x\mathrm{d}(x^2)$

$$= \left[\dfrac{1}{2}x^2\arctan x\right]_0^1 - \dfrac{1}{2}\int_0^1 \dfrac{x^2}{1+x^2}\mathrm{d}x$$

$$= \dfrac{\pi}{8} - \dfrac{1}{2}\left[x - \arctan x\right]_0^1 = \dfrac{\pi}{4} - \dfrac{1}{2}.$$

(7) $\int_0^{\frac{\pi}{2}} \mathrm{e}^{2x}\cos x\mathrm{d}x = \dfrac{1}{2}\int_0^{\frac{\pi}{2}} \cos x\mathrm{d}(\mathrm{e}^{2x})$

$$= \dfrac{1}{2}\left[\mathrm{e}^{2x}\cos x\right]_0^{\frac{\pi}{2}} + \dfrac{1}{2}\int_0^{\frac{\pi}{2}} \mathrm{e}^{2x}\sin x\mathrm{d}x$$

$$= -\dfrac{1}{2} + \dfrac{1}{4}\int_0^{\frac{\pi}{2}} \sin x\mathrm{d}(\mathrm{e}^{2x})$$

$$= -\dfrac{1}{2} + \dfrac{1}{4}\left[\mathrm{e}^{2x}\sin x\right]_0^{\frac{\pi}{2}} - \dfrac{1}{4}\int_0^{\frac{\pi}{2}} \mathrm{e}^{2x}\cos x\mathrm{d}x,$$

因此有

$$\int_0^{\frac{\pi}{2}} \mathrm{e}^{2x}\cos x\mathrm{d}x = \dfrac{1}{5}(\mathrm{e}^\pi - 2).$$

(8) $\int_1^2 x\log_2 x\mathrm{d}x = \dfrac{1}{2}\int_1^2 \log_2 x\mathrm{d}(x^2)$

$$= \dfrac{1}{2}\left[x^2\log_2 x\right]_1^2 - \dfrac{1}{2}\int_1^2 \dfrac{x}{\ln 2}\mathrm{d}x$$

$$= 2 - \dfrac{1}{4\ln 2}\left[x^2\right]_1^2 = 2 - \dfrac{3}{4\ln 2}.$$

(9) $\int_0^\pi (x\sin x)^2\mathrm{d}x = \dfrac{1}{2}\int_0^\pi x^2(1 - \cos 2x)\mathrm{d}x$

$$= \dfrac{\pi^3}{6} - \dfrac{1}{4}\int_0^\pi x^2\mathrm{d}(\sin 2x)$$

$$= \dfrac{\pi^3}{6} - \dfrac{1}{4}\left[x^2\sin 2x\right]_0^\pi + \dfrac{1}{2}\int_0^\pi x\sin 2x\mathrm{d}x$$

$$= \frac{\pi^3}{6} - \frac{1}{4}\int_0^\pi x\mathrm{d}(\cos 2x)$$

$$= \frac{\pi^3}{6} - \frac{1}{4}\left[x\cos 2x\right]_0^\pi + \frac{1}{4}\int_0^\pi \cos 2x\mathrm{d}x$$

$$= \frac{\pi^3}{6} - \frac{\pi}{4}.$$

(10) $\displaystyle\int_1^e \sin(\ln x)\mathrm{d}x \xlongequal{x=e^u} \int_0^1 e^u\sin u\mathrm{d}u = \left[e^u\sin u\right]_0^1 - \int_0^1 e^u\cos u\mathrm{d}u$

$$= e\sin 1 - \left[e^u\cos u\right]_0^1 - \int_0^1 e^u\sin u\mathrm{d}u$$

$$= e(\sin 1 - \cos 1) + 1 - \int_0^1 e^u\sin u\mathrm{d}u,$$

所以 $\displaystyle\int_1^e \sin(\ln x)\mathrm{d}x = \frac{e}{2}(\sin 1 - \cos 1) + \frac{1}{2}.$

(11) $\displaystyle\int_{\frac{1}{e}}^e |\ln x|\,\mathrm{d}x = -\int_{\frac{1}{e}}^1 \ln x\mathrm{d}x + \int_1^e \ln x\mathrm{d}x$

$$= -\left[x\ln x\right]_{\frac{1}{e}}^1 + \int_{\frac{1}{e}}^1 \mathrm{d}x + \left[x\ln x\right]_1^e - \int_1^e \mathrm{d}x$$

$$= 2 - \frac{2}{e}.$$

(12) $\displaystyle\int_0^1 (1-x^2)^{\frac{m}{2}}\mathrm{d}x \xlongequal{x=\sin u} \int_0^{\frac{\pi}{2}} \cos^{m+1}x\mathrm{d}x$

$$= \begin{cases} \dfrac{m}{m+1}\cdot\dfrac{m-2}{m-1}\cdot\cdots\cdot\dfrac{1}{2}\cdot\dfrac{\pi}{2}, & m\text{ 为奇数}, \\[3mm] \dfrac{m}{m+1}\cdot\dfrac{m-2}{m-1}\cdot\cdots\cdot\dfrac{2}{3}, & m\text{ 为偶数}, \end{cases}$$

$$= \begin{cases} \dfrac{1\cdot 3\cdot 5\cdot\cdots\cdot m}{2\cdot 4\cdot 6\cdot\cdots\cdot(m+1)}\cdot\dfrac{\pi}{2}, & m\text{ 为奇数}, \\[3mm] \dfrac{2\cdot 4\cdot 6\cdot\cdots\cdot m}{1\cdot 3\cdot 5\cdot\cdots\cdot(m+1)}, & m\text{ 为偶数}. \end{cases}$$

(13) 由教材本节的例 6,可得

$$J_m = \int_0^\pi x\sin^m x\,\mathrm{d}x = \frac{\pi}{2}\int_0^\pi \sin^m x\mathrm{d}x.$$

而 $\displaystyle\int_0^\pi \sin^m x\mathrm{d}x \xlongequal{x=\frac{\pi}{2}+t} \int_{-\frac{\pi}{2}}^{\frac{\pi}{2}} \cos^m t\mathrm{d}t$

$$= 2\int_0^{\frac{\pi}{2}} \cos^m t\mathrm{d}t = 2\int_0^{\frac{\pi}{2}} \sin^m x\mathrm{d}x,$$

故 $\displaystyle J_m = \pi\int_0^{\frac{\pi}{2}} \sin^m x\mathrm{d}x.$

从而有

$$J_m = \begin{cases} \dfrac{2 \cdot 4 \cdot 6 \cdots (m-1)}{1 \cdot 3 \cdot 5 \cdots m} \cdot \pi, & m \text{ 为大于 1 的奇数}, \\[3mm] \dfrac{1 \cdot 3 \cdot 5 \cdots (m-1)}{2 \cdot 4 \cdot 6 \cdots m} \cdot \dfrac{\pi^2}{2}, & m \text{ 为偶数}, \end{cases}$$

$$J_1 = \pi.$$

习题 5-4 反常积分

1. 判定下列各反常积分的收敛性,如果收敛,计算反常积分的值:

(1) $\displaystyle\int_1^{+\infty} \dfrac{\mathrm{d}x}{x^4}$;

(2) $\displaystyle\int_1^{+\infty} \dfrac{\mathrm{d}x}{\sqrt{x}}$;

(3) $\displaystyle\int_0^{+\infty} \mathrm{e}^{-ax}\,\mathrm{d}x\,(a > 0)$;

(4) $\displaystyle\int_0^{+\infty} \dfrac{\mathrm{d}x}{(1+x)(1+x^2)}$;

(5) $\displaystyle\int_0^{+\infty} \mathrm{e}^{-pt}\sin \omega t\,\mathrm{d}t\,(p > 0, \omega > 0)$;

(6) $\displaystyle\int_{-\infty}^{+\infty} \dfrac{\mathrm{d}x}{x^2 + 2x + 2}$;

(7) $\displaystyle\int_0^1 \dfrac{x\,\mathrm{d}x}{\sqrt{1-x^2}}$;

(8) $\displaystyle\int_0^2 \dfrac{\mathrm{d}x}{(1-x)^2}$;

(9) $\displaystyle\int_1^2 \dfrac{x\,\mathrm{d}x}{\sqrt{x-1}}$;

(10) $\displaystyle\int_1^{\mathrm{e}} \dfrac{\mathrm{d}x}{x\sqrt{1-(\ln x)^2}}$.

解 (1) $\displaystyle\int_1^{+\infty} \dfrac{\mathrm{d}x}{x^4} = \left[-\dfrac{1}{3x^3}\right]_1^{+\infty} = \dfrac{1}{3}$.

(2) $\displaystyle\int_1^t \dfrac{\mathrm{d}x}{\sqrt{x}} = \left[2\sqrt{x}\right]_1^t = 2\sqrt{t} - 2$,当 $t \to +\infty$ 时,该极限不存在,故该反常积分发散.

(3) $\displaystyle\int_0^{+\infty} \mathrm{e}^{-ax}\,\mathrm{d}x = \left[-\dfrac{1}{a}\mathrm{e}^{-ax}\right]_0^{+\infty} = \dfrac{1}{a}$.

(4) $\displaystyle\int_0^{+\infty} \dfrac{\mathrm{d}x}{(1+x)(1+x^2)} = \int_0^{+\infty} \dfrac{1}{2}\left(\dfrac{1}{1+x} + \dfrac{1-x}{1+x^2}\right)\mathrm{d}x$

$$= \left[\dfrac{1}{4}\ln\dfrac{(1+x)^2}{1+x^2} + \dfrac{1}{2}\arctan x\right]_0^{+\infty}$$

$$= \dfrac{\pi}{4}.$$

(5) $\displaystyle\int \mathrm{e}^{-pt}\sin \omega t\,\mathrm{d}t = -\dfrac{1}{p}\int \sin \omega t\,\mathrm{d}(\mathrm{e}^{-pt})$

$$=-\frac{1}{p}e^{-pt}\sin \omega t+\frac{\omega}{p}\int e^{-pt}\cos \omega t\,\mathrm{d}t$$

$$=-\frac{1}{p}e^{-pt}\sin \omega t-\frac{\omega}{p^2}\int \cos \omega t\,\mathrm{d}(e^{-pt})$$

$$=-\frac{1}{p}e^{-pt}\sin \omega t-\frac{\omega}{p^2}e^{-pt}\cos \omega t-\frac{\omega^2}{p^2}\int e^{-pt}\sin \omega t\,\mathrm{d}t,$$

因此 $\int e^{-pt}\sin \omega t\,\mathrm{d}t=\dfrac{-pe^{-pt}\sin \omega t-\omega e^{-pt}\cos \omega t}{p^2+\omega^2}+C$,故

$$\int_0^{+\infty}e^{-pt}\sin \omega t\,\mathrm{d}t=\left[\frac{-pe^{-pt}\sin \omega t-\omega e^{-pt}\cos \omega t}{p^2+\omega^2}\right]_0^{+\infty}$$

$$=\frac{\omega}{p^2+\omega^2}.$$

(6) $\displaystyle\int_{-\infty}^{+\infty}\frac{\mathrm{d}x}{x^2+2x+2}=\int_{-\infty}^0\frac{\mathrm{d}(x+1)}{(x+1)^2+1}+\int_0^{+\infty}\frac{\mathrm{d}(x+1)}{(x+1)^2+1}$

$$=\left[\arctan(x+1)\right]_{-\infty}^0+\left[\arctan(x+1)\right]_0^{+\infty}=\pi.$$

(7) $\displaystyle\int_0^1\frac{x\mathrm{d}x}{\sqrt{1-x^2}}=\left[-\sqrt{1-x^2}\right]_0^1=1.$

(8) $\displaystyle\int_0^t\frac{\mathrm{d}x}{(1-x)^2}=\left[\frac{1}{1-x}\right]_0^t=\frac{1}{1-t}-1$,当 $t\to 1^-$ 时极限不存在,故原反

常积分发散.

(9) $\displaystyle\int_1^2\frac{x\mathrm{d}x}{\sqrt{x-1}}\xlongequal{x=u^2+1}2\int_0^1(u^2+1)\mathrm{d}u=\frac{8}{3}.$

(10) $\displaystyle\int_1^e\frac{\mathrm{d}x}{x\sqrt{1-(\ln x)^2}}=\int_1^e\frac{\mathrm{d}(\ln x)}{\sqrt{1-(\ln x)^2}}=\left[\arcsin \ln x\right]_1^e=\frac{\pi}{2}.$

2. 当 k 为何值时,反常积分 $\displaystyle\int_2^{+\infty}\frac{\mathrm{d}x}{x(\ln x)^k}$ 收敛?当 k 为何值时,这反常积分发

散?又当 k 为何值时,这反常积分取得最小值?

解 $\displaystyle\int\frac{\mathrm{d}x}{x(\ln x)^k}=\int\frac{\mathrm{d}(\ln x)}{(\ln x)^k}=\begin{cases}\ln \ln x+C, & k=1,\\ -\dfrac{1}{(k-1)\ln^{k-1}x}+C, & k\neq 1,\end{cases}$

因此当 $k\leqslant 1$ 时,反常积分发散;当 $k>1$ 时,该反常积分收敛,此时

$$\int_2^{+\infty}\frac{\mathrm{d}x}{x(\ln x)^k}=\left[-\frac{1}{(k-1)\ln^{k-1}x}\right]_2^{+\infty}=\frac{1}{(k-1)(\ln 2)^{k-1}}.$$

记 $f(k)=\dfrac{1}{(k-1)(\ln 2)^{k-1}}$,则

$$f'(k)=-\frac{1}{(k-1)^2(\ln 2)^{2k-2}}\left[(\ln 2)^{k-1}+(k-1)(\ln 2)^{k-1}\ln \ln 2\right]$$

$$=-\frac{1+(k-1)\ln \ln 2}{(k-1)^2(\ln 2)^{k-1}},$$

令 $f'(k) = 0$, 得 $k = 1 - \dfrac{1}{\ln \ln 2}$. 当 $1 < k < 1 - \dfrac{1}{\ln \ln 2}$ 时, $f'(k) < 0$, 当 $k >$ $1 - \dfrac{1}{\ln \ln 2}$ 时, $f'(k) > 0$, 故 $k = 1 - \dfrac{1}{\ln \ln 2}$ 为函数 $f(k)$ 的最小值点, 即当 $k = 1 - \dfrac{1}{\ln \ln 2}$ 时所给反常积分取得最小值.

3. 利用递推公式计算反常积分 $I_n = \displaystyle\int_0^{+\infty} x^n e^{-x} \, dx (n \in \mathbf{N})$.

解 $I_0 = \displaystyle\int_0^{+\infty} e^{-x} dx = \left[-e^{-x} \right]_0^{+\infty} = 1$.

当 $n \geqslant 1$ 时, $I_n = -\displaystyle\int_0^{+\infty} x^n d(e^{-x}) = -\left[x^n e^{-x} \right]_0^{+\infty} + n \displaystyle\int_0^{+\infty} x^{n-1} e^{-x} dx = n I_{n-1}$, 故有

$$I_n = n!.$$

*习题 5-5　　反常积分的审敛法　Γ 函数

1. 判定下列反常积分的收敛性:

(1) $\displaystyle\int_0^{+\infty} \dfrac{x^2}{x^4 + x^2 + 1} \, dx$;　　　　(2) $\displaystyle\int_1^{+\infty} \dfrac{dx}{x \sqrt[3]{x^2 + 1}}$;

(3) $\displaystyle\int_1^{+\infty} \sin \dfrac{1}{x^2} \, dx$;　　　　(4) $\displaystyle\int_0^{+\infty} \dfrac{dx}{1 + x |\sin x|}$;

(5) $\displaystyle\int_1^{+\infty} \dfrac{x \arctan x}{1 + x^3} dx$;　　　　(6) $\displaystyle\int_1^2 \dfrac{dx}{(\ln x)^3}$;

(7) $\displaystyle\int_0^1 \dfrac{x^4 \, dx}{\sqrt{1 - x^4}}$;　　　　(8) $\displaystyle\int_1^2 \dfrac{dx}{\sqrt[3]{x^2 - 3x + 2}}$.

解 (1) 由于 $\displaystyle\lim_{x \to +\infty} x^2 \cdot \dfrac{x^2}{x^4 + x^2 + 1} = 1$, 因此 $\displaystyle\int_0^{+\infty} \dfrac{x^2}{x^4 + x^2 + 1} dx$ 收敛.

(2) 由于 $\displaystyle\lim_{x \to +\infty} x^{\frac{5}{3}} \cdot \dfrac{1}{x \sqrt[3]{x^2 + 1}} = 1$, 因此 $\displaystyle\int_1^{+\infty} \dfrac{dx}{x \sqrt[3]{x^2 + 1}}$ 收敛.

(3) 由于 $\displaystyle\lim_{x \to +\infty} x^2 \cdot \sin \dfrac{1}{x^2} = 1$, 因此 $\displaystyle\int_1^{+\infty} \sin \dfrac{1}{x^2} dx$ 收敛.

(4) 由于当 $x \geqslant 0$ 时, $\dfrac{1}{1 + x |\sin x|} \geqslant \dfrac{1}{1 + x}$, 且 $\displaystyle\int_0^{+\infty} \dfrac{dx}{1 + x}$ 发散, 因此 $\displaystyle\int_0^{+\infty} \dfrac{dx}{1 + x |\sin x|}$ 发散.

(5) 由于 $\displaystyle\lim_{x \to +\infty} x^2 \cdot \dfrac{x \arctan x}{1 + x^3} = \dfrac{\pi}{2}$, 因此 $\displaystyle\int_1^{+\infty} \dfrac{x \arctan x}{1 + x^3} dx$ 收敛.

（6）$x=1$ 是被积函数的瑕点. 由于 $\lim\limits_{x\to 1^+}(x-1)\cdot\dfrac{1}{(\ln x)^3}=+\infty$, 因此 $\displaystyle\int_1^2\dfrac{\mathrm{d}x}{(\ln x)^3}$ 发散.

（7）$x=1$ 是被积函数的瑕点. 由于 $\lim\limits_{x\to 1^-}(1-x)^{\frac{1}{2}}\cdot\dfrac{x^4}{\sqrt{1-x^4}}=\dfrac{1}{2}$, 因此 $\displaystyle\int_0^1\dfrac{x^4\mathrm{d}x}{\sqrt{1-x^4}}$ 收敛.

（8）被积函数有两个瑕点：$x=1, x=2$. 由于 $\lim\limits_{x\to 1^+}(x-1)^{\frac{1}{3}}\dfrac{1}{\sqrt[3]{x^2-3x+2}}=-1$, 因此 $\displaystyle\int_1^{1.5}\dfrac{\mathrm{d}x}{\sqrt[3]{x^2-3x+2}}$ 收敛；又因为 $\lim\limits_{x\to 2^-}(x-2)^{\frac{1}{3}}\dfrac{1}{\sqrt[3]{x^2-3x+2}}=1$, 因此 $\displaystyle\int_{1.5}^2\dfrac{\mathrm{d}x}{\sqrt[3]{x^2-3x+2}}$ 收敛，故 $\displaystyle\int_1^2\dfrac{\mathrm{d}x}{\sqrt[3]{x^2-3x+2}}$ 收敛.

2. 设反常积分 $\displaystyle\int_1^{+\infty}f^2(x)\mathrm{d}x$ 收敛. 证明反常积分 $\displaystyle\int_1^{+\infty}\dfrac{f(x)}{x}\mathrm{d}x$ 绝对收敛.

解 因为 $\left|\dfrac{f(x)}{x}\right|\leqslant\dfrac{f^2(x)+\dfrac{1}{x^2}}{2}$, 由于 $\displaystyle\int_1^{+\infty}f^2(x)\mathrm{d}x$ 收敛, $\displaystyle\int_1^{+\infty}\dfrac{1}{x^2}\mathrm{d}x$ 也收敛，因此 $\displaystyle\int_1^{+\infty}\left|\dfrac{f(x)}{x}\right|\mathrm{d}x$ 收敛. 即 $\displaystyle\int_1^{+\infty}\dfrac{f(x)}{x}\mathrm{d}x$ 绝对收敛.

3. 用 Γ 函数表示下列积分，并指出这些积分的收敛范围：

（1）$\displaystyle\int_0^{+\infty}\mathrm{e}^{-x^n}\mathrm{d}x\,(n>0)$; （2）$\displaystyle\int_0^1\left(\ln\dfrac{1}{x}\right)^p\mathrm{d}x$;

（3）$\displaystyle\int_0^{+\infty}x^m\mathrm{e}^{-x^n}\mathrm{d}x\,(n\neq 0)$.

解 （1）令 $u=x^n$, 即 $x=u^{\frac{1}{n}}$,

$$\int_0^{+\infty}\mathrm{e}^{-x^n}\mathrm{d}x=\dfrac{1}{n}\int_0^{+\infty}\mathrm{e}^{-u}u^{\frac{1}{n}-1}\mathrm{d}u=\dfrac{1}{n}\Gamma\left(\dfrac{1}{n}\right),$$

在 $n>0$ 时都收敛.

（2）令 $u=\ln\dfrac{1}{x}$, 即 $x=\mathrm{e}^{-u}$,

$$\int_0^1\left(\ln\dfrac{1}{x}\right)^p\mathrm{d}x=\int_{+\infty}^0-u^p\mathrm{e}^{-u}\mathrm{d}u=\int_0^{+\infty}u^p\mathrm{e}^{-u}\mathrm{d}u=\Gamma(p+1),$$

当 $p>-1$ 时收敛.

（3）令 $u=x^n$, 即 $x=u^{\frac{1}{n}}$.

当 $n>0$ 时，$\displaystyle\int_0^{+\infty}x^m\mathrm{e}^{-x^n}\mathrm{d}x=\int_0^{+\infty}\dfrac{1}{n}u^{\frac{m+1}{n}-1}\mathrm{e}^{-u}\mathrm{d}u=\dfrac{1}{n}\Gamma\left(\dfrac{m+1}{n}\right)$,

当 $n<0$ 时，$\int_0^{+\infty} x^m \mathrm{e}^{-x^n} \mathrm{d}x = \int_{+\infty}^0 \frac{1}{n} u^{\frac{m+1}{n}-1} \mathrm{e}^{-u} \mathrm{d}u = -\frac{1}{n} \Gamma\left(\frac{m+1}{n}\right)$,

故 $\int_0^{+\infty} x^m \mathrm{e}^{-x^n} \mathrm{d}x = \frac{1}{|n|} \Gamma\left(\frac{m+1}{n}\right)$, 当 $\frac{m+1}{n}>0$ 时收敛.

4. 证明 $\Gamma\left(\dfrac{2k+1}{2}\right) = \dfrac{1 \cdot 3 \cdot 5 \cdots \cdots (2k-1)\sqrt{\pi}}{2^k}$, 其中 $k \in \mathbf{N}^+$.

证 $\Gamma\left(\dfrac{2k+1}{2}\right) = \dfrac{2k-1}{2} \Gamma\left(\dfrac{2k-1}{2}\right) = \dfrac{2k-1}{2} \cdot \dfrac{2k-3}{2} \Gamma\left(\dfrac{2k-3}{2}\right)$

$= \dfrac{2k-1}{2} \cdot \dfrac{2k-3}{2} \cdots \cdots \dfrac{1}{2} \Gamma\left(\dfrac{1}{2}\right) = \dfrac{1 \cdot 3 \cdot 5 \cdots \cdots (2k-1)}{2^k} \sqrt{\pi}.$

5. 证明以下各式(其中 $n \in \mathbf{N}^+$):

(1) $2 \cdot 4 \cdot 6 \cdots \cdots (2n) = 2^n \Gamma(n+1)$;

(2) $1 \cdot 3 \cdot 5 \cdots \cdots (2n-1) = \dfrac{\Gamma(2n)}{2^{n-1}\Gamma(n)}$;

(3) $\sqrt{\pi} \Gamma(2n) = 2^{2n-1} \Gamma(n) \Gamma\left(n+\dfrac{1}{2}\right)$.

证 (1) $2 \cdot 4 \cdot 6 \cdots \cdots (2n) = 2^n n! = 2^n \Gamma(n+1)$.

(2) $1 \cdot 3 \cdot 5 \cdots \cdots (2n-1) = \dfrac{(2n-1)!}{2 \cdot 4 \cdot 6 \cdots \cdots (2n-2)} = \dfrac{\Gamma(2n)}{2^{n-1}(n-1)!} = \dfrac{\Gamma(2n)}{2^{n-1}\Gamma(n)}$.

(3) 因为 $\sqrt{\pi} \Gamma(2n) = (2n-1)! \sqrt{\pi}$,

$\Gamma(n) \Gamma\left(n+\dfrac{1}{2}\right) = (n-1)! \cdot \dfrac{1 \cdot 3 \cdot 5 \cdots \cdots (2n-1)\sqrt{\pi}}{2^n}$

$= \dfrac{2 \cdot 4 \cdot 6 \cdots \cdots (2n-2)}{2^{n-1}} \cdot \dfrac{1 \cdot 3 \cdot 5 \cdots \cdots (2n-1)\sqrt{\pi}}{2^n}$

$= \dfrac{(2n-1)!}{2^{2n-1}} \sqrt{\pi}$,

因此结论成立.

总习题五

1. 填空

(1) 函数 $f(x)$ 在 $[a,b]$ 上有界是 $f(x)$ 在 $[a,b]$ 上可积的_____条件, 而 $f(x)$ 在 $[a,b]$ 上连续是 $f(x)$ 在 $[a,b]$ 上可积的_____条件;

(2) 对 $[a,+\infty)$ 上非负、连续的函数 $f(x)$, 它的变上限积分 $\int_a^x f(t)\mathrm{d}t$ 在 $[a, +\infty)$ 上有界是反常积分 $\int_a^{+\infty} f(x)\mathrm{d}x$ 收敛的_____条件;

*(3) 绝对收敛的反常积分 $\displaystyle\int_a^{+\infty} f(x)\mathrm{d}x$ 一定_____;

(4) 函数 $f(x)$ 在 $[a,b]$ 上有定义且 $|f(x)|$ 在 $[a,b]$ 上可积,此时积分 $\displaystyle\int_a^b f(x)\mathrm{d}x$ _____存在.

解 (1) 必要,充分. (2) 充分必要. (3) 收敛.

(4) 不一定. 例如 $f(x)=\begin{cases} 1, & x \text{ 为有理数,} \\ -1, & x \text{ 为无理数,} \end{cases}$ 则 $|f(x)|=1$ 在 $[a,b]$ 上可积,而 $\displaystyle\int_a^b f(x)\mathrm{d}x$ 不存在.

2. 回答下列问题:

(1) 设函数 $f(x)$ 及 $g(x)$ 在区间 $[a,b]$ 上连续,且 $f(x) \geqslant g(x)$,那么 $\displaystyle\int_a^b [f(x)-g(x)]\mathrm{d}x$ 在几何上表示什么?

(2) 设函数 $f(x)$ 在区间 $[a,b]$ 上连续,且 $f(x) \geqslant 0$,那么 $\displaystyle\int_a^b \pi f^2(x)\mathrm{d}x$ 在几何上表示什么?

(3) 如果在时刻 t 以 $\varphi(t)$ 的流量(单位时间内流过的流体的体积或质量)向一水池注水,那么 $\displaystyle\int_{t_1}^{t_2}\varphi(t)\mathrm{d}t$ 表示什么?

(4) 如果某国人口增长的速率为 $u(t)$,那么 $\displaystyle\int_{T_1}^{T_2} u(t)\mathrm{d}t$ 表示什么?

(5) 如果一公司经营某种产品的边际利润函数为 $P'(x)$,那么 $\displaystyle\int_{1\,000}^{2\,000} P'(x)\mathrm{d}x$ 表示什么?

解 (1) $\displaystyle\int_a^b [f(x)-g(x)]\mathrm{d}x$ 表示由曲线 $y=f(x),y=g(x)$ 以及直线 $x=a$,$x=b$ 所围成的图形的面积.

(2) $\displaystyle\int_a^b \pi f^2(x)\mathrm{d}x$ 表示 xOy 面上,由曲线 $y=f(x),x=a,x=b$ 以及 x 轴所围成的图形绕 x 轴旋转一周而得到的旋转体的体积.

(3) $\displaystyle\int_{t_1}^{t_2}\varphi(t)\mathrm{d}t$ 表示在时间段 $[t_1,t_2]$ 内向水池注入的水的总量.

(4) $\displaystyle\int_{T_1}^{T_2} u(t)\mathrm{d}t$ 表示该国在 $[T_1,T_2]$ 时间段内增加的人口总量.

(5) $\displaystyle\int_{1\,000}^{2\,000} P'(x)\mathrm{d}x$ 表示从经营第 $1\,000$ 个产品起一直到第 $2\,000$ 个产品的利润总量.

*3. 利用定积分的定义计算下列极限:

(1) $\lim\limits_{n\to\infty}\dfrac{1}{n}\sum\limits_{i=1}^{n}\sqrt{1+\dfrac{i}{n}}$；　　　　(2) $\lim\limits_{n\to\infty}\dfrac{1^p+2^p+\cdots+n^p}{n^{p+1}}\ (p>0)$.

解 (1) $\lim\limits_{n\to\infty}\dfrac{1}{n}\sum\limits_{i=1}^{n}\sqrt{1+\dfrac{i}{n}}=\int_0^1\sqrt{1+x}\,\mathrm{d}x=\left[\dfrac{2}{3}(1+x)^{\frac{3}{2}}\right]_0^1=\dfrac{2}{3}(2\sqrt{2}-1)$.

(2) $\lim\limits_{n\to\infty}\dfrac{1^p+2^p+\cdots+n^p}{n^{p+1}}=\lim\limits_{n\to\infty}\dfrac{1}{n}\sum\limits_{i=1}^{n}\left(\dfrac{i}{n}\right)^p=\int_0^1 x^p\,\mathrm{d}x=\dfrac{1}{p+1}$.

4. 求下列极限：

(1) $\lim\limits_{x\to a}\dfrac{x}{x-a}\int_a^x f(t)\,\mathrm{d}t$，其中 $f(x)$ 连续；　　　　(2) $\lim\limits_{x\to+\infty}\dfrac{\displaystyle\int_0^x(\arctan t)^2\,\mathrm{d}t}{\sqrt{x^2+1}}$.

解 (1) 记 $F(x)=x\displaystyle\int_a^x f(t)\,\mathrm{d}t$，

$$\lim\limits_{x\to a}\dfrac{x}{x-a}\int_a^x f(t)\,\mathrm{d}t=\lim\limits_{x\to a}\dfrac{F(x)-F(a)}{x-a}=F'(a)=af(a).$$

(2) 先证明所求极限为未定式 $\dfrac{\infty}{\infty}$. 由于当 $x>\tan 1$ 时，$\arctan x>1$，记

$c=\displaystyle\int_0^{\tan 1}(\arctan t)^2\,\mathrm{d}t$，则当 $x>\tan 1$ 时有

$$\int_0^x(\arctan t)^2\,\mathrm{d}t=c+\int_{\tan 1}^x(\arctan t)^2\,\mathrm{d}t>c+\int_{\tan 1}^x\mathrm{d}t=c+x-\tan 1;$$

故有 $\lim\limits_{x\to+\infty}\displaystyle\int_0^x(\arctan t)^2\,\mathrm{d}t=+\infty$，从而利用洛必达法则有

$$\lim\limits_{x\to+\infty}\dfrac{\displaystyle\int_0^x(\arctan t)^2\,\mathrm{d}t}{\sqrt{x^2+1}}=\lim\limits_{x\to+\infty}\dfrac{(\arctan x)^2}{\dfrac{x}{\sqrt{x^2+1}}}=\dfrac{\pi^2}{4}.$$

5. 下列计算是否正确，试说明理由：

(1) $\displaystyle\int_{-1}^1\dfrac{\mathrm{d}x}{1+x^2}=-\int_{-1}^1\dfrac{\mathrm{d}\left(\dfrac{1}{x}\right)}{1+\left(\dfrac{1}{x}\right)^2}=\left[-\arctan\dfrac{1}{x}\right]_{-1}^1=-\dfrac{\pi}{2}$；

(2) 因为 $\displaystyle\int_{-1}^1\dfrac{\mathrm{d}x}{x^2+x+1}\xlongequal{x=\frac{1}{t}}-\int_{-1}^1\dfrac{\mathrm{d}t}{t^2+t+1}$，

所以 $\displaystyle\int_{-1}^1\dfrac{\mathrm{d}x}{x^2+x+1}=0$.

(3) $\displaystyle\int_{-\infty}^{+\infty}\dfrac{x}{1+x^2}\,\mathrm{d}x=\lim\limits_{A\to+\infty}\int_{-A}^A\dfrac{x}{1+x^2}\,\mathrm{d}x=0$.

解 (1) 不对. 因为 $u=\dfrac{1}{x}$ 在 $[-1,1]$ 上有间断点 $x=0$，不符合换元法的要

求. 而由习题 5-1 的第 12 题可知该积分一定为正, 因此该积分计算不对. 事实上,

$$\int_{-1}^{1} \frac{dx}{1+x^2} = [\arctan x]_{-1}^{1} = \frac{\pi}{2}.$$

（2）不对. 原因与（1）相同. 事实上,

$$\int_{-1}^{1} \frac{dx}{x^2+x+1} = \int_{-1}^{1} \frac{1}{\left(x+\frac{1}{2}\right)^2 + \left(\frac{\sqrt{3}}{2}\right)^2} d\left(x+\frac{1}{2}\right)$$

$$= \left[\frac{2}{\sqrt{3}}\arctan\frac{2x+1}{\sqrt{3}}\right]_{-1}^{1} = \frac{\pi}{\sqrt{3}}.$$

（3）不对. 因为 $\int_{0}^{A} \frac{x}{1+x^2}dx = \frac{1}{2}\ln(1+A^2)$, 当 $A \to +\infty$ 时极限不存在, 故

$\int_{0}^{+\infty} \frac{x}{1+x^2}dx$ 发散, 也就得到 $\int_{-\infty}^{+\infty} \frac{x}{1+x^2}dx$ 发散.

6. 设 $x>0$, 证明 $\int_{0}^{x} \frac{1}{1+t^2}dt + \int_{0}^{\frac{1}{x}} \frac{1}{1+t^2}dt = \frac{\pi}{2}$.

证　记 $f(x) = \int_{0}^{x} \frac{1}{1+t^2}dt + \int_{0}^{\frac{1}{x}} \frac{1}{1+t^2}dt$, 则当 $x>0$ 时, 有

$$f'(x) = \frac{1}{1+x^2} + \frac{1}{1+\frac{1}{x^2}} \cdot \left(-\frac{1}{x^2}\right) = 0,$$

由拉格朗日中值定理的推论, 得

$$f(x) \equiv C \qquad (x>0).$$

而 $f(1) = \int_{0}^{1} \frac{1}{1+t^2}dt + \int_{0}^{1} \frac{1}{1+t^2}dt = \frac{\pi}{2}$, 故 $C = \frac{\pi}{2}$, 从而结论成立.

7. 设 $p>0$, 证明

$$\frac{p}{1+p} < \int_{0}^{1} \frac{dx}{1+x^p} < 1.$$

证　由于当 $p>0$ 时, $0 < \frac{1}{1+x^p} < 1$, 因此有 $\int_{0}^{1} \frac{dx}{1+x^p} < 1$. 又

$$1 - \int_{0}^{1} \frac{dx}{1+x^p} = \int_{0}^{1} \frac{x^p dx}{1+x^p} < \int_{0}^{1} x^p dx = \frac{1}{1+p},$$

故有 $\int_{0}^{1} \frac{dx}{1+x^p} > \frac{p}{1+p}$, 原题得证.

8. 设 $f(x)、g(x)$ 在区间 $[a,b]$ 上均连续, 证明:

（1）$\left(\int_{a}^{b} f(x)g(x)dx\right)^2 \leqslant \int_{a}^{b} f^2(x)dx \cdot \int_{a}^{b} g^2(x)dx$（柯西-施瓦茨不等式）;

(2) $\left(\int_a^b [f(x)+g(x)]^2 dx\right)^{\frac{1}{2}} \leqslant \left(\int_a^b f^2(x)dx\right)^{\frac{1}{2}} + \left(\int_a^b g^2(x)dx\right)^{\frac{1}{2}}$ （闵可夫斯基不等式）.

证 （1）对任意实数 λ，有 $\int_a^b [f(x)+\lambda g(x)]^2 dx \geqslant 0$，即

$$\int_a^b f^2(x)dx + 2\lambda \int_a^b f(x)g(x)dx + \lambda^2 \int_a^b g^2(x)dx \geqslant 0,$$

左边是一个关于 λ 的二次多项式，它非负的条件是其判别式非正，即有

$$4\left(\int_a^b f(x)g(x)dx\right)^2 - 4\int_a^b f^2(x)dx \cdot \int_a^b g^2(x)dx \leqslant 0,$$

从而本题得证.

（2）$\displaystyle\int_a^b [f(x)+g(x)]^2 dx = \int_a^b [f^2(x)+2f(x)g(x)+g^2(x)]dx$

$\qquad = \displaystyle\int_a^b f^2(x)dx + 2\int_a^b f(x)g(x)dx + \int_a^b g^2(x)dx$

$\qquad \leqslant \displaystyle\int_a^b f^2(x)dx + 2\left(\int_a^b f^2(x)dx \int_a^b g^2(x)dx\right)^{\frac{1}{2}} + \int_a^b g^2(x)dx$

$\qquad = \displaystyle\left[\left(\int_a^b f^2(x)dx\right)^{\frac{1}{2}} + \left(\int_a^b g^2(x)dx\right)^{\frac{1}{2}}\right]^2,$

从而本题得证.

9. 设 $f(x)$ 在区间 $[a,b]$ 上连续，且 $f(x)>0$. 证明

$$\int_a^b f(x)dx \cdot \int_a^b \frac{1}{f(x)}dx \geqslant (b-a)^2.$$

证 根据上一题所证的柯西－施瓦茨不等式，有

$$\left(\int_a^b \sqrt{f(x)} \cdot \frac{1}{\sqrt{f(x)}}dx\right)^2 \leqslant \int_a^b (\sqrt{f(x)})^2 dx \cdot \int_a^b \left(\frac{1}{\sqrt{f(x)}}\right)^2 dx,$$

即得

$$\int_a^b f(x)dx \cdot \int_a^b \frac{1}{f(x)}dx \geqslant (b-a)^2.$$

10. 计算下列积分：

(1) $\displaystyle\int_0^{\frac{\pi}{2}} \frac{x+\sin x}{1+\cos x}dx$；

(2) $\displaystyle\int_0^{\frac{\pi}{4}} \ln(1+\tan x)dx$；

(3) $\displaystyle\int_0^a \frac{dx}{x+\sqrt{a^2-x^2}}(a>0)$；

(4) $\displaystyle\int_0^{\frac{\pi}{2}} \sqrt{1-\sin 2x}dx$；

(5) $\displaystyle\int_0^{\frac{\pi}{2}} \frac{dx}{1+\cos^2 x}$；

(6) $\displaystyle\int_0^{\pi} x\sqrt{\cos^2 x - \cos^4 x}dx$；

(7) $\displaystyle\int_0^{\pi} x^2 |\cos x|dx$；

(8) $\displaystyle\int_0^{+\infty} \frac{dx}{e^{x+1}+e^{3-x}}$；

$(9) \displaystyle\int_{\frac{1}{2}}^{\frac{3}{2}} \frac{\mathrm{d}x}{\sqrt{|x^2-x|}}$; $(10) \displaystyle\int_0^x \max\{t^3, t^2, 1\}\mathrm{d}t.$

解　$(1) \displaystyle\int_0^{\frac{\pi}{2}} \frac{x+\sin x}{1+\cos x}\mathrm{d}x = \int_0^{\frac{\pi}{2}} \frac{x}{1+\cos x}\mathrm{d}x + \int_0^{\frac{\pi}{2}} \frac{\sin x}{1+\cos x}\mathrm{d}x$

$$= \int_0^{\frac{\pi}{2}} \frac{x}{2}\sec^2 \frac{x}{2}\mathrm{d}x - \int_0^{\frac{\pi}{2}} \frac{1}{1+\cos x}\mathrm{d}(1+\cos x)$$

$$= \left[x\tan \frac{x}{2}\right]_0^{\frac{\pi}{2}} - \int_0^{\frac{\pi}{2}} \tan \frac{x}{2}\mathrm{d}x - \left[\ln(1+\cos x)\right]_0^{\frac{\pi}{2}}$$

$$= \frac{\pi}{2} + \left[2\ln\cos \frac{x}{2}\right]_0^{\frac{\pi}{2}} + \ln 2 = \frac{\pi}{2}.$$

$(2) \displaystyle\int_0^{\frac{\pi}{4}} \ln(1+\tan x)\mathrm{d}x = \int_0^{\frac{\pi}{4}} \ln \frac{\cos x+\sin x}{\cos x}\mathrm{d}x$

$$= \int_0^{\frac{\pi}{4}} \ln(\cos x+\sin x)\mathrm{d}x - \int_0^{\frac{\pi}{4}} \ln\cos x\mathrm{d}x,$$

而　$\displaystyle\int_0^{\frac{\pi}{4}} \ln(\cos x+\sin x)\mathrm{d}x = \int_0^{\frac{\pi}{4}} \ln\left[\sqrt{2}\cos\left(\frac{\pi}{4}-x\right)\right]\mathrm{d}x$

$$\xlongequal{x=\frac{\pi}{4}-u} -\int_{\frac{\pi}{4}}^0 (\ln\sqrt{2}+\ln\cos u)\mathrm{d}u$$

$$= \frac{\pi\ln 2}{8} + \int_0^{\frac{\pi}{4}} \ln\cos x\mathrm{d}x,$$

故　$\displaystyle\int_0^{\frac{\pi}{4}} \ln(1+\tan x)\mathrm{d}x = \frac{\pi\ln 2}{8}.$

$(3) \displaystyle\int_0^a \frac{\mathrm{d}x}{x+\sqrt{a^2-x^2}} \xlongequal{x=a\sin u} \int_0^{\frac{\pi}{2}} \frac{\cos u\mathrm{d}u}{\sin u+\cos u} = \int_0^{\frac{\pi}{2}} \frac{\sin u\mathrm{d}u}{\cos u+\sin u}$

$$= \frac{1}{2}\left(\int_0^{\frac{\pi}{2}} \frac{\cos u\mathrm{d}u}{\sin u+\cos u} + \int_0^{\frac{\pi}{2}} \frac{\sin u\mathrm{d}u}{\cos u+\sin u}\right)$$

$$= \frac{1}{2}\int_0^{\frac{\pi}{2}} \mathrm{d}u = \frac{\pi}{4}.$$

$(4) \displaystyle\int_0^{\frac{\pi}{2}} \sqrt{1-\sin 2x}\mathrm{d}x = \int_0^{\frac{\pi}{2}} \sqrt{\sin^2 x+\cos^2 x-2\sin x\cos x}\mathrm{d}x$

$$= \int_0^{\frac{\pi}{2}} |\sin x-\cos x|\mathrm{d}x$$

$$= \int_0^{\frac{\pi}{4}} (\cos x-\sin x)\mathrm{d}x + \int_{\frac{\pi}{4}}^{\frac{\pi}{2}} (\sin x-\cos x)\mathrm{d}x$$

$$= \left[\sin x+\cos x\right]_0^{\frac{\pi}{4}} + \left[-\cos x-\sin x\right]_{\frac{\pi}{4}}^{\frac{\pi}{2}}$$

$$= 2(\sqrt{2}-1).$$

(5) 注意到 $\lim\limits_{x\to\frac{\pi}{2}^-}\arctan\dfrac{\tan x}{\sqrt{2}}=\dfrac{\pi}{2}$，因此有

$$\int_0^{\frac{\pi}{2}}\frac{\mathrm{d}x}{1+\cos^2 x}=\int_0^{\frac{\pi}{2}}\frac{\sec^2 x\mathrm{d}x}{\sec^2 x+1}=\int_0^{\frac{\pi}{2}}\frac{\mathrm{d}(\tan x)}{\tan^2 x+2}$$

$$=\left[\frac{1}{\sqrt{2}}\arctan\frac{\tan x}{\sqrt{2}}\right]_0^{\frac{\pi}{2}}=\frac{\pi}{2\sqrt{2}}.$$

(6) $\displaystyle\int_0^{\pi}x\sqrt{\cos^2 x-\cos^4 x}\mathrm{d}x=\int_0^{\pi}x\mid\cos x\mid\sin x\mathrm{d}x$

$$=\frac{\pi}{2}\int_0^{\pi}\mid\cos x\mid\sin x\mathrm{d}x$$

$$=\frac{\pi}{2}\left[\int_0^{\frac{\pi}{2}}\cos x\sin x\mathrm{d}x-\int_{\frac{\pi}{2}}^{\pi}\cos x\sin x\mathrm{d}x\right]$$

$$=\frac{\pi}{2}\left[\frac{1}{2}\sin^2 x\right]_0^{\frac{\pi}{2}}-\frac{\pi}{2}\left[\frac{1}{2}\sin^2 x\right]_{\frac{\pi}{2}}^{\pi}=\frac{\pi}{2}.$$

(7) $\displaystyle\int_0^{\pi}x^2\mid\cos x\mid\mathrm{d}x=\int_0^{\frac{\pi}{2}}x^2\cos x\mathrm{d}x-\int_{\frac{\pi}{2}}^{\pi}x^2\cos x\mathrm{d}x$

$$=\left[x^2\sin x+2x\cos x-2\sin x\right]_0^{\frac{\pi}{2}}-$$
$$\left[x^2\sin x+2x\cos x-2\sin x\right]_{\frac{\pi}{2}}^{\pi}$$

$$=\frac{\pi^2}{2}+2\pi-4.$$

(8) $\displaystyle\int_0^{+\infty}\frac{\mathrm{d}x}{e^{x+1}+e^{3-x}}=\frac{1}{e^2}\int_0^{+\infty}\frac{\mathrm{d}(e^{x-1})}{e^{2x-2}+1}=\frac{1}{e^2}\left[\arctan(e^{x-1})\right]_0^{+\infty}$

$$=\frac{1}{e^2}\left(\frac{\pi}{2}-\arctan\frac{1}{e}\right).$$

(9) $\displaystyle\int_{\frac{1}{2}}^{1}\frac{\mathrm{d}x}{\sqrt{\mid x^2-x\mid}}=\int_{\frac{1}{2}}^{1}\frac{\mathrm{d}x}{\sqrt{x-x^2}}=\int_{\frac{1}{2}}^{1}\frac{\mathrm{d}(2x-1)}{\sqrt{1-(2x-1)^2}}$;

$$=\left[\arcsin(2x-1)\right]_{\frac{1}{2}}^{1}=\frac{\pi}{2};$$

$$\int_1^{\frac{3}{2}}\frac{\mathrm{d}x}{\sqrt{\mid x^2-x\mid}}=\int_1^{\frac{3}{2}}\frac{\mathrm{d}x}{\sqrt{x^2-x}}=\int_1^{\frac{3}{2}}\frac{\mathrm{d}(2x-1)}{\sqrt{(2x-1)^2-1}}$$

$$=\left[\ln(2x-1+\sqrt{(2x-1)^2-1})\right]_1^{\frac{3}{2}}=\ln(2+\sqrt{3}),$$

因此

$$\int_{\frac{1}{2}}^{\frac{3}{2}}\frac{\mathrm{d}x}{\sqrt{\mid x^2-x\mid}}=\int_{\frac{1}{2}}^{1}\frac{\mathrm{d}x}{\sqrt{\mid x^2-x\mid}}+\int_1^{\frac{3}{2}}\frac{\mathrm{d}x}{\sqrt{\mid x^2-x\mid}}$$

$$=\frac{\pi}{2}+\ln(2+\sqrt{3}).$$

(10) 当 $x < -1$ 时，

$$\int_0^x \max\{t^3, t^2, 1\} \mathrm{d}t = \int_0^{-1} \mathrm{d}t + \int_{-1}^x t^2 \mathrm{d}t = \frac{1}{3}x^3 - \frac{2}{3};$$

当 $-1 \leqslant x \leqslant 1$ 时，

$$\int_0^x \max\{t^3, t^2, 1\} \mathrm{d}t = \int_0^x \mathrm{d}t = x;$$

当 $x > 1$ 时，

$$\int_0^x \max\{t^3, t^2, 1\} \mathrm{d}t = \int_0^1 \mathrm{d}t + \int_1^x t^3 \mathrm{d}t = \frac{1}{4}x^4 + \frac{3}{4}.$$

因此

$$\int_0^x \max\{t^3, t^2, 1\} \mathrm{d}t = \begin{cases} \dfrac{1}{3}x^3 - \dfrac{2}{3}, & x < -1, \\ x, & -1 \leqslant x \leqslant 1, \\ \dfrac{1}{4}x^4 + \dfrac{3}{4}, & x > 1. \end{cases}$$

11. 设 $f(x)$ 为连续函数，证明

$$\int_0^x f(t)(x-t)\mathrm{d}t = \int_0^x \left(\int_0^t f(u)\mathrm{d}u \right) \mathrm{d}t.$$

证 $\displaystyle\int_0^x \left(\int_0^t f(u)\mathrm{d}u \right)\mathrm{d}t = \left[t\int_0^t f(u)\mathrm{d}u \right]_0^x - \int_0^x tf(t)\mathrm{d}t$

$$= x\int_0^x f(u)\mathrm{d}u - \int_0^x tf(t)\mathrm{d}t$$

$$= x\int_0^x f(t)\mathrm{d}t - \int_0^x tf(t)\mathrm{d}t = \int_0^x (x-t)f(t)\mathrm{d}t.$$

本题也可利用原函数性质来证明，记等式左端的函数为 $F(x)$、右端的函数为 $G(x)$，则

$$F'(x) = \left(x\int_0^x f(t)\ \mathrm{d}t - \int_0^x tf(t)\mathrm{d}t \right)' = \int_0^x f(t)\mathrm{d}t,$$

$$G'(x) = \int_0^x f(u)\mathrm{d}u = \int_0^x f(t)\mathrm{d}t,$$

即 $F(x)$、$G(x)$ 都为函数 $\displaystyle\int_0^x f(t)\mathrm{d}t$ 的原函数，因此它们至多只差一个常数，但由于 $F(0) = G(0) = 0$，因此必有 $F(x) = G(x)$.

12. 设 $f(x)$ 在区间 $[a, b]$ 上连续，且 $f(x) > 0$，

$$F(x) = \int_a^x f(t)\mathrm{d}t + \int_b^x \frac{\mathrm{d}t}{f(t)}, x \in [a, b].$$

证明：(1) $F'(x) \geqslant 2$；(2) 方程 $F(x) = 0$ 在区间 (a, b) 内有且仅有一个根.

证 (1) $F'(x) = f(x) + \dfrac{1}{f(x)} \geqslant 2\sqrt{f(x) \cdot \dfrac{1}{f(x)}} = 2.$

(2) $F(a)=\int_b^a \dfrac{\mathrm{d}t}{f(t)}=-\int_a^b \dfrac{\mathrm{d}t}{f(t)}<0$，$F(b)=\int_a^b f(t)\mathrm{d}t>0$，由闭区间上连续函数性质可知 $F(x)$ 在区间 (a,b) 内必有零点，根据(1)可知函数 $F(x)$ 在区间 $[a,b]$ 上单调增加，从而零点惟一，即方程 $F(x)=0$ 在区间 (a,b) 内有且仅有一个根.

13. 求 $\int_0^2 f(x-1)\mathrm{d}x$，其中

$$f(x)=\begin{cases} \dfrac{1}{1+x}, & x\geqslant 0, \\[2mm] \dfrac{1}{1+\mathrm{e}^x}, & x<0. \end{cases}$$

解 $\int_0^2 f(x-1)\mathrm{d}x \xlongequal{x=u+1} \int_{-1}^1 f(u)\mathrm{d}u=\int_{-1}^0 \dfrac{\mathrm{d}u}{1+\mathrm{e}^u}+\int_0^1 \dfrac{\mathrm{d}u}{1+u}$

$\qquad = \int_{-1}^0 \dfrac{\mathrm{e}^{-u}\,\mathrm{d}u}{1+\mathrm{e}^{-u}}+[\ln(1+u)]_0^1$

$\qquad = [-\ln(1+\mathrm{e}^{-u})]_{-1}^0+\ln 2=\ln(1+\mathrm{e}).$

14. 设 $f(x)$ 在区间 $[a,b]$ 上连续，$g(x)$ 在区间 $[a,b]$ 上连续不变号. 证明至少存在一点 $\xi\in[a,b]$，使下式成立：

$$\int_a^b f(x)g(x)\mathrm{d}x=f(\xi)\int_a^b g(x)\mathrm{d}x\ (\text{积分第一中值定理}).$$

证 不妨设 $g(x)\geqslant 0$，由定积分性质可知 $\int_a^b g(x)\mathrm{d}x\geqslant 0$. 记 $f(x)$ 在 $[a,b]$ 上的最大值为 M、最小值为 m，则有

$$mg(x)\leqslant f(x)g(x)\leqslant Mg(x),$$

故有

$$m\int_a^b g(x)\mathrm{d}x=\int_a^b mg(x)\mathrm{d}x\leqslant \int_a^b f(x)g(x)\mathrm{d}x$$

$$\leqslant \int_a^b Mg(x)\mathrm{d}x=M\int_a^b g(x)\mathrm{d}x.$$

当 $\int_a^b g(x)\mathrm{d}x=0$ 时，由上述不等式可知 $\int_a^b f(x)g(x)\mathrm{d}x=0$，故结论成立.

当 $\int_a^b g(x)\mathrm{d}x>0$ 时，有

$$m\leqslant \dfrac{\int_a^b f(x)g(x)\mathrm{d}x}{\int_a^b g(x)\mathrm{d}x}\leqslant M,$$

由闭区间上连续函数性质，知存在 $\xi\in[a,b]$，使得

$$f(\xi) = \frac{\int_a^b f(x)g(x)\,\mathrm{d}x}{\int_a^b g(x)\,\mathrm{d}x},$$

从而结论成立.

*15. 证明：$\displaystyle\int_0^{+\infty} x^n \mathrm{e}^{-x^2}\,\mathrm{d}x = \frac{n-1}{2}\int_0^{+\infty} x^{n-2}\mathrm{e}^{-x^2}\,\mathrm{d}x\,(n>1)$，并用它证明：

$$\int_0^{+\infty} x^{2n+1} \mathrm{e}^{-x^2}\,\mathrm{d}x = \frac{1}{2}\Gamma(n+1)\ (n\in\mathbf{N}).$$

证 当 $n>1$ 时，

$$\int_0^{+\infty} x^n \mathrm{e}^{-x^2}\,\mathrm{d}x = -\frac{1}{2}\int_0^{+\infty} x^{n-1}\,\mathrm{d}(\mathrm{e}^{-x^2})$$

$$= -\frac{1}{2}\big[x^{n-1}\mathrm{e}^{-x^2}\big]_0^{+\infty} + \frac{n-1}{2}\int_0^{+\infty} x^{n-2}\mathrm{e}^{-x^2}\,\mathrm{d}x$$

$$= \frac{n-1}{2}\int_0^{+\infty} x^{n-2}\mathrm{e}^{-x^2}\,\mathrm{d}x.$$

记 $I_n = \displaystyle\int_0^{+\infty} x^{2n+1}\mathrm{e}^{-x^2}\,\mathrm{d}x$，则

$$I_n = \int_0^{+\infty} x^{2n+1}\mathrm{e}^{-x^2}\,\mathrm{d}x = \frac{2n+1-1}{2}\int_0^{+\infty} x^{2n-1}\mathrm{e}^{-x^2}\,\mathrm{d}x$$

$$= n\int_0^{+\infty} x^{2n-1}\mathrm{e}^{-x^2}\,\mathrm{d}x = nI_{n-1},$$

因此有 $\qquad I_n = n!I_0 = n!\displaystyle\int_0^{+\infty} x\mathrm{e}^{-x^2}\,\mathrm{d}x = n!\left[-\frac{1}{2}\mathrm{e}^{-x^2}\right]_0^{+\infty}$

$$= \frac{1}{2}n! = \frac{1}{2}\Gamma(n+1).$$

*16. 判断下列反常积分的收敛性：

(1) $\displaystyle\int_0^{+\infty} \frac{\sin x}{\sqrt{x^3}}\,\mathrm{d}x$；　　　　(2) $\displaystyle\int_2^{+\infty} \frac{\mathrm{d}x}{x\cdot\sqrt[3]{x^2-3x+2}}$；

(3) $\displaystyle\int_2^{+\infty} \frac{\cos x}{\ln x}\,\mathrm{d}x$；　　　　(4) $\displaystyle\int_0^{+\infty} \frac{\mathrm{d}x}{\sqrt[3]{x^2(x-1)(x-2)}}$.

解 (1) $x=0$ 为被积函数 $f(x) = \dfrac{\sin x}{\sqrt{x^3}}$ 的瑕点，而 $\lim\limits_{x\to 0^+} x^{\frac{1}{2}}\cdot f(x)=1$，因此

$\displaystyle\int_0^1 f(x)\,\mathrm{d}x$ 收敛；又由于 $|f(x)|\leqslant\dfrac{1}{\sqrt{x^3}}$，而 $\displaystyle\int_1^{+\infty}\dfrac{1}{\sqrt{x^3}}\,\mathrm{d}x$ 收敛，故 $\displaystyle\int_1^{+\infty} f(x)\,\mathrm{d}x$ 收

敛，因此 $\displaystyle\int_0^{+\infty}\dfrac{\sin x}{\sqrt{x^3}}\,\mathrm{d}x$ 收敛.

(2) $x=2$ 为被积函数 $f(x) = \dfrac{1}{x\cdot\sqrt[3]{x^2-3x+2}}$ 的瑕点，而

$$\lim_{x \to 2^+} (x-2)^{\frac{1}{3}} \cdot f(x) = \frac{1}{2},$$

因此 $\int_2^3 f(x)\mathrm{d}x$ 收敛；又由于 $\lim\limits_{x \to +\infty} x^{\frac{5}{3}} \cdot f(x) = 1$，因此 $\int_3^{+\infty} \dfrac{\mathrm{d}x}{x \cdot \sqrt[3]{x^2-3x+2}}$ 收敛，故 $\int_2^{+\infty} \dfrac{\mathrm{d}x}{x \cdot \sqrt[3]{x^2-3x+2}}$ 收敛.

(3) $\displaystyle\int_2^{+\infty} \frac{\cos x}{\ln x}\mathrm{d}x = \int_2^{+\infty} \frac{1}{\ln x}\mathrm{d}(\sin x) = \left[\frac{\sin x}{\ln x}\right]_2^{+\infty} + \int_2^{+\infty} \frac{\sin x}{x\ln^2 x}\mathrm{d}x$

$$= \int_2^{+\infty} \frac{\sin x}{x\ln^2 x}\mathrm{d}x - \frac{\sin 2}{\ln 2},$$

又由于 $\left|\dfrac{\sin x}{x\ln^2 x}\right| \leqslant \dfrac{1}{x\ln^2 x}$，而 $\displaystyle\int_2^{+\infty} \frac{1}{x\ln^2 x}\mathrm{d}x$ 收敛，故 $\displaystyle\int_2^{+\infty} \left|\frac{\sin x}{x\ln^2 x}\right|\mathrm{d}x$ 收敛，即 $\displaystyle\int_2^{+\infty} \frac{\sin x}{x\ln^2 x}\mathrm{d}x$ 绝对收敛，因此 $\displaystyle\int_2^{+\infty} \frac{\cos x}{\ln x}\mathrm{d}x$ 收敛.

(4) $x=0, x=1, x=2$ 为被积函数 $f(x) = \dfrac{1}{\sqrt[3]{x^2(x-1)(x-2)}}$ 的瑕点，

$$\lim_{x \to 0^+} x^{\frac{2}{3}} f(x) = \frac{1}{\sqrt[3]{2}}, \quad \lim_{x \to 1} (x-1)^{\frac{1}{3}} f(x) = -1, \quad \lim_{x \to 2} f(x)(x-2)^{\frac{1}{3}} = \frac{\sqrt[3]{2}}{2},$$

故 $\displaystyle\int_0^3 f(x)\mathrm{d}x$ 收敛；又由于 $\lim\limits_{x \to +\infty} x^{\frac{4}{3}} \cdot f(x) = 1$，因此 $\displaystyle\int_3^{+\infty} \frac{\mathrm{d}x}{\sqrt[3]{x^2(x-1)(x-2)}}$ 收敛，故 $\displaystyle\int_0^{+\infty} \frac{\mathrm{d}x}{\sqrt[3]{x^2(x-1)(x-2)}}$ 收敛.

*17. 计算下列反常积分：

(1) $\displaystyle\int_0^{\frac{\pi}{2}} \ln \sin x\,\mathrm{d}x$；　　(2) $\displaystyle\int_0^{+\infty} \frac{\mathrm{d}x}{(1+x^2)(1+x^\alpha)}\,(\alpha \geqslant 0)$.

解 (1) $x=0$ 为被积函数 $f(x) = \ln \sin x$ 的瑕点，而

$$\lim_{x \to 0^+} \sqrt{x} \cdot f(x) = \lim_{x \to 0^+} \frac{\ln \sin x}{x^{-\frac{1}{2}}} = \lim_{x \to 0^+} \frac{\cot x}{-\frac{1}{2}x^{-\frac{3}{2}}}$$

$$= \lim_{x \to 0^+} \frac{-2x^{\frac{3}{2}}}{\tan x} = 0,$$

故 $\displaystyle\int_0^{\frac{\pi}{2}} \ln \sin x\,\mathrm{d}x$ 收敛.

又 $\displaystyle\int_0^{\frac{\pi}{2}} \ln \sin x\,\mathrm{d}x = \int_0^{\frac{\pi}{4}} \ln \sin x\,\mathrm{d}x + \int_{\frac{\pi}{4}}^{\frac{\pi}{2}} \ln \sin x\,\mathrm{d}x$，而

$$\int_{\frac{\pi}{4}}^{\frac{\pi}{2}} \ln \sin x\,\mathrm{d}x \xlongequal{x=\frac{\pi}{2}-u} \int_{\frac{\pi}{4}}^0 -\ln \cos u\,\mathrm{d}u = \int_0^{\frac{\pi}{4}} \ln \cos u\,\mathrm{d}u,$$

因此 $\displaystyle\int_0^{\frac{\pi}{2}} \ln \sin x \mathrm{d}x = \int_0^{\frac{\pi}{4}} \ln \sin x \mathrm{d}x + \int_0^{\frac{\pi}{4}} \ln \cos x \mathrm{d}x$

$$= \int_0^{\frac{\pi}{4}} \ln(\sin x \cos x) \mathrm{d}x = \int_0^{\frac{\pi}{4}} (\ln \sin 2x - \ln 2) \mathrm{d}x$$

$$= \int_0^{\frac{\pi}{4}} \ln \sin 2x \mathrm{d}x - \int_0^{\frac{\pi}{4}} \ln 2 \mathrm{d}x$$

$$\xlongequal{u=2x} \frac{1}{2} \int_0^{\frac{\pi}{2}} \ln \sin u \mathrm{d}u - \frac{\pi}{4} \ln 2,$$

故 $$\int_0^{\frac{\pi}{2}} \ln \sin x \mathrm{d}x = -\frac{\pi}{2} \ln 2.$$

（2）记被积函数为 $f(x) = \dfrac{1}{(1+x^2)(1+x^\alpha)}$，则当 $\alpha = 0$ 时，$\displaystyle\lim_{x\to+\infty} x^2 \cdot f(x) = \frac{1}{2}$，

当 $\alpha > 0$ 时，$\displaystyle\lim_{x\to+\infty} x^2 \cdot f(x) = 0$，因此当 $\alpha \geq 0$ 时，$\displaystyle\int_0^{+\infty} \frac{\mathrm{d}x}{(1+x^2)(1+x^\alpha)}$ 收敛.

令 $x = \dfrac{1}{t}$，得到 $\displaystyle\int_0^{+\infty} \frac{\mathrm{d}x}{(1+x^2)(1+x^\alpha)} = \int_{+\infty}^0 \frac{-t^\alpha \mathrm{d}t}{(1+t^2)(1+t^\alpha)}$，又

$$\int_{+\infty}^0 \frac{-t^\alpha \mathrm{d}t}{(1+t^2)(1+t^\alpha)} = \int_0^{+\infty} \frac{x^\alpha \mathrm{d}x}{(1+x^2)(1+x^\alpha)},$$

故

$$\int_0^{+\infty} \frac{\mathrm{d}x}{(1+x^2)(1+x^\alpha)} = \int_0^{+\infty} \frac{x^\alpha \mathrm{d}x}{(1+x^2)(1+x^\alpha)}$$

$$= \frac{1}{2}\left[\int_0^{+\infty} \frac{\mathrm{d}x}{(1+x^2)(1+x^\alpha)} + \int_0^{+\infty} \frac{x^\alpha \mathrm{d}x}{(1+x^2)(1+x^\alpha)}\right]$$

$$= \frac{1}{2}\int_0^{+\infty} \frac{\mathrm{d}x}{1+x^2} = \frac{1}{2}\left[\arctan x\right]_0^{+\infty} = \frac{\pi}{4}.$$

第六章　定积分的应用

　定积分在几何学上的应用

1. 求图 6-1 中各画斜线部分的面积:

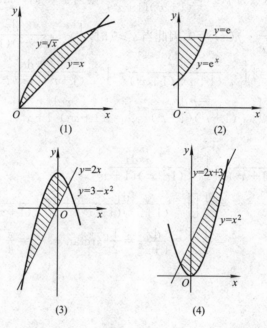

(1)

(2)

(3)

(4)

图 6-1

解　(1) 解方程组 $\begin{cases} y=\sqrt{x}, \\ y=x, \end{cases}$ 得到交点坐标为 $(0,0)$ 和 $(1,1)$.

如果取 x 为积分变量,则 x 的变化范围为 $[0,1]$,相应于 $[0,1]$ 上的任一小区间 $[x,x+\mathrm{d}x]$ 的窄条面积近似为高为 $\sqrt{x}-x$,底为 $\mathrm{d}x$ 的窄矩形的面积,因此有

$$A=\int_0^1 (\sqrt{x}-x)\mathrm{d}x=\left[\frac{2}{3}x^{\frac{3}{2}}-\frac{1}{2}x^2\right]_0^1=\frac{1}{6}.$$

如果取 y 为积分变量,则 y 的变化范围为 $[0,1]$,相应于 $[0,1]$ 上的任一小区间

$[y, y+dy]$ 的窄条面积近似于高为 dy、宽为 $y-y^2$ 的窄矩形的面积,因此有

$$A = \int_0^1 (y-y^2)dy = \left[\frac{1}{2}y^2 - \frac{1}{3}y^3\right]_0^1 = \frac{1}{6}.$$

(2) 取 x 为积分变量,则易知 x 的变化范围为 $[0, 1]$,相应于 $[0, 1]$ 上的任一小区间 $[x, x+dx]$ 的窄条面积近似于高为 $e-e^x$、底为 dx 的窄矩形的面积,因此有

$$A = \int_0^1 (e-e^x)dx = [ex - e^x]_0^1 = 1.$$

如果取 y 为积分变量,则易知 y 的变化范围为 $[1, e]$,相应于 $[1, e]$ 上的任一小区间 $[y, y+dy]$ 的窄条面积近似于高为 dy、宽为 $\ln y$ 的窄矩形的面积,因此有

$$A = \int_1^e \ln y \, dy = [y\ln y]_1^e - \int_1^e dy = e-(e-1) = 1.$$

(3) 解方程组 $\begin{cases} y=2x, \\ y=3-x^2, \end{cases}$ 得到交点坐标为 $(-3, -6)$ 和 $(1, 2)$.

如果取 x 为积分变量,则 x 的变化范围为 $[-3, 1]$,相应于 $[-3, 1]$ 上的任一小区间 $[x, x+dx]$ 的窄条面积近似于高为 $(3-x^2)-2x = -x^2-2x+3$、底为 dx 的窄矩形的面积,因此有

$$A = \int_{-3}^1 (-x^2-2x+3)dx = \left[-\frac{1}{3}x^3 - x^2 + 3x\right]_{-3}^1 = \frac{32}{3}.$$

如果用 y 为积分变量,则 y 的变化范围为 $[-6, 3]$,但是在 $[-6, 2]$ 上的任一小区间 $[y, y+dy]$ 的窄条面积近似于高为 dy、宽为 $\frac{y}{2} - (-\sqrt{3-y}) = \frac{y}{2} + \sqrt{3-y}$ 的窄矩形的面积,在 $[2, 3]$ 上的任一小区间 $[y, y+dy]$ 的窄条面积近似于高为 dy、宽为 $\sqrt{3-y} - (-\sqrt{3-y}) = 2\sqrt{3-y}$ 的窄矩形的面积,因此有

$$A = \int_{-6}^2 \left(\frac{y}{2} + \sqrt{3-y}\right)dy + \int_2^3 2\sqrt{3-y}\,dy$$

$$= \left[\frac{y^2}{4} - \frac{2}{3}(3-y)^{\frac{3}{2}}\right]_{-6}^2 + \left[-\frac{4}{3}(3-y)^{\frac{3}{2}}\right]_2^3 = \frac{32}{3},$$

从这里可看到本小题以 x 为积分变量较容易做. 原因是本小题中的图形边界曲线,若分为上下两段的话,则为 $y=2x$ 和 $y=3-x^2$;而分为左右两段的话,则为 $x=-\sqrt{3-y}$ 和 $x=\begin{cases} \frac{y}{2}, & -6 \leqslant y < 2, \\ \sqrt{3-y}, & 2 \leqslant y \leqslant 3, \end{cases}$ 其中右段曲线的表示相对比较复杂,也就导致计算形式复杂.

(4) 解方程组 $\begin{cases} y=2x+3, \\ y=x^2, \end{cases}$ 得到交点坐标为 $(-1, 1)$ 和 $(3, 9)$,与 (3) 相同的原因,

本小题以 x 为积分变量计算较容易. 取 x 为积分变量, 则 x 的变化范围为 $[-1,3]$, 相应于 $[-1,3]$ 上的任一小区间 $[x,x+\mathrm{d}x]$ 的窄条面积近似于高为 $2x+3-x^2$、底为 $\mathrm{d}x$ 的窄矩形的面积, 因此有

$$A=\int_{-1}^{3}(2x+3-x^2)\mathrm{d}x=\left[x^2+3x-\frac{1}{3}x^3\right]_{-1}^{3}=\frac{32}{3}.$$

2. 求由下列各曲线所围成的图形的面积:

(1) $y=\frac{1}{2}x^2$ 与 $x^2+y^2=8$(两部分都要计算);

(2) $y=\frac{1}{x}$ 与直线 $y=x$ 及 $x=2$;

(3) $y=\mathrm{e}^x,y=\mathrm{e}^{-x}$ 与直线 $x=1$;

(4) $y=\ln x,y$ 轴与直线 $y=\ln a,y=\ln b(b>a>0)$.

解 (1) 如图 6-2, 先计算图形 D_1 的面积, 容易求得 $y=\frac{1}{2}x^2$ 与 $x^2+y^2=8$ 的交点为 $(-2,2)$ 和 $(2,2)$. 取 x 为积分变量, 则 x 的变化范围为 $[-2,2]$, 相应于 $[-2,2]$ 上的任一小区间 $[x,x+\mathrm{d}x]$ 的窄条面积近似于高为 $\sqrt{8-x^2}-\frac{1}{2}x^2$、底为 $\mathrm{d}x$ 的窄矩形的面积, 因此有

$$\begin{aligned}
A_1 &= \int_{-2}^{2}\left(\sqrt{8-x^2}-\frac{1}{2}x^2\right)\mathrm{d}x=2\int_{0}^{2}\left(\sqrt{8-x^2}-\frac{1}{2}x^2\right)\mathrm{d}x \\
&= 2\left[\frac{x}{2}\sqrt{8-x^2}+4\arcsin\frac{x}{2\sqrt{2}}-\frac{1}{6}x^3\right]_{0}^{2}=2\pi+\frac{4}{3},
\end{aligned}$$

图形 D_2 的面积为

$$A_2=\pi(2\sqrt{2})^2-\left(2\pi+\frac{4}{3}\right)=6\pi-\frac{4}{3}.$$

(2) 如图 6-3, 取 x 为积分变量, 则 x 的变化范围为 $[1,2]$, 相应于 $[1,2]$ 上的任一小区间 $[x,x+\mathrm{d}x]$ 的窄条面积近似于高为 $x-\frac{1}{x}$、底为 $\mathrm{d}x$ 的窄矩形的

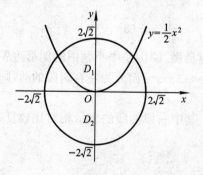

图 6-2

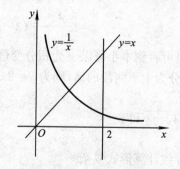

图 6-3

面积,因此有

$$A=\int_1^2\left(x-\frac{1}{x}\right)\mathrm{d}x=\left[\frac{1}{2}x^2-\ln x\right]_1^2=\frac{3}{2}-\ln 2.$$

(3) 如图 6-4,取 x 为积分变量,则 x 的变化范围为 $[0,1]$,相应于 $[0,1]$ 上的任一小区间 $[x,x+\mathrm{d}x]$ 的窄条面积近似于高为 $\mathrm{e}^x-\mathrm{e}^{-x}$、底为 $\mathrm{d}x$ 的窄矩形的面积,因此有

$$A=\int_0^1(\mathrm{e}^x-\mathrm{e}^{-x})\mathrm{d}x=\mathrm{e}+\frac{1}{\mathrm{e}}-2.$$

(4) 如图 6-5,取 y 为积分变量,则 y 的变化范围为 $[\ln a,\ln b]$,相应于 $[\ln a,\ln b]$ 上的任一小区间 $[y,y+\mathrm{d}y]$ 的窄条面积近似于高为 $\mathrm{d}y$、宽为 e^y 的窄矩形的面积,因此有

$$A=\int_{\ln a}^{\ln b}\mathrm{e}^y\mathrm{d}y=[\mathrm{e}^y]_{\ln a}^{\ln b}=b-a.$$

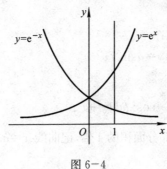

图 6-4

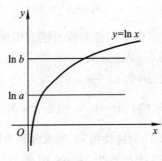

图 6-5

3. 求抛物线 $y=-x^2+4x-3$ 及其在点 $(0,-3)$ 和 $(3,0)$ 处的切线所围成的图形的面积.

解 首先求得导数 $y'|_{x=0}=4$,$y'|_{x=3}=-2$,故抛物线在点 $(0,-3)$,$(3,0)$ 处的切线分别为 $y=4x-3$,$y=-2x+6$,容易求得这两条切线交点为 $\left(\frac{3}{2},3\right)$(如图 6-6),因此所求面积为

$$A=\int_0^{\frac{3}{2}}[4x-3-(-x^2+4x-3)]\mathrm{d}x+\int_{\frac{3}{2}}^3[-2x+6-(-x^2+4x-3)]\mathrm{d}x$$

$$=\frac{9}{4}.$$

4. 求抛物线 $y^2=2px$ 及其在点 $\left(\frac{p}{2},p\right)$ 处的法线所围成的图形的面积.

解 利用隐函数求导方法,抛物线方程 $y^2=2px$ 两端分别对 x 求导,得

$$2yy'=2p,$$

即得 $y'\big|_{\left(\frac{p}{2},p\right)}=1$,故法线斜率为 $k=-1$,从而得到法线方程为 $y=-x+\dfrac{3}{2}p$
(如图 $6-7$),因此所求面积为

$$A=\int_{-3p}^{p}\left(-y+\frac{3}{2}p-\frac{1}{2p}y^2\right)\mathrm{d}y=\left[-\frac{1}{2}y^2+\frac{3}{2}py-\frac{1}{6p}y^3\right]_{-3p}^{p}=\frac{16}{3}p^2.$$

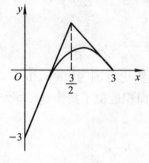

图 $6-6$ 图 $6-7$

5. 求由下列各曲线所围成的图形的面积:

(1) $\rho=2a\cos\theta$;   (2) $x=a\cos^3 t$, $y=a\sin^3 t$;

(3) $\rho=2a(2+\cos\theta)$.

解 (1) $A=\displaystyle\int_{-\frac{\pi}{2}}^{\frac{\pi}{2}}\frac{1}{2}(2a\cos\theta)^2\mathrm{d}\theta=4a^2\int_0^{\frac{\pi}{2}}\cos^2\theta\mathrm{d}\theta=\pi a^2.$

(2) 由对称性可知,所求面积为第一象限部分面积的 4 倍,记曲线 $x=a\cos^3 t$,
$y=a\sin^3 t$ 上的点为 (x,y),因此

$$A=4\int_0^a y\mathrm{d}x=4\int_{\frac{\pi}{2}}^0\left[a\sin^3 t\cdot 3a\cos^2 t(-\sin t)\right]\mathrm{d}t$$

$$=12a^2\int_0^{\frac{\pi}{2}}(\sin^4 t-\sin^6 t)\mathrm{d}t=\frac{3}{8}\pi a^2.$$

注 对于参数方程的处理方式一般可采用本题的方法,首先根据问题化为
积分(其中记曲线上的点为 (x,y)),对于积分根据参数方程进行换元,即可化为
关于参数的积分,再进行计算.

(3) $A=\displaystyle\int_0^{2\pi}\frac{1}{2}\left[2a(2+\cos\theta)\right]^2\mathrm{d}\theta=2a^2\int_0^{2\pi}(4+4\cos\theta+\cos^2\theta)\mathrm{d}\theta$

$$=2a^2\int_0^{2\pi}(4+\cos^2\theta)\mathrm{d}\theta=8a^2\int_0^{\frac{\pi}{2}}(4+\cos^2\theta)\mathrm{d}\theta=18\pi a^2.$$

6. 求由摆线 $x=a(t-\sin t)$, $y=a(1-\cos t)$ 的一拱($0\leqslant t\leqslant 2\pi$)与横轴所围
成的图形的面积.

解 本题做法与 5(2) 类似. 以 x 为积分变量,则 x 的变化范围为 $[0,2\pi a]$,
设摆线上的点为 (x,y),则所求面积为

$$A = \int_0^{2\pi a} y \mathrm{d}x,$$

再根据参数方程换元,令 $x = a(t - \sin t)$,则 $y = a(1 - \cos t)$,因此有

$$A = \int_0^{2\pi} a^2 (1 - \cos t)^2 \mathrm{d}t = a^2 \int_0^{2\pi} (1 - 2\cos t + \cos^2 t) \mathrm{d}t$$

$$= 4a^2 \int_0^{\frac{\pi}{2}} (1 + \cos^2 t) \mathrm{d}t = 3\pi a^2.$$

7. 求对数螺线 $\rho = a\mathrm{e}^\theta (-\pi \leqslant \theta \leqslant \pi)$ 及射线 $\theta = \pi$ 所围成的图形的面积.

解 $A = \int_{-\pi}^\pi \frac{1}{2}(a\mathrm{e}^\theta)^2 \mathrm{d}\theta = \frac{a^2}{4}\left[\mathrm{e}^{2\theta}\right]_{-\pi}^\pi = \frac{a^2}{4}(\mathrm{e}^{2\pi} - \mathrm{e}^{-2\pi})$.

8. 求下列各曲线所围成图形的公共部分的面积:

(1) $\rho = 3\cos\theta$ 及 $\rho = 1 + \cos\theta$;

(2) $\rho = \sqrt{2}\sin\theta$ 及 $\rho^2 = \cos 2\theta$.

解 (1) 首先求出两曲线交点为 $\left(\frac{3}{2}, \frac{\pi}{3}\right)$、$\left(\frac{3}{2}, -\frac{\pi}{3}\right)$,由于图形关于极轴的对称性(如图 6-8),因此所求面积为极轴上面部分面积的 2 倍,即得

$$A = 2\left[\int_0^{\frac{\pi}{3}} \frac{1}{2}(1 + \cos\theta)^2 \mathrm{d}\theta + \int_{\frac{\pi}{3}}^{\frac{\pi}{2}} \frac{1}{2}(3\cos\theta)^2 \mathrm{d}\theta\right] = \frac{5\pi}{4}.$$

(2) 首先求出两曲线交点为 $\left(\frac{\sqrt{2}}{2}, \frac{\pi}{6}\right)$ 和 $\left(\frac{\sqrt{2}}{2}, \frac{5\pi}{6}\right)$,由于图形的对称性(如图 6-9),因此有

$$A = 2\left[\int_0^{\frac{\pi}{6}} \frac{1}{2}(\sqrt{2}\sin\theta)^2 \mathrm{d}\theta + \int_{\frac{\pi}{6}}^{\frac{\pi}{4}} \frac{1}{2}\cos 2\theta \mathrm{d}\theta\right] = \frac{\pi}{6} + \frac{1 - \sqrt{3}}{2}.$$

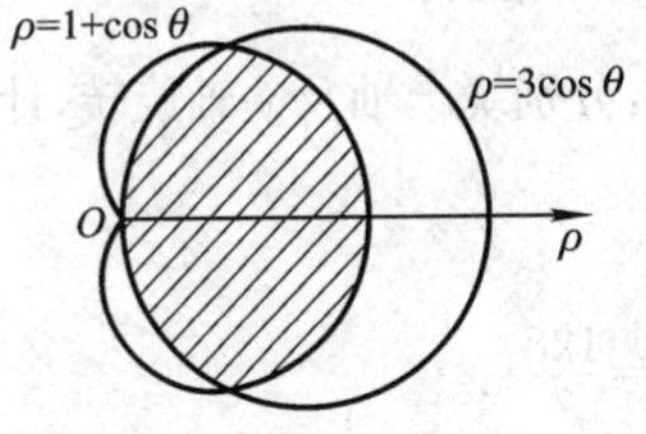

图 6-8

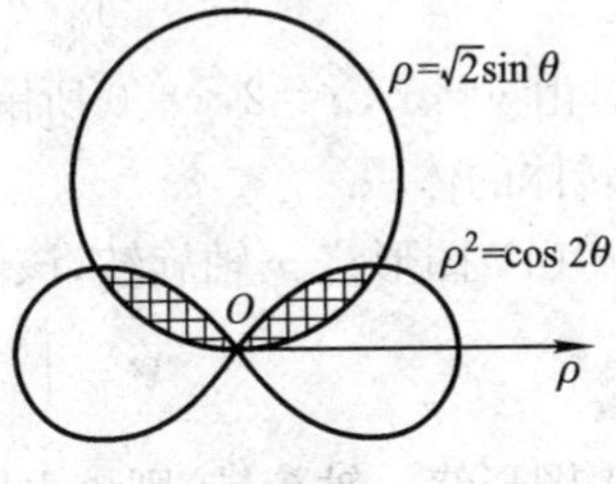

图 6-9

9. 求位于曲线 $y = \mathrm{e}^x$ 下方,该曲线过原点的切线的左方以及 x 轴上方之间的图形的面积.

解 先求曲线过原点的切线方程,设切点为 (x_0, y_0),其中 $y_0 = \mathrm{e}^{x_0}$,则切线的斜率为 e^{x_0},故切线方程为

$$y - y_0 = \mathrm{e}^{x_0}(x - x_0),$$

由于该切线过原点,因此有 $y_0 = \mathrm{e}^{x_0} x_0$,解得 $x_0 = 1$, $y_0 = \mathrm{e}$,即切线方程为

$$y = ex.$$

如图 6-10 可知所求面积为

$$A = \int_{-\infty}^{0} e^x \, dx + \int_{0}^{1} (e^x - ex) \, dx$$

$$= \left[e^x \right]_{-\infty}^{0} + \left[e^x - \frac{e}{2} x^2 \right]_{0}^{1} = \frac{e}{2}.$$

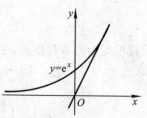

图 6-10

10. 求由抛物线 $y^2 = 4ax$ 与过焦点的弦所围成的图形面积的最小值.

解 抛物线的焦点为 $(a,0)$,设过焦点的直线为 $y = k(x-a)$,则该直线与抛物线的交点的纵坐标为 $y_1 = \dfrac{2a - 2a\sqrt{1+k^2}}{k}$,$y_2 = \dfrac{2a + 2a\sqrt{1+k^2}}{k}$,面积为

$$A = \int_{y_1}^{y_2} \left(a + \frac{y}{k} - \frac{y^2}{4a} \right) dy = a(y_2 - y_1) + \frac{y_2^2 - y_1^2}{2k} - \frac{y_2^3 - y_1^3}{12a}$$

$$= \frac{8a^2(1+k^2)^{3/2}}{3k^3} = \frac{8a^2}{3} \left(1 + \frac{1}{k^2} \right)^{3/2},$$

故面积是 k 的单调减少函数,因此其最小值在 $k \to \infty$ 即弦为 $x = a$ 时取到,最小值为 $\dfrac{8}{3} a^2$.

11. 把抛物线 $y^2 = 4ax$ 及直线 $x = x_0 (x_0 > 0)$ 所围成的图形绕 x 轴旋转,计算所得旋转体的体积.

解 该体积即为由曲线 $y = \sqrt{4ax}$,$x = x_0$ 及 x 轴所围的图形绕 x 轴旋转所得,因此体积为

$$V = \int_{0}^{x_0} \pi (\sqrt{4ax})^2 \, dx = 2\pi a x_0^2.$$

12. 由 $y = x^3$,$x = 2$,$y = 0$ 所围成的图形,分别绕 x 轴及 y 轴旋转,计算所得两个旋转体的体积.

解 (1) 图形绕 x 轴旋转,该体积为

$$V = \int_{0}^{2} \pi (x^3)^2 \, dx = \frac{128}{7} \pi.$$

(2) 图形绕 y 轴旋转,则该立体可看作圆柱体(即由 $x = 2$,$y = 8$,$x = 0$,$y = 0$ 所围成的图形绕 y 轴所得的立体)减去由曲线 $x = \sqrt[3]{y}$,$y = 8$,$x = 0$ 所围成的图形绕 y 轴所得的立体,因此体积为

$$V = \pi \cdot 2^2 \cdot 8 - \int_{0}^{8} \pi (\sqrt[3]{y})^2 \, dy = \frac{64}{5} \pi.$$

13. 把星形线 $x^{2/3} + y^{2/3} = a^{2/3}$ 所围成的图形绕 x 轴旋转,计算所得旋转体的体积.

解 记 x 轴上方部分星形线的函数为 $y = y(x)$,则所求体积为曲线 $y = y(x)$

与 x 轴所围成的图形绕 x 轴旋转而成,故有

$$V = \int_{-a}^{a} \pi y^2 \mathrm{d}x.$$

由于星形线的参数方程为 $x = a\cos^3 t, y = a\sin^3 t$,所以对
上述积分作换元 $x = a\cos^3 t$,便得

$$V = \int_{\pi}^{0} \pi(a\sin^3 t)^2 (a\cos^3 t)' \mathrm{d}t = \frac{32}{105}\pi a^3.$$

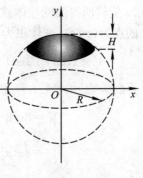

14. 用积分方法证明图 6-11 中球缺的体积为

$$V = \pi H^2 \left(R - \frac{H}{3}\right).$$

图 6-11

解 该立体可看作由曲线 $x = \sqrt{R^2 - y^2}, y = R - H$ 和 $x = 0$ 所围成的图形
绕 y 轴旋转所得,因此体积为

$$V = \int_{R-H}^{R} \pi(\sqrt{R^2 - y^2})^2 \mathrm{d}y = \pi\left[R^2 y - \frac{1}{3}y^3\right]_{R-H}^{R}$$

$$= \pi H^2 \left(R - \frac{H}{3}\right).$$

15. 求下列已知曲线所围成的图形,按指定的轴旋转所产生的旋转体的体积:

(1) $y = x^2, x = y^2$,绕 y 轴;

(2) $y = \arcsin x, x = 1, y = 0$,绕 x 轴;

(3) $x^2 + (y-5)^2 = 16$,绕 x 轴;

(4) 摆线 $x = a(t - \sin t), y = a(1 - \cos t)$ 的一拱,$y = 0$,绕直线 $y = 2a$.

解 (1) $V = \int_0^1 \left[\pi(\sqrt{y})^2 - \pi(y^2)^2\right] \mathrm{d}y = \frac{3}{10}\pi.$

(2) $V = \int_0^1 \pi(\arcsin x)^2 \mathrm{d}x = \left[\pi x(\arcsin x)^2\right]_0^1 - 2\pi \int_0^1 \frac{x}{\sqrt{1-x^2}} \arcsin x \mathrm{d}x$

$$= \frac{\pi^3}{4} - 2\pi\left\{\left[-\sqrt{1-x^2}\arcsin x\right]_0^1 + \int_0^1 \mathrm{d}x\right\} = \frac{\pi^3}{4} - 2\pi.$$

(3) 该立体为由曲线 $y = 5 + \sqrt{16 - x^2}, x = -4, x = 4, y = 0$ 所围成图形绕 x
轴旋转所得立体减去由曲线 $y = 5 - \sqrt{16 - x^2}, x = -4, x = 4, y = 0$ 所围成图形绕
x 轴旋转所得立体,因此体积为

$$V = \int_{-4}^{4} \pi(5 + \sqrt{16 - x^2})^2 \mathrm{d}x - \int_{-4}^{4} \pi(5 - \sqrt{16 - x^2})^2 \mathrm{d}x$$

$$= \int_{-4}^{4} 20\pi\sqrt{16 - x^2} \mathrm{d}x$$

$$\xrightarrow{x = 4\sin t} \int_{-\frac{\pi}{2}}^{\frac{\pi}{2}} 320\pi\cos^2 t \mathrm{d}t = 640\pi \int_0^{\frac{\pi}{2}} \cos^2 t \mathrm{d}t = 160\pi^2.$$

(4) 该立体可看作由曲线 $y = 2a, y = 0, x = 0, x = 2\pi a$ 所围成的图形绕 $y =$

$2a$ 旋转所得的圆柱体减去由摆线 $y=2a$, $x=0$, $x=2a$ 所围成的立体, 记摆线上的点为 (x,y), 则体积为

$$V=\pi(2a)^2(2\pi a)-\int_0^{2\pi a}\pi(2a-y)^2\mathrm{d}x=8\pi^2a^3-\int_0^{2\pi a}\pi(2a-y)^2\mathrm{d}x,$$

再根据摆线的参数方程进行换元, 即作换元 $x=a(t-\sin t)$, 此时 $y=a(1-\cos t)$, 因此有

$$V=8\pi^2a^3-\int_0^{2\pi}\pi[2a-a(1-\cos t)]^2a(1-\cos t)\mathrm{d}t$$

$$=8\pi^2a^3-\pi a^3\int_0^{2\pi}(1+\cos t-\cos^2 t-\cos^3 t)\mathrm{d}t$$

$$=8\pi^2a^3-4\pi a^3\int_0^{\frac{\pi}{2}}\sin^2 t\mathrm{d}t=7\pi^2a^3.$$

16. 求圆盘 $x^2+y^2\leqslant a^2$ 绕 $x=-b(b>a>0)$ 旋转所成旋转体的体积.

解 记由曲线 $x=\sqrt{a^2-y^2}$, $x=-b$, $y=-a$, $y=a$ 围成的图形绕 $x=-b$ 旋转所得旋转体的体积为 V_1, 由曲线 $x=-\sqrt{a^2-y^2}$, $x=-b$, $y=-a$, $y=a$ 围成的图形绕 $x=-b$ 旋转所得旋转体的体积为 V_2, 则所求体积为

$$V=V_1-V_2=\int_{-a}^a\pi(\sqrt{a^2-y^2}+b)^2\mathrm{d}y-\int_{-a}^a\pi(-\sqrt{a^2-y^2}+b)^2\mathrm{d}y$$

$$=\int_{-a}^a 4\pi b\sqrt{a^2-y^2}\mathrm{d}y\xlongequal{y=a\sin t}\int_{-\frac{\pi}{2}}^{\frac{\pi}{2}}4\pi a^2 b\cos^2 t\mathrm{d}t$$

$$=8\pi a^2 b\int_0^{\frac{\pi}{2}}\cos^2 t\mathrm{d}t=2\pi^2 a^2 b.$$

17. 设有一截锥体, 其高为 h, 上、下底均为椭圆, 椭圆的轴长分别为 $2a$、$2b$ 和 $2A$、$2B$, 求这截锥体的体积.

解 用与下底相距 x 且平行于底面的平面去截该立体得到一个椭圆, 记其半轴长分别为 u、v, 则

$$u=\frac{a-A}{h}x+A,\quad v=\frac{b-B}{h}x+B,$$

该椭圆面积为 $\pi\left(\dfrac{a-A}{h}x+A\right)\left(\dfrac{b-B}{h}x+B\right)$, 因此体积为

$$V=\int_0^h\pi\left(\frac{a-A}{h}x+A\right)\left(\frac{b-B}{h}x+B\right)\mathrm{d}x$$

$$=\frac{1}{6}\pi h[2(ab+AB)+aB+bA].$$

18. 计算底面是半径为 R 的圆, 而垂直于底面上一条固定直径的所有截面都是等边三角形的立体体积(图 6-12).

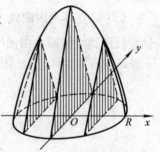

图 6-12

解 以 x 为积分变量,则 x 的变化范围为 $[-R,R]$,相应的截面等边三角形边长为 $2\sqrt{R^2-x^2}$,面积为 $\frac{\sqrt{3}}{4}(2\sqrt{R^2-x^2})^2=\sqrt{3}(R^2-x^2)$,因此体积为

$$V=\int_{-R}^{R}\sqrt{3}(R^2-x^2)\mathrm{d}x=\frac{4\sqrt{3}}{3}R^3.$$

19. 证明:由平面图形 $0\leqslant a\leqslant x\leqslant b,0\leqslant y\leqslant f(x)$ 绕 y 轴旋转所成的旋转体的体积为

$$V=2\pi\int_{a}^{b}x\,f(x)\mathrm{d}x.$$

解 取横坐标 x 为积分变量,与区间 $[a,b]$ 上任一小区间 $[x,x+\mathrm{d}x]$ 相应的窄条图形绕 y 轴旋转所成的旋转体近似于一圆柱壳,柱壳的高为 $f(x)$,厚为 $\mathrm{d}x$,底面圆周长为 $2\pi x$,故其体积近似等于 $2\pi xf(x)\mathrm{d}x$,从而由元素法即得结论.

20. 利用题 19 的结论,计算曲线 $y=\sin x(0\leqslant x\leqslant\pi)$ 和 x 轴所围成的图形绕 y 轴旋转所得旋转体的体积.

解 $V=2\pi\int_{0}^{\pi}x\sin x\mathrm{d}x=\pi^2\int_{0}^{\pi}\sin x\mathrm{d}x=2\pi^2.$

注 在计算积分时,这里利用了教材第五章第三节中的例6的结论 $\int_{0}^{\pi}xf(\sin x)\mathrm{d}x=\frac{\pi}{2}\int_{0}^{\pi}f(\sin x)\mathrm{d}x.$

21. 计算曲线 $y=\ln x$ 相应于 $\sqrt{3}\leqslant x\leqslant\sqrt{8}$ 的一段弧的长度.

解 $s=\int_{\sqrt{3}}^{\sqrt{8}}\sqrt{1+\left(\frac{1}{x}\right)^2}\mathrm{d}x\xrightarrow{x=\sqrt{u^2-1}}\int_{2}^{3}\frac{u^2}{u^2-1}\mathrm{d}u$

$=\left[u+\frac{1}{2}\ln\left|\frac{u-1}{u+1}\right|\right]_{2}^{3}=1+\frac{1}{2}\ln\frac{3}{2}.$

22. 计算曲线 $y=\frac{\sqrt{x}}{3}(3-x)$ 上相应于 $1\leqslant x\leqslant 3$ 的一段弧(图6-13)的长度.

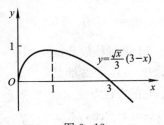

图 6-13

解 $s=\int_{1}^{3}\sqrt{1+(y')^2}\mathrm{d}x=\int_{1}^{3}\frac{1+x}{2\sqrt{x}}\mathrm{d}x$

$$=\left[\sqrt{x}+\frac{1}{3}x^{\frac{3}{2}}\right]_1^3=2\sqrt{3}-\frac{4}{3}.$$

23. 计算半立方抛物线 $y^2=\frac{2}{3}(x-1)^3$ 被抛物线 $y^2=\frac{x}{3}$ 截得的一段弧的长度.

解 联立两个方程 $\begin{cases}y^2=\frac{2}{3}(x-1)^3,\\y^2=\frac{x}{3},\end{cases}$ 得到两条曲线的交点为 $\left(2,\sqrt{\frac{2}{3}}\right)$ 和

$\left(2,-\sqrt{\frac{2}{3}}\right)$,由于曲线关于 x 轴对称,因此所求弧段长为第一象限部分的 2 倍,

第一象限部分弧段为 $y=\sqrt{\frac{2}{3}(x-1)^3}\,(1\leqslant x\leqslant 2)$,$y'=\sqrt{\frac{3}{2}(x-1)}$,故所求弧的

长度为

$$s=2\int_1^2\sqrt{1+\frac{3}{2}(x-1)}\,\mathrm{d}x=\sqrt{6}\left[\frac{2}{3}\left(x-\frac{1}{3}\right)^{\frac{3}{2}}\right]_1^2=\frac{8}{9}\left[\left(\frac{5}{2}\right)^{\frac{3}{2}}-1\right].$$

24. 计算抛物线 $y^2=2px$ 从顶点到这曲线上的一点 $M(x,y)$ 的弧长.

解 不妨设 $p>0$,由于顶点到 (x,y) 的弧长与顶点到 $(x,-y)$ 的弧长相等,因此不妨设 $y>0$,故有

$$s=\int_0^y\sqrt{1+\left(\frac{\mathrm{d}x}{\mathrm{d}y}\right)^2}\,\mathrm{d}y=\int_0^y\sqrt{1+\left(\frac{y}{p}\right)^2}\,\mathrm{d}y$$
$$=\frac{1}{p}\left[\frac{1}{2}y\sqrt{p^2+y^2}+\frac{1}{2}p^2\ln(y+\sqrt{p^2+y^2})\right]_0^y$$
$$=\frac{1}{2p}y\sqrt{p^2+y^2}+\frac{1}{2}p\ln\frac{y+\sqrt{p^2+y^2}}{p}.$$

25. 计算星形线 $x=a\cos^3 t$,$y=a\sin^3 t$ 的全长.

解 $s=4\int_0^{\frac{\pi}{2}}\sqrt{(-3a\cos^2 t\sin t)^2+(3a\sin^2 t\cos t)^2}\,\mathrm{d}t$

$=12a\int_0^{\frac{\pi}{2}}\sin t\cos t\mathrm{d}t=6a.$

26. 将绕在圆(半径为 a)上的细线放开拉直,使细线与圆周始终相切(图6—14),细线端点画出的轨迹叫做圆的渐伸线,它的方程为

$x=a(\cos t+t\sin t)$,$y=a(\sin t-t\cos t)$.

算出这曲线上相应于 $0\leqslant t\leqslant\pi$ 的一段弧的长度.

解 $\frac{\mathrm{d}x}{\mathrm{d}t}=at\cos t$,$\frac{\mathrm{d}y}{\mathrm{d}t}=at\sin t$,因此有

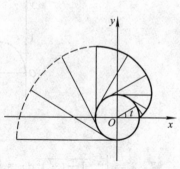

图 6—14

$$s = \int_0^\pi \sqrt{\left(\frac{\mathrm{d}x}{\mathrm{d}t}\right)^2 + \left(\frac{\mathrm{d}y}{\mathrm{d}t}\right)^2} \, \mathrm{d}t = \int_0^\pi at \, \mathrm{d}t = \frac{a}{2}\pi^2.$$

27. 在摆线 $x = a(t - \sin t), y = a(1 - \cos t)$ 上求分摆线第一拱成 $1:3$ 的点的坐标.

解 对应于摆线第一拱的参数 t 的范围为 $[0, 2\pi]$，参数 t 在范围 $[0, t_0]$ 时摆线的长度为

$$s_0 = \int_0^{t_0} \sqrt{a^2(1-\cos t)^2 + a^2\sin^2 t}\,\mathrm{d}t = a\int_0^{t_0} 2\sin\frac{t}{2}\,\mathrm{d}t$$
$$= 4a\left(1 - \cos\frac{t_0}{2}\right),$$

当 $t_0 = 2\pi$ 时，长度为 $8a$，故所求点对应的参数 t_0 满足 $4a\left(1 - \cos\dfrac{t_0}{2}\right) = \dfrac{8a}{4}$，解得 $t_0 = \dfrac{2\pi}{3}$，从而得到点的坐标为 $\left(\left(\dfrac{2\pi}{3} - \dfrac{\sqrt{3}}{2}\right)a, \dfrac{3a}{2}\right)$.

28. 求对数螺线 $\rho = e^{a\theta}$ 相应于 $0 \leqslant \theta \leqslant \varphi$ 的一段弧长.

解 $s = \displaystyle\int_0^\varphi \sqrt{\rho^2 + \rho'^2}\,\mathrm{d}\theta = \int_0^\varphi \sqrt{1 + a^2}\, e^{a\theta}\,\mathrm{d}\theta = \frac{\sqrt{1 + a^2}}{a}(e^{a\varphi} - 1).$

29. 求曲线 $\rho\theta = 1$ 相应于 $\dfrac{3}{4} \leqslant \theta \leqslant \dfrac{4}{3}$ 的一段弧长.

解
$$s = \int_{\frac{3}{4}}^{\frac{4}{3}} \sqrt{\rho^2 + \rho'^2}\,\mathrm{d}\theta = \int_{\frac{3}{4}}^{\frac{4}{3}} \frac{\sqrt{1 + \theta^2}}{\theta^2}\,\mathrm{d}\theta = -\int_{\frac{3}{4}}^{\frac{4}{3}} \sqrt{1 + \theta^2}\,\mathrm{d}\left(\frac{1}{\theta}\right)$$
$$= -\left[\frac{\sqrt{1 + \theta^2}}{\theta}\right]_{\frac{3}{4}}^{\frac{4}{3}} + \int_{\frac{3}{4}}^{\frac{4}{3}} \frac{1}{\sqrt{1 + \theta^2}}\,\mathrm{d}\theta = \frac{5}{12} + \left[\ln(\theta + \sqrt{1 + \theta^2})\right]_{\frac{3}{4}}^{\frac{4}{3}}$$
$$= \ln\frac{3}{2} + \frac{5}{12}.$$

30. 求心形线 $\rho = a(1 + \cos\theta)$ 的全长.

解 $s = \displaystyle\int_0^{2\pi} \sqrt{a^2(1 + \cos\theta)^2 + a^2\sin^2\theta}\,\mathrm{d}\theta = \int_0^{2\pi} 2a\left|\cos\frac{\theta}{2}\right|\,\mathrm{d}\theta = 8a.$

习题 6-3　定积分在物理学上的应用

1. 由实验知道，弹簧在拉伸过程中，需要的力 F（单位：N）与伸长量 s（单位：cm）成正比，即

$$F = ks \, (k \text{ 是比例常数}).$$

如果把弹簧由原长拉伸 6 cm，计算所作的功.

解 $W = \displaystyle\int_0^6 ks\,\mathrm{d}s = 18k(\text{N} \cdot \text{cm}) = 0.18k(\text{J}).$

2. 直径为 20 cm、高为 80 cm 的圆筒内充满压强为 10 N/cm² 的蒸汽. 设温度保持不变,要使蒸汽体积缩小一半,问需要作多少功?

解 由条件 $pV=k$ 为常数,故 $k=10 \cdot 100^2 \cdot \pi \cdot 0.1^2 \cdot 0.8=800\pi$. 设圆筒内高度减少 h m 时蒸汽的压强为 $p(h)$ N/m²,则 $p(h)=\dfrac{k}{V}=\dfrac{800\pi}{(0.8-h)S}$,压力为

$$P=p(h)S=\frac{800\pi}{0.8-h},$$ 因此作的功为

$$W=\int_0^{0.4} \frac{800\pi}{0.8-h}dh=800\pi[-\ln(0.8-h)]_0^{0.4}=800\pi \ln 2\approx 1\,742(\text{J}).$$

3. (1) 证明:把质量为 m 的物体从地球表面升高到 h 处所作的功是

$$W=\frac{mgRh}{R+h},$$

其中 g 是地面上的重力加速度,R 是地球的半径;

(2) 一个人造地球卫星的质量为 $173\,\text{kg}$,在高于地面 $630\,\text{km}$ 处进入轨道. 问把这个卫星从地面送到 $630\,\text{km}$ 的高空处,克服地球引力要作多少功? 已知 $g=9.8\,\text{m/s}^2$,地球半径 $R=6\,370\,\text{km}$.

解 (1) 质量为 m 的物体与地球中心相距 x 时,引力为 $F=k\dfrac{mM}{x^2}$,根据条件 $mg=k\dfrac{mM}{R^2}$,因此有 $k=\dfrac{R^2 g}{M}$,从而作的功为

$$W=\int_R^{R+h} \frac{mgR^2}{x^2}dx=mgR^2\left(\frac{1}{R}-\frac{1}{R+h}\right)=\frac{mgRh}{R+h}.$$

(2) 作的功为 $W=\dfrac{mgRh}{R+h}=971\,973\approx 9.72\times 10^5\,(\text{kJ})$.

4. 一物体按规律 $x=ct^3$ 作直线运动,介质的阻力与速度的平方成正比. 计算物体由 $x=0$ 移到 $x=a$ 时,克服介质阻力所作的功.

解 速度为 $v=\dfrac{\mathrm{d}x}{\mathrm{d}t}=3ct^2$,阻力为 $R=kv^2=9kc^2 t^4$,由此得到

$$\mathrm{d}W=R\mathrm{d}x=27kc^3 t^6 \mathrm{d}t.$$

设当 $t=T$ 时,$x=a$,得 $T=\left(\dfrac{a}{c}\right)^{\frac{1}{3}}$,故

$$W=\int_0^T 27kc^3 t^6 \mathrm{d}t=\frac{27kc^3}{7}T^7=\frac{27}{7}kc^{\frac{2}{3}}a^{\frac{7}{3}}.$$

5. 用铁锤将一铁钉击入木板,设木板对铁钉的阻力与铁钉击入木板的深度成正比,在击第一次时,将铁钉击入木板 $1\,\text{cm}$. 如果铁锤每次打击铁钉所作的功相等,问锤击第二次时,铁钉又击入多少?

解 设木板对铁钉的阻力为 R,则铁钉击入木板的深度为 h 时的阻力为

$$R=kh, \text{其中 } k \text{ 为常数.}$$

铁锤击第一次时所作的功为

$$W_1 = \int_0^1 R\,\mathrm{d}h = \int_0^1 kh\,\mathrm{d}h = \frac{k}{2}.$$

设锤击第二次时,铁钉又击入 h_0 cm,则锤击第二次所作的功为

$$W_2 = \int_1^{1+h_0} R\,\mathrm{d}h = \int_1^{1+h_0} kh\,\mathrm{d}h = \frac{k}{2}\left[(1+h_0)^2 - 1\right],$$

由条件 $W_1 = W_2$ 得 $h_0 = \sqrt{2} - 1$.

6. 设一圆锥形贮水池,深 15 m,口径 20 m,盛满水,今以唧筒将水吸尽,问要作多少功?

解 以高度 h 为积分变量,变化范围为 $[0, 15]$,对该区间内任一小区间 $[h, h+\mathrm{d}h]$,体积为 $\pi\left(\frac{10}{15}h\right)^2\mathrm{d}h$,记 γ 为水的密度,则作功为

$$W = \int_0^{15} \frac{4}{9}\pi\gamma g h^2(15-h)\,\mathrm{d}h = 1\,875\pi\gamma g$$

$$\approx 5.769\,75\times10^7\,(\mathrm{J}).$$

7. 有一闸门,它的形状和尺寸如图 6-15 所示,水面超过门顶 2 m. 求闸门上所受的水压力.

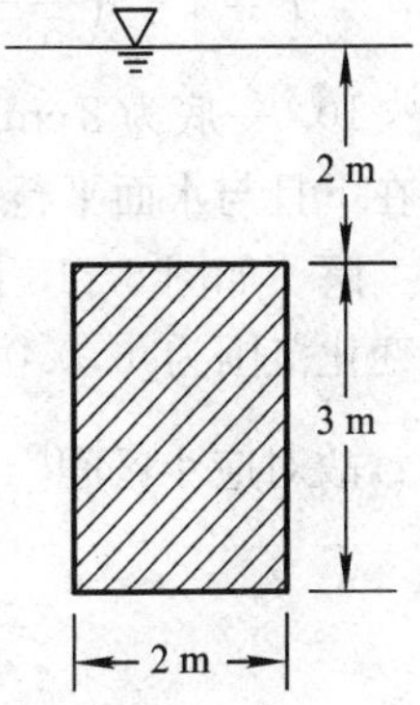

解 设水深 x m 的地方压强为 $p(x)$,则
$$p(x) = 1\,000gx,$$
取 x 为积分变量,则 x 的变化范围为 $[2, 5]$,对该区间内任一小区间 $[x, x+\mathrm{d}x]$,压力为
$$\mathrm{d}F = p(x)\mathrm{d}S = 2p(x)\mathrm{d}x = 2\,000gx\mathrm{d}x,$$
因此闸门上所受的水压力为

$$F = \int_2^5 2\,000gx\mathrm{d}x = 1\,000g\left[x^2\right]_2^5 = 21\,000g\,(\mathrm{N}) \approx 205.8\,(\mathrm{kN}).$$

图 6-15

2 m

3 m

2 m

8. 洒水车上的水箱是一个横放的椭圆柱体,尺寸如图 6-16 所示. 当水箱装满水时,计算水箱的一个端面所受的压力.

解 以侧面的椭圆长轴为 x 轴,短轴为 y 轴设立坐标系,则该椭圆的方程为 $x^2 + \dfrac{y^2}{0.75^2} = 1$,

取 y 为积分变量,则 y 的变化范围为 $[-0.75, 0.75]$,对该区间内任一小区间 $[y, y+\mathrm{d}y]$,该小区间相应的水深为 $0.75 - y$,相应面积为

$$\mathrm{d}S = 2\sqrt{1 - \frac{y^2}{0.75^2}}\,\mathrm{d}y,$$

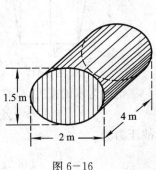

1.5 m

2 m

4 m

图 6-16

得到该小区间相应的压力

$$dF = 1\,000g(0.75 - y)dS = 2\,000g(0.75 - y)\sqrt{1 - \frac{y^2}{0.75^2}}\,dy,$$

因此压力为

$$F = \int_{-0.75}^{0.75} 2\,000g(0.75 - y)\sqrt{1 - \frac{y^2}{0.75^2}}\,dy \approx 17\,318(\text{N}) \approx 17.3(\text{kN}).$$

9. 有一等腰梯形闸门, 它的两条底边各长 10 m 和 6 m, 高为 20 m. 较长的底边与水面相齐. 计算闸门的一侧所受的水压力.

解 如图 6-17 建立坐标系, 则过 A、B 两点的直线方程为 $y = 10x - 50$. 取 y 为积分变量, y 的变化范围为 $[-20, 0]$, 对应小区间 $[y, y + dy]$ 的面积近似值为 $2xdy = \left(\dfrac{y}{5} + 10\right)dy$, γ 表示水的密度, 因此水压力为

$$P = \int_{-20}^{0} \left(\frac{y}{5} + 10\right)(-y)\gamma g\,dy = 1.437\,3 \times 10^7(\text{N}) = 14\,373\,(\text{kN}).$$

10. 一底为 8 cm、高为 6 cm 的等腰三角形片, 铅直地沉没在水中, 顶在上, 底在下且与水面平行, 而顶离水面 3 cm, 试求它每面所受的压力.

解 如图 6-18 设立坐标系, 取三角形顶点为原点, 取积分变量为 x, 则 x 的变化范围为 $[0, 0.06]$, 易知 B 的坐标为 $(0.06, 0.04)$, 因此 OB 的方程为 $y = \dfrac{2}{3}x$, 故对应小区间 $[x, x + dx]$ 的面积近似值为

$$dS = 2 \cdot \frac{2}{3}x \cdot dx = \frac{4}{3}xdx.$$

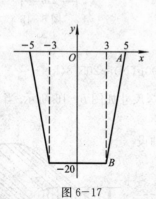

图 6-17

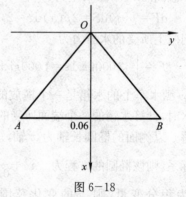

图 6-18

记 γ 为水的密度, 则在 x 处的水压强为

$$p = \gamma g(x + 0.03) = 1\,000g(x + 0.03),$$

故压力为

$$F = \int_{0}^{0.06} 1\,000g(x + 0.03) \cdot \frac{4}{3}xdx = 0.168g \approx 1.65(\text{N}).$$

11. 设有一长度为 l、线密度为 μ 的均匀细直棒，在与棒的一端垂直距离为 a 单位处有一质量为 m 的质点 M，试求这细棒对质点 M 的引力.

解 如图 6-19 设立坐标系，取 y 为积分变量，则 y 的变化范围为 $[0,l]$，对应小区间 $[y,y+\mathrm{d}y]$ 与质点 M 的引力的大小的近似值为

$$\mathrm{d}F=G\frac{m\mu\,\mathrm{d}x}{r^2},$$

其中 $r=\sqrt{a^2+x^2}$，把该力分解，得到 x 轴、y 轴方向的分量分别为

$$\mathrm{d}F_x=-\frac{a}{r}\mathrm{d}F=-G\frac{am\mu}{(a^2+x^2)^{3/2}}\mathrm{d}x,$$

$$\mathrm{d}F_y=\frac{x}{r}\mathrm{d}F=G\frac{m\mu x}{(a^2+x^2)^{3/2}}\mathrm{d}x,$$

因此

$$F_x=\int_0^l-G\frac{am\mu}{(a^2+x^2)^{3/2}}\mathrm{d}x\xrightarrow{x=a\tan t}-G\frac{m\mu}{a}\int_0^{\arctan\frac{l}{a}}\cos t\,\mathrm{d}t=-\frac{Gm\mu l}{a\sqrt{a^2+l^2}},$$

$$F_y=\int_0^l G\frac{m\mu x}{(a^2+x^2)^{3/2}}\mathrm{d}x=\left[-G\frac{m\mu}{(a^2+x^2)^{1/2}}\right]_0^l=m\mu G\left(\frac{1}{a}-\frac{1}{\sqrt{a^2+l^2}}\right).$$

12. 设有一半径为 R、中心角为 φ 的圆弧形细棒，其线密度为常数 μ. 在圆心处有一质量为 m 的质点 M，试求这细棒对质点 M 的引力.

解 如图 6-20 建立坐标系，则相应小区间 $[\theta,\theta+\mathrm{d}\theta]$ 的弧长为 $R\mathrm{d}\theta$，根据对称性可知所求的铅直方向引力分量为零，水平方向的引力分量为

$$F_x=\int_{-\frac{\varphi}{2}}^{\frac{\varphi}{2}}\cos\theta\,\frac{Gm\mu R\,\mathrm{d}\theta}{R^2}=\frac{2Gm\mu}{R}\sin\frac{\varphi}{2}.$$

故所求引力的大小为 $\dfrac{2Gm\mu}{R}\sin\dfrac{\varphi}{2}$，方向为 M 指向圆弧的中心.

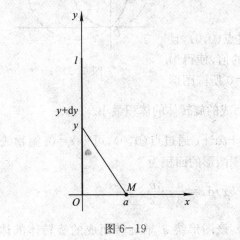

图 6-19

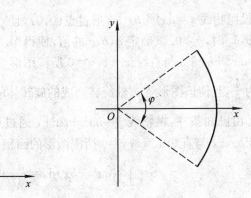

图 6-20

总习题六

1. 一金属棒长 $3\,\mathrm{m}$,离棒左端 $x\,\mathrm{m}$ 处的线密度 $\rho(x)=\dfrac{1}{\sqrt{1+x}}(\mathrm{kg/m})$. 问 x 为何值时,$[0,x]$ 一段的质量为全棒质量的一半.

解 $[0,x]$ 一段的质量为

$$m(x)=\int_0^x \rho(x)\,\mathrm{d}x=\int_0^x \frac{1}{\sqrt{1+x}}\,\mathrm{d}x=2(\sqrt{1+x}-1),$$

总质量为 $m(3)=2$,要满足 $m(x)=\dfrac{1}{2}m(3)$,求得 $x=\dfrac{5}{4}(\mathrm{m})$.

2. 求由曲线 $\rho=a\sin\theta$ 及 $\rho=a(\cos\theta+\sin\theta)(a>0)$ 所围图形公共部分的面积.

解 首先求出两曲线的交点,联立方程 $\begin{cases}\rho=a\sin\theta,\\ \rho=a(\cos\theta+\sin\theta),\end{cases}$ 解得交点坐标

为 $\left(a,\dfrac{\pi}{2}\right)$,注意到当 $\theta=0$ 时 $\rho=a\sin\theta=0$,当 $\theta=\dfrac{3\pi}{4}$ 时 $\rho=a(\cos\theta+\sin\theta)=0$,故两

曲线分别过 $(0,0)$ 和 $\left(0,\dfrac{3\pi}{4}\right)$,即都过极点(见图 6-21),因此所求面积为

$$A=\int_{\frac{\pi}{2}}^{\frac{3\pi}{4}} \frac{1}{2}\left[a(\cos\theta+\sin\theta)\right]^2\mathrm{d}\theta+\frac{1}{2}\pi\left(\frac{a}{2}\right)^2$$

$$=\frac{a^2}{2}\int_{\frac{\pi}{2}}^{\frac{3\pi}{4}} (1+\sin 2\theta)\mathrm{d}\theta+\frac{\pi a^2}{8}$$

$$=\frac{a^2}{4}(\pi-1).$$

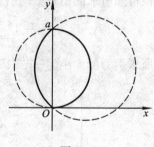

图 6-21

3. 设抛物线 $y=ax^2+bx+c$ 通过点 $(0,0)$,且当 $x\in[0,1]$ 时,$y\geqslant 0$. 试确定 a,b,c 的值,使得抛物线 $y=ax^2+bx+c$ 与直线 $x=1,y=0$ 所围图形的面积为 $\dfrac{4}{9}$,且使该图形绕 x 轴旋转而成的旋转体的体积最小.

解 由已知条件:抛物线 $y=ax^2+bx+c$ 通过点 $(0,0)$,可得 $c=0$. 抛物线 $y=ax^2+bx+c$ 与直线 $x=1,y=0$ 所围图形的面积为

$$S=\int_0^1 (ax^2+bx)\mathrm{d}x=\frac{a}{3}+\frac{b}{2},$$

从而得到 $\dfrac{a}{3}+\dfrac{b}{2}=\dfrac{4}{9}$,即 $a=\dfrac{4}{3}-\dfrac{3}{2}b$. 该图形绕 x 轴旋转而成的旋转体的体积为

$$V = \int_0^1 \pi (ax^2 + bx)^2 \, dx = \pi \left(\frac{a^2}{5} + \frac{ab}{2} + \frac{b^2}{3} \right) = \frac{\pi}{30} (b-2)^2 + \frac{2}{9} \pi,$$

因此当 $b=2$ 时体积为最小,此时 $a = -\frac{5}{3}$,抛物线为

$$y = -\frac{5}{3} x^2 + 2x = \frac{x}{3} (6 - 5x).$$

在区间 $[0,1]$ 上,此抛物线满足 $y \geqslant 0$,故所求解:$a = -\frac{5}{3}, b = 2, c = 0$ 符合题目要求.

4. 求由曲线 $y = x^{\frac{3}{2}}$,直线 $x = 4$ 及 x 轴所围图形绕 y 轴旋转而成的旋转体的体积.

解 如图 $6-22$,取 x 为积分变量,则 x 的变化范围为 $[0,4]$,因此体积为

$$V = \int_0^4 2\pi x f(x) \, dx = \int_0^4 2\pi x^{\frac{5}{2}} \, dx = \frac{512}{7} \pi.$$

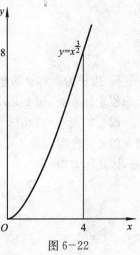

图 6-22

5. 求圆盘 $(x-2)^2 + y^2 \leqslant 1$ 绕 y 轴旋转而成的旋转体的体积.

解 这 是 一 个 圆 环 面,可 以 看 作 由 图 形 $\{(x,y) \mid 0 \leqslant x \leqslant 2 + \sqrt{1-y^2}, -1 \leqslant y \leqslant 1\}$ 绕 y 轴旋转所得的立体减去由图形 $\{(x,y) \mid 0 \leqslant x \leqslant 2 - \sqrt{1-y^2}, -1 \leqslant y \leqslant 1\}$ 绕 y 轴旋转所得的立体,因此

$$V = \int_{-1}^1 \pi (2 + \sqrt{1-y^2})^2 \, dy - \int_{-1}^1 \pi (2 - \sqrt{1-y^2})^2 \, dy = 8\pi \int_{-1}^1 \sqrt{1-y^2} \, dy$$

$$= 8\pi \left[\frac{y}{2} \sqrt{1-y^2} + \frac{1}{2} \arcsin y \right]_{-1}^1 = 4\pi^2.$$

6. 求抛物线 $y = \frac{1}{2} x^2$ 被圆 $x^2 + y^2 = 3$ 所截下的有限部分的弧长.

解 联立两曲线方程 $\begin{cases} y = \frac{1}{2} x^2, \\ x^2 + y^2 = 3, \end{cases}$ 得到两曲线的交点为 $(-\sqrt{2}, 1), (\sqrt{2}, 1)$,

因此所求弧长为

$$s = \int_{-\sqrt{2}}^{\sqrt{2}} \sqrt{1 - y'^2} \, dx = \int_{-\sqrt{2}}^{\sqrt{2}} \sqrt{1 + x^2} \, dx$$

$$= \frac{1}{2} \left[x \sqrt{1+x^2} + \ln(x + \sqrt{1+x^2}) \right]_{-\sqrt{2}}^{\sqrt{2}}$$

$$= \sqrt{6} + \ln(\sqrt{2} + \sqrt{3}).$$

7. 半径为 r 的球沉入水中,球的上部与水面相切,球的密度与水相同,现将

球从水中取出,需作多少功?

解 取 x 轴的正向铅直向上,沉入水中的球心为原点,并取 x 为积分变量,则 x 的变化范围为 $[-r,r]$. 对应区间 $[x,x+\mathrm{d}x]$ 的球的薄片的体积为

$$\mathrm{d}V=\pi(\sqrt{r^2-x^2})^2\mathrm{d}x=\pi(r^2-x^2)\mathrm{d}x,$$

由于该部分在水面以下重力与浮力的合力为零(因为球的密度与水的密度相同),在水面以上移动距离为 $r+x$,故作功为

$$W=\int_{-r}^{r}g\pi(r^2-x^2)(r+x)\mathrm{d}x$$

$$=\int_{-r}^{r}g\pi r(r^2-x^2)\mathrm{d}x+\int_{-r}^{r}g\pi x(r^2-x^2)\mathrm{d}x$$

$$=2\pi gr\int_{0}^{r}(r^2-x^2)\,\mathrm{d}x=\frac{4}{3}\pi gr^4.$$

8. 边长为 a 和 b 的矩形薄板,与液面成 α 角斜沉于液体内,长边平行于液面而位于深 h 处,设 $a>b$,液体的密度为 ρ,试求薄板每面所受的压力.

解 如图 6—23,记 x 为薄板上点到近水面的长边的距离,取 x 为积分变量,则 x 的变化范围为 $[0,b]$,对应小区间 $[x,x+\mathrm{d}x]$,压强为 $\rho g(h+x\sin\alpha)$,面积为 $a\mathrm{d}x$,因此压力为

$$F=\int_{0}^{b}\rho ga(h+x\sin\alpha)\mathrm{d}x=\frac{1}{2}\rho gab(2h+b\sin\alpha).$$

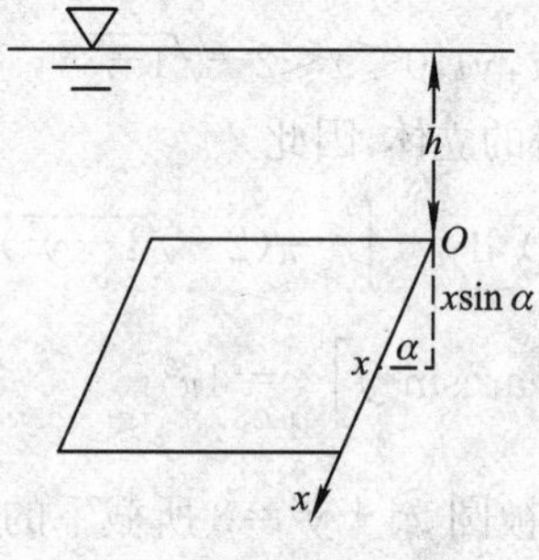

图 6—23

9. 设星形线 $x=a\cos^3 t$,$y=a\sin^3 t$ 上每一点处的线密度的大小等于该点到原点距离的立方,在原点 O 处有一单位质点,求星形线的第一象限的弧段对这质点的引力.

解 取参数 t 为积分变量,变化范围为 $\left[0,\dfrac{\pi}{2}\right]$,对应区间 $[t,t+\mathrm{d}t]$ 的弧长为

$$\mathrm{d}s=\sqrt{\left(\frac{\mathrm{d}x}{\mathrm{d}t}\right)^2+\left(\frac{\mathrm{d}y}{\mathrm{d}t}\right)^2}\mathrm{d}t=3a\cos t\sin t\mathrm{d}t,$$

该弧段质量为 $(a^2\cos^6 t+a^2\sin^6 t)^{\frac{3}{2}}\mathrm{d}s=3a^4\cos t\sin t(\cos^6 t+\sin^6 t)^{\frac{3}{2}}\mathrm{d}t$,该弧段与质点的引力大小为

$$G\frac{3a^4\cos t\sin t(\cos^6 t+\sin^6 t)^{\frac{3}{2}}}{a^2\cos^6 t+a^2\sin^6 t}\,\mathrm{d}t=3Ga^2\cos t\sin t(\cos^6 t+\sin^6 t)^{\frac{1}{2}}\,\mathrm{d}t,$$

因此曲线弧对这质点引力的水平方向分量、铅直方向分量分别为

$$F_x=\int_0^{\frac{\pi}{2}}\frac{a\cos^3 t}{\sqrt{a^2\cos^6 t+a^2\sin^6 t}}3Ga^2\cos t\sin t(\cos^6 t+\sin^6 t)^{\frac{1}{2}}\,\mathrm{d}t$$

$$=\int_0^{\frac{\pi}{2}}3Ga^2\cos^4 t\sin t\,\mathrm{d}t=3Ga^2\left[-\frac{\cos^5 t}{5}\right]_0^{\frac{\pi}{2}}=\frac{3}{5}Ga^2,$$

$$F_y=\int_0^{\frac{\pi}{2}}\frac{a\sin^3 t}{\sqrt{a^2\cos^6 t+a^2\sin^6 t}}3Ga^2\cos t\sin t(\cos^6 t+\sin^6 t)^{\frac{1}{2}}\,\mathrm{d}t$$

$$=\int_0^{\frac{\pi}{2}}3Ga^2\cos t\sin^4 t\,\mathrm{d}t=3Ga^2\left[\frac{\sin^5 t}{5}\right]_0^{\frac{\pi}{2}}=\frac{3}{5}Ga^2,$$

因此所求引力 $\mathbf{F}=\left(\dfrac{3}{5}Ga^2,\dfrac{3}{5}Ga^2\right)$，即大小为 $\dfrac{3\sqrt{2}}{5}Ga^2$，方向角为 $\dfrac{\pi}{4}$.

第七章 微分方程

微分方程的基本概念

1. 试说出下列各微分方程的阶数:

(1) $x(y')^2 - 2yy' + x = 0$;

(2) $x^2 y'' - xy' + y = 0$;

(3) $xy''' + 2y'' + x^2 y = 0$;

(4) $(7x - 6y)\mathrm{d}x + (x + y)\mathrm{d}y = 0$;

(5) $L\dfrac{\mathrm{d}^2 Q}{\mathrm{d}t^2} + R\dfrac{\mathrm{d}Q}{\mathrm{d}t} + \dfrac{Q}{C} = 0$;

(6) $\dfrac{\mathrm{d}\rho}{\mathrm{d}\theta} + \rho = \sin^2\theta$.

解 (1) 一阶;(2)二阶;(3)三阶;(4)一阶;(5)二阶;(6)一阶.

2. 指出下列各题中的函数是否为所给微分方程的解:

(1) $xy' = 2y, y = 5x^2$;

(2) $y'' + y = 0, y = 3\sin x - 4\cos x$;

(3) $y'' - 2y' + y = 0, y = x^2 \mathrm{e}^x$;

(4) $y'' - (\lambda_1 + \lambda_2)y' + \lambda_1\lambda_2 y = 0, y = C_1 \mathrm{e}^{\lambda_1 x} + C_2 \mathrm{e}^{\lambda_2 x}$.

解 (1) 由 $y = 5x^2$,得 $\qquad y' = 10x,\ xy' = 10x^2 = 2y$,

故 $y = 5x^2$ 是所给微分方程的解.

(2) 由 $y = 3\sin x - 4\cos x$,得 $y' = 3\cos x + 4\sin x$,进而得
$$y'' = -3\sin x + 4\cos x,$$
于是 $\qquad y'' + y = (-3\sin x + 4\cos x) + (3\sin x - 4\cos x) = 0$,

故 $y = 3\sin x - 4\cos x$ 是所给微分方程的解.

(3) 由 $y = x^2 \mathrm{e}^x$,得 $y' = 2x\mathrm{e}^x + x^2\mathrm{e}^x = (2x + x^2)\mathrm{e}^x$,进而得
$$y'' = (2 + 2x)\mathrm{e}^x + (2x + x^2)\mathrm{e}^x = (2 + 4x + x^2)\mathrm{e}^x,$$
于是 $\qquad y'' - 2y' + y = [(2 + 4x + x^2) - 2(2x + x^2) + x^2]\mathrm{e}^x = 2\mathrm{e}^x \neq 0$,

故 $y = x^2 \mathrm{e}^x$ 不是所给微分方程的解.

(4) 由 $y = C_1\mathrm{e}^{\lambda_1 x} + C_2\mathrm{e}^{\lambda_2 x}$,得 $y' = \lambda_1 C_1\mathrm{e}^{\lambda_1 x} + \lambda_2 C_2\mathrm{e}^{\lambda_2 x}$,进而得
$$y'' = \lambda_1^2 C_1\mathrm{e}^{\lambda_1 x} + \lambda_2^2 C_2\mathrm{e}^{\lambda_2 x},$$
于是 $\quad y'' - (\lambda_1 + \lambda_2)y' + \lambda_1\lambda_2 y$

$= \lambda_1^2 C_1\mathrm{e}^{\lambda_1 x} + \lambda_2^2 C_2\mathrm{e}^{\lambda_2 x} - \lambda_1(\lambda_1 + \lambda_2)C_1\mathrm{e}^{\lambda_1 x} - \lambda_2(\lambda_1 + \lambda_2)C_2\mathrm{e}^{\lambda_2 x}$

$\quad + \lambda_1\lambda_2 C_1\mathrm{e}^{\lambda_1 x} + \lambda_1\lambda_2 C_2\mathrm{e}^{\lambda_2 x}$

$$=0,$$

故 $y=C_1 \mathrm{e}^{\lambda_1 x}+C_2 \mathrm{e}^{\lambda_2 x}$ 是所给微分方程的解.

3. 在下列各题中,验证所给二元方程所确定的函数为所给微分方程的解:

(1) $(x-2y)y'=2x-y, x^2-xy+y^2=C$;

(2) $(xy-x)y''+xy'^2+yy'-2y'=0, y=\ln(xy)$.

解 (1) 在方程 $x^2-xy+y^2=C$ 两端对 x 求导,得

$$2x-(y+xy')+2yy'=0,$$

即 $$(x-2y)y'=2x-y.$$

故所给二元方程所确定的函数是微分方程的解.

(2) 在方程 $y=\ln(xy)$ 两端对 x 求导,得

$$y'=\frac{y+xy'}{xy},$$

即 $$(xy-x)y'-y=0,$$

再在上式两端对 x 求导,得

$$(y+xy'-1)y'+(xy-x)y''-y'=0,$$

即 $$(xy-x)y''+xy'^2+yy'-2y'=0.$$

故所给二元方程所确定的函数是所给微分方程的解.

4. 在下列各题中,确定函数关系式中所含的参数,使函数满足所给的初始条件:

(1) $x^2-y^2=C, y|_{x=0}=5$;

(2) $y=(C_1+C_2 x)\mathrm{e}^{2x}, y|_{x=0}=0, y'|_{x=0}=1$;

(3) $y=C_1\sin(x-C_2), y|_{x=\pi}=1, y'|_{x=\pi}=0$.

解 (1)由 $y|_{x=0}=5$,将 $x=0, y=5$ 代入函数关系中,得 $C=-25$,

即 $$x^2-y^2=-25.$$

(2) 由 $$y=(C_1+C_2 x)\mathrm{e}^{2x},$$

得 $$y'=(C_2+2C_1+2C_2 x)\mathrm{e}^{2x}.$$

将 $x=0, y=0$ 及 $y'=1$ 代入以上两式,得

$$\begin{cases} 0=C_1, \\ 1=C_2+2C_1, \end{cases}$$

故 $$C_1=0, C_2=1, y=x\mathrm{e}^{2x}.$$

(3) 由 $$y=C_1\sin(x-C_2),$$

得 $$y'=C_1\cos(x-C_2).$$

将 $x=\pi, y=1$ 及 $y'=0$ 代入以上两式,得

$$\begin{cases} 1=C_1\sin(\pi-C_2)=C_1\sin C_2, & ① \\ 0=C_1\cos(\pi-C_2)=-C_1\cos C_2. & ② \end{cases}$$

由①²＋②² 得 $$C_1^2=1,$$

不妨取 $C_1=1$，由①式得 $C_2=2k\pi+\dfrac{\pi}{2}$，故

$$y=\sin\left(x-2k\pi-\frac{\pi}{2}\right)=-\cos x.$$

注 取 $C_1=-1$，可得相同的结果．

5. 写出由下列条件确定的曲线所满足的微分方程：

(1) 曲线在点 (x,y) 处的切线的斜率等于该点横坐标的平方；

(2) 曲线上点 $P(x,y)$ 处的法线与 x 轴的交点为 Q，且线段 PQ 被 y 轴平分．

解 (1) 设曲线方程为 $y=y(x)$，它在点 (x,y) 处的切线斜率为 y'，依条件，有

$$y'=x^2,$$

此为曲线方程所满足的微分方程．

(2) 设曲线方程为 $y=y(x)$．因它在点 $P(x,y)$ 处的切线斜率为 y'，故该点处法线斜率为 $-\dfrac{1}{y'}$．

由条件知 PQ 之中点位于 y 轴上，故点 Q 的坐标是 $(-x,0)$，于是有

$$\frac{y-0}{x-(-x)}=-\frac{1}{y'},$$

即微分方程为 $$yy'+2x=0.$$

6. 用微分方程表示一物理命题：某种气体的气压 P 对于温度 T 的变化率与气压成正比，与温度的平方成反比．

解 因 $\dfrac{\mathrm{d}P}{\mathrm{d}T}$ 与 P 成正比，与 T^2 成反比，若比例系数为 k，则有

$$\frac{\mathrm{d}P}{\mathrm{d}T}=k\,\frac{P}{T^2}.$$

习题 7–2　可分离变量的微分方程

1. 求下列微分方程的通解：

(1) $xy'-y\ln y=0$；　　　　　　(2) $3x^2+5x-5y'=0$；

(3) $\sqrt{1-x^2}\,y'=\sqrt{1-y^2}$；　　　(4) $y'-xy'=a(y^2+y')$；

(5) $\sec^2 x\tan y\,\mathrm{d}x+\sec^2 y\tan x\,\mathrm{d}y=0$；　(6) $\dfrac{\mathrm{d}y}{\mathrm{d}x}=10^{x+y}$；

(7) $(e^{x+y}-e^x)\mathrm{d}x+(e^{x+y}+e^y)\mathrm{d}y=0$；　(8) $\cos x\sin y\,\mathrm{d}x+\sin x\cos y\,\mathrm{d}y=0$；

(9) $(y+1)^2\dfrac{\mathrm{d}y}{\mathrm{d}x}+x^3=0$；　　　(10) $y\mathrm{d}x+(x^2-4x)\mathrm{d}y=0$.

解 （1）原方程为 $x\dfrac{\mathrm{d}y}{\mathrm{d}x}-y\ln y=0$，分离变量得

$$\frac{\mathrm{d}y}{y\ln y}=\frac{\mathrm{d}x}{x},$$

两端积分 $\quad\displaystyle\int\frac{\mathrm{d}y}{y\ln y}=\int\frac{\mathrm{d}x}{x},$

得 $\quad\ln|\ln y|=\ln|x|+\ln C_1=\ln|C_1 x|\,(C_1>0),$

即 $\quad\ln y=\pm C_1 x,$

故通解为 $\quad\ln y=Cx$，即 $y=\mathrm{e}^{Cx}$①.

（2）原方程可写成 $5y'=3x^2+5x$，积分得 $5y=x^3+\dfrac{5}{2}x^2+C_1$，

即通解为 $\quad y=\dfrac{1}{5}x^3+\dfrac{1}{2}x^2+C\left(C=\dfrac{C_1}{5}\right).$

（3）原方程为 $\sqrt{1-x^2}\dfrac{\mathrm{d}y}{\mathrm{d}x}=\sqrt{1-y^2}$，分离变量得

$$\frac{\mathrm{d}y}{\sqrt{1-y^2}}=\frac{\mathrm{d}x}{\sqrt{1-x^2}},$$

两端积分得 $\quad\arcsin y=\arcsin x+C,$

即为原方程的通解.

（4）原方程可写成 $(1-x-a)\dfrac{\mathrm{d}y}{\mathrm{d}x}=ay^2$，分离变量得

$$\frac{\mathrm{d}y}{y^2}=\frac{a}{1-x-a}\mathrm{d}x,$$

两端积分得

$$-\frac{1}{y}=-a\ln|1-x-a|-C,$$

即 $\quad y=\dfrac{1}{a\ln|1-x-a|+C}$

是原方程的通解.

（5）原方程分离变量，得

$$\frac{\sec^2 y}{\tan y}\mathrm{d}y=-\frac{\sec^2 x}{\tan x}\mathrm{d}x,$$

两端积分， $\quad\displaystyle\int\frac{\mathrm{d}(\tan y)}{\tan y}=-\int\frac{\mathrm{d}(\tan x)}{\tan x},$

得 $\quad\ln|\tan y|=-\ln|\tan x|+\ln C_1$

---

① 由于 $y\equiv1$ 也是原方程 $xy'-y\ln y=0$ 的解，因此方程的解 $\ln y=\pm C_1 x$ 中 C_1 可以取作 0，从而通解为 $\ln y=Cx$（C 是任意常数），即 $y=\mathrm{e}^{Cx}$. 以下诸题通解中的常数 C 也有类似情况，但不再一一说明了.

可写成 $\qquad \ln|\tan y \cdot \tan x| = \ln C_1$,

即 $\qquad \tan y \cdot \tan x = \pm C_1$,

故原方程的通解为

$$\tan y \cdot \tan x = C.$$

（6）原方程分离变量,得 $\quad 10^{-y} dy = 10^x dx$,

两端积分 $\qquad \int 10^{-y} dy = \int 10^x dx$

得 $\qquad -\dfrac{10^{-y}}{\ln 10} = \dfrac{10^x}{\ln 10} + C'$,

可写成 $\qquad 10^x + 10^{-y} = C (C = -C' \ln 10)$.

（7）原方程为 $e^x(e^y-1)dx + e^y(e^x+1)dy = 0$, 分离变量,得

$$\dfrac{e^y}{e^y - 1} dy = -\dfrac{e^x}{e^x + 1} dx,$$

两端积分,得 $\qquad \ln|e^y - 1| = -\ln(e^x + 1) + \ln C_1$,

或写成 $\qquad \ln|(e^x+1)(e^y-1)| = \ln C_1$

即 $\qquad (e^x+1)(e^y-1) = \pm C_1$

故原方程的通解为 $\qquad (e^x+1)(e^y-1) = C.$

（8）原方程分离变量,得 $\quad \dfrac{\cos y}{\sin y} dy = -\dfrac{\cos x}{\sin x} dx$,

两端积分,得 $\qquad \ln|\sin y| = -\ln|\sin x| + \ln C_1$,

即 $\qquad \ln|\sin y \sin x| = \ln C_1$,

或写成 $\qquad \sin y \sin x = \pm C_1$

故原方程的通解为 $\qquad \sin y \sin x = C.$

（9）原方程分离变量,得 $\quad (y+1)^2 dy = -x^3 dx$,

两端积分,得 $\qquad \dfrac{1}{3}(y+1)^3 = -\dfrac{1}{4} x^4 + C_1$

故原方程的通解为 $\quad 3x^4 + 4(y+1)^3 = C \ (C = 12C_1)$.

（10）原方程分离变量,得 $\quad \dfrac{dy}{y} = \dfrac{dx}{4x - x^2}$,

两端积分,得

$$\ln|y| = \int \dfrac{dx}{(4-x)x} = \dfrac{1}{4} \int \left(\dfrac{1}{4-x} + \dfrac{1}{x} \right) dx$$

$$= \dfrac{1}{4} [\ln|x| - \ln|4-x|] + \ln C_1 = \dfrac{1}{4} \ln \left| \dfrac{x}{4-x} \right| + \ln C_1,$$

即 $\qquad \ln|y^4(4-x)| = \ln|4C_1 x|$,

或写成 $\qquad y^4(4-x) = \pm 4C_1 x$,

故原方程的通解为

$$y^4(4-x)=Cx.$$

2. 求下列微分方程满足所给初始条件的特解:

(1) $y'=e^{2x-y}$, $y|_{x=0}=0$;

(2) $\cos x \sin y dy = \cos y \sin x dx$, $y|_{x=0}=\dfrac{\pi}{4}$;

(3) $y'\sin x = y\ln y$, $y|_{x=\frac{\pi}{2}}=e$;

(4) $\cos y dx + (1+e^{-x})\sin y dy = 0$, $y|_{x=0}=\dfrac{\pi}{4}$;

(5) $x dy + 2y dx = 0$, $y|_{x=2}=1$.

解 (1)分离变量,得 $\qquad e^y dy = e^{2x} dx$,

两端积分,得 $\qquad\qquad\qquad e^y = \dfrac{1}{2}e^{2x}+C$,

由 $y|_{x=0}=0$,得 $\qquad\qquad 1=e^0=\dfrac{1}{2}e^0+C$,

故 $C=\dfrac{1}{2}$,即得 $\qquad\qquad e^y=\dfrac{1}{2}(e^{2x}+1)$,

于是所求特解为 $\qquad\qquad y=\ln\dfrac{e^{2x}+1}{2}$.

(2)分离变量,得 $\qquad \tan y dy = \tan x dx$,

两端积分,得 $\qquad -\ln|\cos y|=-\ln|\cos x|-\ln C_1$,

即 $\qquad\qquad\qquad\qquad \cos y = C\cos x$.

代入初始条件:$x=0$, $y=\dfrac{\pi}{4}$,得 $\dfrac{\sqrt{2}}{2}=C$,于是

$$\sqrt{2}\cos y = \cos x$$

为所求之特解.

(3)分离变量,得 $\qquad\qquad \dfrac{dy}{y\ln y}=\dfrac{dx}{\sin x}$,

两端积分,得 $\qquad \ln|\ln y|=\ln\left|\tan\dfrac{x}{2}\right|+\ln C_1$,

即 $\qquad\qquad\qquad\qquad \ln y=C\tan\dfrac{x}{2}$.

代入初始条件:$x=\dfrac{\pi}{2}$, $y=e$,得 $1=C$,于是

$$y=e^{\tan\frac{x}{2}}$$

为所求之特解.

(4)分离变量,得 $\qquad\qquad \dfrac{e^x}{e^x+1}dx=-\tan y dy$,

两端积分,得 $\ln(e^x+1)=\ln|\cos y|+\ln C_1,$

即 $e^x+1=C\cos y.$

代入初始条件:$x=0,y=\dfrac{\pi}{4}$,有 $2=C\cdot\dfrac{\sqrt{2}}{2}$,得 $C=2\sqrt{2}$,于是

$$e^x+1=2\sqrt{2}\cos y,$$

即 $(e^x+1)\sec y=2\sqrt{2}$

为所求之特解.

(5) 分离变量,得 $\dfrac{\mathrm{d}y}{y}=-2\dfrac{\mathrm{d}x}{x},$

两端积分得 $\ln|y|=-2\ln|x|+\ln C_1=\ln x^{-2}+\ln C_1,$

即 $x^2 y=C.$

代入初始条件:$x=2,y=1$,得 $C=4,$

故所求之特解为 $x^2 y=4.$

3. 有一盛满了水的圆锥形漏斗,高为 $10\,\mathrm{cm}$,顶角为 $60°$,漏斗下面有面积为 $0.5\,\mathrm{cm}^2$ 的孔,求水面高度变化的规律及流完所需的时间.

解 水从孔口流出的流量 Q 是单位时间内流出孔口的水的体积,即 $Q=\dfrac{\mathrm{d}V}{\mathrm{d}t}$.

又从力学知道,$Q=0.62S\sqrt{2gh}$,其中 0.62 为流量系数,S 为孔口截面积,g 为重力加速度,h 为水面到孔口的高度. 于是有

$$\frac{\mathrm{d}V}{\mathrm{d}t}=0.62S\sqrt{2gh},$$

即 $\mathrm{d}V=0.62S\sqrt{2gh}\,\mathrm{d}t.$ (1)

设在时刻 t,水面高度为 $h=h(t)$. 从图 7-1 中可见,

$x=h\tan 30°=\dfrac{\sqrt{3}}{3}h$,于是在时间间隔 $[t,t+\mathrm{d}t]$ 内漏斗流出的水的体积,即水体积的改变量

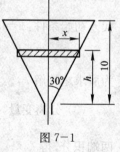

图 7-1

$$\mathrm{d}V=-\pi x^2\mathrm{d}h=-\frac{\pi}{3}h^2\mathrm{d}h.$$ (2)

由(1),(2)式得微分方程

$$0.62S\sqrt{2gh}\,\mathrm{d}t=-\frac{\pi}{3}h^2\mathrm{d}h.$$

并有初始条件 $h|_{t=0}=10.$

由微分方程分离变量,得

$$\mathrm{d}t=-\frac{\pi}{3\times 0.62S\sqrt{2g}}h^{\frac{3}{2}}\mathrm{d}h,$$

两端积分,得
$$t=-\frac{2\pi}{15\times0.62S\sqrt{2g}}h^{\frac{5}{2}}+C.$$

代入初始条件:$t=0,h=10$,得 $C=\frac{2\pi}{15\times0.62S\sqrt{2g}}10^{\frac{5}{2}}.$

于是
$$t=\frac{2\pi}{15\times0.62S\sqrt{2g}}(10^{\frac{5}{2}}-h^{\frac{5}{2}}).$$

代入 $S=0.5(cm^2),g=980(cm/s^2)$,即得
$$t=-0.0305h^{\frac{5}{2}}+9.64.$$

代入 $h=0$ 时得流完所需时间 $t\approx10(s)$.

4. 质量为 $1g$(克)的质点受外力作用作直线运动,这外力和时间成正比,和质点运动的速度成反比. 在 $t=10s$ 时,速度等于 $50 cm/s$,外力为 $4 g\cdot cm/s^2$,问从运动开始经过了一分钟后的速度是多少?

解 设在时刻 t,质点运动速度为 $v=v(t)$. 据题设条件,有
$$f=mv'=k\frac{t}{v},$$

且由 $m=1,t=10,v=50,f=4$,得 $\qquad k=\frac{f\cdot v}{t}=20.$

故有微分方程
$$v'=20\frac{t}{v}.$$

分离变量 $\qquad\qquad\qquad vdv=20tdt$

积分得 $\qquad\qquad\qquad v^2=20t^2+C.$

代入条件:$t=10,v=50$,得 $C=500$,于是有特解
$$v=\sqrt{20t^2+500}.$$

当 $t=60(s)$ 时, $\qquad v=\sqrt{20\times60^2+500}=269.3(cm/s).$

5. 镭的衰变有如下的规律:镭的衰变速度与它的现存量 R 成正比. 由经验材料得知,镭经过 1600 年后,只余原始量 R_0 的一半. 试求镭的存量 R 与时间 t 的函数关系.

解 设在时刻 t,镭的存量为 $R=R(t)$. 由题设条件知,
$$\frac{dR}{dt}=-\lambda R,\text{即}\quad\frac{dR}{R}=-\lambda dt.$$

积分得 $\qquad\qquad\qquad\ln R=-\lambda t+\ln C.$

即 $\qquad\qquad\qquad R=Ce^{-\lambda t}.$

因 $t=0$ 时,$R=R_0$,故 $C=R_0,R=R_0e^{-\lambda t}.$

将 $t=1600,R=\frac{1}{2}R_0$ 代入上式,得 $\frac{1}{2}=e^{-1600\lambda}$,

即 $$\lambda = \frac{\ln 2}{1\,600}.$$

所以 $$R = R_0 \mathrm{e}^{-\frac{\ln 2}{1\,600}t} = R_0 \mathrm{e}^{-0.000\,433\,t}.$$

6. 一曲线通过点 $(2,3)$，它在两坐标轴间的任一切线线段均被切点所平分，求这曲线方程.

解 设曲线方程为 $y = y(x)$，切点为 (x,y). 依条件，切线在 x 轴与 y 轴上的截距分别为 $2x$ 与 $2y$，于是切线的斜率

$$y' = \frac{2y-0}{0-2x} = -\frac{y}{x}.$$

分离变量得

$$\frac{\mathrm{d}y}{y} = -\frac{\mathrm{d}x}{x}.$$

积分得 $$\ln|y| = -\ln|x| + \ln C_1,$$
即 $$xy = C.$$
代入初始条件 $x=2, y=3$，得 $$C = 6,$$
故曲线方程为 $$xy = 6.$$

7. 小船从河边点 O 处出发驶向对岸（两岸为平行直线）. 设船速为 a，船行方向始终与河岸垂直，又设河宽为 h，河中任一点处的水流速度与该点到两岸距离的乘积成正比（比例系数为 k）. 求小船的航行路线.

解 设小船的航行路线为 $C: \begin{cases} x = x(t), \\ y = y(t), \end{cases}$ 则在时刻 t，小船的实际航行速度为 $\boldsymbol{v}(t) = (x'(t), y'(t))$，其中

$x'(t) = ky(h-y)$ 为水的流速；

$y'(t) = a$ 为小船的主动速度.

由于小船航行路线的切线方向就是小船的实际速度方向（图 7-2），故有

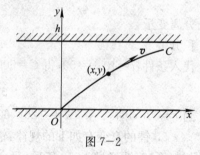

图 7-2

$$\frac{\mathrm{d}y}{\mathrm{d}x} = \frac{y'(t)}{x'(t)} = \frac{a}{ky(h-y)}.$$

分离变量，得 $$\mathrm{d}x = \frac{k}{a} y(h-y)\mathrm{d}y,$$

积分得 $$x = \frac{k}{a} \int (hy - y^2)\mathrm{d}y$$

$$= \frac{k}{a}\left(\frac{h}{2}y^2 - \frac{1}{3}y^3\right) + C.$$

由于小船始发于点 $(0,0)$，代入 $x=0, y=0$，得 $C=0$，故小船航行的路线的方程为

$$x = \frac{k}{a}\left(\frac{h}{2}y^2 - \frac{1}{3}y^3\right).$$

习题 7-3   齐次方程

1. 求下列齐次方程的通解:

(1) $xy' - y - \sqrt{y^2 - x^2} = 0$;

(2) $x\dfrac{\mathrm{d}y}{\mathrm{d}x} = y\ln\dfrac{y}{x}$;

(3) $(x^2 + y^2)\mathrm{d}x - xy\mathrm{d}y = 0$;

(4) $(x^3 + y^3)\mathrm{d}x - 3xy^2\mathrm{d}y = 0$;

(5) $\left(2x\sin\dfrac{y}{x} + 3y\cos\dfrac{y}{x}\right)\mathrm{d}x - 3x\cos\dfrac{y}{x}\mathrm{d}y = 0$;

(6) $(1 + 2\mathrm{e}^{\frac{x}{y}})\mathrm{d}x + 2\mathrm{e}^{\frac{x}{y}}\left(1 - \dfrac{x}{y}\right)\mathrm{d}y = 0$.

解 (1) 当 $x > 0$ 时,可将原方程写成 $y' = \dfrac{y}{x} + \sqrt{\left(\dfrac{y}{x}\right)^2 - 1}$,令 $u = \dfrac{y}{x}$,即

$y = xu$,有 $y' = u + xu'$,则原方程成为 $u + xu' = u + \sqrt{u^2 - 1}$,分离变量,得

$$\frac{\mathrm{d}u}{\sqrt{u^2 - 1}} = \frac{\mathrm{d}x}{x},$$

积分得

$$\ln\left|u + \sqrt{u^2 - 1}\right| = \ln x + \ln C_1,$$

即

$$u + \sqrt{u^2 - 1} = Cx \quad (C = \pm C_1).$$

将 $u = \dfrac{y}{x}$ 代入上式并整理,得通解

$$y + \sqrt{y^2 - x^2} = Cx^2.$$

(2) 原方程可表示成 $\dfrac{\mathrm{d}y}{\mathrm{d}x} = \dfrac{y}{x}\ln\dfrac{y}{x}$,令 $u = \dfrac{y}{x}$,即 $y = xu$,有 $\dfrac{\mathrm{d}y}{\mathrm{d}x} = u + x\dfrac{\mathrm{d}u}{\mathrm{d}x}$,则

原方程成为 $u + x\dfrac{\mathrm{d}u}{\mathrm{d}x} = u\ln u$,分离变量,得

$$\frac{\mathrm{d}u}{u(\ln u - 1)} = \frac{\mathrm{d}x}{x},$$

积分得
$$\ln|\ln u - 1| = \ln|x| + \ln C_1,$$
即
$$\ln u - 1 = \pm C_1 x.$$

将 $u = \dfrac{y}{x}$ 代入上式,得

$$\ln\frac{y}{x} = \pm C_1 x + 1.$$

故通解为 $$\ln\frac{y}{x}=Cx+1.$$

(3) 原方程可表示为 $\left(\dfrac{x}{y}+\dfrac{y}{x}\right)\mathrm{d}x-\mathrm{d}y=0$. 令 $u=\dfrac{y}{x}$, 即 $y=xu$, 有 $\mathrm{d}y=u\mathrm{d}x+x\mathrm{d}u$, 则原方程成为

$$\left(\frac{1}{u}+u\right)\mathrm{d}x-(u\mathrm{d}x+x\mathrm{d}u)=0,$$

即 $$u\mathrm{d}u=\frac{\mathrm{d}x}{x},$$

积分得 $$\frac{u^2}{2}=\ln|x|+C_1.$$

将 $u=\dfrac{y}{x}$ 代入上式并整理, 得通解

$$y^2=x^2(2\ln|x|+C).$$

(4) 原方程可写成 $\dfrac{1}{3}\left(\dfrac{x^2}{y^2}+\dfrac{y}{x}\right)\mathrm{d}x-\mathrm{d}y=0$. 令 $u=\dfrac{y}{x}$, 即 $y=xu$, 有 $\mathrm{d}y=u\mathrm{d}x+x\mathrm{d}u$, 则原方程成为 $\dfrac{1}{3}\left(\dfrac{1}{u^2}+u\right)\mathrm{d}x-(u\mathrm{d}x+x\mathrm{d}u)=0$.

分离变量, 得 $$\frac{3u^2}{1-2u^3}\mathrm{d}u=\frac{1}{x}\mathrm{d}x,$$

积分得 $$-\frac{1}{2}\ln|1-2u^3|=\ln|x|+\ln C_1,$$

即 $$1-2u^3=\pm\frac{1}{C_1^2x^2}.$$

将 $u=\dfrac{y}{x}$ 代入上式并整理, 得通解

$$x^3-2y^3=Cx.$$

(5) 原方程可写成 $\dfrac{2}{3}\tan\dfrac{y}{x}+\dfrac{y}{x}-\dfrac{\mathrm{d}y}{\mathrm{d}x}=0$. 令 $u=\dfrac{y}{x}$, 即 $y=xu$, 有 $\dfrac{\mathrm{d}y}{\mathrm{d}x}=u+x\dfrac{\mathrm{d}u}{\mathrm{d}x}$, 则原方程成为 $\dfrac{2}{3}\tan u+u-\left(u+x\dfrac{\mathrm{d}u}{\mathrm{d}x}\right)=0$. 分离变量, 得

$$\frac{3}{2}\frac{\mathrm{d}u}{\tan u}=\frac{\mathrm{d}x}{x},$$

积分得

$$\frac{3}{2}\ln|\sin u|=\ln|x|+\ln C_1,$$

即 $$\sin^3 u=\pm C_1 x^2.$$

将 $u=\dfrac{y}{x}$ 代入上式, 得通解 $\sin^3\dfrac{y}{x}=Cx^2$.

(6) 原方程可写成 $\dfrac{\mathrm{d}x}{\mathrm{d}y}(1+2\mathrm{e}^{\frac{x}{y}})+2\mathrm{e}^{\frac{x}{y}}(1-\dfrac{x}{y})=0$. 令 $u=\dfrac{x}{y}$, 即 $x=yu$, 有 $\dfrac{\mathrm{d}x}{\mathrm{d}y}=u+y\dfrac{\mathrm{d}u}{\mathrm{d}y}$, 则原方程成为

$$\left(u+y\dfrac{\mathrm{d}u}{\mathrm{d}y}\right)(1+2\mathrm{e}^u)+2\mathrm{e}^u(1-u)=0,$$

整理并分离变量, 得

$$\dfrac{1+2\mathrm{e}^u}{u+2\mathrm{e}^u}\mathrm{d}u+\dfrac{\mathrm{d}y}{y}=0,$$

即
$$\dfrac{\mathrm{d}(u+2\mathrm{e}^u)}{u+2\mathrm{e}^u}+\dfrac{\mathrm{d}y}{y}=0.$$

积分得
$$\ln|u+2\mathrm{e}^u|+\ln|y|=\ln C_1,$$
即
$$y(u+2\mathrm{e}^u)=\pm C_1.$$

将 $u=\dfrac{x}{y}$ 代入上式, 得通解

$$x+2y\mathrm{e}^{\frac{x}{y}}=C.$$

2. 求下列齐次方程满足所给初始条件的特解:

(1) $(y^2-3x^2)\mathrm{d}y+2xy\mathrm{d}x=0, y|_{x=0}=1$;

(2) $y'=\dfrac{x}{y}+\dfrac{y}{x}, y|_{x=1}=2$;

(3) $(x^2+2xy-y^2)\mathrm{d}x+(y^2+2xy-x^2)\mathrm{d}y=0, y|_{x=1}=1$.

解 (1) 原方程可写成 $1-3\dfrac{x^2}{y^2}+2\dfrac{x}{y}\dfrac{\mathrm{d}x}{\mathrm{d}y}=0$. 令 $u=\dfrac{x}{y}$, 即 $x=yu$, 有 $\dfrac{\mathrm{d}x}{\mathrm{d}y}=u+y\dfrac{\mathrm{d}u}{\mathrm{d}y}$, 则原方程成为

$$1-3u^2+2u\left(u+y\dfrac{\mathrm{d}u}{\mathrm{d}y}\right)=0,$$

分离变量, 得
$$\dfrac{2u}{u^2-1}\mathrm{d}u=\dfrac{\mathrm{d}y}{y}.$$

积分得
$$\ln|u^2-1|=\ln|y|+\ln C_1,$$
即
$$u^2-1=Cy.$$

代入 $u=\dfrac{x}{y}$ 并整理, 得通解
$$x^2-y^2=Cy^3.$$

由初始条件 $x=0, y=1$, 得 $C=-1$. 于是所求特解为
$$y^3=y^2-x^2.$$

(2) 令 $u=\dfrac{y}{x}$, 有 $y'=u+xu'$, 则原方程成为 $u+xu'=\dfrac{1}{u}+u$. 分离变量, 得
$$u\mathrm{d}u=\dfrac{\mathrm{d}x}{x}.$$

积分得
$$\frac{1}{2}u^2 = \ln|x| + C,$$

将 $u = \frac{y}{x}$ 代入上式并整理,得通解
$$y^2 = 2x^2(\ln|x| + C).$$

代入初始条件 $x=1, y=2$,解得 $C=2$. 于是所求特解为
$$y^2 = 2x^2(\ln x + 2).$$

(3) 将原方程写成 $\dfrac{\mathrm{d}y}{\mathrm{d}x} + \dfrac{1 + 2\dfrac{y}{x} - \left(\dfrac{y}{x}\right)^2}{\left(\dfrac{y}{x}\right)^2 + 2\dfrac{y}{x} - 1} = 0$,令 $u = \dfrac{y}{x}$,有 $\dfrac{\mathrm{d}y}{\mathrm{d}x} = u + x\dfrac{\mathrm{d}u}{\mathrm{d}x}$,

则原方程成为
$$u + x\frac{\mathrm{d}u}{\mathrm{d}x} + \frac{1 + 2u - u^2}{u^2 + 2u - 1} = 0,$$

整理并分离变量,得
$$\frac{1 - 2u - u^2}{u^3 + u^2 + u + 1}\mathrm{d}u = \frac{\mathrm{d}x}{x}.$$

积分得
$$\int \frac{1 - 2u - u^2}{u^3 + u^2 + u + 1}\mathrm{d}u = \int \frac{1 - 2u - u^2}{(u+1)(u^2+1)}\mathrm{d}u = \int \left(\frac{1}{u+1} - \frac{2u}{u^2+1}\right)\mathrm{d}u$$
$$= \ln \frac{|u+1|}{u^2+1} = \ln|x| + \ln C,$$

故
$$\frac{u+1}{u^2+1} = Cx.$$

代入 $u = \dfrac{y}{x}$ 并整理,得通解 $\dfrac{y+x}{y^2+x^2} = C$.

以初始条件 $x=1, y=1$ 定出 $C=1$. 故所求特解为
$$\frac{x+y}{x^2+y^2} = 1.$$

3. 设有连结点 $O(0,0)$ 和 $A(1,1)$ 的一段向上凸的曲线弧 $\overset{\frown}{OA}$,对于 $\overset{\frown}{OA}$ 上任一点 $P(x,y)$,曲线弧 $\overset{\frown}{OP}$ 与直线段 $\overline{OP}$ 所围图形的面积为 x^2,求曲线弧 $\overset{\frown}{OA}$ 的方程.

解 设曲线弧的方程为 $y = y(x)$. 依题意,有
$$\int_0^x y(x)\mathrm{d}x - \frac{1}{2}xy(x) = x^2.$$

上式两端对 x 求导,
$$y(x) - \frac{1}{2}y(x) - \frac{1}{2}xy'(x) = 2x,$$

即得微分方程
$$y' = \frac{y}{x} - 4.$$

令 $u=\dfrac{y}{x}$,有 $\dfrac{\mathrm{d}y}{\mathrm{d}x}=u+x\,\dfrac{\mathrm{d}u}{\mathrm{d}x}$,则微分方程成为

$$\frac{\mathrm{d}u}{\mathrm{d}x}=-\frac{4}{x}.$$

积分得 $\qquad\qquad\qquad u=-4\ln x+C,$

因 $u=\dfrac{y}{x}$,故有 $\qquad\qquad y=x(-4\ln x+C).$

又因曲线过点 $A(1,1)$,故 $1=C$. 于是得曲线弧的方程

$$y=x(1-4\ln x).$$

*4. 化下列方程为齐次方程,并求出通解:

(1) $(2x-5y+3)\mathrm{d}x-(2x+4y-6)\mathrm{d}y=0$;

(2) $(x-y-1)\mathrm{d}x+(4y+x-1)\mathrm{d}y=0$;

(3) $(3y-7x+7)\mathrm{d}x+(7y-3x+3)\mathrm{d}y=0$;

(4) $(x+y)\mathrm{d}x+(3x+3y-4)\mathrm{d}y=0$.

解 (1) 令 $x=X+h,y=Y+k$,则 $\mathrm{d}x=\mathrm{d}X,\mathrm{d}y=\mathrm{d}Y$,且原方程成为

$$(2X-5Y+2h-5k+3)\mathrm{d}X-(2X+4Y+2h+4k-6)\mathrm{d}Y=0.$$

令 $\begin{cases}2h-5k+3=0,\\2h+4k-6=0,\end{cases}$ 解此方程组得 $h=1,k=1$. 故在变换 $x=X+1,y=Y+1$

下原方程化为 $\qquad (2X-5Y)\mathrm{d}X-(2X+4Y)\mathrm{d}Y=0,$

即

$$\frac{\mathrm{d}Y}{\mathrm{d}X}=\frac{2X-5Y}{2X+4Y}=\frac{2-5\dfrac{Y}{X}}{2+4\dfrac{Y}{X}}.$$

又令 $u=\dfrac{Y}{X}$,有 $\dfrac{\mathrm{d}Y}{\mathrm{d}X}=u+X\,\dfrac{\mathrm{d}u}{\mathrm{d}X}$,则原方程成为

$$u+X\,\frac{\mathrm{d}u}{\mathrm{d}X}=\frac{2-5u}{2+4u},$$

即 $\qquad\qquad\qquad \dfrac{4u+2}{4u^2+7u-2}\mathrm{d}u=-\dfrac{1}{X}\mathrm{d}X.$

积分 $\qquad \displaystyle\int\frac{4u+2}{4u^2+7u-2}\mathrm{d}u=\int\left(\frac{2}{3}\cdot\frac{1}{u+2}+\frac{4}{3}\cdot\frac{1}{4u-1}\right)\mathrm{d}u$

$$=\frac{2}{3}\ln|u+2|+\frac{1}{3}\ln|4u-1|$$

$$=\frac{1}{3}\ln|(u+2)^2(4u-1)|$$

$$=-\ln|X|+\ln C_1.$$

得 $\qquad \ln|(u+2)^2(4u-1)|=-\ln|X^3|+\ln C_2(C_2=C_1^3),$

即 $$(u+2)^2(4u-1)X^3 = \pm C_2,$$

因 $u = \dfrac{Y}{X}$，故上式成为

$$(2X+Y)^2(4Y-X) = \pm C_2.$$

代入 $X = x-1, Y = y-1$，得原方程的通解

$$(2x+y-3)^2(4y-x-3) = C.$$

(2) 将原方程写成 $\dfrac{\mathrm{d}y}{\mathrm{d}x} = \dfrac{-x+y+1}{4y+x-1} = \dfrac{y-(x-1)}{4y+(x-1)}$，令 $X = x-1, Y = y$，则

$\mathrm{d}y = \mathrm{d}Y, \mathrm{d}x = \mathrm{d}X$，且原方程化为

$$\frac{\mathrm{d}Y}{\mathrm{d}X} = \frac{Y-X}{4Y+X} = \frac{Y/X-1}{4Y/X+1}.$$

又令 $u = \dfrac{Y}{X}$，有 $\dfrac{\mathrm{d}Y}{\mathrm{d}X} = u + X\dfrac{\mathrm{d}u}{\mathrm{d}X}$，则原方程成为

$$\frac{4u+1}{4u^2+1}\mathrm{d}u + \frac{1}{X}\mathrm{d}X = 0.$$

积分 $$\iint \left[\frac{4u}{4u^2+1} + \frac{1}{4u^2+1} \right]\mathrm{d}u + \int \frac{\mathrm{d}X}{X}$$

$$= \frac{1}{2}\ln(4u^2+1) + \frac{1}{2}\arctan(2u) + \ln|X| = C_1,$$

即 $$\ln[X^2(4u^2+1)] + \arctan(2u) = C \ (C = 2C_1).$$

将 $u = \dfrac{Y}{X} = \dfrac{y}{x-1}$ 代入上式，得原方程的通解

$$\ln[4y^2+(x-1)^2] + \arctan\frac{2y}{x-1} = C.$$

(3) 令 $x = X+h, y = Y+k$，则 $\mathrm{d}x = \mathrm{d}X, \mathrm{d}y = \mathrm{d}Y$，且原方程成为

$$(3Y-7X+3k-7h+7)\mathrm{d}X + (7Y-3X+7k-3h+3)\mathrm{d}Y = 0.$$

令 $\begin{cases} 3k-7h+7=0, \\ 7k-3h+3=0, \end{cases}$ 解此方程组，得 $h=1, k=0$. 故在变换 $x = X+1, y = Y$ 下，原

方程化为 $$(3Y-7X)\mathrm{d}X + (7Y-3X)\mathrm{d}Y = 0,$$

即 $$\frac{\mathrm{d}Y}{\mathrm{d}X} = \frac{7X-3Y}{7Y-3X} = \frac{7-3Y/X}{7Y/X-3}.$$

又令 $u = \dfrac{Y}{X}$，有 $\dfrac{\mathrm{d}Y}{\mathrm{d}X} = u + X\dfrac{\mathrm{d}u}{\mathrm{d}X}$，则原方程成为

$$u + X\frac{\mathrm{d}u}{\mathrm{d}X} = \frac{7-3u}{7u-3},$$

即 $$\frac{7u-3}{u^2-1}\mathrm{d}u = -7\frac{\mathrm{d}X}{X},$$

积分 $$\int \left(\frac{2}{u-1} + \frac{5}{u+1} \right)\mathrm{d}u = -7\int \frac{\mathrm{d}X}{X}$$

得 $\qquad$ $2\ln|u-1|+5\ln|u+1|=-7\ln|X|+\ln C_1.$

即 $\qquad$ $X^7(u-1)^2(u+1)^5=\pm C_1.$

将 $u=\dfrac{Y}{X}=\dfrac{y}{x-1}$ 代入上式，得原方程的通解

$$(y-x+1)^2(y+x-1)^5=C.$$

(4) 将原方程写成 $\dfrac{\mathrm{d}y}{\mathrm{d}x}=\dfrac{x+y}{4-3(x+y)}$（该方程属于 $\dfrac{\mathrm{d}y}{\mathrm{d}x}=f(ax+by+c)$ 类型

的，一般可令 $u=ax+by+c$）．令 $u=x+y$，则 $\dfrac{\mathrm{d}y}{\mathrm{d}x}=\dfrac{\mathrm{d}u}{\mathrm{d}x}-1$，且原方程成为

$$\frac{\mathrm{d}u}{\mathrm{d}x}-1=\frac{u}{4-3u},$$

即 $\qquad$ $\dfrac{3u-4}{u-2}\mathrm{d}u=2\mathrm{d}x.$

积分得 $\qquad$ $3u+2\ln|u-2|=2x+C.$

将 $u=x+y$ 代入上式，得原方程的通解

$$x+3y+2\ln|x+y-2|=C.$$

习题 7-4　　一阶线性微分方程

1. 求下列微分方程的通解：

(1) $\dfrac{\mathrm{d}y}{\mathrm{d}x}+y=\mathrm{e}^{-x}$；

(2) $xy'+y=x^2+3x+2$；

(3) $y'+y\cos x=\mathrm{e}^{-\sin x}$；

(4) $y'+y\tan x=\sin 2x$；

(5) $(x^2-1)y'+2xy-\cos x=0$；

(6) $\dfrac{\mathrm{d}\rho}{\mathrm{d}\theta}+3\rho=2$；

(7) $\dfrac{\mathrm{d}y}{\mathrm{d}x}+2xy=4x$；

(8) $y\ln y\mathrm{d}x+(x-\ln y)\mathrm{d}y=0$；

(9) $(x-2)\dfrac{\mathrm{d}y}{\mathrm{d}x}=y+2(x-2)^3$；

(10) $(y^2-6x)\dfrac{\mathrm{d}y}{\mathrm{d}x}+2y=0.$

解 (1) $y=\mathrm{e}^{-\int \mathrm{d}x}\left[\int \mathrm{e}^{-x}\cdot \mathrm{e}^{\int \mathrm{d}x}\mathrm{d}x+C\right]=\mathrm{e}^{-x}\left(\int \mathrm{e}^{-x}\cdot \mathrm{e}^{x}\mathrm{d}x+C\right)$

$\qquad =\mathrm{e}^{-x}(x+C).$

(2) 将方程改写成 $y'+\dfrac{1}{x}y=x+3+\dfrac{2}{x}$，则

$y=\mathrm{e}^{-\int \frac{1}{x}\mathrm{d}x}\left[\int\left(x+3+\dfrac{2}{x}\right)\mathrm{e}^{\int \frac{1}{x}\mathrm{d}x}\mathrm{d}x+C\right]=\dfrac{1}{x}\left[\int\left(x+3+\dfrac{2}{x}\right)x\mathrm{d}x+C\right]$

$\qquad =\dfrac{1}{x}\left[\int(x^2+3x+2)\mathrm{d}x+C\right]=\dfrac{1}{x}\left(\dfrac{x^3}{3}+\dfrac{3}{2}x^2+2x+C\right)$

$$= \frac{x^2}{3} + \frac{3x}{2} + 2 + \frac{C}{x}.$$

(3) $y = e^{-\int \cos x \, dx} \left(\int e^{-\sin x} \cdot e^{\int \cos x \, dx} \, dx + C \right) = e^{-\sin x} \left(\int e^{-\sin x} \cdot e^{\sin x} \, dx + C \right)$

$\qquad = e^{-\sin x}(x + C).$

(4) $y = e^{-\int \tan x \, dx} \left(\int \sin 2x e^{\int \tan x \, dx} \, dx + C \right)$

$\qquad = \cos x \left(\int \frac{\sin 2x}{\cos x} \, dx + C \right) = \cos x \left(\int 2 \sin x \, dx + C \right)$

$\qquad = C \cos x - 2 \cos^2 x.$

(5) 将原方程写成 $\quad y' + \frac{2x}{x^2 - 1} y = \frac{\cos x}{x^2 - 1}$，则

$$y = e^{-\int \frac{2x}{x^2-1} dx} \left(\int \frac{\cos x}{x^2 - 1} e^{\int \frac{2x}{x^2-1} dx} \, dx + C \right)$$

$$= \frac{1}{x^2 - 1} \left[\int \frac{\cos x}{x^2 - 1} (x^2 - 1) \, dx + C \right] = \frac{1}{x^2 - 1} \left(\int \cos x \, dx + C \right)$$

$$= \frac{\sin x + C}{x^2 - 1}.$$

(6) $\rho = e^{-\int 3 \, d\theta} \left(\int 2 e^{\int 3 \, d\theta} \, d\theta + C \right) = e^{-3\theta} \left(\int 2 e^{3\theta} \, d\theta + C \right)$

$\qquad = e^{-3\theta} \left(\frac{2}{3} e^{3\theta} + C \right) = \frac{2}{3} + C e^{-3\theta}.$

(7) $y = e^{-\int 2x \, dx} \left(\int 4x e^{\int 2x \, dx} \, dx + C \right) = e^{-x^2} \left(\int 4x e^{x^2} \, dx + C \right)$

$\qquad = e^{-x^2} (2 e^{x^2} + C) = 2 + C e^{-x^2}.$

(8) 将原方程写成 $\frac{dx}{dy} + \frac{1}{y \ln y} x = \frac{1}{y}$，则

$$x = e^{-\int \frac{dy}{y \ln y}} \left(\int \frac{1}{y} e^{\int \frac{dy}{y \ln y}} \, dy + C \right) = e^{-\ln |\ln y|} \left[\int \frac{1}{y} e^{\ln |\ln y|} \, dy + C \right]$$

$$= \frac{1}{\ln y} \left(\int \frac{\ln y}{y} \, dy + C \right) = \frac{1}{\ln y} \left(\frac{1}{2} \ln^2 y + C \right),$$

即 $\qquad\qquad\qquad 2x \ln y = \ln^2 y + C_1 \ (C_1 = 2C).$

(9) 将原方程写成 $\quad \frac{dy}{dx} - \frac{1}{x-2} y = 2(x-2)^2$，则

$$y = e^{\int \frac{1}{x-2} dx} \left[\int 2(x-2)^2 \cdot e^{-\int \frac{1}{x-2} dx} \, dx + C \right]$$

$$= (x-2) \left[\int 2(x-2)^2 \cdot \frac{1}{x-2} \, dx + C \right]$$

$$= (x-2) \left[\int 2(x-2) \, dx + C \right]$$

$$= (x-2)\big[(x-2)^2+C\big] = (x-2)^3 + C(x-2).$$

(10) 将原方程改写成 $\dfrac{\mathrm{d}x}{\mathrm{d}y} - \dfrac{3}{y}x = -\dfrac{y}{2}$，则

$$x = \mathrm{e}^{\int \frac{3}{y}\mathrm{d}y}\left(\int -\frac{y}{2}\mathrm{e}^{-\int \frac{3}{y}\mathrm{d}y}\mathrm{d}y + C\right)$$

$$= y^3\left(\int -\frac{y}{2}\cdot\frac{1}{y^3}\mathrm{d}y + C\right) = y^3\left(\int -\frac{1}{2y^2}\mathrm{d}y + C\right)$$

$$= y^3\left(\frac{1}{2y} + C\right) = \frac{y^2}{2} + Cy^3.$$

2. 求下列微分方程满足所给初始条件的特解：

(1) $\dfrac{\mathrm{d}y}{\mathrm{d}x} - y\tan x = \sec x, y\big|_{x=0} = 0$；　(2) $\dfrac{\mathrm{d}y}{\mathrm{d}x} + \dfrac{y}{x} = \dfrac{\sin x}{x}, y\big|_{x=\pi} = 1$；

(3) $\dfrac{\mathrm{d}y}{\mathrm{d}x} + y\cot x = 5\mathrm{e}^{\cos x}, y\big|_{x=\frac{\pi}{2}} = -4$；　(4) $\dfrac{\mathrm{d}y}{\mathrm{d}x} + 3y = 8, y\big|_{x=0} = 2$；

(5) $\dfrac{\mathrm{d}y}{\mathrm{d}x} + \dfrac{2-3x^2}{x^3}y = 1, y\big|_{x=1} = 0.$

解　(1) $y = \mathrm{e}^{\int \tan x\mathrm{d}x}\left(\int \sec x\mathrm{e}^{-\int \tan x\mathrm{d}x}\mathrm{d}x + C\right)$

$$= \mathrm{e}^{-\ln|\cos x|}\left(\int \sec x\mathrm{e}^{\ln|\cos x|}\mathrm{d}x + C\right) = \frac{1}{\cos x}\left(\int \sec x\cdot\cos x\mathrm{d}x + C\right)$$

$$= \frac{x+C}{\cos x},$$

代入初始条件 $x=0, y=0$，得 $C=0$. 故所求特解为

$$y = \frac{x}{\cos x}.$$

(2) $y = \mathrm{e}^{-\int \frac{1}{x}\mathrm{d}x}\left(\int \dfrac{\sin x}{x}\mathrm{e}^{\int \frac{1}{x}\mathrm{d}x}\mathrm{d}x + C\right) = \dfrac{1}{x}\left(\int \dfrac{\sin x}{x}\cdot x\mathrm{d}x + C\right)$

$$= \frac{1}{x}(-\cos x + C),$$

代入初始条件 $x=\pi, y=1$，得 $C=\pi-1$，故所求特解为

$$y = \frac{1}{x}(\pi - 1 - \cos x).$$

(3) $y = \mathrm{e}^{-\int \cot x\mathrm{d}x}\left(\int 5\mathrm{e}^{\cos x}\mathrm{e}^{\int \cot x\mathrm{d}x}\mathrm{d}x + C\right)$

$$= \frac{1}{\sin x}\left(\int 5\mathrm{e}^{\cos x}\cdot\sin x\mathrm{d}x + C\right) = \frac{1}{\sin x}(-5\mathrm{e}^{\cos x} + C),$$

代入初始条件 $x=\dfrac{\pi}{2}, y=-4$，得 $C=1$，故所求特解为 $y = \dfrac{1-5\mathrm{e}^{\cos x}}{\sin x}$，即

$$y\sin x + 5\mathrm{e}^{\cos x} = 1.$$

$(4)\ y=\mathrm{e}^{-\int 3\mathrm{d}x}\left(\int 8\mathrm{e}^{\int 3\mathrm{d}x}\mathrm{d}x+C\right)=\mathrm{e}^{-3x}\left(\int 8\mathrm{e}^{3x}\mathrm{d}x+C\right)$

$$=\mathrm{e}^{-3x}\left(\frac{8}{3}\mathrm{e}^{3x}+C\right)=\frac{8}{3}+C\mathrm{e}^{-3x},$$

代入初始条件 $x=0,y=2$，得 $C=-\dfrac{2}{3}$，故所求特解为

$$y=\frac{2}{3}(4-\mathrm{e}^{-3x}).$$

$(5)\ y=\mathrm{e}^{-\int\left(\frac{2}{x^{3}}-\frac{3}{x}\right)\mathrm{d}x}\left[\int\mathrm{e}^{\int\left(\frac{2}{x^{3}}-\frac{3}{x}\right)\mathrm{d}x}\mathrm{d}x+C\right]$

$$=\mathrm{e}^{\frac{1}{x^{2}}+3\ln x}\left(\int\mathrm{e}^{-\left(\frac{1}{x^{2}}+3\ln x\right)}\mathrm{d}x+C\right)$$

$$=x^{3}\mathrm{e}^{\frac{1}{x^{2}}}\left(\int\frac{\mathrm{e}^{-\frac{1}{x^{2}}}}{x^{3}}\mathrm{d}x+C\right)=x^{3}\mathrm{e}^{\frac{1}{x^{2}}}\left[\frac{1}{2}\int\mathrm{e}^{-\frac{1}{x^{2}}}\mathrm{d}\left(-\frac{1}{x^{2}}\right)+C\right]$$

$$=x^{3}\mathrm{e}^{\frac{1}{x^{2}}}\left(\frac{1}{2}\mathrm{e}^{-\frac{1}{x^{2}}}+C\right)=\frac{x^{3}}{2}+Cx^{3}\mathrm{e}^{\frac{1}{x^{2}}},$$

代入初始条件 $x=1,y=0$，得 $C=-\dfrac{1}{2\mathrm{e}}$，故所求特解为

$$y=\frac{x^{3}}{2}(1-\mathrm{e}^{\frac{1}{x^{2}}-1}).$$

3. 求一曲线的方程，这曲线通过原点，并且它在点 (x,y) 处的切线斜率等于 $2x+y$.

解 设曲线方程为 $y=y(x)$，依题意有 $y'=2x+y$，即

$$y'-y=2x,y\big|_{x=0}=0.$$

$$y=\mathrm{e}^{\int\mathrm{d}x}\left(\int 2x\mathrm{e}^{-\int\mathrm{d}x}\mathrm{d}x+C\right)=\mathrm{e}^{x}\left(\int 2x\mathrm{e}^{-x}\mathrm{d}x+C\right)$$

$$=\mathrm{e}^{x}(-2x\mathrm{e}^{-x}-2\mathrm{e}^{-x}+C)=-2x-2+C\mathrm{e}^{x}.$$

由 $x=0,y=0$，得 $C=2$. 故所求曲线的方程为

$$y=2(\mathrm{e}^{x}-x-1).$$

4. 设有一质量为 m 的质点作直线运动，从速度等于零的时刻起，有一个与运动方向一致、大小与时间成正比（比例系数为 k_1）的力作用于它，此外还受一与速度成正比（比例系数为 k_2）的阻力作用. 求质点运动的速度与时间的函数关系.

解 依题意，有 $ma=k_1t-k_2v,a=\dfrac{\mathrm{d}v}{\mathrm{d}t}$，即

$$m\frac{\mathrm{d}v}{\mathrm{d}t}=k_1t-k_2v,v\big|_{t=0}=0.$$

将方程改写成 $\dfrac{\mathrm{d}v}{\mathrm{d}t}+\dfrac{k_2}{m}v=\dfrac{k_1}{m}t$，则

$$v = \mathrm{e}^{-\int \frac{k_2}{m}\mathrm{d}t}\left(\int \frac{k_1}{m}t \cdot \mathrm{e}^{\int \frac{k_2}{m}\mathrm{d}t}\mathrm{d}t + C\right)$$

$$= \mathrm{e}^{-\frac{k_2}{m}t}\left(\frac{k_1}{m}\int t\mathrm{e}^{\frac{k_2}{m}t}\mathrm{d}t + C\right) = \mathrm{e}^{-\frac{k_2}{m}t}\left(\frac{k_1}{k_2}t\mathrm{e}^{\frac{k_2}{m}t} - \frac{k_1}{k_2}\int \mathrm{e}^{\frac{k_2}{m}t}\mathrm{d}t + C\right)$$

$$= \mathrm{e}^{-\frac{k_2}{m}t}\left(\frac{k_1}{k_2}t\mathrm{e}^{\frac{k_2}{m}t} - \frac{k_1 m}{k_2^2}\mathrm{e}^{\frac{k_2}{m}t} + C\right)$$

$$= \frac{k_1}{k_2}t - \frac{k_1 m}{k_2^2} + C\mathrm{e}^{-\frac{k_2}{m}t}.$$

由 $t=0, v=0$，得 $C = \dfrac{k_1 m}{k_2^2}$，故速度与时间的关系为

$$v = \frac{k_1}{k_2}t - \frac{k_1 m}{k_2^2}\left(1 - \mathrm{e}^{-\frac{k_2}{m}t}\right).$$

5. 设有一个由电阻 $R=10\,\Omega$、电感 $L=2\,\mathrm{H}$(亨)和电源电压 $E=20\sin 5t\,\mathrm{V}$(伏)串联组成的电路. 开关 K 合上后，电路中有电流通过. 求电流 i 与时间 t 的函数关系.

解 依题意，有 $20\sin 5t = 10i + 2\dfrac{\mathrm{d}i}{\mathrm{d}t}$，即

$$\frac{\mathrm{d}i}{\mathrm{d}t} + 5i = 10\sin 5t, \quad i\big|_{t=0} = 0.$$

$$i = \mathrm{e}^{-\int 5\mathrm{d}t}\left(\int 10\sin 5t\mathrm{e}^{\int 5\mathrm{d}t}\mathrm{d}t + C_1\right) = \mathrm{e}^{-5t}\left(\int 10\sin 5t\mathrm{e}^{5t}\mathrm{d}t + C_1\right),$$

其中，记 $I = \int 10\sin 5t\mathrm{e}^{5t}\mathrm{d}t$，则

$$I = 2\int \sin 5t\mathrm{d}(\mathrm{e}^{5t}) = 2\sin 5t\mathrm{e}^{5t} - 2\int \mathrm{e}^{5t}\cos 5t \cdot 5\mathrm{d}t$$

$$= 2\sin 5t\mathrm{e}^{5t} - 2\int \cos 5t\mathrm{d}(\mathrm{e}^{5t})$$

$$= 2\sin 5t\mathrm{e}^{5t} - 2\cos 5t\mathrm{e}^{5t} - 10\int \sin 5t\mathrm{e}^{5t}\mathrm{d}t$$

$$= 2\mathrm{e}^{5t}(\sin 5t - \cos 5t) - I,$$

故 $I = \mathrm{e}^{5t}(\sin 5t - \cos 5t) + C_2$，于是

$$i = \mathrm{e}^{-5t} \cdot \left[\mathrm{e}^{5t}(\sin 5t - \cos 5t) + C\right] \quad (C = C_1 + C_2)$$

$$= \sin 5t - \cos 5t + C\mathrm{e}^{-5t}.$$

代入初始条件 $t=0, i=0$，得 $C=1$，故电流 i 与时间 t 的函数关系为

$$i = \mathrm{e}^{-5t} + \sin 5t - \cos 5t,$$

按波动学的习惯，可写成

$$i = \mathrm{e}^{-5t} + \sqrt{2}\sin\left(5t - \frac{\pi}{4}\right).$$

6. 验证形如 $yf(xy)\mathrm{d}x + xg(xy)\mathrm{d}y = 0$ 的微分方程，可经变量代换 $v=xy$ 化为可分离变量的方程，并求其通解.

解 由 $v=xy$，即 $y=\dfrac{v}{x}$，得 $\mathrm{d}y=\dfrac{x\mathrm{d}v-v\mathrm{d}x}{x^2}$.

又原方程改写成 $xyf(xy)\mathrm{d}x+x^2g(xy)\mathrm{d}y=0$，

并将 $v=xy,\mathrm{d}y=\dfrac{x\mathrm{d}v-v\mathrm{d}x}{x^2}$ 代入上式，有

$$vf(v)\mathrm{d}x+g(v)(x\mathrm{d}v-v\mathrm{d}x)=0,$$

可分离变量，得

$$\frac{g(v)\mathrm{d}v}{v[f(v)-g(v)]}+\frac{\mathrm{d}x}{x}=0.$$

积分得

$$\int\frac{g(v)\mathrm{d}v}{v[f(v)-g(v)]}+\ln x=C,$$

代入 $v=xy$ 后，便是原方程的通解.

7. 用适当的变量代换将下列方程化为可分离变量的方程，然后求出通解：

(1) $\dfrac{\mathrm{d}y}{\mathrm{d}x}=(x+y)^2$;　　　　　　(2) $\dfrac{\mathrm{d}y}{\mathrm{d}x}=\dfrac{1}{x-y}+1$;

(3) $xy'+y=y(\ln x+\ln y)$;

(4) $y'=y^2+2(\sin x-1)y+\sin^2 x-2\sin x-\cos x+1$;

(5) $y(xy+1)\mathrm{d}x+x(1+xy+x^2y^2)\mathrm{d}y=0$.

解 (1) 令 $u=x+y$，则 $\dfrac{\mathrm{d}u}{\mathrm{d}x}=1+\dfrac{\mathrm{d}y}{\mathrm{d}x}$，且原方程变为 $\dfrac{\mathrm{d}u}{\mathrm{d}x}=u^2+1$，分离变量，得

$$\frac{\mathrm{d}u}{1+u^2}=\mathrm{d}x.$$

积分得　　　　　　　　　　　$\arctan u=x+C,$

即　　　　　　　　　　　　　$u=\tan(x+C),$

代入 $u=x+y$，得原方程的通解　$y=-x+\tan(x+C)$.

(2) 令 $u=x-y$，则 $\dfrac{\mathrm{d}u}{\mathrm{d}x}=1-\dfrac{\mathrm{d}y}{\mathrm{d}x}$，且原方程变为 $\dfrac{\mathrm{d}u}{\mathrm{d}x}=-\dfrac{1}{u}$，即

$$u\mathrm{d}u+\mathrm{d}x=0$$

积分得　　　　　　　　　　　$\dfrac{u^2}{2}+x=C_1,$

代入 $u=x-y$，得原方程的通解 $(x-y)^2+2x=C$ $(C=2C_1)$.

(3) 令 $u=xy$，则 $u'=y+xy'$，且原方程变为 $u'=\dfrac{u}{x}\ln u$，即

$$\frac{\mathrm{d}u}{u\ln u}=\frac{\mathrm{d}x}{x}.$$

积分得　　　　　　　　　　　$\ln|\ln u|=\ln x+\ln C_1,$

即　　　　　　　　　　　　　$u=\mathrm{e}^{Cx}.$

代入 $u=xy$,得原方程的通解 $xy=\mathrm{e}^{Cx}$,即 $y=\dfrac{\mathrm{e}^{Cx}}{x}$.

(4) 将原方程写成 $y'=(y+\sin x-1)^2-\cos x$,令 $u=y+\sin x-1$,则 $u'=y'+\cos x$,且原方程变为 $u'=u^2$,即 $\dfrac{\mathrm{d}u}{u^2}=\mathrm{d}x$.

积分得
$$-\frac{1}{u}=x+C,$$

即
$$u=-\frac{1}{x+C}.$$

代入 $u=y+\sin x-1$,得原方程的通解
$$y=1-\sin x-\frac{1}{x+C}.$$

(5) 原方程改写成 $xy(xy+1)+x^2(1+xy+x^2y^2)\dfrac{\mathrm{d}y}{\mathrm{d}x}=0$. 令 $u=xy$,即 $y=\dfrac{u}{x}$,则 $\dfrac{\mathrm{d}y}{\mathrm{d}x}=\dfrac{x\dfrac{\mathrm{d}u}{\mathrm{d}x}-u}{x^2}$,且原方程变为

$$u(u+1)+(1+u+u^2)\left(x\frac{\mathrm{d}u}{\mathrm{d}x}-u\right)=0,$$

整理并分离变量,得 $\quad\dfrac{1+u+u^2}{u^3}\mathrm{d}u=\dfrac{\mathrm{d}x}{x}.$

积分得 $\quad -\dfrac{1}{2u^2}-\dfrac{1}{u}+\ln|u|=\ln|x|+C_1$

代入 $u=xy$,并整理,得原方程的通解为
$$2x^2y^2\ln|y|-2xy-1=Cx^2y^2 \quad (C=2C_1).$$

*8. 求下列伯努利方程的通解:

(1) $\dfrac{\mathrm{d}y}{\mathrm{d}x}+y=y^2(\cos x-\sin x)$; (2) $\dfrac{\mathrm{d}y}{\mathrm{d}x}-3xy=xy^2$;

(3) $\dfrac{\mathrm{d}y}{\mathrm{d}x}+\dfrac{1}{3}y=\dfrac{1}{3}(1-2x)y^4$; (4) $\dfrac{\mathrm{d}y}{\mathrm{d}x}-y=xy^5$;

(5) $x\mathrm{d}y-[y+xy^3(1+\ln x)]\mathrm{d}x=0.$

解 (1) 将原方程改写成 $\quad\dfrac{1}{y^2}y'+\dfrac{1}{y}=\cos x-\sin x$,并令 $z=\dfrac{1}{y}$,则 $z'=-\dfrac{1}{y^2}y'$,且原方程化为

$$z'-z=\sin x-\cos x.$$

$$z=\mathrm{e}^{\int\mathrm{d}x}\left[\int(\sin x-\cos x)\mathrm{e}^{-\int\mathrm{d}x}\mathrm{d}x+C\right]$$

$$=\mathrm{e}^x\left[\int(\sin x-\cos x)\mathrm{e}^{-x}\mathrm{d}x+C\right]$$

$$= \mathrm{e}^x \left(\int \sin x \mathrm{e}^{-x} \mathrm{d}x - \int \cos x \mathrm{e}^{-x} \mathrm{d}x + C \right),$$

其中 $\displaystyle \int \sin x \mathrm{e}^{-x} \mathrm{d}x = -\int \sin x \mathrm{d}(\mathrm{e}^{-x}) = -\sin x \mathrm{e}^{-x} + \int \mathrm{e}^{-x} \cos x \mathrm{d}x$，故

$$z = \mathrm{e}^x (-\sin x \mathrm{e}^{-x} + C) = C\mathrm{e}^x - \sin x,$$

即 $\qquad\qquad \dfrac{1}{y} = C\mathrm{e}^x - \sin x \quad$ 为所求通解.

（2）将原方程改写成 $y^{-2} y' - 3xy^{-1} = x$，并令 $z = y^{-1}$，则 $z' = -y^{-2} y'$，且原方程化为

$$z' + 3xz = -x.$$

$$z = \mathrm{e}^{-\int 3x \mathrm{d}x} \left(\int -x \mathrm{e}^{\int 3x \mathrm{d}x} \mathrm{d}x + C \right) = \mathrm{e}^{-\frac{3}{2}x^2} \left(\int -x \mathrm{e}^{\frac{3}{2}x^2} \mathrm{d}x + C \right)$$

$$= \mathrm{e}^{-\frac{3}{2}x^2} \left(-\frac{1}{3} \mathrm{e}^{\frac{3}{2}x^2} + C \right) = -\frac{1}{3} + C\mathrm{e}^{-\frac{3}{2}x^2},$$

故原方程的通解为

$$y^{-1} = -\frac{1}{3} + C\mathrm{e}^{-\frac{3}{2}x^2},$$

或写成 $\qquad\qquad \dfrac{3}{2} x^2 + \ln\left(1 + \dfrac{3}{y}\right) = C_1 \quad (C_1 = \ln 3C).$

（3）将原方程改写成 $y^{-4} y' + \dfrac{1}{3} y^{-3} = \dfrac{1}{3}(1-2x)$，并令 $z = y^{-3}$，则 $z' = -3y^{-4} y'$，于是原方程化为

$$z' - z = 1 - 2x.$$

$$z = \mathrm{e}^{\int \mathrm{d}x} \left[\int (1-2x) \mathrm{e}^{-\int \mathrm{d}x} \mathrm{d}x + C \right] = \mathrm{e}^x \left[\int (1-2x) \mathrm{e}^{-x} \mathrm{d}x + C \right]$$

$$= \mathrm{e}^x [(-2x-1)\mathrm{e}^{-x} + C] = -2x - 1 + C\mathrm{e}^x,$$

即 $\quad y^{-3} = -2x - 1 + C\mathrm{e}^x$ 为所求通解.

（4）将原方程改写成 $y^{-5} y' - y^{-4} = x$，并令 $z = y^{-4}$，则 $z' = -4y^{-5} y'$，且原方程化为

$$z' + 4z = -4x.$$

$$z = \mathrm{e}^{-\int 4 \mathrm{d}x} \left(\int -4x \mathrm{e}^{\int 4x \mathrm{d}x} \mathrm{d}x + C \right) = \mathrm{e}^{-4x} \left(\int -4x \mathrm{e}^{4x} \mathrm{d}x + C \right)$$

$$= \mathrm{e}^{-4x} \left(-x \mathrm{e}^{4x} + \frac{1}{4} \mathrm{e}^{4x} + C \right) = -x + \frac{1}{4} + C\mathrm{e}^{-4x}.$$

故原方程的通解为

$$y^{-4} = -x + \frac{1}{4} + C\mathrm{e}^{-4x}.$$

（5）原方程可写成 $y' - \dfrac{1}{x} y = (1 + \ln x) y^3$，即 $y^{-3} y' - \dfrac{1}{x} y^{-2} = 1 + \ln x$，令

$z = y^{-2}$，则 $z' = -2y^{-3}y'$，且原方程化为

$$z' + \frac{2}{x}z = -2(1 + \ln x).$$

$$z = e^{-\int \frac{2}{x}dx}\left[\int -2(1 + \ln x)e^{\int \frac{2}{x}dx}dx + C\right]$$

$$= x^{-2}\left[\int -2(1 + \ln x)x^2 dx + C\right]$$

$$= x^{-2}\left[-\frac{2}{3}x^3(1 + \ln x) + \frac{2}{3}\int x^3 \cdot \frac{1}{x}dx + C\right]$$

$$= x^{-2}\left[-\frac{2}{3}x^3(1 + \ln x) + \frac{2}{9}x^3 + C\right]$$

$$= -\frac{2}{3}x(1 + \ln x) + \frac{2}{9}x + Cx^{-2}.$$

故原方程通解为

$$y^{-2} = -\frac{2}{3}x(1 + \ln x) + \frac{2}{9}x + Cx^{-2},$$

或写成

$$\frac{x^2}{y^2} = -\frac{4}{9}x^3 - \frac{2}{3}x^3 \ln x + C.$$

习题 7-5 　可降价的高阶微分方程

1. 求下列各微分方程的通解：

(1) $y'' = x + \sin x$；　　　　　　　　(2) $y''' = xe^x$；

(3) $y'' = \dfrac{1}{1 + x^2}$；　　　　　　(4) $y'' = 1 + y'^2$；

(5) $y'' = y' + x$；　　　　　　　　(6) $xy'' + y' = 0$；

(7) $yy'' + 2y'^2 = 0$；　　　　　　(8) $y^3y'' - 1 = 0$；

(9) $y'' = \dfrac{1}{\sqrt{y}}$；　　　　　　　(10) $y'' = (y')^3 + y'$.

解　(1) $y' = \displaystyle\int(x + \sin x)dx = \frac{x^2}{2} - \cos x + C_1$

$$y = \int\left(\frac{x^2}{2} - \cos x + C_1\right)dx = \frac{x^3}{6} - \sin x + C_1 x + C_2.$$

(2) $y'' = \displaystyle\int xe^x dx = xe^x - e^x + C_1' = (x - 1)e^x + C_1'$

$$y' = \int[(x - 1)e^x + C_1']dx = (x - 1)e^x - \int e^x dx + C_1' x + C_2$$

$$= (x - 2)e^x + C_1' x + C_2$$

$$y = \int [(x-2)e^x + C_1'x + C_2] dx = (x-2)e^x - \int e^x dx + \frac{C_1'}{2}x^2 + C_2 x + C_3$$

$$= (x-3)e^x + C_1 x^2 + C_2 x + C_3.$$

(3) $y' = \int \dfrac{dx}{1+x^2} = \arctan x + C_1$

$$y = \int (\arctan x + C_1) dx = x\arctan x - \int \frac{x}{1+x^2} dx + C_1 x$$

$$= x\arctan x - \frac{1}{2}\ln(1+x^2) + C_1 x + C_2.$$

(4) 令 $y'=p$，则 $y''=p'$，且原方程化为 $p'=1+p^2$. 分离变量，得

$$\frac{dp}{1+p^2} = dx.$$

积分得 $\qquad\qquad\qquad\qquad \arctan p = x + C_1,$

即 $\qquad\qquad\qquad\qquad p = y' = \tan(x+C_1),$

再积分得通解 $y = \displaystyle\int \tan(x+C_1) dx = -\ln|\cos(x+C_1)| + C_2$.

(5) 令 $y'=p$，则 $y''=p'$，且原方程可化为

$$p' - p = x.$$

利用一阶线性方程的求解公式，得

$$p = e^{\int dx}\left(\int x e^{-\int dx} dx + C_1\right) = e^x\left(\int x e^{-x} dx + C_1\right)$$

$$= e^x(-xe^{-x} - e^{-x} + C_1) = -x - 1 + C_1 e^x.$$

积分得通解

$$y = \int (C_1 e^x - x - 1) dx = C_1 e^x - \frac{x^2}{2} - x + C_2.$$

(6) 令 $y'=p$，则 $y''=p'$，且原方程化为 $xp'+p=0$，分离变量，得

$$\frac{dp}{p} = -\frac{dx}{x},$$

积分得 $\qquad\qquad\qquad \ln|p| = \ln\left|\frac{1}{x}\right| + \ln C_1,$

即 $\qquad\qquad\qquad\qquad\qquad p = \frac{C_1}{x}.$

再积分，得通解 $\qquad y = \displaystyle\int \frac{C_1}{x} dx = C_1 \ln|x| + C_2.$

(7) 令 $y'=p$，则 $y''=p'=\dfrac{dp}{dy}\cdot\dfrac{dy}{dx}=\dfrac{dp}{dy}p$，且原方程化为 $yp\dfrac{dp}{dy}+2p^2=0$.

分离变量，得

$$\frac{dp}{p} = -2\frac{dy}{y},$$

246

积分得
$$\ln|p|=\ln\frac{1}{y^2}+\ln C_0,$$

即
$$y'=p=\frac{C_0}{y^2},$$

分离变量,得
$$y^2\,\mathrm{d}y=C_0\,\mathrm{d}x,$$

积分得
$$y^3=3C_0 x+C_2,$$

即通解为
$$y^3=C_1 x+C_2.$$

(8) 令 $y'=p$,则 $y''=p\dfrac{\mathrm{d}p}{\mathrm{d}y}$,且原方程化为 $y^3 p\dfrac{\mathrm{d}p}{\mathrm{d}y}-1=0$. 分离变量,得

$$p\,\mathrm{d}p=\frac{1}{y^3}\,\mathrm{d}y,$$

积分得
$$p^2=-\frac{1}{y^2}+C_1,$$

故
$$y'=p=\pm\sqrt{C_1-\frac{1}{y^2}}=\pm\frac{1}{|y|}\sqrt{C_1 y^2-1}.$$

分离变量,得
$$\frac{|y|\,\mathrm{d}y}{\sqrt{C_1 y^2-1}}=\pm\,\mathrm{d}x.$$

由于 $|y|=y\operatorname{sgn}(y)$,故上式两端积分,

$$\operatorname{sgn}(y)\int\frac{y\,\mathrm{d}y}{\sqrt{C_1 y^2-1}}=\pm\int\mathrm{d}x,$$

$$\operatorname{sgn}(y)\sqrt{C_1 y^2-1}=\pm C_1 x+C_2.$$

两边平方,得
$$C_1 y^2-1=(C_1 x+C_2)^2.$$

(9) 说明　方程 $y''=\dfrac{1}{\sqrt{y}}$ 属于 $y''=f(y)$ 型方程,除了设 $y'=p,y''=p\dfrac{\mathrm{d}p}{\mathrm{d}y}$ 来

降阶求解外,还可以用如下方法求解:

在 $y''=f(x)$ 的两端乘以 $2y'$,得
$$2y'y''=2f(y)y',$$

即
$$(y'^2)'=2f(y)y'.$$

若 $F(y)$ 是 $f(y)$ 的原函数,则有
$$(y'^2)'=2[F(y)]',$$

积分得到降阶的方程 $y'^2=2F(y)+C_1.$

本小题按上述方法求解:用 $2y'$ 乘方程 $y''=\dfrac{1}{\sqrt{y}}$ 的两端,得

$$2y'y''=\frac{2y'}{\sqrt{y}}$$

即
$$(y'^2)'=(4\sqrt{y})',$$

故
$$y'^2 = 4\sqrt{y} + C_1',$$

有
$$y' = \pm 2\sqrt{\sqrt{y} + C_1} \left(C_1 = \frac{C_1'}{4}\right).$$

分离变量,得
$$dx = \pm \frac{dy}{2\sqrt{\sqrt{y} + C_1}}.$$

积分,得
$$x = \pm \int \frac{d(\sqrt{y})^2}{2\sqrt{\sqrt{y} + C_1}} = \pm \int \frac{\sqrt{y}d\sqrt{y}}{\sqrt{\sqrt{y} + C_1}} = \pm \int \frac{(\sqrt{y} + C_1) - C_1}{\sqrt{\sqrt{y} + C_1}} d(\sqrt{y})$$

$$= \pm \left[\int \sqrt{\sqrt{y} + C_1}\, d(\sqrt{y} + C_1) - C_1 \int \frac{1}{\sqrt{\sqrt{y} + C_1}} d(\sqrt{y} + C_1)\right]$$

$$= \pm \left[\frac{2}{3}(\sqrt{y} + C_1)^{\frac{3}{2}} - 2C_1(\sqrt{y} + C_1)^{\frac{1}{2}}\right] + C_2.$$

(10) 令 $y' = p$,则 $y'' = p\dfrac{dp}{dy}$,原方程化为 $p\dfrac{dp}{dy} = p^3 + p$,即

$$p\left[\frac{dp}{dy} - (1 + p^2)\right] = 0.$$

若 $p \equiv 0$,则 $y \equiv C.$ $y \equiv C$ 是原方程的解,但不是通解.

若 $p \neq 0$,由于 p 的连续性,必在 x 的某区间有 $p \neq 0$. 于是

$$\frac{dp}{dy} - (1 + p^2) = 0.$$

分离变量,得
$$\frac{dp}{1 + p^2} = dy,$$

积分得
$$\arctan p = y - C_1,$$

即
$$p = \tan(y - C_1),$$

亦即
$$\cot(y - C_1)dy = dx.$$

积分得
$$\ln\sin(y - C_1) = x + \ln C_2.$$

即
$$\sin(y - C_1) = C_2 e^x,$$

也可写成
$$y = \arcsin(C_2 e^x) + C_1.$$

由于当 $C_2 = 0$ 时,$y = C_1$,故前面所得的解 $y \equiv C$ 也包含在这个通解之内.

2. 求下列各微分方程满足所给初始条件的特解:

(1) $y^3 y'' + 1 = 0, y|_{x=1} = 1, y'|_{x=1} = 0$;

(2) $y'' - ay'^2 = 0, y|_{x=0} = 0, y'|_{x=0} = -1$;

(3) $y''' = e^{ax}, y|_{x=1} = y'|_{x=1} = y''|_{x=1} = 0$;

(4) $y'' = e^{2y}, y|_{x=0} = y'|_{x=0} = 0$;

(5) $y'' = 3\sqrt{y}, y|_{x=0} = 1, y'|_{x=0} = 2$;

(6) $y'' + (y')^2 = 1, y|_{x=0} = 0, y'|_{x=0} = 0.$

解 (1) 将原方程写成 $y'' + \dfrac{1}{y^3} = 0$，两端乘以 $2y'$，得

$$2y'y'' + \frac{2y'}{y^3} = 0,$$

即

$$\left(y'^2 - \frac{1}{y^2}\right)' = 0,$$

由此得

$$y'^2 - \frac{1}{y^2} = C_1.$$

代入初始条件：$y = 1, y' = 0$，得 $C_1 = -1$，故有

$$y'^2 = \frac{1}{y^2} - 1 = \frac{1 - y^2}{y^2},$$

$$y' = \pm \frac{\sqrt{1 - y^2}}{y},$$

分离变量，得

$$\frac{y\mathrm{d}y}{\sqrt{1 - y^2}} = \pm \mathrm{d}x,$$

积分得

$$-\sqrt{1 - y^2} = \pm x + C_2.$$

代入初始条件：$x = 1, y = 1$，得 $C = \mp 1$. 于是有

$$-\sqrt{1 - y^2} = \pm(x - 1).$$

两边平方，得

$$x^2 + y^2 = 2x.$$

由于在点 $x = 1$ 处，$y = 1$，故在 $x = 1$ 的某邻域内 $y > 0$，因而特解可表示为

$$y = \sqrt{2x - x^2}.$$

(2) 令 $y' = p$，则 $y'' = p'$，原方程化为 $p' - ap^2 = 0$，分离变量即

$$\frac{\mathrm{d}p}{p^2} = a\mathrm{d}x,$$

积分得

$$-\frac{1}{p} = ax + C_1.$$

代入初始条件 $x = 0, p = y' = -1$，得 $C_1 = 1$. 从而有 $-\dfrac{1}{y'} = ax + 1$，即

$$y' = -\frac{1}{ax + 1},$$

又积分得

$$y = -\frac{1}{a}\ln(ax + 1) + C_2.$$

代入初始条件 $y|_{x=0} = 0$，得 $C_2 = 0$，故所求特解为

$$y = -\frac{1}{a}\ln(ax + 1).$$

(3) 因 $y''' = e^{ax}$，并由初始条件 $x=1, y''=0$，故积分得

$$y'' = \int_1^x y''' \mathrm{d}x = \int_1^x e^{ax} \mathrm{d}x = \frac{1}{a}(e^{ax} - e^a).$$

又因 $x=1$ 时，$y'=0$，故积分得

$$y' = \int_1^x y'' \mathrm{d}x = \int_1^x \frac{1}{a}(e^{ax} - e^a) \mathrm{d}x = \frac{1}{a}\left[\frac{1}{a}(e^{ax} - e^a) - e^a(x-1)\right]$$

$$= \frac{1}{a^2}e^{ax} - \frac{e^a}{a}x + \frac{e^a}{a}\left(1 - \frac{1}{a}\right).$$

又因 $x=1$ 时，$y=0$，故再积分得

$$y = \int_1^x y' \mathrm{d}x = \int_1^x \left[\frac{1}{a^2}e^{ax} - \frac{e^a}{a}x + \frac{e^a}{a}\left(1 - \frac{1}{a}\right)\right]\mathrm{d}x$$

$$= \frac{1}{a^3}(e^{ax} - e^a) - \frac{e^a}{2a}(x^2 - 1) + \frac{e^a}{a}\left(1 - \frac{1}{a}\right)(x-1)$$

$$= \frac{1}{a^3}e^{ax} - \frac{e^a}{2a}x^2 + \frac{e^a}{a^2}(a-1)x + \frac{e^a}{2a^3}(2a - a^2 - 2).$$

(4) 在原方程两端同乘以 $2y'$，得 $2y'y'' = 2y'e^{2y}$，即 $(y'^2)' = (e^{2y})'$，

积分得 $$y'^2 = e^{2y} + C_1.$$

代入初始条件：$x=0, y'=0$，得 $C_1 = -1$，从而有

$$y' = \pm\sqrt{e^{2y} - 1}.$$

分离变量后积分

$$\int \frac{\mathrm{d}y}{\sqrt{e^{2y} - 1}} = \pm\int \mathrm{d}x,$$

即 $$\int \frac{\mathrm{d}(e^{-y})}{\sqrt{1 - e^{-2y}}} = \mp\int \mathrm{d}x,$$

得 $$\arcsin(e^{-y}) = \mp x + C_2.$$

代入初始条件：$x=0, y=0$，得 $C_2 = \frac{\pi}{2}$. 于是得特解

$$e^{-y} = \sin\left(\frac{\pi}{2} \pm x\right) = \cos x,$$

即 $$y = -\ln\cos x = \ln\sec x.$$

(5) 在原方程两端同乘以 $2y'$，得 $2y'y'' = 6y'\sqrt{y}$，即 $(y'^2)' = (4y^{\frac{3}{2}})'$，

积分得 $$y'^2 = 4y^{\frac{3}{2}} + C_1.$$

代入初始条件 $x=0, y'=2$，得 $C_1 = 0$，从而有 $y' = \pm 2y^{\frac{3}{4}}$. 并由于 $y'|_{x=0} = 2$，

故取 $$y' = 2y^{\frac{3}{4}}.$$

分离变量后积分 $$\int \frac{\mathrm{d}y}{y^{\frac{3}{4}}} = 2\int \mathrm{d}x$$

得 $$4y^{\frac{1}{4}}=2x+C_2.$$

代入初始条件：$x=0$，$y=1$，得 $C_2=4$，于是得特解

$$y=\left(\frac{x}{2}+1\right)^4.$$

(6) 令 $y'=p$，则 $y''=p\dfrac{\mathrm{d}p}{\mathrm{d}y}$，原方程变为 $p\dfrac{\mathrm{d}p}{\mathrm{d}y}+p^2=1$. 分离变量，得

$$\frac{p\mathrm{d}p}{1-p^2}=\mathrm{d}y.$$

由初始条件：$y=0$，$p=0$，积分

$$\int_0^p\frac{p\mathrm{d}p}{1-p^2}=\int_0^y\mathrm{d}y$$

得 $$-\frac{1}{2}\ln(1-p^2)=y,$$

即 $$p=\pm\sqrt{1-\mathrm{e}^{-2y}}.$$

又分离变量，得 $$\frac{\mathrm{d}y}{\sqrt{1-\mathrm{e}^{-2y}}}=\pm\mathrm{d}x.$$

由初始条件：$x=0$，$y=0$，积分

$$\int_0^y\frac{\mathrm{d}y}{\sqrt{1-\mathrm{e}^{-2y}}}=\pm\int_0^x\mathrm{d}x,$$

$$\int_0^y\frac{\mathrm{d}(\mathrm{e}^y)}{\sqrt{\mathrm{e}^{2y}-1}}=\pm\int_0^x\mathrm{d}x,$$

得 $$\ln(\mathrm{e}^y+\sqrt{\mathrm{e}^{2y}-1})=\pm x,$$

即 $$\mathrm{e}^y=\frac{\mathrm{e}^x+\mathrm{e}^{-x}}{2},$$

或写成 $$y=\ln\frac{\mathrm{e}^x+\mathrm{e}^{-x}}{2}.$$

3. 试求 $y''=x$ 的经过点 $M(0,1)$ 且在此点与直线 $y=\dfrac{x}{2}+1$ 相切的积分曲线.

解 由于直线 $y=\dfrac{x}{2}+1$ 在 $(0,1)$ 处的切线斜率为 $\dfrac{1}{2}$，依题设知，所求积分曲线是初值问题

$$y''=x,\quad y\big|_{x=0}=1,\quad y'\big|_{x=0}=\frac{1}{2}$$

的解. 由 $y''=x$，积分得

$$y'=\frac{x^2}{2}+C_1.$$

代入 $x=0$，$y'=\dfrac{1}{2}$，得 $C_1=\dfrac{1}{2}$，即有

$$y' = \frac{x^2}{2} + \frac{1}{2}.$$

再积分,得
$$y = \frac{x^3}{6} + \frac{x}{2} + C_2,$$

代入 $x=0, y=1$,得 $C_2=1$,于是所求积分曲线的方程为
$$y = \frac{x^3}{6} + \frac{x}{2} + 1.$$

4. 设有一质量为 m 的物体,在空中由静止开始下落,如果空气阻力为 $R=cv$(其中 c 为常数,v 为物体运动的速度),试求物体下落的距离 s 与时间 t 的函数关系.

解 根据牛顿第二定律,有关系式
$$m \frac{d^2 s}{dt^2} = mg - c \frac{ds}{dt},$$

并依据题设条件,得初值问题
$$\frac{d^2 s}{dt^2} = g - \frac{c}{m} \frac{ds}{dt}, s|_{t=0} = 0, \frac{ds}{dt}\Big|_{t=0} = 0.$$

令 $\dfrac{ds}{dt} = v$,方程成为 $\dfrac{dv}{dt} = g - \dfrac{c}{m} v$,分离变量后积分
$$\int \frac{dv}{g - \frac{c}{m} v} = \int dt$$

得
$$\ln\left(g - \frac{c}{m} v\right) = -\frac{c}{m} t + C_1,$$

代入初始条件 $v|_{t=0} = 0$,得 $C_1 = \ln g$. 于是有
$$v = \frac{ds}{dt} = \frac{mg}{c}\left(1 - e^{-\frac{c}{m}t}\right);$$

积分得
$$s = \frac{mg}{c}\left(t + \frac{m}{c} e^{-\frac{c}{m}t}\right) + C_2$$

代入初始条件 $s|_{t=0} = 0$,得 $C_2 = -\dfrac{m^2 g}{c^2}$.

故所求特解(即下落的距离与时间的关系)为
$$s = \frac{mg}{c}\left(t + \frac{m}{c} e^{-\frac{c}{m}t} - \frac{m}{c}\right)$$
$$= \frac{mg}{c} t + \frac{m^2 g}{c^2}\left(e^{-\frac{c}{m}t} - 1\right).$$

习题 7-6 高阶线性微分方程

1. 下列函数组在其定义区间内哪些是线性无关的?

(1) x, x^2;　　　　　　　　　　(2) $x, 2x$;

(3) $e^{2x}, 3e^{2x}$;　　　　　　　　(4) e^{-x}, e^x;

(5) $\cos 2x, \sin 2x$;　　　　　　(6) e^{x^2}, xe^{x^2};

(7) $\sin 2x, \cos x \sin x$;　　　　(8) $e^x \cos 2x, e^x \sin 2x$;

(9) $\ln x, x\ln x$;　　　　　　　(10) $e^{ax}, e^{bx}\,(a \neq b)$.

解　对于两个函数构成的函数组,如果两函数的比为常数,则它们是线性相关的,否则就线性无关,因此本题中除了

(2) $\dfrac{x}{2x} = \dfrac{1}{2}$;　(3) $\dfrac{e^{2x}}{3e^{2x}} = \dfrac{1}{3}$;　(7) $\dfrac{\sin 2x}{\cos x \sin x} = 2$,

即(2)(3)(7)中的函数组线性相关外,其余的 7 个函数组中两函数之比不是常数,从而线性无关.

2. 验证 $y_1 = \cos \omega x$ 及 $y_2 = \sin \omega x$ 都是方程 $y'' + \omega^2 y = 0$ 的解,并写出该方程的通解.

解　由 $y_1 = \cos \omega x$,得 $y_1' = -\omega \sin \omega x$,$y_1'' = -\omega^2 \cos \omega x$;

　　　由 $y_2 = \sin \omega x$,得 $y_2' = \omega \cos \omega x$,$y_2'' = -\omega^2 \sin \omega x$;

可见　　　　　　　　　　　$y_i'' + \omega^2 y_i = 0 \ (i = 1, 2)$,

故 y_1 与 y_2 都是方程 $y'' + \omega^2 y = 0$ 的解.

又因 $\dfrac{y_1}{y_2} = \cot \omega x \neq$ 常数,故 y_1 与 y_2 线性无关. 于是方程的通解为

$$y = C_1 y_1 + C_2 y_2 = C_1 \cos \omega x + C_2 \sin \omega x.$$

3. 验证 $y_1 = e^{x^2}$ 及 $y_2 = xe^{x^2}$ 都是方程 $y'' - 4xy' + (4x^2 - 2)y = 0$ 的解,并写出该方程的通解.

解　由 $y_1 = e^{x^2}$,得 $y_1' = 2xe^{x^2}$,$y_1'' = (2 + 4x^2)e^{x^2}$;

　　　由 $y_2 = xe^{x^2}$,得 $y_2' = (1 + 2x^2)e^{x^2}$,$y_2'' = (6x + 4x^3)e^{x^2}$.

因　$y_1'' - 4xy_1' + (4x^2 - 2)y_1 = (2 + 4x^2)e^{x^2} - 4x \cdot 2xe^{x^2} + (4x^2 - 2)e^{x^2} = 0$;

$$y_2'' - 4xy_2' + (4x^2 - 2)y_2$$
$$= (6x + 4x^3)e^{x^2} - 4x(1 + 2x^2)e^{x^2} + (4x^2 - 2)xe^{x^2}$$
$$= 0,$$

故 y_1 与 y_2 都是方程的解.

又因 $\dfrac{y_2}{y_1} = x \neq$ 常数,故 y_1 与 y_2 线性无关,于是方程的通解为

$$y = C_1 y_1 + C_2 y_2 = (C_1 + C_2 x)e^{x^2}.$$

4. 验证:

(1) $y = C_1 e^x + C_2 e^{2x} + \dfrac{1}{12}e^{5x}$（$C_1, C_2$ 是任意常数）是方程 $y'' - 3y' + 2y = e^{5x}$

的通解；

(2) $y=C_1\cos 3x+C_2\sin 3x+\dfrac{1}{32}(4x\cos x+\sin x)(C_1,C_2$ 是任意常数)是方程 $y''+9y=x\cos x$ 的通解；

(3) $y=C_1x^2+C_2x^2\ln x(C_1,C_2$ 是任意常数)是方程 $x^2y''-3xy'+4y=0$ 的通解；

(4) $y=C_1x^5+\dfrac{C_2}{x}-\dfrac{x^2}{9}\ln x(C_1,C_2$ 是任意常数)是方程 $x^2y''-3xy'-5y=x^2\ln x$ 的通解；

(5) $y=\dfrac{1}{x}(C_1e^x+C_2e^{-x})+\dfrac{e^x}{2}(C_1,C_2$ 是任意常数)是方程 $xy''+2y'-xy=e^x$ 的通解；

(6) $y=C_1e^x+C_2e^{-x}+C_3\cos x+C_4\sin x-x^2(C_1、C_2、C_3、C_4$ 是任意常数)是方程 $y^{(4)}-y=x^2$ 的通解.

解 (1) 记 $y_1=e^x,y_2=e^{2x},y^*=\dfrac{1}{12}e^{5x}$，则

$$y_1''-3y_1'+2y_1=e^x-3e^x+2e^x=0;$$
$$y_2''-3y_2'+2y_2=4e^{2x}-6e^{2x}+2e^{2x}=0.$$

故 y_1 与 y_2 是原方程对应的齐次方程的解，易见 y_1 与 y_2 是线性无关的.

又因 $\quad y^*{}''-3y^*{}'+2y^*=\dfrac{25}{12}e^{5x}-\dfrac{15}{12}e^{5x}+\dfrac{2}{12}e^{5x}=e^{5x},$

故 y^* 是原方程的一个特解，所以

$$y=C_1y_1+C_2y_2+y^*=C_1e^x+C_2e^{2x}+\dfrac{1}{12}e^{5x}$$

是原方程的通解.

(2) 记 $y_1=\cos 3x,y_2=\sin 3x,y^*=\dfrac{1}{32}(4x\cos x+\sin x).$

因 $\quad\quad\quad\quad y_1''+9y_1=-9\cos 3x+9\cos 3x=0;$
$$y_2''+9y_2=-9\sin 3x+9\sin 3x=0,$$

故 y_1 与 y_2 是原方程对应的齐次方程的解，易见它们是线性无关的.

又因 $y^*{}'=\dfrac{1}{32}(4\cos x-4x\sin x+\cos x)=\dfrac{1}{32}(5\cos x-4x\sin x),$

$$y^*{}''=\dfrac{1}{32}(-5\sin x-4\sin x-4x\cos x)=\dfrac{1}{32}(-4x\cos x-9\sin x),$$

有 $y^*{}''+9y^*=\dfrac{1}{32}(-4x\cos x-9\sin x)+\dfrac{9}{32}(4x\cos x+\sin x)=x\cos x.$

故 y^* 是原方程的一个特解. 所以

$$y = C_1 y_1 + C_2 y_2 + y^* = C_1 \cos 3x + C_2 \sin 3x + \frac{1}{32}(4x\cos x + \sin x)$$

是原方程的通解.

（3）记 $y_1 = x^2$，$y_2 = x^2 \ln x$，则

$$y_1' = 2x, \quad y_1'' = 2; \quad y_2' = 2x\ln x + x, \quad y_2'' = 2\ln x + 3.$$

且 $\quad x^2 y_1'' - 3x y_1' + 4y_1 = x^2 \cdot 2 - 3x \cdot 2x + 4x^2 = 0;$

$$x^2 y_2'' - 3x y_2' + 4y_2 = x^2(2\ln x + 3) - 3x(2x\ln x + x) + 4x^2\ln x = 0,$$

故 y_1 与 y_2 是方程的解，易见 y_1 与 y_2 线性无关，所以

$$y = C_1 y_1 + C_2 y_2 = C_1 x^2 + C_2 x^2 \ln x$$

是方程的通解.

（4）记 $y_1 = x^5$，$y_2 = \dfrac{1}{x}$，$y^* = -\dfrac{1}{9} x^2 \ln x$，则

$$x^2 y_1'' - 3x y_1' - 5y_1 = x^2 \cdot 20x^3 - 3x \cdot 5x^4 - 5x^5 = 0,$$

$$x^2 y_2'' - 3x y_2' - 5y_2 = x^2\left(\frac{2}{x^3}\right) - 3x\left(-\frac{1}{x^2}\right) - \frac{5}{x} = 0,$$

故 y_1 与 y_2 是原方程对应的齐次方程的解，易见它们是线性无关的．又因

$$x^2 y^{*\prime\prime} - 3x y^{*\prime} - 5y^* = x^2 \cdot \frac{2\ln x + 3}{9} - 3x \frac{2x\ln x + x}{9} - 5 \cdot \frac{x^2 \ln x}{9}$$

$$= x^2 \ln x,$$

故 y^* 是原方程的一个特解．所以

$$y = C_1 y_1 + C_2 y_2 + y^* = C_1 x^5 + C_2 \frac{1}{x} - \frac{1}{9} x^2 \ln x$$

是原方程的通解.

（5）记 $y_1 = \dfrac{e^x}{x}$，$y_2 = \dfrac{e^{-x}}{x}$，$y^* = \dfrac{e^x}{2}$，则

$$y_1' = \left(\frac{1}{x} - \frac{1}{x^2}\right)e^x, \quad y_1'' = \left(\frac{1}{x} - \frac{2}{x^2} + \frac{2}{x^3}\right)e^x,$$

$$y_2' = \left(-\frac{1}{x} - \frac{1}{x^2}\right)e^{-x}, \quad y_2'' = \left(\frac{1}{x} + \frac{2}{x^2} + \frac{2}{x^3}\right)e^{-x},$$

且 $\quad x y_1'' + 2y_1' - x y_1 = x\left(\frac{1}{x} - \frac{2}{x^2} + \frac{2}{x^3}\right)e^x + 2\left(\frac{1}{x} - \frac{1}{x^2}\right)e^x - x \cdot \frac{e^x}{x} = 0,$

$$x y_2'' + 2y_2' - x y_2 = x\left(\frac{1}{x} + \frac{2}{x^2} + \frac{2}{x^3}\right)e^{-x} + 2\left(-\frac{1}{x} - \frac{1}{x^2}\right)e^{-x} - x \cdot \frac{e^{-x}}{x} = 0,$$

故 y_1 与 y_2 是原方程对应的齐次方程的解，易见它们是线性无关的．

又因 $y^{*\prime} = y^{*\prime\prime} = \dfrac{e^x}{2}$，且

$$x y^{*\prime\prime} + 2y^{*\prime} - x y^* = \frac{x}{2}e^x + e^x - \frac{x}{2}e^x = e^x,$$

故 y^* 是原方程的一个特解. 所以

$$y = C_1 y_1 + C_2 y_2 + y^* = \frac{C_1 \mathrm{e}^x + C_2 \mathrm{e}^{-x}}{x} + \frac{\mathrm{e}^x}{2}$$

是原方程的通解.

(6) 令 $y_1 = \mathrm{e}^x, y_2 = \mathrm{e}^{-x}, y_3 = \cos x, y_4 = \sin x$, 易见

$$y_i^{(4)} = y_i, i = 1, 2, 3, 4.$$

故 $y_i (i = 1, 2, 3, 4)$ 是原方程对应的齐次方程 $y^{(4)} - y = 0$ 的解.

下面说明 $y_i (i = 1, 2, 3, 4)$ 在它们的定义域 $\mathbf{R}$ 中是线性无关的. 令

$$k_1 \mathrm{e}^x + k_2 \mathrm{e}^{-x} + k_3 \cos x + k_4 \sin x \equiv 0.$$

分别取 $x = 0, \dfrac{\pi}{2}, -\dfrac{\pi}{2}, \pi$, 则有

$$\begin{cases} k_1 + k_2 + k_3 + 0 = 0, \\ \mathrm{e}^{\frac{\pi}{2}} k_1 + \mathrm{e}^{-\frac{\pi}{2}} k_2 + 0 + k_4 = 0, \\ \mathrm{e}^{-\frac{\pi}{2}} k_1 + \mathrm{e}^{\frac{\pi}{2}} k_2 + 0 - k_4 = 0, \\ \mathrm{e}^{\pi} k_1 + \mathrm{e}^{-\pi} k_2 - k_3 + 0 = 0. \end{cases}$$

根据线性代数的知识, 经计算, 上述齐次线性方程组的系数行列式

$$\begin{vmatrix} 1 & 1 & 1 & 0 \\ \mathrm{e}^{\frac{\pi}{2}} & \mathrm{e}^{-\frac{\pi}{2}} & 0 & 1 \\ \mathrm{e}^{-\frac{\pi}{2}} & \mathrm{e}^{\frac{\pi}{2}} & 0 & -1 \\ \mathrm{e}^{\pi} & \mathrm{e}^{-\pi} & -1 & 0 \end{vmatrix} \neq 0,$$

故齐次线性方程组仅有零解 $k_1 = 0, k_2 = 0, k_3 = 0, k_4 = 0$.

这说明 y_1, y_2, y_3, y_4 是线性无关的.

又令 $y^* = -x^2$, 则 $y^{*(4)} = 0$, 且 $y^{*(4)} - y^* = 0 - (-x^2) = x^2$, 故 y^* 是原方程的一个特解. 所以

$$\begin{aligned} y &= C_1 y_1 + C_2 y_2 + C_3 y_3 + C_4 y_4 + y^* \\ &= C_1 \mathrm{e}^x + C_2 \mathrm{e}^{-x} + C_3 \cos x + C_4 \sin x + x^2 \end{aligned}$$

是原方程的通解.

*5. 已知 $y_1(x) = \mathrm{e}^x$ 是齐次线性方程

$$(2x - 1) y'' - (2x + 1) y' + 2y = 0$$

的一个解, 求此方程的通解.

解 设 $y_2(x) = y_1 u = \mathrm{e}^x u$ 是方程的解, 则 $y_2' = \mathrm{e}^x (u + u')$, $y_2'' = \mathrm{e}^x (u + 2u' + u'')$, 代入方程并整理, 得

$$\mathrm{e}^x \big[(2x - 1) u'' + (2x - 3) u' \big] = 0,$$

即

$$(2x - 1) u'' + (2x - 3) u' = 0,$$

令 $u' = p$，则 $u'' = p'$，且上式成为

$$(2x-1)p' + (2x-3)p = 0.$$

分离变量后积分

$$\int \frac{\mathrm{d}p}{p} = -\int \frac{2x-3}{2x-1} \mathrm{d}x$$

得

$$\ln|p| = -x + \ln|2x-1| + \ln C$$

取 $C=1$，即

$$p = (2x-1)\mathrm{e}^{-x}.$$

再积分得

$$u = \int (2x-1)\mathrm{e}^{-x} \mathrm{d}x = -[(2x-1)\mathrm{e}^{-x} + 2\mathrm{e}^{-x} + C_0],$$

取 $C_0 = 0$，即

$$u = -(2x+1)\mathrm{e}^{-x},$$

故

$$y_2 = \mathrm{e}^x u = -(2x+1).$$

y_2 与 y_1 线性无关，故原方程的通解为

$$y = C_1(2x+1) + C_2 \mathrm{e}^x.$$

*6. 已知 $y_1(x)=x$ 是齐次线性方程 $x^2 y'' - 2xy' + 2y = 0$ 的一个解，求非齐次线性方程 $x^2 y'' - 2xy' + 2y = 2x^3$ 的通解.

解 设 $y_2 = y_1 u = xu$ 是非齐次线性方程的解，则 $y_2' = u + xu'$，$y_2'' = 2u' + xu''$，代入方程并整理，得

$$u'' = 0.$$

不妨取 $u=x$，则 $y_2 = y_1 u = x^2$，且 y_2 与 y_1 线性无关.

将非齐次方程化为标准形

$$y'' - \frac{2}{x}y' + \frac{2}{x^2}y = 2x,$$

则它的通解为

$$y = C_1 y_1 + C_2 y_2 - y_1 \int \frac{y_2 f}{W} \mathrm{d}x + y_2 \int \frac{y_1 f}{W} \mathrm{d}x,$$

其中 $f = 2x$，$W = \begin{vmatrix} y_1 & y_2 \\ y_1' & y_2' \end{vmatrix} = \begin{vmatrix} x & x^2 \\ 1 & 2x \end{vmatrix} = x^2.$

故

$$y = C_1 x + C_2 x^2 - x \int \frac{2x^3}{x^2} \mathrm{d}x + x^2 \int \frac{2x^2}{x^2} \mathrm{d}x$$

$$= C_1 x + C_2 x^2 + x^3.$$

*7. 已知齐次线性方程 $y'' + y = 0$ 的通解为 $Y(x) = C_1 \cos x + C_2 \sin x$，求非齐次线性方程 $y'' + y = \sec x$ 的通解.

解 由题设知，$y_1 = \cos x$ 与 $y_2 = \sin x$ 都是齐次方程 $y'' + y = 0$ 的解，且 y_1 与 y_2 线性无关，则非齐次方程 $y'' + y = \sec x$ 的通解为

$$y = C_1 \cos x + C_2 \sin x - y_1 \int \frac{y_2 f}{W} \mathrm{d}x + y_2 \int \frac{y_1 f}{W} \mathrm{d}x,$$

其中
$$W = \begin{vmatrix} y_1 & y_2 \\ y_1' & y_2' \end{vmatrix} = \begin{vmatrix} \cos x & \sin x \\ -\sin x & \cos x \end{vmatrix} = 1, f = \sec x.$$

故

$$y = C_1 \cos x + C_2 \sin x - \cos x \int \frac{\sin x}{\cos x} dx + \sin x \int \frac{\cos x}{\cos x} dx$$

$$= C_1 \cos x + C_2 \sin x + \cos x \ln|\cos x| + x \sin x.$$

*8. 已知齐次线性方程 $x^2 y'' - x y' + y = 0$ 的通解为 $Y(x) = C_1 x + C_2 x \cdot \ln|x|$，求非齐次线性方程 $x^2 y'' - x y' + y = x$ 的通解.

解 由题设知 $y_1 = x$ 与 $y_2 = x \ln|x|$ 都是齐次方程的解，y_1 与 y_2 显然是线性无关的. 将非齐次方程化为标准形 $y'' - \dfrac{1}{x} y' + \dfrac{1}{x^2} y = \dfrac{1}{x}$，则方程的通解为

$$y = C_1 y_1 + C_2 y_2 - y_1 \int \frac{y_2 f}{W} dx + y_2 \int \frac{y_1 f}{W} dx,$$

其中
$$f = \frac{1}{x}, W = \begin{vmatrix} y_1 & y_2 \\ y_1' & y_2' \end{vmatrix} = \begin{vmatrix} x & x \ln|x| \\ 1 & \ln|x| + 1 \end{vmatrix} = x.$$

因
$$\int \frac{y_2 f}{W} dx = \int \frac{\ln|x|}{x} dx = \frac{1}{2} \ln^2|x|,$$

$$\int \frac{y_1 f}{W} dx = \int \frac{1}{x} dx = \ln|x|,$$

故非齐次方程的通解为

$$y = C_1 x + C_2 x \ln|x| - x \frac{1}{2} \ln^2|x| + x \ln|x| \, \ln|x|$$

$$= C_1 x + C_2 x \ln|x| + \frac{x}{2} \ln^2|x|.$$

习题 7-7 常系数齐次线性微分方程

1. 求下列微分方程的通解：

(1) $y'' + y' - 2y = 0$;　　　　　　　　(2) $y'' - 4y' = 0$;

(3) $y'' + y = 0$;　　　　　　　　　　　(4) $y'' + 6y' + 13y = 0$;

(5) $4 \dfrac{d^2 x}{dt^2} - 20 \dfrac{dx}{dt} + 25x = 0$;　　　(6) $y'' - 4y' + 5y = 0$;

(7) $y^{(4)} - y = 0$;　　　　　　　　　(8) $y^{(4)} + 2y'' + y = 0$;

(9) $y^{(4)} - 2y''' + y'' = 0$;　　　　　(10) $y^{(4)} + 5y'' - 36y = 0$.

解 (1) 特征方程为 $r^2 + r - 2 = 0$，解得 $r_1 = 1, r_2 = -2$，故方程的通解为
$$y = C_1 e^x + C_2 e^{-2x}.$$

(2) 特征方程为 $r^2-4r=0$，解得 $r_1=0,r_2=4$，故方程的通解为
$$y=C_1+C_2\mathrm{e}^{4x}.$$

(3) 特征方程为 $r^2+1=0$，解得 $r_1=\mathrm{i},r_2=-\mathrm{i}$，故方程的通解为
$$y=C_1\cos x+C_2\sin x.$$

(4) 特征方程为 $r^2+6r+13=0$，解得 $r_{1,2}=-3\pm2\mathrm{i}$，故方程的通解为
$$y=\mathrm{e}^{-3x}(C_1\cos 2x+C_2\sin 2x).$$

(5) 特征方程为 $4r^2-20r+25=0$，解得 $r_1=r_2=\dfrac{5}{2}$，故方程的通解为
$$x=(C_1+C_2t)\mathrm{e}^{\frac{5}{2}t}.$$

(6) 特征方程为 $r^2-4r+5=0$，解得 $r_{1,2}=2\pm\mathrm{i}$，故方程的通解为
$$y=\mathrm{e}^{2x}(C_1\cos x+C_2\sin x).$$

(7) 特征方程为 $r^4-1=0$，即 $(r^2-1)(r^2+1)=0$，解得 $r_{1,2}=\pm1,r_{3,4}=\pm\mathrm{i}$，故方程的通解为
$$y=C_1\mathrm{e}^x+C_2\mathrm{e}^{-x}+C_3\cos x+C_4\sin x.$$

(8) 特征方程为 $r^4+2r^2+1=0$，即 $(r^2+1)^2=0$，解得 $r_{1,2}=\mathrm{i},r_{3,4}=-\mathrm{i}$，故方程的通解为
$$y=(C_1+C_2x)\cos x+(C_3+C_4x)\sin x.$$

(9) 特征方程为 $r^4-2r^3+r^2=0$，即 $r^2(r-1)^2=0$，解得 $r_{1,2}=0,r_{3,4}=1$，故方程的通解为
$$y=C_1+C_2x+(C_3+C_4x)\mathrm{e}^x.$$

(10) 特征方程为 $r^4+5r^2-36=0$，即 $(r^2+9)(r^2-4)=0$，解得 $r_{1,2}=\pm2$，$r_{3,4}=\pm3\mathrm{i}$，故方程的通解为
$$y=C_1\mathrm{e}^{2x}+C_2\mathrm{e}^{-2x}+C_3\cos 3x+C_4\sin 3x.$$

2. 求下列微分方程满足所给初始条件的特解：

(1) $y''-4y'+3y=0,y|_{x=0}=6,y'|_{x=0}=10$；

(2) $4y''+4y'+y=0,y|_{x=0}=2,y'|_{x=0}=0$；

(3) $y''-3y'-4y=0,y|_{x=0}=0,y'|_{x=0}=-5$；

(4) $y''+4y'+29y=0,y|_{x=0}=0,y'|_{x=0}=15$；

(5) $y''+25y=0,y|_{x=0}=2,y'|_{x=0}=5$；

(6) $y''-4y'+13y=0,y|_{x=0}=0,y'|_{x=0}=3$.

解 (1) 解特征方程 $r^2-4r+3=0$，得 $r_1=1,r_2=3$，故方程的通解为
$$y=C_1\mathrm{e}^x+C_2\mathrm{e}^{3x},$$
且有
$$y'=C_1\mathrm{e}^x+3C_2\mathrm{e}^{3x}.$$

代入初始条件，得 $\begin{cases}C_1+C_2=6,\\C_1+3C_2=10,\end{cases}$ 解得 $\begin{cases}C_1=4,\\C_2=2.\end{cases}$ 故所求特解为

$$y = 4e^x + 2e^{2x}.$$

(2) 解特征方程 $4r^2 + 4r + 1 = 0$，即 $(2r+1)^2 = 0$，得 $r_{1,2} = -\dfrac{1}{2}$，故方程的通解为

$$y = (C_1 + C_2 x)e^{-\frac{x}{2}},$$

且有

$$y' = \left(-\dfrac{C_1}{2} + C_2 - \dfrac{C_2}{2}x\right)e^{-\frac{x}{2}}.$$

代入初始条件，得 $\begin{cases} C_1 = 2, \\ -\dfrac{C_1}{2} + C_2 = 0, \end{cases}$ 解得 $\begin{cases} C_1 = 2, \\ C_2 = 1. \end{cases}$ 故所求特解为

$$y = (2 + x)e^{-\frac{x}{2}}.$$

(3) 解特征方程 $r^2 - 3r - 4 = 0$，即 $(r+1)(r-4) = 0$，得 $r_1 = -1$，$r_2 = 4$，故方程的通解为

$$y = C_1 e^{-x} + C_2 e^{4x},$$

且有

$$y' = -C_1 e^{-x} + 4C_2 e^{4x}.$$

代入初始条件，得 $\begin{cases} C_1 + C_2 = 0, \\ -C_1 + 4C_2 = -5, \end{cases}$ 解得 $\begin{cases} C_1 = 1, \\ C_2 = -1. \end{cases}$ 故所求特解为

$$y = e^{-x} - e^{4x}.$$

(4) 解特征方程 $r^2 + 4r + 29 = 0$，得 $r_{1,2} = -2 \pm 5i$，故方程的通解为

$$y = e^{-2x}(C_1 \cos 5x + C_2 \sin 5x),$$

且有

$$y' = e^{-2x}\left[(5C_2 - 2C_1)\cos 5x + (-5C_1 - 2C_2)\sin 5x\right].$$

代入初始条件，得 $\begin{cases} C_1 = 0, \\ 5C_2 - 2C_1 = 15, \end{cases}$ 即 $\begin{cases} C_1 = 0, \\ C_2 = 3. \end{cases}$ 故所求特解为

$$y = 3e^{-2x}\sin 5x.$$

(5) 解特征方程 $r^2 + 25 = 0$，得 $r_{1,2} = \pm 5i$，故方程的通解为

$$y = C_1 \cos 5x + C_2 \sin 5x,$$

且有

$$y' = -5C_1 \sin 5x + 5C_2 \cos 5x.$$

代入初始条件，得 $\begin{cases} C_1 = 2, \\ 5C_2 = 5, \end{cases}$ 即 $\begin{cases} C_1 = 2, \\ C_2 = 1. \end{cases}$ 故所求特解为

$$y = 2\cos 5x + \sin 5x.$$

(6) 解特征方程 $r^2 - 4r + 13 = 0$，得 $r_{1,2} = 2 \pm 3i$，故方程的通解为

$$y = e^{2x}(C_1 \cos 3x + C_2 \sin 3x),$$

且有

$$y' = e^{2x}\left[(2C_1 + 3C_2)\cos 3x + (2C_2 - 3C_1)\sin 3x\right].$$

代入初始条件，得 $\begin{cases} C_1 = 0, \\ 2C_1 + 3C_2 = 3, \end{cases}$ 即 $\begin{cases} C_1 = 0, \\ C_2 = 1. \end{cases}$ 故所求特解为

$$y=\mathrm{e}^{2x}\sin 3x.$$

3. 一个单位质量的质点在数轴上运动，开始时质点在原点 O 处且速度为 v_0，在运动过程中，它受到一个力的作用，这个力的大小与质点到原点的距离成正比（比例系数 $k_1>0$）而方向与初速一致．又介质的阻力与速度成正比（比例系数 $k_2>0$）．求反映这质点的运动规律的函数．

解 设质点的位置函数为 $x=x(t)$．由题意得

$$x''=k_1x-k_2x',$$

即
$$x''+k_2x'-k_1x=0,$$

且
$$x|_{t=0}=0,x'|_{t=0}=v_0.$$

解特征方程 $r^2+k_2r-k_1=0$，得 $r_{1,2}=\dfrac{-k_2\pm\sqrt{k_2^2+4k_1}}{2}$，故有通解

$$x=C_1\mathrm{e}^{r_1t}+C_2\mathrm{e}^{r_2t},$$

且有
$$x'=r_1C_1\mathrm{e}^{r_1t}+r_2C_2\mathrm{e}^{r_2t},$$

代入初始条件 $t=0,x=0,x'=v_0$，得 $\begin{cases}C_1+C_2=0,\\ r_1C_1+r_2C_2=v_0,\end{cases}$ 解得

$$\begin{cases}C_1=\dfrac{-v_0}{r_2-r_1}=\dfrac{v_0}{\sqrt{k_2^2+4k_1}},\\ C_2=\dfrac{v_0}{r_2-r_1}=-\dfrac{v_0}{\sqrt{k_2^2+4k_1}}\end{cases}.$$

故
$$\begin{aligned}x&=\frac{v_0}{\sqrt{k_2^2+4k_1}}\left(\mathrm{e}^{\frac{-k_2+\sqrt{k_2^2+4k_1}}{2}t}-\mathrm{e}^{\frac{-k_2-\sqrt{k_2^2+4k_1}}{2}t}\right)\\&=\frac{v_0}{\sqrt{k_2^2+4k_1}}\mathrm{e}^{\frac{-k_2+\sqrt{k_2^2+4k_1}}{2}t}\left(1-\mathrm{e}^{-\sqrt{k_2^2+4k_1}\,t}\right).\end{aligned}$$

4. 在图 7-3 所示的电路中先将开关 K 拨向 A，达到稳定状态后再将开关 K 拨向 B，求电压 $u_C(t)$ 及电流 $i(t)$．已知 $E=20\ \mathrm{V}$，$C=0.5\times10^{-6}\ \mathrm{F}$（法），$L=0.1\ \mathrm{H}$（亨），$R=2000\ \Omega$．

解 由回路定律，得

$$L\frac{\mathrm{d}i}{\mathrm{d}t}+\frac{q}{C}+Ri=0.$$

因 $\dfrac{q}{C}=u_C$，即 $q=Cu_C$，$i=\dfrac{\mathrm{d}q}{\mathrm{d}t}=C\dfrac{\mathrm{d}u_C}{\mathrm{d}t}$，

则 $\dfrac{\mathrm{d}i}{\mathrm{d}t}=C\dfrac{\mathrm{d}^2u_C}{\mathrm{d}t^2}$．于是有

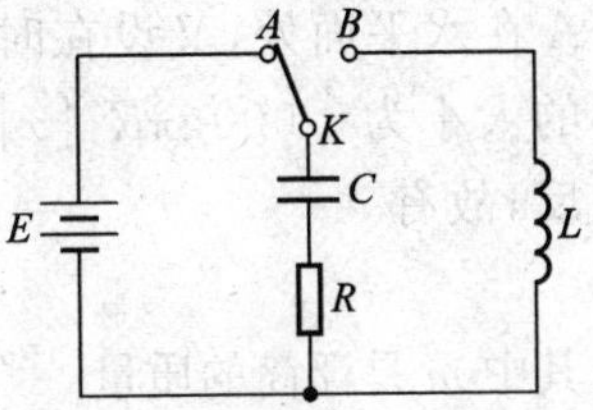

图 7-3

$$LC\frac{\mathrm{d}^2u_C}{\mathrm{d}t^2}+u_C+RC\frac{\mathrm{d}u_C}{\mathrm{d}t}=0,$$

即
$$\frac{\mathrm{d}^2 u_C}{\mathrm{d}t^2} + \frac{R}{L}\frac{\mathrm{d}u_C}{\mathrm{d}t} + \frac{1}{LC}u_C = 0,$$

且
$$u_C\big|_{t=0} = E, \frac{\mathrm{d}u_C}{\mathrm{d}t}\bigg|_{t=0} = 0.$$

已知
$$\frac{R}{L} = \frac{2\,000}{0.1} = 2\times10^4, \frac{1}{LC} = \frac{1}{0.1\times0.5\times10^{-6}} = 2\times10^7,$$

故微分方程为
$$u_C'' + 2\times10^4 u_C' + 2\times10^7 u_C = 0.$$

其特征方程为
$$r^2 + 2\times10^4 r + 2\times10^7 = 0,$$

解得
$$r_1 \approx -1.9\times10^4, r_2 \approx -10^3,$$

故
$$u_C = C_1 \mathrm{e}^{-1.9\times10^4 t} + C_2 \mathrm{e}^{-10^3 t},$$

且有
$$u_C' = -1.9\times10^4 C_1 \mathrm{e}^{-1.9\times10^4 t} - 10^3 C_2 \mathrm{e}^{-10^3 t}.$$

代入初始条件 $t=0$, $u_C = 20$, $u_C' = 0$, 得 $\begin{cases} C_1 + C_2 = 20, \\ -1.9\times10^4 C_1 - 10^3 C_2 = 0, \end{cases}$ 解得

$$C_1 = -\frac{10}{9}, C_2 = \frac{190}{9}.$$

故

$$u_C = \frac{10}{9}(19\mathrm{e}^{-10^3 t} - \mathrm{e}^{-1.9\times10^4 t}),$$

$$i = Cu_C' = 0.5\times10^{-6}\times\frac{10}{9}(-19\times10^3 \mathrm{e}^{-10^3 t} + 1.9\times10^4 \mathrm{e}^{-1.9\times10^4 t})$$

$$= \frac{19}{18}\times10^{-2}(\mathrm{e}^{-1.9\times10^4 t} - \mathrm{e}^{-10^3 t}).$$

5. 设圆柱形浮筒,直径为 0.5 m,铅直放在水中,当稍向下压后突然放开,浮筒在水中上下振动的周期为 2 s,求浮筒的质量.

解 设 x 轴的正向铅直向下,原点在水面处. 平衡状态下浮筒上一点 A 在水平面处,又设在时刻 t,点 A 的位置为 $x=x(t)$,此时它受到的恢复力的大小为 $1\,000g\pi R^2|x|$(R 是浮筒的半径),恢复力的方向与位移方向相反,故有

$$mx'' = -1\,000g\pi R^2 x,$$

其中 m 是浮筒的质量.

记 $\omega^2 = \dfrac{1\,000g\pi R^2}{m}$,则得微分方程

$$x'' + \omega^2 x = 0.$$

解特征方程 $r^2 + \omega^2 = 0$,得 $r_{1,2} = \pm\omega\mathrm{i}$,故

$$x = C_1\cos \omega t + C_2\sin \omega t = A\sin(\omega t + \varphi), A = \sqrt{C_1^2 + C_2^2}, \sin \varphi = \frac{C_1}{A}.$$

由于振动周期 $T = \frac{2\pi}{\omega} = 2$，故 $\omega = \pi$，即

$$\frac{1\,000g\pi R^2}{m} = \pi^2,$$

从中解出

$$m = \frac{1\,000gR^2}{\pi} \approx 195(\text{kg}).$$

习题 7-8　常系数非齐次线性微分方程

1. 求下列各微分方程的通解：

(1) $2y'' + y' - y = 2e^x$；　　　　(2) $y'' + a^2y = e^x$；

(3) $2y'' + 5y' = 5x^2 - 2x - 1$；　　(4) $y'' + 3y' + 2y = 3xe^{-x}$；

(5) $y'' - 2y' + 5y = e^x\sin 2x$；　　(6) $y'' - 6y' + 9y = (x+1)e^{3x}$；

(7) $y'' + 5y' + 4y = 3 - 2x$；　　　(8) $y'' + 4y = x\cos x$；

(9) $y'' + y = e^x + \cos x$；　　　　(10) $y'' - y = \sin^2 x$.

解　(1) 由 $2r^2 + r - 1 = 0$，解得 $r_1 = \frac{1}{2}, r_2 = -1$. 故对应的齐次方程的通解为

$$Y = C_1 e^{\frac{x}{2}} + C_2 e^{-x}.$$

因 $f(x) = 2e^x, \lambda = 1$ 不是特征方程的根，故可设 $y^* = ae^x$ 是原方程的一个特解，代入原方程得

$$2ae^x + ae^x - ae^x = 2e^x.$$

消去 e^x，有 $a = 1$，即

$$y^* = e^x.$$

故原方程的通解为

$$y = Y + y^* = C_1 e^{\frac{x}{2}} + C_2 e^{-x} + e^x.$$

(2) 由 $r^2 + a^2 = 0$，解得 $r_{1,2} = \pm ai$. 故对应的齐次方程的通解为

$$Y = C_1\cos ax + C_2\sin ax.$$

因 $f(x) = e^x, \lambda = 1$ 不是特征方程的根，故设 $y^* = be^x$ 是原方程的一个特解，代入方程得

$$be^x + a^2 be^x = e^x,$$

消去 e^x，有 $\qquad b = \frac{1}{1+a^2}$，即 $y^* = \frac{e^x}{1+a^2}$.

故原方程的通解为

$$y = Y + y^* = C_1\cos ax + C_2\sin ax + \frac{e^x}{1+a^2}.$$

（3）由 $2r^2+5r=0$，解得 $r_1=0, r_2=-\dfrac{5}{2}$，故对应的齐次方程的通解为

$$Y = C_1 + C_2 e^{-\frac{5}{2}x}.$$

因 $f(x)=5x^2-2x-1, \lambda=0$ 是特征方程的单根，故设 $y^*=x(b_0x^2+b_1x+b_2)$ 是原方程的一个特解，代入方程并整理，得

$$15b_0x^2 + (12b_0+10b_1)x + 4b_1 + 5b_2 = 5x^2-2x-1.$$

比较系数得
$$b_0=\frac{1}{3}, b_1=-\frac{3}{5}, b_2=\frac{7}{25},$$

即
$$y^* = \frac{1}{3}x^3 - \frac{3}{5}x^2 + \frac{7}{25}x.$$

故原方程的通解为

$$y = Y + y^* = C_1 + C_2 e^{-\frac{5}{2}x} + \frac{1}{3}x^3 - \frac{3}{5}x^2 + \frac{7}{25}x.$$

（4）由 $r^2+3r+2=0$ 解得 $r_1=-1, r_2=-2$，故对应的齐次方程的通解为

$$Y = C_1 e^{-x} + C_2 e^{-2x}.$$

因 $f(x)=3xe^{-x}, \lambda=-1$ 是特征方程的单根，故可设
$$y^* = xe^{-x}(ax+b) = e^{-x}(ax^2+bx)$$
是原方程的一个特解，代入方程并消去 e^{-x}，得

$$2ax + (2a+b) = 3x.$$

比较系数，得 $a=\dfrac{3}{2}, b=-3$，即

$$y^* = e^{-x}\left(\frac{3}{2}x^2 - 3x\right).$$

故原方程的通解为

$$y = Y + y^* = C_1 e^{-x} + C_2 e^{-2x} + e^{-x}\left(\frac{3}{2}x^2 - 3x\right).$$

（5）由 $r^2-2r+5=0$，解得 $r_{1,2}=1\pm 2i$，故对应的齐次方程的通解为
$$Y = e^x(C_1\cos 2x + C_2\sin 2x).$$

因 $f(x)=e^x\sin 2x=e^x(0\cdot\cos 2x + 1\cdot\sin 2x), \lambda+i\omega=1+2i$ 是特征方程的单根，故可设

$$y^* = xe^x(a\cos 2x + b\sin 2x)$$
是原方程的一个特解，代入方程并消去 e^x，得

$$4b\cos 2x - 4a\sin 2x = \sin 2x.$$

比较系数,得 $a=-\dfrac{1}{4},b=0$,即

$$y^* = xe^x\left(-\dfrac{1}{4}\cos 2x\right)=-\dfrac{1}{4}xe^x\cos 2x.$$

故原方程的通解为

$$y = Y + y^* = e^x(C_1\cos 2x + C_2\sin 2x)-\dfrac{1}{4}xe^x\cos 2x.$$

(6) 由 $r^2-6r+9=0$ 得 $r_{1,2}=3$,故对应的齐次方程的通解为
$$Y = e^{3x}(C_1 + C_2 x).$$

因 $f(x)=e^{2x}(x+1),\lambda=2$ 不是特征方程的根,故可设
$$y^* = e^{2x}(ax+b)$$

是原方程的一个特解,代入方程并消去 e^{2x},得
$$ax + b - 2a = x+1.$$

比较系数,得 $a=1,b=3$,即
$$y^* = e^{2x}(x+3).$$

故原方程的通解为
$$y = Y + y^* = e^{3x}(C_1 + C_2 x) + e^{2x}(x+3).$$

(7) 由 $r^2+5r+4=0$ 解得 $r_1=-1,r_2=-4$,故对应的齐次方程的通解为
$$Y = C_1 e^{-x} + C_2 e^{-4x}.$$

因 $f(x)=3-2x,\lambda=0$ 不是特征方程的根,故可设
$$y^* = ax + b$$

是原方程的一个特解,代入方程,得
$$4ax + 5a + 4b = -2x + 3.$$

比较系数得 $a=-\dfrac{1}{2},b=\dfrac{11}{8}$,即

$$y^* = -\dfrac{1}{2}x + \dfrac{11}{8}.$$

故原方程的通解为

$$y = Y + y^* = C_1 e^{-x} + C_2 e^{-4x} - \dfrac{1}{2}x + \dfrac{11}{8}.$$

(8) 由 $r^2+4=0$ 解得 $r_{1,2}=\pm 2i$,故对应的齐次方程的通解为
$$Y = C_1\cos 2x + C_2\sin 2x.$$

因 $f(x)=x\cos x,\lambda+i\omega=i$ 不是特征方程的根,故可设
$$y^* = (ax+b)\cos x + (cx+d)\sin x$$

是原方程的一个特解,代入方程,得
$$(3ax + 3b + 2c)\cos x + (3cx + 3d - 2a)\sin x = x\cos x.$$

比较系数有 $\begin{cases} 3a=1, \\ 3b+2c=0, \\ 3c=0, \\ 3d-2a=0, \end{cases}$ 解得 $\begin{cases} a=\dfrac{1}{3}, \\ b=0, \\ c=0, \\ d=\dfrac{2}{9}, \end{cases}$ 即

$$y^* = \frac{1}{3}x\cos x + \frac{2}{9}\sin x.$$

故原方程的通解为

$$y = Y + y^* = C_1\cos 2x + C_2\sin 2x + \frac{1}{3}x\cos x + \frac{2}{9}\sin x.$$

（9）由 $r^2+1=0$ 解得 $r_{1,2}=\pm i$，故对应的齐次方程的通解为

$$Y = C_1\cos x + C_2\sin x.$$

因 $f(x)=e^x+\cos x$，对应于方程 $y''+y=e^x$，可设特解 $y_1^*=Ae^x$；对应于方程 $y''+y=\cos x(\lambda+i\omega=i$ 是特征方程的根）可设特解 $y_2^*=x(B\cos x+C\sin x)$，故由叠加原理，设

$$y^* = Ae^x + x(B\cos x + C\sin x)$$

是原方程的一个特解，代入方程，得

$$2Ae^x + 2C\cos x - 2B\sin x = e^x + \cos x.$$

比较系数，得 $A=\dfrac{1}{2}, B=0, C=\dfrac{1}{2}$，即

$$y^* = \frac{1}{2}e^x + \frac{1}{2}x\sin x.$$

故原方程的通解为

$$y = Y + y^* = C_1\cos x + C_2\sin x + \frac{1}{2}e^x + \frac{1}{2}x\sin x.$$

（10）由 $r^2-1=0$ 解得 $r_{1,2}=\pm 1$，故对应的齐次方程的通解为

$$Y = C_1e^x + C_2e^{-x}.$$

因 $f(x)=\sin^2 x=\dfrac{1}{2}-\dfrac{1}{2}\cos 2x$，对应于方程 $y''-y=\dfrac{1}{2}$，可设特解 $y_1^*=A$；对应于方程 $y''-y=-\dfrac{1}{2}\cos 2x$，可设特解 $y_2^*=B\cos 2x+C\sin 2x$，故由叠加原理，设

$$y^* = A + B\cos 2x + C\sin 2x$$

是原方程的一个特解，代入方程，得

$$-A - 5B\cos 2x - 5C\sin 2x = \frac{1}{2} - \frac{1}{2}\cos 2x.$$

比较系数得 $A=-\dfrac{1}{2}, B=\dfrac{1}{10}, C=0$，即

$$y^* = -\frac{1}{2} + \frac{1}{10}\cos 2x.$$

故原方程的通解为

$$y = Y + y^* = C_1 e^x + C_2 e^{-x} - \frac{1}{2} + \frac{1}{10}\cos 2x.$$

2. 求下列各微分方程满足已给初始条件的特解：

(1) $y'' + y + \sin 2x = 0, y|_{x=\pi} = 1, y'|_{x=\pi} = 1$；

(2) $y'' - 3y' + 2y = 5, y|_{x=0} = 1, y'|_{x=0} = 2$；

(3) $y'' - 10y' + 9y = e^{2x}, y|_{x=0} = \frac{6}{7}, y'|_{x=0} = \frac{33}{7}$；

(4) $y'' - y = 4xe^x, y|_{x=0} = 0, y'|_{x=0} = 1$；

(5) $y'' - 4y' = 5, y|_{x=0} = 1, y'|_{x=0} = 0$.

解 (1) 由 $r^2 + 1 = 0$ 解得 $r_{1,2} = \pm i$，故对应的齐次方程的通解为

$$Y = C_1 \cos x + C_2 \sin x.$$

因 $f(x) = -\sin 2x = e^{0x}(0 \cdot \cos 2x - \sin 2x), \lambda + i\omega = 2i$ 不是特征方程的根，故可设

$$y^* = A\cos 2x + B\sin 2x$$

是原方程的一个特解，代入方程得

$$-3A\cos 2x - 3B\sin 2x = -\sin 2x.$$

比较系数得 $A = 0, B = \frac{1}{3}$，即

$$y^* = \frac{1}{3}\sin 2x.$$

故原方程的通解为

$$y = C_1 \cos x + C_2 \sin x + \frac{1}{3}\sin 2x.$$

且有

$$y' = -C_1 \sin x + C_2 \cos x + \frac{2}{3}\cos 2x.$$

代入初始条件 $x = \pi, y = 1, y' = 1$，有

$$\begin{cases} -C_1 = 1, \\ -C_2 + \frac{2}{3} = 1, \end{cases} \text{即} \begin{cases} C_1 = -1, \\ C_2 = -\frac{1}{3}. \end{cases}$$

故所求特解为

$$y = -\cos x - \frac{1}{3}\sin x + \frac{1}{3}\sin 2x.$$

(2) 由 $r^2 - 3r + 2 = 0$ 解得 $r_1 = 1, r_2 = 2$，故对应的齐次方程的通解为

$$Y = C_1 e^x + C_2 e^{2x}.$$

因 $f(x)=5,\lambda=0$ 不是特征方程的根,故可设 $y^*=A$ 是原方程的一个特解,代入方程得 $A=\dfrac{5}{2}$,即

$$y^*=\dfrac{5}{2}.$$

于是原方程的通解为

$$y=C_1\mathrm{e}^x+C_2\mathrm{e}^{2x}+\dfrac{5}{2},$$

且有

$$y'=C_1\mathrm{e}^x+2C_2\mathrm{e}^{2x}.$$

代入初始条件 $x=0,y=1,y'=2$,有

$$\begin{cases}C_1+C_2+\dfrac{5}{2}=1,\\[2mm]C_1+2C_2=2.\end{cases}\quad 解得\begin{cases}C_1=-5,\\[2mm]C_2=\dfrac{7}{2}.\end{cases}$$

故所求特解为

$$y=-5\mathrm{e}^x+\dfrac{7}{2}\mathrm{e}^{2x}+\dfrac{5}{2}.$$

(3) 由 $r^2-10r+9=0$ 解得 $r_1=1,r_2=9$,故对应的齐次方程的通解为

$$Y=C_1\mathrm{e}^x+C_2\mathrm{e}^{9x}.$$

因 $f(x)=\mathrm{e}^{2x},\lambda=2$ 不是特征方程的根,故可设 $y^*=A\mathrm{e}^{2x}$ 是原方程的一个特解,代入方程并消去 e^{2x},得 $A=-\dfrac{1}{7}$,即

$$y^*=-\dfrac{1}{7}\mathrm{e}^{2x}.$$

于是原方程的通解为

$$y=C_1\mathrm{e}^x+C_2\mathrm{e}^{9x}-\dfrac{1}{7}\mathrm{e}^{2x},$$

且有

$$y'=C_1\mathrm{e}^x+9C_2\mathrm{e}^{9x}-\dfrac{2}{7}\mathrm{e}^{2x}.$$

代入初始条件 $x=0,y=\dfrac{6}{7},y'=\dfrac{33}{7}$,有

$$\begin{cases}C_1+C_2-\dfrac{1}{7}=\dfrac{6}{7},\\[2mm]C_1+9C_2-\dfrac{2}{7}=\dfrac{33}{7},\end{cases}\quad 解得\begin{cases}C_1=\dfrac{1}{2},\\[2mm]C_2=\dfrac{1}{2}.\end{cases}$$

故所求特解为

$$y=\dfrac{1}{2}\mathrm{e}^x+\dfrac{1}{2}\mathrm{e}^{9x}-\dfrac{1}{7}\mathrm{e}^{2x}.$$

(4) 由 $r^2-1=0$ 得特征根 $r_{1,2}=\pm1$,故对应的齐次方程的通解为

$$y=C_1\mathrm{e}^x+C_2\mathrm{e}^{-x}.$$

因 $f(x)=4x\mathrm{e}^x,\lambda=1$ 是特征方程的单根,故可设 $y^*=x\mathrm{e}^x(Ax+B)=\mathrm{e}^x(Ax^2+Bx)$ 是原方程的一个特解,代入方程并消去 e^x,得

$$4Ax+2A+2B=4x.$$

比较系数得 $A=1, B=-1$, 即
$$y^* = e^x(x^2 - x).$$

于是原方程的通解为
$$y = C_1 e^x + C_2 e^{-x} + e^x(x^2 - x),$$
即
$$y = e^x(x^2 - x + C_1) + C_2 e^{-x},$$
且有
$$y' = e^x(x^2 + x - 1 + C_1) - C_2 e^{-x}.$$

代入初始条件 $x=0, y=0, y'=1$, 有
$$\begin{cases} C_1 + C_2 = 0, \\ C_1 - C_2 - 1 = 1, \end{cases} \quad \text{解得} \begin{cases} C_1 = 1, \\ C_2 = -1. \end{cases}$$

故所求特解为
$$y = e^x(x^2 - x + 1) - e^{-x}.$$

(5) 由 $r^2 - 4r = 0$, 解得 $r_1 = 0, r_2 = 4$, 故对应的齐次方程的通解为
$$Y = C_1 + C_2 e^{4x}.$$

因 $f(x) = 5 = 5 \cdot e^{0x}, \lambda = 0$ 是特征方程的单根, 故可设 $y^* = Ax$ 是原方程的一个

特解, 代入方程得 $A = -\dfrac{5}{4}$, 即
$$y^* = -\frac{5}{4}x.$$

于是原方程的通解为
$$y = C_1 + C_2 e^{4x} - \frac{5}{4}x,$$

且有
$$y' = 4C_2 e^{4x} - \frac{5}{4}.$$

代入初始条件 $x=0, y=1, y'=0$, 有
$$\begin{cases} C_1 + C_2 = 1, \\ 4C_2 - \dfrac{5}{4} = 0, \end{cases} \quad \text{解得} \begin{cases} C_1 = \dfrac{11}{16}, \\ C_2 = \dfrac{5}{16}. \end{cases}$$

故所求特解为
$$y = \frac{11}{16} + \frac{5}{16}e^{4x} - \frac{5}{4}x.$$

3. 大炮以仰角 α、初速 v_0 发射炮弹, 若不计空气阻力, 求弹道曲线.

解 取炮口在原点, 炮弹前进的水平方向为 x 轴, 铅直向上为 y 轴, 设在时刻 t, 炮弹位于 $(x(t), y(t))$. 按题意, 有
$$\begin{cases} \dfrac{d^2 y}{dt^2} = -g, \quad (1) \\ \dfrac{d^2 x}{dt^2} = 0. \quad (2) \end{cases} \quad \text{且} \begin{cases} y|_{t=0} = 0, \quad y'|_{t=0} = v_0 \sin \alpha, \\ x|_{t=0} = 0, \quad x'|_{t=0} = v_0 \cos \alpha. \end{cases}$$

解方程(1)，得 $\qquad y = -\dfrac{g}{2}t^2 + C_1 t + C_2,$

代入初始条件 $t=0, y=0, y'=v_0 \sin \alpha$，得 $C_2=0, C_1=v_0 \sin \alpha,$ 即

$$y = v_0 \sin \alpha \cdot t - \dfrac{g}{2}t^2;$$

解方程(2)，得 $\qquad x = C_3 t + C_4,$

代入初始条件 $t=0, x=0, x'=v_0 \cos \alpha$，得 $C_4=0, C_3=v_0 \cos \alpha,$ 即

$$x = v_0 \cos \alpha \cdot t.$$

故弹道曲线为 $\qquad \begin{cases} x = v_0 \cos \alpha \cdot t, \\ y = v_0 \sin \alpha \cdot t - \dfrac{g}{2}t^2. \end{cases}$

4. 在 R、L、C 含源串联电路中，电动势为 E 的电源对电容器 C 充电. 已知 $E=20\,\mathrm{V}, C=0.2\,\mu\mathrm{F}(\text{微法}), L=0.1\,\mathrm{H}(\text{亨}), R=1\,000\,\Omega$，试求合上开关 K 后的电流 $i(t)$ 及电压 $u_C(t)$.

解 由回路定律知

$$LCu_C'' + RCu_C' + u_C = E.$$

即

$$u_C'' + \dfrac{R}{L}u_C' + \dfrac{1}{LC}u_C = \dfrac{E}{LC}.$$

且依题意，有初始条件，$u_C|_{t=0}=0, u_C'|_{t=0}=0.$

已知 $R=1\,000(\Omega), L=0.1(\mathrm{H}), C=0.2(\mathrm{mF})=0.2\times10^{-6}(\mathrm{F}), E=20(\mathrm{V})$，故微分方程为

$$u_C'' + 10^4 u_C' + 5\times10^7 u_C = 10^9,$$

其对应的齐次方程的特征方程为

$$r^2 + 10^4 r + 5\times10^7 = 0,$$

解得 $\qquad r_{1,2} = -\dfrac{10^4}{2} \pm \dfrac{10^4}{2}\mathrm{i} = -5\times10^3 \pm 5\times10^3 \mathrm{i}.$

因 $f(t)=10^9$. 可令 $u_C^* = A$ 是原方程的特解，代入方程，得 $A=20$，即 $u_C^*=20.$ 故方程的通解为

$$u_C = \mathrm{e}^{-5\times10^3 t}\big[C_1\cos(5\times10^3 t) + C_2\sin(5\times10^3 t)\big] + 20,$$

代入初始条件，$t=0, u_C=0$，有 $C_1+20=0$，即 $C_1=-20.$ 又

$$u_C' = -5\times10^3 \mathrm{e}^{-5\times10^3 t}\big[-20\cos(5\times10^3 t) + C_2\sin(5\times10^3 t)\big] +$$
$$\mathrm{e}^{-5\times10^3 t}\big[20\times5\times10^3\sin(5\times10^3 t) + 5\times10^3 C_2\cos(5\times10^3 t)\big]$$

代入初始条件 $t=0, u_C'=0$，有 $-5\times10^3(-20) + 5\times10^3 C_2 = 0$，即 $C_2=-20.$

故 $\quad u_C = 20 - 20\mathrm{e}^{-5\times10^3 t}\big[\cos(5\times10^3 t) + \sin(5\times10^3 t)\big](\mathrm{V}),$

$\quad i = Cu_C' = 0.2\times10^{-6} u_C'$

$$=4\times10^{-2}\mathrm{e}^{-5\times10^3t}\sin(5\times10^3t)(\mathrm{A}).$$

5. 一链条悬挂在一钉子上,起动时一端离开钉子 8 m,另一端离开钉子 12 m,分别在以下两种情况下求链条滑下来所需要的时间:

(1) 若不计钉子对链条所产生的摩擦力;

(2) 若摩擦力为 1 m 长的链条的重量.

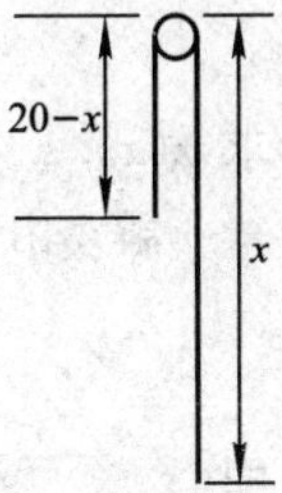

解 设链条的线密度为 $\rho(\mathrm{kg/m})$,则链条的质量为 $20\rho(\mathrm{kg})$. 又设在时刻 t,链条的一端离钉子 $x=x(t)$,则另一端离钉子 $20-x$ (图 7-4),当 $t=0$ 时,$x=12$.

(1) 若不计摩擦力,则运动过程中的链条所受力的大小为 $[x-(20-x)]\rho g$,按牛顿定律,有

$$20\rho x''=[x-(20-x)]\rho g,$$

即

$$x''-\frac{g}{10}x=-g.$$

且有初始条件

$$x|_{t=0}=12,x'|_{t=0}=0.$$

由特征方程 $r^2-\dfrac{g}{10}=0$,解得 $r_{1,2}=\pm\sqrt{\dfrac{g}{10}}$,又将 $x^*=A$ 代入方程,得 $A=10$,即 $x^*=10$. 求得方程通解

$$x=C_1\mathrm{e}^{\sqrt{\frac{g}{10}}t}+C_2\mathrm{e}^{-\sqrt{\frac{g}{10}}t}+10,$$

代入初始条件 $t=0,x=12,x'=0$,得 $C_1=C_2=1$,故

$$x=\mathrm{e}^{\sqrt{\frac{g}{10}}t}+\mathrm{e}^{-\sqrt{\frac{g}{10}}t}+10\left(\text{或}\ x=2\mathrm{ch}\left(\sqrt{\frac{g}{10}}t\right)+10\right).$$

取 $x=20$,得 $\mathrm{e}^{\sqrt{\frac{g}{10}}t}+\mathrm{e}^{-\sqrt{\frac{g}{10}}t}=10\left(\text{或}\ \mathrm{ch}\left(\sqrt{\frac{g}{10}}t\right)=5\right)$,即

$$t=\sqrt{\frac{10}{g}}\ln(5+2\sqrt{6})(\mathrm{s})\left(\text{或}\ t=\sqrt{\frac{10}{g}}\mathrm{arch}\,5(\mathrm{s})\right).$$

(2) 摩擦力为 1 m 长链条的重量即为 ρg,则运动过程中的链条所受力的大小为 $[x-(20-x)]\rho g-\rho g$,按牛顿定律,有

$$20\rho x''=[x-(20-x)]\rho g-\rho g,$$

即

$$x''-\frac{g}{10}x=-\frac{21}{10}g,$$

且有初始条件

$$x|_{t=0}=12,x'|_{t=0}=0.$$

满足该条件的特解为

$$x=\frac{3}{4}(\mathrm{e}^{\sqrt{\frac{g}{10}}t}+\mathrm{e}^{-\sqrt{\frac{g}{10}}t})+\frac{21}{2}\left(\text{或}\ x=\frac{3}{2}\mathrm{ch}\left(\sqrt{\frac{g}{10}}t\right)+\frac{21}{2}\right).$$

取 $x=20$,得 $\mathrm{e}^{\sqrt{\frac{g}{10}}t}+\mathrm{e}^{-\sqrt{\frac{g}{10}}t}=\frac{38}{3}\left(\text{或}\ \mathrm{ch}\left(\sqrt{\frac{g}{10}}t\right)=\frac{19}{3}\right)$,即

图 7-4

$$t=\sqrt{\frac{10}{g}}\ln\left(\frac{19}{3}+\frac{4}{3}\sqrt{22}\right)(\mathrm{s})\left(\text{或 } t=\sqrt{\frac{10}{g}}\,\mathrm{arch}\,\frac{19}{3}(\mathrm{s})\right).$$

6. 设函数 $\varphi(x)$ 连续,且满足

$$\varphi(x)=\mathrm{e}^x+\int_0^x t\varphi(t)\mathrm{d}t-x\int_0^x \varphi(t)\mathrm{d}t,$$

求 $\varphi(x)$.

解 由所给方程可得 $\varphi(0)=1$,在该方程两端对 x 求导,得

$$\varphi'(x)=\mathrm{e}^x+x\varphi(x)-\int_0^x \varphi(t)\mathrm{d}t-x\varphi(x),$$

即

$$\varphi'(x)=\mathrm{e}^x-\int_0^x \varphi(t)\mathrm{d}t.$$

可见

$$\varphi'(0)=1.$$

又在方程 $\varphi'(x)=\mathrm{e}^x-\int_0^x \varphi(t)\mathrm{d}t$ 的两端对 x 求导,得

$$\varphi''(x)=\mathrm{e}^x-\varphi(x).$$

若记 $\varphi(x)=y$,则有初值问题

$$\begin{cases} y''+y=\mathrm{e}^x \\ y\big|_{x=0}=1,y'\big|_{x=0}=1. \end{cases} \tag{1}$$

上述非齐次方程对应的齐次方程的特征方程为 $r^2+1=0$,解得 $r_{1,2}=\pm\mathrm{i}$,而 $f(x)=\mathrm{e}^x$,$\lambda=1$ 不是特征方程的根,故令 $y^*=A\mathrm{e}^x$ 是方程(1)的特解,代入方程 (1)并消去 e^x,得 $A=\frac{1}{2}$,于是方程(1)有通解

$$y=C_1\cos x+C_2\sin x+\frac{1}{2}\mathrm{e}^x,$$

且有

$$y'=-C_1\sin x+C_2\cos x+\frac{1}{2}\mathrm{e}^x.$$

代入初始条件 $x=0,y=1,y'=1$,有

$$\begin{cases} C_1+\dfrac{1}{2}=1, \\ C_2+\dfrac{1}{2}=1, \end{cases} \quad \text{即} \quad C_1=C_2=\frac{1}{2}.$$

于是得

$$y=\varphi(x)=\frac{1}{2}(\cos x+\sin x+\mathrm{e}^x).$$

*习题 7-9　欧拉方程

求下列欧拉方程的通解:

1. $x^2y''+xy'-y=0$; 2. $y''-\dfrac{y'}{x}+\dfrac{y}{x^2}=\dfrac{2}{x}$;

3. $x^3y'''+3x^2y''-2xy'+2y=0$; 4. $x^2y''-2xy'+2y=\ln^2x-2\ln x$;

5. $x^2y''+xy'-4y=x^3$; 6. $x^2y''-xy'+4y=x\sin(\ln x)$;

7. $x^2y''-3xy'+4y=x+x^2\ln x$; 8. $x^3y'''+2xy'-2y=x^2\ln x+3x$.

说明 令 $x=\mathrm{e}^t$ 或 $t=\ln x$,则 $\dfrac{\mathrm{d}y}{\mathrm{d}x}=\dfrac{1}{x}\dfrac{\mathrm{d}y}{\mathrm{d}t}$,即 $x\dfrac{\mathrm{d}y}{\mathrm{d}x}=\dfrac{\mathrm{d}y}{\mathrm{d}t}$. 记 $\dfrac{\mathrm{d}}{\mathrm{d}t}=\mathrm{D},\dfrac{\mathrm{d}^2}{\mathrm{d}t^2}=\mathrm{D}^2$,

$\dfrac{\mathrm{d}^3}{\mathrm{d}t^3}=\mathrm{D}^3$,则

$$x\frac{\mathrm{d}y}{\mathrm{d}x}=\mathrm{D}y,$$

$$x^2\frac{\mathrm{d}^2y}{\mathrm{d}x^2}=\mathrm{D}(\mathrm{D}-1)y,$$

$$x^3\frac{\mathrm{d}^3y}{\mathrm{d}x^3}=\mathrm{D}(\mathrm{D}-1)(\mathrm{D}-2)y.$$

本节习题中8个欧拉方程均用此法转化为常系数线性方程求解.

解 1. 令 $x=\mathrm{e}^t$,记 $\mathrm{D}=\dfrac{\mathrm{d}}{\mathrm{d}t}$,则原方程化为

$$[\mathrm{D}(\mathrm{D}-1)+\mathrm{D}-1]y=0, \tag{1}$$

特征方程为 $r(r-1)+r-1=0$,即 $r^2-1=0$,有特征根 $r_{1,2}=\pm1$,故方程(1)有通解

$$y=C_1\mathrm{e}^t+C_2\mathrm{e}^{-t},$$

即原方程的通解为 $y=C_1x+\dfrac{C_2}{x}$.

2. 原方程可改写成 $x^2y''-xy'+y=2x$. 令 $x=\mathrm{e}^t$,记 $\mathrm{D}=\dfrac{\mathrm{d}}{\mathrm{d}t}$,则方程化为

$$[\mathrm{D}(\mathrm{D}-1)-\mathrm{D}+1]y=2\mathrm{e}^t. \tag{2}$$

方程(2)对应的齐次方程的特征方程为 $r(r-1)-r+1=0$,即 $r^2-2r+1=0$,有特征根 $r_{1,2}=1$. 故方程(2)对应的齐次方程的通解为

$$Y=\mathrm{e}^t(C_1+C_2t).$$

因 $f(t)=2\mathrm{e}^t,\lambda=1$ 是特征(二重)根. 设 $y^*=At^2\mathrm{e}^t$,则

$$\mathrm{D}y=A(t^2+2t)\mathrm{e}^t,\mathrm{D}^2y=A(t^2+4t+2)\mathrm{e}^t,$$

代入方程(2)中可得 $A=1$,即 $y^*=t^2\mathrm{e}^t$,故方程(2)的通解为

$$y=\mathrm{e}^t(C_1+C_2t)+t^2\mathrm{e}^t,$$

即原方程的通解为

$$y=x(C_1+C_2\ln x)+x\ln^2x.$$

3. 令 $x=\mathrm{e}^t$,记 $\mathrm{D}=\dfrac{\mathrm{d}}{\mathrm{d}t}$,则方程可化为

$$[D(D-1)(D-2)+3D(D-1)-2D+2]y=0. \tag{3}$$

其特征方程为 $r(r-1)(r-2)+3r(r-1)-2r+2=0$,即 $(r-1)^2(r+2)=0$,有根 $r_{1,2}=1, r_3=-2$. 故方程(3)的通解为

$$y=e^t(C_1+C_2 t)+C_3 e^{-2t},$$

即原方程的通解为

$$y=x(C_1+C_2\ln x)+\frac{C_3}{x^2}.$$

4. 令 $x=e^t$,记 $D=\dfrac{d}{dt}$,则方程可化为 $[D(D-1)-2D+2]y=t^2-2t$,即

$$(D^2-3D+2)y=t^2-2t, \tag{4}$$

方程(4)对应的齐次方程的特征方程为 $r^2-3r+2=0$,有根 $r_1=1, r_2=2$,故齐次方程的通解为

$$Y=C_1 e^t+C_2 e^{2t}.$$

因 $f(t)=t^2-2t, \lambda=0$ 不是特征方程的根,故可令 $y^*=At^2+Bt+C$ 是(4)的特解,代入方程(4),比较系数得 $A=B=\dfrac{1}{2}, C=\dfrac{1}{4}$,即

$$y^*=\frac{1}{2}t^2+\frac{1}{2}t+\frac{1}{4}.$$

于是方程(4)的通解为

$$y=C_1 e^t+C_2 e^{2t}+\frac{1}{2}t^2+\frac{1}{2}t+\frac{1}{4},$$

即原方程的通解为

$$y=C_1 x+C_2 x^2+\frac{1}{2}\ln^2 x+\frac{1}{2}\ln x+\frac{1}{4}.$$

5. 令 $x=e^t$,记 $D=\dfrac{d}{dt}$,则方程可化为 $[D(D-1)+D-4]y=e^{3t}$,即

$$(D^2-4)y=e^{3t}. \tag{5}$$

方程(5)对应的齐次方程的特征方程为 $r^2-4=0$,有根 $r_{1,2}=\pm 2$,故齐次方程的通解为

$$Y=C_1 e^{2t}+C_2 e^{-2t}=C_1 x^2+\frac{C_2}{x^2}.$$

因 $f(t)=e^{3t}, \lambda=3$ 不是特征方程的根,故可令 $y^*=Ae^{3t}$ 是方程(5)的特解,即 $y^*=Ax^3$ 是原方程的特解,代入原方程 $x^2 y''+xy'-4y=x^3$ 中,得 $A=\dfrac{1}{5}$,即 $y^*=\dfrac{1}{5}x^3$. 故原方程的通解为

$$y=Y+y^*=C_1 x^2+\frac{C_2}{x^2}+\frac{1}{5}x^3.$$

6. 令 $x=\mathrm{e}^t$，记 $\mathrm{D}=\dfrac{\mathrm{d}}{\mathrm{d}y}$，则原方程化为 $[\mathrm{D}(\mathrm{D}-1)-\mathrm{D}+4]y=\mathrm{e}^t\sin t$，即

$$(\mathrm{D}^2-2\mathrm{D}+4)y=\mathrm{e}^t\sin t. \tag{6}$$

方程(6)对应的齐次方程的特征方程为 $r^2-2r+4=0$，有根 $r_{1,2}=1\pm\sqrt{3}\mathrm{i}$，故齐次方程的通解为

$$Y=\mathrm{e}^t[C_1\cos(\sqrt{3}t)+C_2\sin(\sqrt{3}t)].$$

因 $f(x)=\mathrm{e}^t\sin t$，$\lambda+\mathrm{i}\omega=1+\mathrm{i}$ 不是特征方程的根，故令 $y^*=\mathrm{e}^t(A\cos t+B\sin t)$ 是方程(6)的特解，代入方程(6)并比较系数，可得 $A=0$，$B=\dfrac{1}{2}$，即

$$y^*=\frac{\mathrm{e}^t}{2}\sin t,$$

于是方程(6)的通解为

$$y=\mathrm{e}^t[C_1\cos(\sqrt{3}t)+C_2\sin(\sqrt{3}t)]+\frac{\mathrm{e}^t}{2}\sin t,$$

即原方程的通解为

$$y=x[C_1\cos(\sqrt{3}\ln x)+C_2\sin(\sqrt{3}\ln x)]+\frac{x}{2}\sin(\ln x).$$

7. 令 $x=\mathrm{e}^t$，记 $\mathrm{D}=\dfrac{\mathrm{d}}{\mathrm{d}y}$，则原方程可化为 $[\mathrm{D}(\mathrm{D}-1)-3\mathrm{D}+4]y=\mathrm{e}^t+t\mathrm{e}^{2t}$，即

$$(\mathrm{D}^2-4\mathrm{D}+4)y=\mathrm{e}^t+t\mathrm{e}^{2t}. \tag{7}$$

方程(7)对应的齐次方程的特征方程为 $r^2-4r+4=0$，有根 $r_{1,2}=2$，故齐次方程的通解为

$$Y=\mathrm{e}^{2t}(C_1+C_2t).$$

因 $\lambda=1$ 不是特征方程的根，故方程 $(\mathrm{D}^2-4\mathrm{D}+4)y=\mathrm{e}^t$ 的特解 $y_1^*=A\mathrm{e}^t$；
而 $\lambda=2$ 是特征方程的(二重)根，故方程 $(\mathrm{D}^2-4\mathrm{D}+4)y=t\mathrm{e}^{2t}$ 的特解可令作 $y_2^*=t^2\mathrm{e}^{2t}(Bt+C)$. 由叠加原理知，可令 $y^*=y_1^*+y_2^*=A\mathrm{e}^t+(Bt^3+Ct^2)\mathrm{e}^{2t}$ 是方程(7)的特解，代入方程(7)，得

$$A\mathrm{e}^t+(6Bt+2C)\mathrm{e}^{2t}=\mathrm{e}^t+t\mathrm{e}^{2t}.$$

比较系数，得 $A=1$，$B=\dfrac{1}{6}$，$C=0$，即

$$y^*=\mathrm{e}^t+\frac{t^3}{6}\mathrm{e}^{2t}.$$

于是方程(7)的通解为

$$y=\mathrm{e}^{2t}(C_1+C_2t)+\mathrm{e}^t+\frac{t^3}{6}\mathrm{e}^{2t},$$

即原方程的通解为

$$y = x^2(C_1 + C_2 \ln x) + x + \frac{1}{6}x^2 \ln^3 x.$$

8. 令 $x = e^t$，记 $D = \dfrac{d}{dt}$，则原方程可化为 $[D(D-1)(D-2) + 2D - 2]y = te^{2t} + 3e^t$，即

$$[(D-1)(D^2 - 2D + 2)]y = te^{2t} + 3e^t. \tag{8}$$

方程(8)对应的齐次方程的特征方程为 $(r-1)(r^2 - 2r + 2) = 0$，有根 $r_1 = 1, r_{2,3} = 1 \pm i$，故齐次方程的通解为

$$Y = e^t(C_1 + C_2 \cos t + C_3 \sin t).$$

对方程 $[(D-1)(D^2 - 2D + 2)]y = te^{2t}$，因 $\lambda = 2$ 不是特征方程的根，可令 $y_1^* = (At + B)e^{2t}$；

对方程 $[(D-1)(D^2 - 2D + 2)]y = 3e^t$，因 $\lambda = 1$ 是特征方程的单根，可令 $y_2^* = Cte^t$.

由叠加原理，可令 $y^* = y_1^* + y_2^* = (At + B)e^{2t} + Cte^t$ 是方程(8)的特解，即令

$$y^* = x^2(A\ln x + B) + Cx \ln x$$

是原方程的特解，并有

$$y^{*\prime} = 2Ax\ln x + (A + 2B)x + C\ln x + C,$$

$$y^{*\prime\prime} = 2A\ln x + (3A + 2B) + \frac{C}{x},$$

$$y^{*\prime\prime\prime} = \frac{2A}{x} - \frac{C}{x^2}.$$

代入原方程 $x^3 y^{\prime\prime\prime} + 2xy^\prime - 2y = x^2\ln x + 3x$ 中，得

$$2Ax^2\ln x + (4A + 2B)x^2 + Cx = x^2\ln x + 3x.$$

比较系数得 $A = \dfrac{1}{2}, B = -1, C = 3$，即

$$y^* = x^2\left(\frac{1}{2}\ln x - 1\right) + 3x\ln x.$$

故原方程的通解为

$$y = x[C_1 + C_2\cos(\ln x) + C_3\sin(\ln x)] + x^2\left(\frac{1}{2}\ln x - 1\right) + 3x\ln x.$$

*习题 7-10　常系数线性微分方程组解法举例

1. 求下列微分方程组的通解：

$$(1)\begin{cases}\dfrac{\mathrm{d}y}{\mathrm{d}x}=z,\\[2mm]\dfrac{\mathrm{d}z}{\mathrm{d}x}=y;\end{cases}\qquad(2)\begin{cases}\dfrac{\mathrm{d}^2x}{\mathrm{d}t^2}=y,\\[2mm]\dfrac{\mathrm{d}^2y}{\mathrm{d}t^2}=x;\end{cases}$$

$$(3)\begin{cases}\dfrac{\mathrm{d}x}{\mathrm{d}t}+\dfrac{\mathrm{d}y}{\mathrm{d}t}=-x+y+3,\\[2mm]\dfrac{\mathrm{d}x}{\mathrm{d}t}-\dfrac{\mathrm{d}y}{\mathrm{d}t}=x+y-3;\end{cases}\qquad(4)\begin{cases}\dfrac{\mathrm{d}x}{\mathrm{d}t}+5x+y=\mathrm{e}^t,\\[2mm]\dfrac{\mathrm{d}y}{\mathrm{d}t}-x-3y=\mathrm{e}^{2t};\end{cases}$$

$$(5)\begin{cases}\dfrac{\mathrm{d}x}{\mathrm{d}t}+2x+\dfrac{\mathrm{d}y}{\mathrm{d}t}+y=t,\\[2mm]5x+\dfrac{\mathrm{d}y}{\mathrm{d}t}+3y=t^2;\end{cases}\qquad(6)\begin{cases}\dfrac{\mathrm{d}x}{\mathrm{d}t}-3x+2\dfrac{\mathrm{d}y}{\mathrm{d}t}+4y=2\sin t,\\[2mm]2\dfrac{\mathrm{d}x}{\mathrm{d}t}+2x+\dfrac{\mathrm{d}y}{\mathrm{d}t}-y=\cos t.\end{cases}$$

说明 求解线性微分方程组一般采用"消去法":

1° 从方程组中消去一些未知函数及其各阶导数,得到只含一个未知函数的线性微分方程,然后求出该线性微分方程的通解,本题的(1)(2)(3)题采用这种方法来解;对于学过"线性代数"的读者,可以记 $\mathrm{D}=\dfrac{\mathrm{d}}{\mathrm{d}t}$,将微分方程组写成代数线性方程组的形式,然后用类似于克拉默法则的方法,消去一些未知函数而获得一个未知函数的微分方程,本题的(4)(5)(6)题采用这种方法来解.

2° 当用"消去法"求得一个未知函数的通解后,求另一未知函数的通解时,一般不必再积分,否则会出现新的任意常数.

解 (1) 将$\begin{cases}\dfrac{\mathrm{d}y}{\mathrm{d}x}=z, & ①\\[2mm]\dfrac{\mathrm{d}z}{\mathrm{d}x}=y, & ②\end{cases}$中①式的两端关于 x 求导,得$\dfrac{\mathrm{d}^2y}{\mathrm{d}x^2}=\dfrac{\mathrm{d}z}{\mathrm{d}x}$,代入②式

得 $\dfrac{\mathrm{d}^2y}{\mathrm{d}x^2}=y$,即

$$\frac{\mathrm{d}^2y}{\mathrm{d}x^2}-y=0.$$

由它的特征方程 $r^2-1=0$,解得 $r_{1,2}=\pm1$. 于是得

$$y=C_1\mathrm{e}^x+C_2\mathrm{e}^{-x}.$$

从而由①,得

$$z=\frac{\mathrm{d}y}{\mathrm{d}x}=C_1\mathrm{e}^x-C_2\mathrm{e}^{-x}.$$

故方程组的通解为

$$\begin{cases}y=C_1\mathrm{e}^x+C_2\mathrm{e}^{-x},\\z=C_1\mathrm{e}^x-C_2\mathrm{e}^{-x}.\end{cases}$$

(2) 将$\begin{cases}\dfrac{\mathrm{d}^2x}{\mathrm{d}t^2}=y, & ①\\[2mm]\dfrac{\mathrm{d}^2y}{\mathrm{d}t^2}=x, & ②\end{cases}$中①式两端关于 t 求二阶导数,得$\dfrac{\mathrm{d}^4x}{\mathrm{d}t^4}=\dfrac{\mathrm{d}^2y}{\mathrm{d}t^2}$,代入②式

得 $\dfrac{\mathrm{d}^4 x}{\mathrm{d}t^4} = x$，即

$$\frac{\mathrm{d}^4 x}{\mathrm{d}t^4} - x = 0.$$

由它的特征方程 $r^4 - 1 = 0$，解得 $r_{1,2} = \pm 1, r_{3,4} = \pm \mathrm{i}$. 于是得

$$x = C_1 \mathrm{e}^t + C_2 \mathrm{e}^{-t} + C_3 \cos t + C_4 \sin t.$$

再由①，得 $\qquad y = \dfrac{\mathrm{d}^2 x}{\mathrm{d}t^2} = C_1 \mathrm{e}^t + C_2 \mathrm{e}^{-t} - C_3 \cos t - C_4 \sin t.$

故方程组的通解为 $\begin{cases} x = C_1 \mathrm{e}^t + C_2 \mathrm{e}^{-t} + C_3 \cos t + C_4 \sin t, \\ y = C_1 \mathrm{e}^t + C_2 \mathrm{e}^{-t} - C_3 \cos t - C_4 \sin t. \end{cases}$

(3) 将 $\begin{cases} x' + y' = -x + y + 3, & ① \\ x' - y' = x + y - 3, & ② \end{cases}$ 的①+②得 $\qquad x' = y \qquad\qquad ③$

代入①式，得 $x' + x'' = -x + x' + 3$，即

$$x'' + x = 3. \qquad\qquad ④$$

由它对应的齐次方程的特征方程 $r^2 + 1 = 0$，解得 $r_{1,2} = \pm \mathrm{i}$，且易见 $x^* = 3$ 是④的特解，于是

$$x = C_1 \cos t + C_2 \sin t + 3.$$

由③得 $\qquad\qquad y = x' = -C_1 \sin t + C_2 \cos t,$

故方程组的通解为 $\qquad \begin{cases} x = C_1 \cos t + C_2 \sin t + 3, \\ y = -C_1 \sin t + C_2 \cos t. \end{cases}$

(4) 记 $\mathrm{D} = \dfrac{\mathrm{d}}{\mathrm{d}t}$，则方程组可表示为

$$\begin{cases} (\mathrm{D} + 5)x + y = \mathrm{e}^t, & ① \\ -x + (\mathrm{D} - 3)y = \mathrm{e}^{2t}, & ② \end{cases}$$

记 $\Delta = \begin{vmatrix} \mathrm{D}+5 & 1 \\ -1 & \mathrm{D}-3 \end{vmatrix}, \Delta_x = \begin{vmatrix} \mathrm{e}^t & 1 \\ \mathrm{e}^{2t} & \mathrm{D}-3 \end{vmatrix}$，则有 $\Delta x = \Delta_x$，即

$$(\mathrm{D}^2 + 2\mathrm{D} - 14)x = -2\mathrm{e}^t - \mathrm{e}^{2t}. \qquad\qquad ③$$

由其对应的齐次方程的特征方程 $r^2 + 2r - 14 = 0$，解得 $r_{1,2} = -1 \pm \sqrt{15}\,\mathrm{i}$，并令 $x^* = A\mathrm{e}^t + B\mathrm{e}^{2t}$ 是方程③的特解，代入③并比较系数，得

$$x^* = \frac{2}{11}\mathrm{e}^t + \frac{1}{6}\mathrm{e}^{2t},$$

于是得

$$x = C_1 \mathrm{e}^{(-1+\sqrt{15})t} + C_2 \mathrm{e}^{(-1-\sqrt{15})t} + \frac{2}{11}\mathrm{e}^t + \frac{1}{6}\mathrm{e}^{2t},$$

并由①得

$$y = \mathrm{e}^t - (\mathrm{D} + 5)x,$$

即 $y=(-4-\sqrt{15})C_1 e^{(-1+\sqrt{15})t}-(4-\sqrt{15})C_2 e^{(-1-\sqrt{15})t}-\dfrac{1}{11}e^t-\dfrac{7}{6}e^{2t}.$

(5) 记 $D=\dfrac{d}{dt}$，方程组可表示为

$$\begin{cases}(D+2)x+(D+1)y=t, & ① \\ 5x+(D+3)y=t^2, & ②\end{cases}$$

则有

$$\begin{vmatrix}D+2 & D+1 \\ 5 & D+3\end{vmatrix}y=\begin{vmatrix}D+2 & t \\ 5 & t^2\end{vmatrix},$$

即

$$(D^2+1)y=2t^2-3t. \qquad ③$$

③所对应的齐次方程的特征方程的根为 $r_{1,2}=\pm i$，令 $y^*=At^2+Bt+C$，代入③并比较系数，可得 $A=2,B=-3,C=-4$. 于是

$$y=C_1\cos t+C_2\sin t+2t^2-3t-4.$$

再由②得 $x=\dfrac{1}{5}[t^2-(D+3)y]$，即

$$x=-\frac{3C_1+C_2}{5}\cos t+\frac{C_1-3C_2}{5}\sin t-t^2+t+3.$$

(6) 记 $D=\dfrac{d}{dt}$，方程组可表示为

$$\begin{cases}(D-3)x+(2D+4)y=2\sin t, & ① \\ (2D+2)x+(D-1)y=\cos t & ②\end{cases}$$

则有

$$\begin{vmatrix}D-3 & 2D+4 \\ 2D+2 & D-1\end{vmatrix}x=\begin{vmatrix}2\sin t & 2D+4 \\ \cos t & D-1\end{vmatrix},$$

即

$$(3D^2+16D+5)x=2\cos t. \qquad ③$$

③所对应的齐次方程的特征方程为 $3r^2+16r+5=0$，有根 $r_1=-5,r_2=-\dfrac{1}{3}$.

令③的特解 $x^*=A\cos t+B\sin t$，代入③并比较系数，可得 $A=\dfrac{1}{65},B=\dfrac{8}{65}$. 于是

$$x=C_1 e^{-5t}+C_2 e^{-\frac{1}{3}t}+\frac{1}{65}\cos t+\frac{8}{65}\sin t.$$

再由①$-2\times$②，得

$$-(3D+7)x+6y=2\sin t-2\cos t,$$

即

$$y=\frac{1}{6}[2\sin t-2\cos t+(3D+7)x]$$

$$=-\frac{4}{3}C_1 e^{-5t}+C_2 e^{-\frac{1}{3}t}+\frac{61\sin t-33\cos t}{130}.$$

2. 求下列微分方程组满足所给初始条件的特解：

$(1)\begin{cases}\dfrac{\mathrm{d}x}{\mathrm{d}t}=y,x\big|_{t=0}=0,\\[2mm]\dfrac{\mathrm{d}y}{\mathrm{d}t}=-x,y\big|_{t=0}=1;\end{cases}$ $\qquad(2)\begin{cases}\dfrac{\mathrm{d}^2x}{\mathrm{d}t^2}+2\dfrac{\mathrm{d}y}{\mathrm{d}t}-x=0,x\big|_{t=0}=1,\\[2mm]\dfrac{\mathrm{d}x}{\mathrm{d}t}+y=0,y\big|_{t=0}=0;\end{cases}$

$(3)\begin{cases}\dfrac{\mathrm{d}x}{\mathrm{d}t}+3x-y=0,x\big|_{t=0}=1,\\[2mm]\dfrac{\mathrm{d}y}{\mathrm{d}t}-8x+y=0,y\big|_{t=0}=4;\end{cases}$ $\qquad(4)\begin{cases}2\dfrac{\mathrm{d}x}{\mathrm{d}t}-4x+\dfrac{\mathrm{d}y}{\mathrm{d}t}-y=\mathrm{e}^t,x\big|_{t=0}=\dfrac{3}{2},\\[2mm]\dfrac{\mathrm{d}x}{\mathrm{d}t}+3x+y=0,y\big|_{t=0}=0;\end{cases}$

$(5)\begin{cases}\dfrac{\mathrm{d}x}{\mathrm{d}t}+2x-\dfrac{\mathrm{d}y}{\mathrm{d}t}=10\cos t,x\big|_{t=0}=2,\\[2mm]\dfrac{\mathrm{d}x}{\mathrm{d}t}+\dfrac{\mathrm{d}y}{\mathrm{d}t}+2y=4\mathrm{e}^{-2t},y\big|_{t=0}=0;\end{cases}$

$(6)\begin{cases}\dfrac{\mathrm{d}x}{\mathrm{d}t}-x+\dfrac{\mathrm{d}y}{\mathrm{d}t}+3y=\mathrm{e}^{-t}-1,x\big|_{t=0}=\dfrac{48}{49},\\[2mm]\dfrac{\mathrm{d}x}{\mathrm{d}t}+2x+\dfrac{\mathrm{d}y}{\mathrm{d}t}+y=\mathrm{e}^{2t}+t,y\big|_{t=0}=\dfrac{95}{98}.\end{cases}$

解 (1) 记 $\mathrm{D}=\dfrac{\mathrm{d}}{\mathrm{d}t}$,原方程组即为

$$\begin{cases}\mathrm{D}x-y=0,\\x+\mathrm{D}y=0.\end{cases}\qquad\text{①}\\\text{②}$$

则有 $\qquad\begin{vmatrix}\mathrm{D}&-1\\1&\mathrm{D}\end{vmatrix}x=0,$

即 $\qquad\qquad\qquad(\mathrm{D}^2+1)x=0.\qquad\qquad\text{③}$

由③的特征方程 $r^2+1=0$,解得 $r_{1,2}=\pm\mathrm{i}$,于是

$$x=C_1\cos t+C_2\sin t.$$

代入初始条件 $t=0,x=0$,得 $C_1=0$. 故 $\qquad x=C_2\sin t.$

又由①得 $\qquad\qquad\qquad y=\mathrm{D}x=C_2\cos t,$

代入初始条件 $t=0,y=1$,得 $C_2=1$. 故方程组的特解为

$$\begin{cases}x=\sin t,\\y=\cos t.\end{cases}$$

(2) 记 $\mathrm{D}=\dfrac{\mathrm{d}}{\mathrm{d}t}$,原方程组即为

$$\begin{cases}(\mathrm{D}^2-1)x+2\mathrm{D}y=0,\\\mathrm{D}x+y=0.\end{cases}\qquad\text{①}\\\text{②}$$

则有 $\qquad\begin{vmatrix}\mathrm{D}^2-1&2\mathrm{D}\\\mathrm{D}&1\end{vmatrix}x=0,$

即 $(D^2+1)x=0.$ ③

由③的特征方程 $r^2+1=0$,解得 $r_{1,2}=\pm i$,于是
$$x=C_1\cos t+C_2\sin t.$$
代入初始条件 $t=0,x=1$,得 $C_1=1$,即 $x=\cos t+C_2\sin t.$

又由②得 $y=-Dx=\sin t-C_2\cos t,$

代入初始条件 $t=0,y=0$,得 $C_2=0$. 故方程组的特解为
$$\begin{cases} x=\cos t, \\ y=\sin t. \end{cases}$$

(3) 记 $D=\dfrac{d}{dt}$,方程组即为
$$\begin{cases} (D+3)x-y=0, & ① \\ -8x+(D+1)y=0. & ② \end{cases}$$

则有
$$\begin{vmatrix} D+3 & -1 \\ -8 & D+1 \end{vmatrix}x=0,$$

即 $(D^2+4D-5)x=0.$ ③

由③的特征方程 $r^2+4r-5=0$ 解得 $r_1=1,r_2=-5$. 于是
$$x=C_1e^t+C_2e^{-5t}.$$
又由①得 $y=(D+3)x=4C_1e^t-2C_2e^{-5t}.$

代入初始条件 $t=0,x=1,y=4$,就有
$$\begin{cases} C_1+C_2=1, \\ 4C_1-2C_2=4, \end{cases}$$

解得 $C_1=1,C_2=0$. 故方程组的特解为
$$\begin{cases} x=e^t, \\ y=4e^t. \end{cases}$$

(4) 记 $D=\dfrac{d}{dt}$,方程组即为
$$\begin{cases} (2D-4)x+(D-1)y=e^t, & ① \\ (D+3)x+y=0. & ② \end{cases}$$

则有
$$\begin{vmatrix} 2D-4 & D-1 \\ D+3 & 1 \end{vmatrix}x=\begin{vmatrix} e^t & D-1 \\ 0 & 1 \end{vmatrix},$$

即 $(D^2+1)x=-e^t.$ ③

由方程③对应的齐次方程的特征方程 $r^2+1=0$ 解得
$$r_{1,2}=\pm i.$$

令 $x^*=Ae^t,$

代入方程③并比较系数得 $A=-\dfrac{1}{2}$,即 $x^*=-\dfrac{1}{2}e^t.$ 于是

$$x = C_1\cos t + C_2\sin t - \frac{1}{2}e^t.$$

又由②得 $y=-(D+3)x=(C_1-3C_2)\sin t-(3C_1+C_2)\cos t+2e^t.$

代入初始条件 $t=0, x=\dfrac{3}{2}, y=0$, 就有

$$\begin{cases} C_1 - \dfrac{1}{2} = \dfrac{3}{2}, \\ -3C_1 - C_2 + 2 = 0, \end{cases}$$

解得 $C_1=2, C_2=-4$. 故方程组的特解为

$$\begin{cases} x = 2\cos t - 4\sin t - \dfrac{1}{2}e^t, \\ y = 14\sin t - 2\cos t + 2e^t. \end{cases}$$

(5) 记 $D=\dfrac{d}{dt}$, 方程组即为

$$\begin{cases} (D+2)x - Dy = 10\cos t, & ① \\ Dx + (D+2)y = 4e^{-2t}. & ② \end{cases}$$

则有
$$\begin{vmatrix} D+2 & -D \\ D & D+2 \end{vmatrix} y = \begin{vmatrix} D+2 & 10\cos t \\ D & 4e^{-2t} \end{vmatrix},$$

即
$$(D^2+2D+2)y = 5\sin t. \qquad ③$$

由方程③对应的齐次方程的特征方程 $r^2+2r+2=0$, 解得 $r_{1,2}=-1\pm i$. 令 $y^*=A\cos t+B\sin t$, 代入方程③并比较系数, 得 $A=-2, B=1$. 于是

$$y = e^{-t}(C_1\cos t + C_2\sin t) - 2\cos t + \sin t.$$

又由①-②得

$$x = 5\cos t - 2e^{-2t} + (D+1)y$$
$$= e^{-t}(C_2\cos t - C_1\sin t) + 4\cos t + 3\sin t - 2e^{-2t}.$$

代入初始条件 $t=0, x=2, y=0$, 有

$$\begin{cases} C_2 + 4 - 2 = 2, \\ C_1 - 2 = 0, \end{cases} \quad 即 \quad \begin{cases} C_1 = 2, \\ C_2 = 0. \end{cases}$$

故方程组的特解为 $\begin{cases} x = 4\cos t + 3\sin t - 2e^{-2t} - 2e^{-t}\sin t, \\ y = -2\cos t + \sin t + 2e^{-t}\cos t. \end{cases}$

(6) 记 $D=\dfrac{d}{dt}$, 方程组即为

$$\begin{cases} (D-1)x + (D+3)y = e^{-t} - 1, & ① \\ (D+2)x + (D+1)y = e^{2t} + t. & ② \end{cases}$$

则有
$$\begin{vmatrix} D-1 & D+3 \\ D+2 & D+1 \end{vmatrix} x = \begin{vmatrix} e^{-t}-1 & D+3 \\ e^{2t}+1 & D+1 \end{vmatrix},$$

即 $$(5\mathrm{D}+7)x=5\mathrm{e}^{2t}+3t+2 \qquad ③$$

亦即 $$\mathrm{D}x+\frac{7}{5}x=\mathrm{e}^{2t}+\frac{3}{5}t+\frac{2}{5}.$$

由一阶线性方程的通解公式,得

$$x=\mathrm{e}^{-\int\frac{7}{5}\mathrm{d}t}\left[\int\left(\mathrm{e}^{2t}+\frac{3}{5}t+\frac{2}{5}\right)\mathrm{e}^{\int\frac{7}{5}\mathrm{d}t}\mathrm{d}t+C\right]$$

$$=C\mathrm{e}^{-\frac{7}{5}t}+\frac{5}{17}\mathrm{e}^{2t}+\frac{3}{7}t-\frac{1}{49}.$$

代入初始条件 $t=0,x=\dfrac{48}{49}$,得 $C=\dfrac{12}{17}$. 于是

$$x=\frac{12}{17}\mathrm{e}^{-\frac{7}{5}t}+\frac{5}{17}\mathrm{e}^{2t}+\frac{3}{7}t-\frac{1}{49}.$$

由①-②得

$$y=\frac{3}{2}x+\frac{1}{2}(\mathrm{e}^{-t}-\mathrm{e}^{2t}-t-1)$$

$$=\frac{18}{17}\mathrm{e}^{-\frac{7}{5}t}-\frac{1}{17}\mathrm{e}^{2t}+\frac{1}{2}\mathrm{e}^{-t}+\frac{1}{7}t-\frac{26}{49}.$$

总习题七

1. 填空

(1) $xy'''+2x^2y'^2+x^3y=x^4+1$ 是_____阶微分方程;

(2) 一阶线性微分方程 $y'+P(x)y=Q(x)$ 的通解为_____.

(3) 与积分方程 $y=\displaystyle\int_{x_0}^{x}f(x,y)\mathrm{d}x$ 等价的微分方程初值问题是_____.

(4) 已知 $y=1,y=x,y=x^2$ 是某二阶非齐次线性微分方程的三个解,则该方程的通解为_____.

解 (1) 3.

(2) $y=\mathrm{e}^{-\int P(x)\mathrm{d}x}\left(\int Q(x)\mathrm{e}^{\int P(x)\mathrm{d}x}\mathrm{d}x+C\right)$.

(3) $y'=f(x,y),y\big|_{x=x_0}=0$.

注 1° 方程 $y=\displaystyle\int_{x_0}^{x}f(x,y)\mathrm{d}x$ 的积分上限 x 是积分方程的变量,它是与 y 相对应的;而积分表达式中 $f(x,y)\mathrm{d}x$ 中的 x 是积分变量,不能将它与积分上限相混淆,故积分方程应理解为 $y=\displaystyle\int_{x_0}^{x}f(t,y)\mathrm{d}t$.

2° 由于积分方程 $y=\displaystyle\int_{x_0}^{x}f(t,y)\mathrm{d}t$ 确定了隐函数 $y=y(x)$,因此积分方程中

的 y 取 $y=y(x)$ 后,有恒等式

$$y(x) \equiv \int_{x_0}^{x} f[t, y(t)]\mathrm{d}t.$$

于是上式两端对 x 求导,就得 $y'(x)=f[x, y(x)]$,即 $y'=f(x, y)$. 显然,当 $x=x_0$ 时, $y=\int_{x_0}^{x_0} f(x, y)\mathrm{d}x=0$,即 $y|_{x=x_0}=0$.

(4) $y=C_1(x-1)+C_2(x^2-1)+1$.

因为由叠加原理知 $x-1$ 与 x^2-1 是非齐次方程对应的齐次方程的解,且它们是线性无关的. 于是根据线性方程通解结构得出以上结论.

2. 求以下列各式所表示的函数为通解的微分方程:

(1) $(x+C)^2+y^2=1$(其中 C 为任意常数);

(2) $y=C_1\mathrm{e}^x+C_2\mathrm{e}^{2x}$(其中 C_1, C_2 为任意常数).

解 (1) 将 $(x+C)^2+y^2=1$ 两端关于 x 求导,得

$$x+C+yy'=0,$$

即有

$$C=-x-yy',$$

将其代入 $(x+C)^2+y^2=1$ 中,得

$$y^2(1+y'^2)=1.$$

(2) 将 $y=C_1\mathrm{e}^x+C_2\mathrm{e}^{2x}$ 关于 x 求二次导数,得

$$\begin{cases} y'=C_1\mathrm{e}^x+2C_2\mathrm{e}^{2x}, \\ y''=C_1\mathrm{e}^x+4C_2\mathrm{e}^{2x}. \end{cases}$$

把以上两式看成是以 C_1 与 C_2 为未知量的线性方程组,解得

$$C_1=(2y'-y'')\mathrm{e}^{-x}, \quad C_2=\frac{1}{2}(y''-y')\mathrm{e}^{-2x},$$

代入 $y=C_1\mathrm{e}^x+C_2\mathrm{e}^{2x}$ 中,得

$$y=(2y'-y'')+\frac{1}{2}(y''-y'),$$

即

$$y''-3y'+2y=0.$$

3. 求下列微分方程的通解:

(1) $xy'+y=2\sqrt{xy}$;   (2) $xy'\ln x+y=ax(\ln x+1)$;

(3) $\dfrac{\mathrm{d}y}{\mathrm{d}x}=\dfrac{y}{2(\ln y-x)}$;   *(4) $\dfrac{\mathrm{d}y}{\mathrm{d}x}+xy-x^3y^3=0$;

(5) $y''+y'^2+1=0$;   (6) $yy''-y'^2-1=0$;

(7) $y''+2y'+5y=\sin 2x$;   (8) $y'''+y''-2y'=x(\mathrm{e}^x+4)$;

*(9) $(y^4-3x^2)\mathrm{d}y+xy\mathrm{d}x=0$;   (10) $y'+x=\sqrt{x^2+y}$.

解 (1) 将方程化为 $y'+\dfrac{y}{x}=2\sqrt{\dfrac{y}{x}}$,并令 $\dfrac{y}{x}=u$,则方程成为

$$xu' = 2\sqrt{u} - 2u.$$

分离变量后有

$$\frac{\mathrm{d}u}{2\sqrt{u}(1-\sqrt{u})} = \frac{\mathrm{d}x}{x},$$

积分得

$$\ln|1-\sqrt{u}| = -\ln|x| + \ln C_1,$$

即

$$x(1-\sqrt{u}) = C$$

代入 $u = \dfrac{y}{x}$,

得原方程的通解 $x - \sqrt{xy} = C$.

(2) 原方程可化为 $\quad y' + \dfrac{1}{x\ln x}y = a\left(1 + \dfrac{1}{\ln x}\right),$

由一阶线性方程的通解公式,得

$$
\begin{aligned}
y &= \mathrm{e}^{-\int \frac{1}{x\ln x}\mathrm{d}x}\left[\int a\left(1 + \frac{1}{\ln x}\right)\mathrm{e}^{\int \frac{1}{x\ln x}\mathrm{d}x}\mathrm{d}x + C\right]\\
&= \frac{1}{\ln x}\left[\int a(\ln x + 1)\mathrm{d}x + C\right] = \frac{1}{\ln x}(ax\ln x + C)\\
&= ax + \frac{C}{\ln x}.
\end{aligned}
$$

故方程的通解为 $\quad y = ax + \dfrac{C}{\ln x}.$

(3) 原方程可表示为 $\quad \dfrac{\mathrm{d}x}{\mathrm{d}y} + \dfrac{2}{y}x = \dfrac{2\ln y}{y},$

由一阶线性方程的通解公式,得

$$
\begin{aligned}
x &= \mathrm{e}^{-\int \frac{2}{y}\mathrm{d}y}\left(\int \frac{2\ln y}{y}\mathrm{e}^{\int \frac{2}{y}\mathrm{d}y}\mathrm{d}y + C\right)\\
&= \frac{1}{y^2}\left(\int 2y\ln y\,\mathrm{d}y + C\right) = \frac{1}{y^2}\left(y^2\ln y - \frac{1}{2}y^2 + C\right)\\
&= \ln y - \frac{1}{2} + \frac{C}{y^2}.
\end{aligned}
$$

故方程的通解为 $\quad x = \dfrac{C}{y^2} + \ln y - \dfrac{1}{2}.$

*(4) 原方程为伯努利方程 $y' + xy = x^3 y^3$. 该方程两端同除以 y^3 后成为

$$\frac{y'}{y^3} + x\frac{1}{y^2} = x^3.$$

令 $\dfrac{1}{y^2} = z$, 则 $-2\dfrac{y'}{y^3} = z'$, 且原方程化为

$$z' - 2xz = -2x^3.$$

得
$$z = \mathrm{e}^{\int 2x \mathrm{d}x} \left(\int -2x^3 \mathrm{e}^{-\int 2x \mathrm{d}x} \mathrm{d}x + C \right) = \mathrm{e}^{x^2} \left(\int -2x^3 \mathrm{e}^{-x^2} \mathrm{d}x + C \right)$$
$$= \mathrm{e}^{x^2} \left(x^2 \mathrm{e}^{-x^2} - \int 2x \mathrm{e}^{-x^2} \mathrm{d}x + C \right) = \mathrm{e}^{x^2} \left(x^2 \mathrm{e}^{-x^2} + \mathrm{e}^{-x^2} + C \right)$$
$$= x^2 + 1 + C \mathrm{e}^{x^2}.$$

代入 $z = \dfrac{1}{y^2}$, 即得原方程的通解

$$\frac{1}{y^2} = C \mathrm{e}^{x^2} + x^2 + 1.$$

(5) 令 $y' = p$, 则 $y'' = p'$ 且方程成为

$$p' + p^2 + 1 = 0.$$

分离变量并积分

$$\int \frac{\mathrm{d}p}{1 + p^2} = -\int \mathrm{d}x,$$

得
$$\arctan p = -x + C_1,$$
即

$$y' = p = \tan(-x + C_1),$$

于是得通解
$$y = \int -\tan(x - C_1) \mathrm{d}x$$
$$= \ln|\cos(x - C_1)| + C_2,$$

或写成
$$y = \ln|\cos(x + C_1)| + C_2.$$

(6) 此方程不显含 x, 令 $y' = p$, 则 $y'' = p \dfrac{\mathrm{d}p}{\mathrm{d}y}$, 且原方程化为

$$yp \frac{\mathrm{d}p}{\mathrm{d}y} - p^2 - 1 = 0.$$

分离变量

$$\frac{p \mathrm{d}p}{p^2 + 1} = \frac{\mathrm{d}y}{y},$$

积分得
$$\frac{1}{2} \ln(p^2 + 1) = \ln y + \ln C_1,$$
即
$$p^2 + 1 = (C_1 y)^2,$$
故
$$p = \pm \sqrt{(C_1 y)^2 - 1}.$$

取 $y' = \sqrt{(C_1 y)^2 - 1}$, 分离变量并积分

$$x = \int \mathrm{d}x = \int \frac{\mathrm{d}y}{\sqrt{(C_1 y)^2 - 1}} = \frac{1}{C_1} \int \frac{\mathrm{d}(C_1 y)}{\sqrt{(C_1 y)^2 - 1}}$$
$$= \frac{1}{C_1} \left\{ \ln \left[C_1 y + \sqrt{(C_1 y)^2 - 1} \right] - C_2 \right\},$$

即
$$C_1 y = \frac{e^{C_1 x + C_2} + e^{-(C_1 x + C_2)}}{2}.$$

对于 $y' = -\sqrt{(C_1 y)^2 - 1}$，可得相同的结果，故原方程的通解为

$$y = \frac{1}{2C_1}(e^{C_1 x + C_2} + e^{-C_1 x - C_2}).$$

(7) 原方程对应的齐次方程的特征方程为 $r^2 + 2r + 5 = 0$，有根 $r_{1,2} = -1 \pm 2i$，故对应齐次方程的通解为 $Y = e^{-x}(C_1 \cos 2x + C_2 \sin 2x)$.

因 $f(x) = \sin 2x$，$\lambda + i\omega = 2i$ 不是特征方程的根，故令 $y^* = A\cos 2x + B\sin 2x$ 是原方程的特解. 将 y^* 代入原方程，可得

$$(A + 4B)\cos 2x + (B - 4A)\sin 2x = \sin 2x.$$

比较系数，得 $\begin{cases} A + 4B = 0, \\ B - 4A = 1, \end{cases}$ 即 $A = -\frac{4}{17}, B = \frac{1}{17}.$

于是
$$y^* = -\frac{4}{17}\cos 2x + \frac{1}{17}\sin 2x.$$

故原方程的通解为

$$y = e^{-x}(C_1 \cos 2x + C_2 \sin 2x) - \frac{4}{17}\cos 2x + \frac{1}{17}\sin 2x.$$

(8) 原方程对应的齐次方程的特征方程为 $r^3 + r^2 - 2r = 0$，有根 $r_1 = 0, r_2 = 1$，$r_3 = -2$，故对应齐次方程的通解为 $Y = C_1 + C_2 e^x + C_3 e^{-2x}$.

对于方程 $\qquad y''' + y'' - 2y' = xe^x, \qquad\qquad ①$
因 $f_1(x) = xe^x$，其中 $\lambda = 1$ 是特征方程的（单）根，故令 $y_1^* = x(A_1 x + B_1)e^x$，代入 ①中并消去 e^x，得 $\qquad 6A_1 x + 8A_1 + 3B_1 = x,$

比较系数得 $\begin{cases} 6A_1 = 1, \\ 8A_1 + 3B_1 = 0, \end{cases}$ 即 $A_1 = \frac{1}{6}, B_1 = -\frac{4}{9}.$

于是 $\qquad\qquad y_1^* = \left(\frac{1}{6}x^2 - \frac{4}{9}x\right)e^x.$

对于方程 $\qquad y''' + y'' - 2y' = 4x, \qquad\qquad ②$
因 $f_2(x) = 4x$，其中 $\lambda = 0$ 是特征方程的（单）根，故令 $y_2^* = x(A_2 x + B_2)$，代入②中，得 $\qquad\qquad -4A_2 x + 2A_2 - 2B_2 = 4x.$

比较系数得 $\qquad\qquad A_2 = -1, B_2 = -1.$
于是 $\qquad\qquad y_2^* = -x^2 - x.$

根据线性方程解的叠加原理知 $y^* = y_1^* + y_2^*$ 是原方程的特解，故原方程的通解为

$$y = Y + y^* = C_1 + C_2 e^x + C_3 e^{-2x} + \left(\frac{1}{6}x^2 - \frac{4}{9}x\right)e^x - x^2 - x.$$

*(9) 原方程可改写成 $\dfrac{dx}{dy} - \dfrac{3}{y}x = -y^3 x^{-1}$，这是伯努利方程. 在此方程两

端同乘以 x,得
$$x\frac{dx}{dy}-\frac{3}{y}x^2=-y^3.$$

令 $x^2=z$,则 $\frac{dz}{dy}=2x\frac{dx}{dy}$,且原方程化为

$$\frac{dz}{dy}-\frac{6}{y}z=-2y^3.$$

解得
$$z=e^{\int\frac{6}{y}dy}\left(\int-2y^3e^{-\int\frac{6}{y}dy}dy+C\right)=y^6\left(\int-\frac{2}{y^3}dy+C\right)$$
$$=y^6\left(\frac{1}{y^2}+C\right)=y^4+Cy^6.$$

代入 $z=x^2$,得原方程的通解 $x^2=y^4+Cy^6.$

(10) 令 $u=\sqrt{x^2+y}$,即 $y=u^2-x^2$,则 $\frac{dy}{dx}=2u\frac{du}{dx}-2x.$

且原方程化为 $2u\frac{du}{dx}-x=u$,即
$$\frac{du}{dx}-\frac{1}{2}\left(\frac{x}{u}\right)=\frac{1}{2}.$$

又令 $\frac{u}{x}=v$,即 $u=xv$,则 $\frac{du}{dx}=v+x\frac{dv}{dx}$. 且原方程化为

$$v+x\frac{dv}{dx}-\frac{1}{2v}=\frac{1}{2}.$$

分离变量得
$$\frac{vdv}{2v^2-v-1}=-\frac{1}{2}\frac{dx}{x}.$$

积分
$$-\frac{1}{2}\ln|x|=\int\frac{vdv}{2v^2-v-1}=\frac{1}{3}\left(\int\frac{1}{v-1}dv+\int\frac{1}{2v+1}dv\right)$$
$$=\frac{1}{3}\left[\ln|v-1|+\frac{1}{2}\ln|2v-1|\right]+C_1,$$

即
$$(v-1)^2(2v-1)x^3=C_2(C_2=e^{-6C_1}).$$

代入 $v=\frac{u}{x}$,得

$$2u^3-3xu^2+x^3=C_2.$$

再代入 $u=\sqrt{x^2+y}$,得原方程的通解

$$2(x^2+y)^{\frac{3}{2}}-3x(x^2+y)+x^3=C_2,$$

即
$$(x^2+y)^{\frac{3}{2}}=x^3+\frac{3}{2}xy+C\left(C=\frac{C_2}{2}\right).$$

4. 求下列微分方程满足所给初始条件的特解:

*(1) $y^3dx+2(x^2-xy^2)dy=0$,$x=1$ 时 $y=1$;

(2) $y''-ay'^2=0$,$x=0$ 时 $y=0$,$y'=-1$;

(3) $2y''-\sin 2y=0$,$x=0$ 时 $y=\frac{\pi}{2}$,$y'=1$;

（4）$y'' + 2y' + y = \cos x, x=0$ 时 $y=0, y'=\dfrac{3}{2}$.

解　*（1）原方程可以表示成伯努利方程

$$\frac{\mathrm{d}x}{\mathrm{d}y} - \frac{2}{y}x = -\frac{2}{y^3}x^2,$$

即

$$x^{-2}\frac{\mathrm{d}x}{\mathrm{d}y} - \frac{2}{y}x^{-1} = -\frac{2}{y^3}.$$

令 $z=x^{-1}$,则 $\dfrac{\mathrm{d}z}{\mathrm{d}y} = -x^{-2}\dfrac{\mathrm{d}x}{\mathrm{d}y}$,且原方程化为一阶线性方程

$$\frac{\mathrm{d}z}{\mathrm{d}y} + \frac{2}{y}z = \frac{2}{y^3}.$$

解得

$$z = \mathrm{e}^{-\int \frac{2}{y}\mathrm{d}y}\left(\int \frac{2}{y^3}\mathrm{e}^{\int \frac{2}{y}\mathrm{d}y}\mathrm{d}y + C \right) = \frac{1}{y^2}\left(\int \frac{2}{y}\mathrm{d}y + C \right)$$

$$= \frac{1}{y^2}(2\ln|y| + C).$$

将 $z=x^{-1}$ 代入上式,得 $x^{-1} = \dfrac{1}{y^2}(2\ln|y|+C)$,即原方程的通解

$$y^2 = x(2\ln|y| + C).$$

由初始条件 $x=1, y=1$,得 $C=1$,故所求特解为

$$y^2 = x(2\ln|y| + 1).$$

（2）令 $y'=p$,则原方程化为 $p'-ap^2=0$. 分离变量并积分

$$\int \frac{\mathrm{d}p}{p^2} = \int a\mathrm{d}x$$

得

$$-\frac{1}{p} = ax + C_1,$$

即

$$p = -\frac{1}{ax+C_1}.$$

代入初始条件 $x=0, p=-1$,得 $C_1=1$,从而有

$$y' = -\frac{1}{ax+1},$$

于是

$$y = -\int \frac{1}{ax+1}\mathrm{d}x = -\frac{1}{a}\ln(ax+1) + C_2.$$

代入初始条件 $x=0, y=0$,得 $C_2=0$. 故所求特解为

$$y = -\frac{1}{a}\ln(ax+1).$$

（3）在方程 $2y'' - \sin 2y = 0$ 两端同乘以 y',则有

$$2y'y'' - \sin 2y y' = 0,$$

即

$$\left(y'^2 + \frac{1}{2}\cos 2y \right)' = 0,$$

于是
$$y'^2 + \frac{1}{2}\cos 2y = C_1.$$

代入初始条件 $y = \frac{\pi}{2}, y' = 1$,得 $C_1 = \frac{1}{2}$. 故有 $y'^2 + \frac{1}{2}\cos 2y = \frac{1}{2}$,即

$$y'^2 = \frac{1}{2} - \frac{1}{2}\cos 2y = \sin^2 y,$$

并因 $y = \frac{\pi}{2}$ 时,$y' = 1$,故上式开方后取

$$y' = \sin y.$$

分离变量并积分

$$\int \frac{\mathrm{d}y}{\sin y} = \int \mathrm{d}x,$$

得
$$\ln \tan \frac{y}{2} = x + C_2.$$

代入初始条件 $x = 0, y = \frac{\pi}{2}$,得 $C_2 = 0$,故所求特解为 $\ln \tan \frac{y}{2} = x$,即

$$y = 2\arctan \mathrm{e}^x.$$

(4) 由原方程对应齐次方程的特征方程 $r^2 + 2r + 1 = 0$,解得 $r_{1,2} = -1$,故对应齐次方程的通解为 $Y = (C_1 + C_2 x)\mathrm{e}^{-x}$.

因 $f(x) = \cos x, \lambda + \mathrm{i}\omega = 0 + \mathrm{i}$ 不是特征方程的根,故令 $y^* = A\cos x + B\sin x$ 是原方程的特解,并代入原方程,得

$$-2A\sin x + 2B\cos x = \cos x.$$

比较系数得 $A = 0, B = \frac{1}{2}$,故 $y^* = \frac{1}{2}\sin x$,且原方程的通解为

$$y = (C_1 + C_2 x)\mathrm{e}^{-x} + \frac{1}{2}\sin x,$$

并有
$$y' = (C_2 - C_1 - C_2 x)\mathrm{e}^{-x} + \frac{1}{2}\cos x.$$

代入初始条件 $x = 0, y = 0, y' = \frac{3}{2}$,有

$$\begin{cases} C_1 = 0, \\ C_2 - C_1 + \frac{1}{2} = \frac{3}{2}, \end{cases} \text{即 } C_1 = 0, C_2 = 1.$$

故所求特解为

$$y = x\mathrm{e}^{-x} + \frac{1}{2}\sin x.$$

5. 已知某曲线经过点 $(1,1)$,它的切线在纵轴上的截距等于切点的横坐标,求它的方程.

解 设 (x, y) 为曲线上的点,则曲线在该点处的切线方程为

$$Y - y = y'(X - x),$$

切线在纵轴上的截距为 $y - xy'$. 并依题意,有

$$y - xy' = x, \quad y|_{x=1} = 1.$$

将上述方程写成

$$y' - \frac{1}{x}y = -1,$$

可解得

$$y = e^{\int \frac{1}{x} dx} \left(\int -e^{-\int \frac{1}{x} dx} + C \right) = x \left(\int -\frac{1}{x} dx + C \right)$$

$$= x(C - \ln x).$$

代入初始条件 $x = 1, y = 1$,得 $C = 1$. 故所求曲线的方程为

$$y = x(1 - \ln x).$$

6. 已知某车间的容积为 $30 \times 30 \times 6$ m^3,其中的空气含 0.12% 的 CO_2(以容积计算). 现以含 CO_2 0.04% 的新鲜空气输入,问每分钟应输入多少,才能在 30 min 后使车间空气中 CO_2 的含量不超过 0.06%?(假定输入的新鲜空气与原有空气很快混合均匀后,以相同的流量排出.)

解 设每分钟输入 $v(m^3)$ 的空气. 又设在时刻 t 车间中 CO_2 的浓度为 $x = x(t)(\%)$,则在时间间隔 $[t, t+dt]$ 内,车间内 CO_2 的含量的改变量为

$$30 \times 30 \times 6 \, dx = 0.04 \times 10^{-2} v dt - vx \, dt$$

即

$$\frac{dx}{x - 0.000\,4} = -\frac{v}{5\,400} dt$$

且

$$x|_{t=0} = 0.001\,2.$$

将上述微分方程两端积分,得

$$\ln(x - 0.000\,4) = -\frac{v}{5\,400}t + \ln C,$$

即

$$x = 0.000\,4 + Ce^{-\frac{v}{5\,400}t}.$$

代入初始条件 $t = 0, x = 0.001\,2$,可得 $C = 0.000\,8$. 于是有

$$x = 0.000\,4 + 0.000\,8e^{-\frac{v}{5\,400}t}.$$

依题意,当 $t = 30$ 时,$x \leqslant 0.000\,6$,将 $t = 30, x = 0.000\,6$ 代入上式,解得

$$v = 180 \ln 4 \approx 250(m^3).$$

故每分钟至少输入新鲜空气 250 m^3.

7. 设可导函数 $\varphi(x)$ 满足

$$\varphi(x)\cos x + 2\int_0^x \varphi(t)\sin t dt = x + 1,$$

求 $\varphi(x)$.

解 在方程 $\varphi(x)\cos x + 2\int_0^x \varphi(t)\sin t dt = x + 1$ 两端关于 x 求导,得

$$\varphi'(x)\cos x - \varphi(x)\sin x + 2\varphi(x)\sin x = 1,$$

即
$$\varphi' + \tan x \cdot \varphi = \sec x,$$

且在原方程中取 $x=0$，可得 $\varphi(0)=1$.

由一阶线性方程的通解公式，得

$$\varphi = e^{-\int \tan x dx}\left(\int \sec x e^{\int \tan x dx} dx + C\right)$$

$$= \cos x\left(\int \sec^2 x dx + C\right) = \cos x(\tan x + C)$$

$$= \sin x + C\cos x.$$

代入初始条件 $x=0, \varphi=1$，可得 $C=1$，故

$$\varphi(x) = \sin x + \cos x.$$

8. 设光滑曲线 $y=\varphi(x)$ 过原点，且当 $x>0$ 时 $\varphi(x)>0$，对应于 $[0,x]$ 一段曲线的弧长为 e^x-1，求 $\varphi(x)$.

解 根据题设条件得

$$\int_0^x \sqrt{1+y'^2} dx = e^x - 1, 且 \ y|_{x=0} = 0.$$

在积分方程两端对 x 求导，得

$$\sqrt{1+y'^2} = e^x,$$

即
$$y' = \pm\sqrt{e^{2x}-1}.$$

取 $y'=\sqrt{e^{2x}-1}$，积分得

$$y = \sqrt{e^{2x}-1} - \arctan\sqrt{e^{2x}-1} + C,$$

由初始条件 $y|_{x=0}=0$ 知 $C=0$，故

$$y = \sqrt{e^{2x}-1} - \arctan\sqrt{e^{2x}-1}.$$

9. 设 $y_1(x)$、$y_2(x)$ 是二阶齐次线性方程 $y''+p(x)y'+q(x)y=0$ 的两个解，令

$$W(x) = \begin{vmatrix} y_1(x) & y_2(x) \\ y_1'(x) & y_2'(x) \end{vmatrix} = y_1(x)y_2'(x) - y_1'(x)y_2(x),$$

证明：(1) $W(x)$ 满足方程 $W'+p(x)W=0$；

(2) $W(x) = W(x_0)e^{-\int_{x_0}^x p(t)dt}$.

证 (1) 依题意，对 $i=1,2$，有

$$y_i'' + p(x)y_i' + q(x)y_i = 0,$$

即
$$y_i'' + p(x)y_i' = -q(x)y_i.$$

于是
$$W' + p(x)W$$

$$= (y_1'y_2' + y_1y_2'' - y_1''y_2 - y_1'y_2') + p(x)(y_1y_2' - y_1'y_2)$$

$$= y_1[y_2'' + p(x)y_2'] - y_2[y_1'' + p(x)y_1']$$

$$= y_1[-q(x)y_1] - y_2[-q(x)y_1] = 0.$$

故 W 满足所给微分方程.

(2) 因 $W'+p(x)W=0$,分离变量得 $\dfrac{\mathrm{d}W}{W}=-p(x)\mathrm{d}x$. 将上式两端分别在 $[W_0,W]$ 与 $[x_0,x]$ 上积分,得

$$\ln W-\ln W_0=-\int_{x_0}^{x}p(x)\mathrm{d}x,\text{其中 } W_0=W(x_0).$$

于是得

$$W=W(x_0)\mathrm{e}^{-\int_{x_0}^{x}p(x)\mathrm{d}x}.$$

*10. 求下列欧拉方程的通解:

(1) $x^2y''+3xy'+y=0$;

(2) $x^2y''-4xy'+6y=x$.

解 (1) 令 $x=\mathrm{e}^t$,即 $t=\ln x$,并记 $\mathrm{D}=\dfrac{\mathrm{d}}{\mathrm{d}t}$,则原方程可化为

$$[\mathrm{D}(\mathrm{D}-1)+3\mathrm{D}+1]y=0,$$

即

$$(\mathrm{D}^2+2\mathrm{D}+1)y=0.$$

该方程的特征方程为 $r^2+2r+1=0$,有根 $r_{1,2}=-1$,于是该方程的通解为

$$y=(C_1+C_2t)\mathrm{e}^{-t},$$

故原方程的通解为

$$y=\frac{C_1+C_2\ln x}{x}.$$

(2) 令 $x=\mathrm{e}^t$,即 $t=\ln x$,并记 $\mathrm{D}=\dfrac{\mathrm{d}}{\mathrm{d}t}$,则原方程可化为

$$[\mathrm{D}(\mathrm{D}-1)-4\mathrm{D}+6]y=\mathrm{e}^t,$$

即

$$(\mathrm{D}^2-5\mathrm{D}+6)y=\mathrm{e}^t.$$

该方程对应齐次方程的特征方程为 $r^2-5r+6=0$,有根 $r_1=2,r_2=3$. 故齐次方程的通解为

$$Y=C_1\mathrm{e}^{2t}+C_2\mathrm{e}^{3t}.$$

因 $f(t)=\mathrm{e}^t,\lambda=1$ 不是特征方程的根,故可令 $y^*=A\mathrm{e}^t$ 是非齐次方程的特解. 代入 $(\mathrm{D}^2-5\mathrm{D}+6)y=\mathrm{e}^t$ 中并消去 e^t,得 $A=\dfrac{1}{2}$,即

$$y^*=\frac{1}{2}\mathrm{e}^t.$$

于是得

$$y=C_1\mathrm{e}^{2t}+C_2\mathrm{e}^{3t}+\frac{1}{2}\mathrm{e}^t,$$

即原方程的通解为

$$y=C_1x^2+C_2x^3+\frac{x}{2}.$$

*11. 求下列常系数线性微分方程组的通解:

$$(1) \begin{cases} \dfrac{dx}{dt}+2\dfrac{dy}{dt}+y=0, \\ 3\dfrac{dx}{dt}+2x+4\dfrac{dy}{dt}+3y=t; \end{cases} \qquad (2) \begin{cases} \dfrac{d^2x}{dt^2}+2\dfrac{dx}{dt}+x+\dfrac{dy}{dt}+y=0, \\ \dfrac{dx}{dt}+x+\dfrac{d^2y}{dt^2}+2\dfrac{dy}{dt}+y=e^t. \end{cases}$$

解 (1) 记 $D=\dfrac{d}{dt}$,方程组可表示为

$$\begin{cases} Dx+(2D+1)y=0, & \text{①} \\ (3D+2)x+(4D+3)y=t. & \text{②} \end{cases}$$

则有

$$\begin{vmatrix} D & 2D+1 \\ 3D+2 & 4D+3 \end{vmatrix} x = \begin{vmatrix} 0 & 2D+1 \\ t & 4D+3 \end{vmatrix},$$

即

$$(2D^2+4D+2)x=-t-2. \qquad \text{③}$$

方程③对应齐次方程的特征方程为 $2r^2+4r+2=0$,有根 $r_{1,2}=-1$. 因 $f(t)=-t-2$,故令 $x^*=At+B$ 是③的特解,代入③中,即得 $A=\dfrac{1}{2},B=0$. 故方程③有通解

$$x=(C_1+C_2t)e^{-t}+\frac{1}{2}t.$$

又由②$-2\times$①可得

$$\begin{aligned} y&=-(D+1)x+t \\ &=-(C_1+C_2+C_2t)e^{-t}-\frac{1}{2}, \end{aligned}$$

故方程组的通解为

$$\begin{cases} x=(C_1+C_2t)e^{-t}+\dfrac{1}{2}t, \\ y=-(C_1+C_2+C_2t)e^{-t}-\dfrac{1}{2}. \end{cases}$$

(2) 记 $D=\dfrac{d}{dt}$,方程组可表示为

$$\begin{cases} (D^2+2D+1)x+(D+1)y=0, \\ (D+1)x+(D^2+2D+1)y=e^t, \end{cases}$$

即

$$\begin{cases} (D+1)^2x+(D+1)y=0, & \text{①} \\ (D+1)x+(D+1)^2y=e^t. & \text{②} \end{cases}$$

则有

$$\begin{vmatrix} (D+1)^2 & D+1 \\ D+1 & (D+1)^2 \end{vmatrix} x = \begin{vmatrix} 0 & D+1 \\ e^t & (D+1)^2 \end{vmatrix},$$

即

$$(D^3+3D^2+2D)x=-e^t. \qquad \text{③}$$

方程③对应齐次方程的特征方程为 $r(r^2+3r+2)=0$,有根 $r_1=0,r_2=-1,$

$r_3 = -2$. 而 $f(t) = -e^t$, $\lambda = 1$ 不是特征方程的根,故令 $x^* = Ae^t$ 是方程③的特

解,代入③中并消去 e^t,可得 $A = -\dfrac{1}{6}$,即 $x^* = -\dfrac{1}{6}e^t$,于是方程③的通解为

$$x = C_1 + C_2 e^{-t} + C_3 e^{-2t} - \frac{1}{6}e^t.$$

又由方程①得

$$(D+1)y = -(D+1)^2 x = -D^2 x - 2Dx - x$$

$$= -C_1 - C_3 e^{-2t} + \frac{2}{3}e^t,$$

即

$$y' + y = -C_1 - C_3 e^{-2t} + \frac{2}{3}e^t,$$

可解得

$$y = e^{-\int dt}\left[\int\left(-C_1 - C_3 e^{-2t} + \frac{2}{3}e^t\right)e^{\int dt}\,dt + C_4\right]$$

$$= e^{-t}\left[\int\left(-C_1 e^t - C_3 e^{-t} + \frac{2}{3}e^{2t}\right)dt + C_4\right]$$

$$= -C_1 + C_3 e^{-2t} + \frac{1}{3}e^t + C_4 e^{-t}.$$

故方程组的通解为

$$\begin{cases} x = C_1 + C_2 e^{-t} + C_3 e^{-2t} - \dfrac{1}{6}e^t, \\ y = C_4 e^{-t} - C_1 + C_3 e^{-2t} + \dfrac{1}{3}e^t. \end{cases}$$

二、

全国硕士研究生入学统一
考试数学试题选解

（一） 函 数 极 限 连 续

1. (2001. II) 设 $f(x)=\begin{cases}1, & |x|\leqslant 1, \\ 0, & |x|>1,\end{cases}$ 则 $f\{f[f(x)]\}$ 等于（ ）.

(A) 0. (B) 1. (C) $\begin{cases}1, & |x|\leqslant 1, \\ 0, & |x|>1.\end{cases}$ (D) $\begin{cases}0, & |x|\leqslant 1, \\ 1, & |x|>1.\end{cases}$

解 由 $f(x)$ 的定义知 $|f(x)|\leqslant 1$, 故 $f[f(x)]=1$, 从而 $f\{f[f(x)]\}=1$, 应选(B).

2. (1990. IV, V) 设函数 $f(x)=x\tan x \cdot e^{\sin x}$, 则 $f(x)$ 是（ ）.

(A) 偶函数. (B) 无界函数. (C) 周期函数. (D) 单调函数.

解 因为 $e^{-1}\leqslant e^{\sin x}\leqslant e$, 当 $x\rightarrow(2n+1)\dfrac{\pi}{2}(n\in\mathbf{Z})$ 时, $\tan x\rightarrow\infty$, 从而 $f(x)\rightarrow\infty$, 所以 $f(x)$ 是无界函数. 应选(B).

3. (1992. V) 已知 $f(x)=\sin x$, $f[\varphi(x)]=1-x^2$, 则 $\varphi(x)=$_____ 的定义域为_____.

解 由 $f[\varphi(x)]=\sin\varphi(x)=1-x^2$, 得 $\varphi(x)=k\pi+(-1)^k\arcsin(1-x^2)$, $k\in\mathbf{Z}$. 又由 $|1-x^2|\leqslant 1$, 得 $|x|\leqslant\sqrt{2}$. 故对任一 k 值, $\varphi(x)$ 的定义域均为 $[-\sqrt{2},\sqrt{2}]$.

4. (1991. V) 设数列的通项为 $x_n=\begin{cases}\dfrac{n^2+\sqrt{n}}{n}, & \text{若 } n \text{ 为奇数}, \\ \dfrac{1}{n}, & \text{若 } n \text{ 为偶数},\end{cases}$ 则当 $n\rightarrow\infty$ 时, x_n 是（ ）.

(A) 无穷大量. (B) 无穷小量. (C) 有界变量. (D) 无界变量.

解 因为 $x_{2k+1}=(2k+1)+\dfrac{1}{\sqrt{2k+1}}\rightarrow\infty$ $(k\rightarrow\infty)$,

$$x_{2k}=\frac{1}{2k}\rightarrow 0 \quad (k\rightarrow\infty).$$

所以 x_n 是无界变量, 应选(D).

5. (1991. I, II, III) 曲线 $y=\dfrac{1+e^{-x^2}}{1-e^{-x^2}}$（ ）.

(A) 没有渐近线.　　　　　(B) 仅有水平渐近线.

(C) 仅有铅直渐近线.　　　(D) 既有水平渐近线又有铅直渐近线.

解 因为 $\lim\limits_{x\to\infty}\dfrac{1+e^{-x^2}}{1-e^{-x^2}}=1$，$\lim\limits_{x\to 0}\dfrac{1+e^{-x^2}}{1-e^{-x^2}}=\lim\limits_{x\to 0}\dfrac{e^{x^2}+1}{e^{x^2}-1}=+\infty$，所以应选(D).

6.(1998.Ⅱ)设数列 $\{x_n\}$ 与 $\{y_n\}$ 满足 $\lim\limits_{n\to\infty}x_ny_n=0$，则下列断言正确的是(　　).

(A) 若 $\{x_n\}$ 发散，则 $\{y_n\}$ 必发散.　(B) 若 $\{x_n\}$ 无界，则 $\{y_n\}$ 必有界.

(C) 若 $\{x_n\}$ 有界，则 $\{y_n\}$ 必为无穷小.　(D) 若 $\left\{\dfrac{1}{x_n}\right\}$ 为无穷小，则 $\{y_n\}$ 必为无穷小.

解 取 $x_n=n,y_n=\dfrac{1}{n^2}$，则 $\lim\limits_{n\to\infty}x_ny_n=0$，且 $\{x_n\}$ 发散，但 $\{y_n\}$ 收敛，故(A)不正确.

取 $x_n=[1+(-1)^n]n,y_n=[1-(-1)^n]n$，则 $\lim\limits_{n\to\infty}x_ny_n=0$，且 $\{x_n\},\{y_n\}$ 都无界，故(B)不正确.

取 $x_n=\dfrac{1}{n^2},y_n=n$，则 $\lim\limits_{n\to\infty}x_ny_n=0$，且 $\{x_n\}$ 有界，但 $\{y_n\}$ 不是无穷小，故(C)也不正确.

由 $\lim\limits_{n\to\infty}x_ny_n=0$ 知 $\{x_ny_n\}$ 为无穷小 $(n\to\infty)$，故当 $\left\{\dfrac{1}{x_n}\right\}$ 为无穷小时，$\{y_n\}=\left\{(x_ny_n)\cdot\dfrac{1}{x_n}\right\}$ 为无穷小，故应选(D).

7.(2001.Ⅱ)设当 $x\to 0$ 时，$(1-\cos x)\ln(1+x^2)$ 是比 $x\sin x^n$ 高阶的无穷小，而 $x\sin x^n$ 是比 $(e^{x^2}-1)$ 高阶的无穷小，则正整数 n 等于(　　).

(A) 1.　　(B) 2.　　(C) 3.　　(D) 4.

解 当 $x\to 0$ 时，$(1-\cos x)\ln(1+x^2)\sim\dfrac{1}{2}x^4$，$x\sin x^n\sim x^{n+1}$，$e^{x^2}-1\sim x^2$，故应选(B).

8.(2004.Ⅲ,Ⅳ)函数 $f(x)=\dfrac{|x|\sin(x-2)}{x(x-1)(x-2)^2}$ 在下列哪个区间内有界(　　).

(A) $(-1,0)$.　　(B) $(0,1)$.　　(C) $(1,2)$.　　(D) $(2,3)$.

解 因为 $x\to 1$ 及 $x\to 2$ 时，均有 $f(x)\to\infty$，所以 $f(x)$ 在 $(0,1),(1,2),(2,3)$ 内均无界，故应选(A).

9.(2004,Ⅱ)设 $f(x)=\lim\limits_{n\to\infty}\dfrac{(n-1)x}{nx^2+1}$，则 $f(x)$ 的间断点为 $x=$ _____.

解 因为　当 $x\neq 0$ 时，

$$f(x)=\lim\limits_{n\to\infty}\dfrac{(n-1)x}{nx^2+1}=\dfrac{1}{x},$$

所以

$$f(x)=\begin{cases}\dfrac{1}{x}, & x\neq 0,\\[2mm] 0, & x=0,\end{cases}\qquad \lim_{x\to 0}f(x)=\lim_{x\to 0}\dfrac{1}{x}=\infty,$$

从而 $f(x)$ 的间断点为 $x=0$.

10. (1994. Ⅰ, Ⅱ) $\lim\limits_{x\to 0}(\cot x)\left(\dfrac{1}{\sin x}-\dfrac{1}{x}\right)=$ _____.

解 由等价无穷小代换定理

$$\lim_{x\to 0}(\cot x)\left(\dfrac{1}{\sin x}-\dfrac{1}{x}\right)=\lim_{x\to 0}\dfrac{x-\sin x}{x\sin x\tan x}=\lim_{x\to 0}\dfrac{\frac{1}{6}x^3}{x^3}=\dfrac{1}{6}.$$

11. (1999. Ⅱ) 求 $\lim\limits_{x\to 0}\dfrac{\sqrt{1+\tan x}-\sqrt{1+\sin x}}{x\ln(1+x)-x^2}$.

解
$$\lim_{x\to 0}\dfrac{\sqrt{1+\tan x}-\sqrt{1+\sin x}}{x\ln(1+x)-x^2}=\lim_{x\to 0}\left\{\dfrac{\tan x-\sin x}{x[\ln(1+x)-x]}\cdot\dfrac{1}{\sqrt{1+\tan x}+\sqrt{1+\sin x}}\right\}$$
$$=\dfrac{1}{2}\lim_{x\to 0}\dfrac{1-\cos x}{\ln(1+x)-x}=\dfrac{1}{2}\lim_{x\to 0}\dfrac{\sin x}{-\dfrac{x}{1+x}}=-\dfrac{1}{2}.$$

12. (2000. Ⅰ) 求 $\lim\limits_{x\to 0}\left(\dfrac{2+\mathrm{e}^{\frac{1}{x}}}{1+\mathrm{e}^{\frac{4}{x}}}+\dfrac{\sin x}{|x|}\right)$.

解 因为 $\lim\limits_{x\to 0^+}\left(\dfrac{2+\mathrm{e}^{\frac{1}{x}}}{1+\mathrm{e}^{\frac{4}{x}}}+\dfrac{\sin x}{|x|}\right)=\lim\limits_{x\to 0^+}\left(\dfrac{2\mathrm{e}^{-\frac{4}{x}}+\mathrm{e}^{-\frac{3}{x}}}{\mathrm{e}^{-\frac{4}{x}}+1}+\dfrac{\sin x}{x}\right)=1,$

$$\lim_{x\to 0^-}\left(\dfrac{2+\mathrm{e}^{\frac{1}{x}}}{1+\mathrm{e}^{\frac{4}{x}}}+\dfrac{\sin x}{|x|}\right)=\lim_{x\to 0^-}\left(\dfrac{2+\mathrm{e}^{\frac{1}{x}}}{1+\mathrm{e}^{\frac{4}{x}}}-\dfrac{\sin x}{x}\right)=2-1=1,$$

所以
$$\lim_{x\to 0}\left(\dfrac{2+\mathrm{e}^{\frac{1}{x}}}{1+\mathrm{e}^{\frac{4}{x}}}+\dfrac{\sin x}{|x|}\right)=1.$$

13. (1997. Ⅰ) $\lim\limits_{x\to 0}\dfrac{3\sin x+x^2\cos\dfrac{1}{x}}{(1+\cos x)\ln(1+x)}=$ _____.

解 因为 $\lim\limits_{x\to 0}\dfrac{3\sin x}{\ln(1+x)}=\lim\limits_{x\to 0}\dfrac{3x}{\ln(1+x)}=3,$

$$\lim_{x\to 0}\dfrac{x^2\cos\dfrac{1}{x}}{\ln(1+x)}=\lim_{x\to 0}\dfrac{x^2\cos\dfrac{1}{x}}{x}=\lim_{x\to 0}x\cos\dfrac{1}{x}=0,$$

所以
$$\lim_{x\to 0}\dfrac{3\sin x+x^2\cos\dfrac{1}{x}}{(1+\cos x)\ln(1+x)}=\lim_{x\to 0}\dfrac{1}{1+\cos x}\left[\dfrac{3\sin x}{\ln(1+x)}+\dfrac{x^2\cos\dfrac{1}{x}}{\ln(1+x)}\right]$$
$$=\dfrac{1}{2}(3+0)=\dfrac{3}{2}.$$

14. (1995. Ⅲ) $\lim\limits_{n\to\infty}\left(\dfrac{1}{n^2+n+1}+\dfrac{2}{n^2+n+2}+\cdots+\dfrac{n}{n^2+n+n}\right)=$ _____.

解 因为 $\dfrac{n(n+1)}{2(n^2+n+n)}\leqslant\dfrac{1}{n^2+n+1}+\dfrac{2}{n^2+n+2}+\cdots+\dfrac{n}{n^2+n+n}$

$$\leqslant\dfrac{n(n+1)}{2(n^2+n+1)},$$

$$\lim\limits_{n\to\infty}\dfrac{n(n+1)}{2(n^2+n+1)}=\lim\limits_{n\to\infty}\dfrac{n(n+1)}{2(n^2+n+n)}=\dfrac{1}{2},$$

所以由夹逼准则知原式 $=\dfrac{1}{2}$.

15. (1998. Ⅰ, Ⅱ) $\lim\limits_{x\to 0}\dfrac{\sqrt{1+x}+\sqrt{1-x}-2}{x^2}=$ _____.

解法一 利用洛必达法则,

$$\lim\limits_{x\to 0}\dfrac{\sqrt{1+x}+\sqrt{1-x}-2}{x^2}=\lim\limits_{x\to 0}\dfrac{\dfrac{1}{2\sqrt{1+x}}-\dfrac{1}{2\sqrt{1-x}}}{2x}$$

$$=\dfrac{1}{4}\lim\limits_{x\to 0}\dfrac{(1+x)^{-\frac{1}{2}}-(1-x)^{-\frac{1}{2}}}{x}$$

$$=\dfrac{1}{4}\lim\limits_{x\to 0}\left[-\dfrac{1}{2}(1+x)^{-\frac{3}{2}}-\dfrac{1}{2}(1-x)^{-\frac{3}{2}}\right]=-\dfrac{1}{4}.$$

解法二 利用泰勒公式,因为

$$\sqrt{1+x}=1+\dfrac{1}{2}x+\dfrac{\dfrac{1}{2}\left(\dfrac{1}{2}-1\right)}{2!}x^2+o(x^2),$$

$$\sqrt{1-x}=1-\dfrac{1}{2}x+\dfrac{\dfrac{1}{2}\left(\dfrac{1}{2}-1\right)}{2!}x^2+o(x^2),$$

所以 $\lim\limits_{x\to 0}\dfrac{\sqrt{1+x}+\sqrt{1-x}-2}{x^2}=\lim\limits_{x\to 0}\dfrac{-\dfrac{1}{4}x^2+o(x^2)}{x^2}=-\dfrac{1}{4}.$

16. (2006, Ⅰ) $\lim\limits_{x\to 0}\dfrac{x\ln(1+x)}{1-\cos x}=$ _____.

解法一 利用等价无穷小,

$$原极限=\lim\limits_{x\to 0}\dfrac{x^2}{\dfrac{1}{2}x^2}=2.$$

解法二 利用三角公式及两个重要极限,

$$原极限=\lim\limits_{x\to 0}\dfrac{x\ln(1+x)}{2\sin^2\dfrac{x}{2}}$$

$$=\lim_{x\to 0}2\cdot\frac{\left(\frac{x}{2}\right)^2}{\sin^2\frac{x}{2}}\cdot\lim_{x\to 0}\ln(1+x)^{\frac{1}{x}}=2\cdot 1=2.$$

17. (1994.Ⅲ) 计算 $\lim\limits_{n\to\infty}\tan^n\left(\frac{\pi}{4}+\frac{2}{n}\right)$.

解 因为 $\tan\left(\frac{\pi}{4}+\frac{2}{n}\right)=\dfrac{1+\tan\frac{2}{n}}{1-\tan\frac{2}{n}}$,

$$\lim_{n\to\infty}\frac{\tan\frac{2}{n}}{\frac{2}{n}}=1,\quad \lim_{n\to\infty}\frac{1}{1-\tan\frac{2}{n}}=1,$$

所以
$$\lim_{n\to\infty}\tan^n\left(\frac{\pi}{4}+\frac{2}{n}\right)=\lim_{n\to\infty}\left[\frac{1+\tan\frac{2}{n}}{1-\tan\frac{2}{n}}\right]^n$$

$$=\lim_{n\to\infty}\left[1+\frac{2\tan\frac{2}{n}}{1-\tan\frac{2}{n}}\right]^n$$

$$=\lim_{n\to\infty}\left[1+\frac{2\tan\frac{2}{n}}{1-\tan\frac{2}{n}}\right]^{\frac{1-\tan\frac{2}{n}}{2\tan\frac{2}{n}}\cdot\frac{4\tan\frac{2}{n}}{\frac{2}{n}}\cdot\frac{1}{1-\tan\frac{2}{n}}}=e^4.$$

18. (2006,Ⅰ) 设数列 $\{x_n\}$ 满足 $0<x_1<\pi,x_{n+1}=\sin x_n (n=1,2,\cdots)$.

（Ⅰ）证明 $\lim\limits_{n\to\infty}x_n$ 存在,并求该极限;

（Ⅱ）计算 $\lim\limits_{n\to\infty}\left(\dfrac{x_{n+1}}{x_n}\right)^{\frac{1}{x_n^2}}$.

解 （Ⅰ）用归纳法证明 $\{x_n\}$ 单调减少且有下界.
由 $0<x_1<\pi$,得
$$0<x_2=\sin x_1<x_1<\pi;$$
设 $0<x_n<\pi$,则
$$0<x_{n+1}=\sin x_n<x_n<\pi;$$
所以 $\{x_n\}$ 单调减少且有下界,故 $\lim\limits_{n\to\infty}x_n$ 存在.
记 $a=\lim\limits_{n\to\infty}x_n$,由 $x_{n+1}=\sin x_n$ 得
$$a=\sin a,$$
所以 $a=0$,即 $\lim\limits_{n\to\infty}x_n=0$.

（Ⅱ）因为

$$\lim_{x\to 0}\left(\frac{\sin x}{x}\right)^{\frac{1}{x^2}}=\lim_{x\to 0}\mathrm{e}^{\frac{1}{x^2}\ln\frac{\sin x}{x}}=\mathrm{e}^{\lim\limits_{x\to 0}\frac{1}{x^2}\ln\frac{\sin x}{x}},$$

而

$$\lim_{x\to 0}\frac{1}{x^2}\ln\frac{\sin x}{x}=\lim_{x\to 0}\frac{1}{2x}\left(\frac{\cos x}{\sin x}-\frac{1}{x}\right)=\lim_{x\to 0}\frac{x\cos x-\sin x}{2x^3}$$

$$=\lim_{x\to 0}\frac{-x\sin x}{6x^2}=-\frac{1}{6},$$

故

$$\lim_{x\to 0}\left(\frac{\sin x}{x}\right)^{\frac{1}{x^2}}=\mathrm{e}^{-\frac{1}{6}},$$

又由（Ⅰ），$\lim\limits_{n\to\infty}x_n=0$，所以

$$\lim_{n\to\infty}\left(\frac{x_{n+1}}{x_n}\right)^{\frac{1}{x_n^2}}=\lim_{n\to\infty}\left(\frac{\sin x_n}{x_n}\right)^{\frac{1}{x_n^2}}=\lim_{x\to 0}\left(\frac{\sin x}{x}\right)^{\frac{1}{x^2}}=\mathrm{e}^{-\frac{1}{6}}.$$

19.（2002.Ⅴ）设 $0<x_1<3$，$x_{n+1}=\sqrt{x_n(3-x_n)}$（$n=1,2,\cdots$），证明数列 $\{x_n\}$ 的极限存在，并求此极限.

证 由题设 $0<x_1<3$ 知，x_1 及 $3-x_1$ 均为正数，故

$$0<x_2=\sqrt{x_1(3-x_1)}\leqslant\frac{1}{2}(x_1+3-x_1)=\frac{3}{2}.$$

设当 $k>1$ 时，$0<x_k\leqslant\frac{3}{2}$，则

$$0<x_{k+1}=\sqrt{x_k(3-x_k)}\leqslant\frac{1}{2}(x_k+3-x_k)=\frac{3}{2},$$

故由数学归纳法知，对任意正整数 $n>1$，均有

$$0<x_n\leqslant\frac{3}{2}.$$

即数列 $\{x_n\}$ 是有界的.

又当 $n>1$ 时，

$$x_{n+1}-x_n=\sqrt{x_n(3-x_n)}-x_n=\sqrt{x_n}(\sqrt{3-x_n}-\sqrt{x_n})$$

$$=\frac{\sqrt{x_n}(3-2x_n)}{\sqrt{3-x_n}+\sqrt{x_n}}\geqslant 0\quad\left(因 0<x_n\leqslant\frac{3}{2}\right),$$

故当 $n>1$ 时，$x_{n+1}\geqslant x_n$，即数列 $\{x_n\}$ 单调增加.

根据单调有界极限存在准则知 $\lim\limits_{n\to\infty}x_n$ 存在.

设 $\lim\limits_{n\to\infty}x_n=a$，由

$$\lim_{n\to\infty}x_{n+1}=\lim_{n\to\infty}\sqrt{x_n(3-x_n)},$$

得

$$a=\sqrt{a(3-a)},$$

从而

$$2a^2-3a=0.$$

解得 $a=\dfrac{3}{2}, a=0$. 因 $a=\lim\limits_{n\to\infty}x_n \geqslant x_2 > 0$, 故 $a=0$ 舍去, 得 $\lim\limits_{n\to\infty}x_n=\dfrac{3}{2}$.

20. (1999. I) $\lim\limits_{x\to 0}\left(\dfrac{1}{x^2}-\dfrac{1}{x\tan x}\right)=$ _____.

解法一 利用洛必达法则,

$$原极限=\lim_{x\to 0}\frac{\sin x-x\cos x}{x^2\sin x}$$

$$=\lim_{x\to 0}\frac{\sin x}{2\sin x+x\cos x}$$

$$=\lim_{x\to 0}\frac{\cos x}{3\cos x-x\sin x}=\frac{1}{3}.$$

解法二 利用麦克劳林公式,

$$原极限=\lim_{x\to 0}\frac{\sin x-x\cos x}{x^2\sin x}=\lim_{x\to 0}\frac{x-\dfrac{1}{6}x^3+o(x^3)-x+\dfrac{1}{2}x^3+o(x^3)}{x^3+o(x^3)}$$

$$=\frac{1}{3}.$$

解法三 利用等价无穷小代换及洛必达法则,

$$原极限=\lim_{x\to 0}\frac{\tan x-x}{x^2\tan x}=\lim_{x\to 0}\frac{\tan x-x}{x^3}=\lim_{x\to 0}\frac{\sec^2 x-1}{3x^2}$$

$$=\lim_{x\to 0}\frac{\tan^2 x}{3x^2}=\lim_{x\to 0}\frac{x^2}{3x^2}=\frac{1}{3}.$$

21. (2005. III, IV) 求 $\lim\limits_{x\to 0}\left(\dfrac{1+x}{1-e^{-x}}-\dfrac{1}{x}\right)$.

解 当 $x\to 0$ 时, $1-e^{-x}\sim x$, 并利用洛必达法则得

$$\lim_{x\to 0}\left(\frac{1+x}{1-e^{-x}}-\frac{1}{x}\right)=\lim_{x\to 0}\frac{x+x^2-1+e^{-x}}{x(1-e^{-x})}$$

$$=\lim_{x\to 0}\frac{x+x^2-1+e^{-x}}{x^2}$$

$$=\lim_{x\to 0}\frac{1+2x-e^{-x}}{2x}$$

$$=\lim_{x\to 0}\frac{2+e^{-x}}{2}=\frac{3}{2}.$$

22. (2005. II) 设函数

$$f(x)=\frac{1}{e^{\frac{x}{x-1}}-1},$$

则( ).

(A) $x=0, x=1$ 都是 $f(x)$ 的第一类间断点.

(B) $x=0$, $x=1$ 都是 $f(x)$ 的第二类间断点.

(C) $x=0$ 是 $f(x)$ 的第一类间断点, $x=1$ 是 $f(x)$ 的第二类间断点.

(D) $x=0$ 是 $f(x)$ 的第二类间断点, $x=1$ 是 $f(x)$ 的第一类间断点.

解 因为

$$\lim_{x\to 0}f(x)=\infty,\ \lim_{x\to 1^+}f(x)=0,\ \lim_{x\to 1^-}f(x)=-1,$$

所以应选(D).

23. (2002. II) 设函数 $f(x)=\begin{cases} \dfrac{1-e^{\tan x}}{\arcsin\dfrac{x}{2}}, & x>0, \\ ae^{2x}, & x\leqslant 0 \end{cases}$ 在 $x=0$ 处连续,

则 $a=$ _____.

解
$$\lim_{x\to 0^+}f(x)=\lim_{x\to 0^+}\frac{1-e^{\tan x}}{\arcsin\dfrac{x}{2}}=\lim_{x\to 0^+}\frac{-\tan x}{\dfrac{x}{2}}=-2,$$

$$\lim_{x\to 0^-}f(x)=\lim_{x\to 0^-}ae^{2x}=a=f(0).$$

因 $f(x)$ 在 $x=0$ 处连续, 故 $\lim_{x\to 0^+}f(x)=f(0)=\lim_{x\to 0^-}f(x)$, 从而得 $a=-2$.

24. (1998. II) 求函数 $f(x)=(1+x)^{\tan\left(\frac{x}{x-\frac{\pi}{4}}\right)}$ 在区间 $(0,2\pi)$ 内的间断点, 并判断其类型.

解 $f(x)$ 在 $(0,2\pi)$ 内的间断点为 $x=\dfrac{\pi}{4},\dfrac{3\pi}{4},\dfrac{5\pi}{4},\dfrac{7\pi}{4}$.

在 $x=\dfrac{\pi}{4}$ 处, $f\left(\dfrac{\pi}{4}^+\right)=+\infty$, 在 $x=\dfrac{5}{4}\pi$ 处, $f\left(\dfrac{5\pi}{4}^+\right)=+\infty$, 故 $x=\dfrac{\pi}{4},\dfrac{5\pi}{4}$ 为第二类间断点(无穷间断点);

在 $x=\dfrac{3\pi}{4}$ 处, $\lim_{x\to\frac{3\pi}{4}}f(x)=1$, 在 $x=\dfrac{7}{4}\pi$ 处, $\lim_{x\to\frac{7\pi}{4}}f(x)=1$, 故 $x=\dfrac{3\pi}{4},\dfrac{7\pi}{4}$ 为第一类间断点(可去间断点).

25. (2001. II) 求极限 $\lim_{t\to x}\left(\dfrac{\sin t}{\sin x}\right)^{\frac{x}{\sin t-\sin x}}$, 记此极限为 $f(x)$, 求函数 $f(x)$ 的间断点并指出其类型.

解 因为 $f(x)=e^{\lim_{t\to x}\frac{x}{\sin t-\sin x}\ln\frac{\sin t}{\sin x}}$,

而
$$\lim_{t\to x}\frac{x}{\sin t-\sin x}\ln\frac{\sin t}{\sin x}=\lim_{t\to x}x\frac{\cos t/\sin t}{\cos t}=\frac{x}{\sin x},$$

故
$$f(x)=e^{\frac{x}{\sin x}}.$$

$f(x)$ 的间断点为 $x=k\pi(k\in\mathbf{Z})$.

在 $x=0$ 处，$\lim\limits_{x\to 0}f(x)=\lim\limits_{x\to 0}\mathrm{e}^{\frac{x}{\sin x}}=\mathrm{e}$，故 $x=0$ 是函数 $f(x)$ 的第一类间断点（可去间断点）；

在 $x=k\pi(k=\pm 1,\pm 2,\cdots)$ 处，$\lim\limits_{x\to k\pi}f(x)=\infty$，故 $x=k\pi(k=\pm 1,\pm 2,\cdots)$ 是函数 $f(x)$ 的第二类间断点（无穷间断点）.

26．（1992．Ⅳ）设函数

$$f(x)=\begin{cases} \dfrac{\ln\cos(x-1)}{1-\sin\dfrac{\pi}{2}x}, & \text{若 } x\neq 1, \\[4mm] 1, & \text{若 } x=1, \end{cases}$$

问函数 $f(x)$ 在 $x=1$ 处是否连续？若不连续，修改函数在 $x=1$ 处的定义，使之连续.

解 因为 $\lim\limits_{x\to 1}f(x)=\lim\limits_{x\to 1}\dfrac{\ln\cos(x-1)}{1-\sin\dfrac{\pi}{2}x}=\dfrac{2}{\pi}\lim\limits_{x\to 1}\dfrac{\tan(x-1)}{\cos\dfrac{\pi}{2}x}$

$=\dfrac{2}{\pi}\lim\limits_{x\to 1}\dfrac{\sec^2(x-1)}{-\dfrac{\pi}{2}\sin\dfrac{\pi}{2}x}=-\dfrac{4}{\pi^2}\neq f(1)$，

所以函数 $f(x)$ 在 $x=1$ 处不连续. 若修改定义，令 $f(1)=-\dfrac{4}{\pi^2}$，则函数在 $x=1$ 处连续.

27．（2003．Ⅱ）设函数

$$f(x)=\begin{cases} \dfrac{\ln(1+ax^3)}{x-\arcsin x}, & x<0, \\[3mm] 6, & x=0, \\[3mm] \dfrac{\mathrm{e}^{ax}+x^2-ax-1}{x\sin\dfrac{x}{4}}, & x>0, \end{cases}$$

问 a 为何值时，$f(x)$ 在 $x=0$ 处连续；a 为何值时，$x=0$ 是 $f(x)$ 的可去间断点？

解 $\lim\limits_{x\to 0^-}f(x)=\lim\limits_{x\to 0^-}\dfrac{\ln(1+ax^3)}{x-\arcsin x}=\lim\limits_{x\to 0^-}\dfrac{ax^3}{x-\arcsin x}$

$=\lim\limits_{x\to 0^-}\dfrac{3ax^2}{1-\dfrac{1}{\sqrt{1-x^2}}}=\lim\limits_{x\to 0^-}\dfrac{3ax^2}{\sqrt{1-x^2}-1}\cdot\lim\limits_{x\to 0^-}\sqrt{1-x^2}$

$=\lim\limits_{x\to 0^-}\dfrac{6ax}{\dfrac{-x}{\sqrt{1-x^2}}}=-6a,$

$\lim\limits_{x\to 0^+}f(x)=\lim\limits_{x\to 0^+}\dfrac{\mathrm{e}^{ax}+x^2-ax-1}{x\sin\dfrac{x}{4}}=4\lim\limits_{x\to 0^+}\dfrac{\mathrm{e}^{ax}+x^2-ax-1}{x^2}$

$$= 4 \lim_{x \to 0^+} \frac{a e^{ax} + 2x - a}{2x} = 2 \lim_{x \to 0^+} (a^2 e^{ax} + 2)$$

$$= 2a^2 + 4.$$

令 $\lim_{x \to 0^+} f(x) = \lim_{x \to 0^-} f(x)$，有 $2a^2 + 4 = -6a$，得 $a = -1$ 或 $a = -2$.

当 $a = -1$ 时，$\lim_{x \to 0} f(x) = 6 = f(0)$，$f(x)$ 在 $x = 0$ 处连续.

当 $a = -2$ 时，$\lim_{x \to 0} f(x) = 12 \neq f(0)$，$x = 0$ 是 $f(x)$ 的可去间断点.

（二）一元函数微分学

1. （1989. Ⅰ, Ⅱ）已知 $f'(3)=2$, 则 $\lim\limits_{h\to 0}\dfrac{f(3-h)-f(3)}{2h}=$ _____.

解 $\lim\limits_{h\to 0}\dfrac{f(3-h)-f(3)}{2h}=-\dfrac{1}{2}\lim\limits_{h\to 0}\dfrac{f(3-h)-f(3)}{-h}=-\dfrac{1}{2}f'(3)=-1.$

2. （1989. Ⅲ）设 $f(x)$ 在 $x=a$ 的某个邻域内有定义, 则 $f(x)$ 在 $x=a$ 处可导的一个充分条件是(   ).

(A) $\lim\limits_{h\to +\infty}h\left[f\left(a+\dfrac{1}{h}\right)-f(a)\right]$ 存在.   (B) $\lim\limits_{h\to 0}\dfrac{f(a+2h)-f(a+h)}{h}$ 存在.

(C) $\lim\limits_{h\to 0}\dfrac{f(a+h)-f(a-h)}{2h}$ 存在.   (D) $\lim\limits_{h\to 0}\dfrac{f(a)-f(a-h)}{h}$ 存在.

解 因 $\lim\limits_{h\to 0}\dfrac{f(a)-f(a-h)}{h}=\lim\limits_{-h\to 0}\dfrac{f[a+(-h)]-f(a)}{(-h)}$

$$=\lim\limits_{h\to 0}\dfrac{f(a+h)-f(a)}{h},$$

故应选(D). 关于其他三个选项, (A)和(B)不是充分条件比较明显, 至于(C)的排除可用反例来说明, 例如设

$$f(x)=\begin{cases}1, & x\neq a, \\ 0, & x=a.\end{cases}$$

则 $f(x)$ 在 $x=a$ 处间断, 因而 $f(x)$ 在 $x=a$ 处不可导, 但

$$\lim\limits_{h\to 0}\dfrac{f(a+h)-f(a-h)}{2h}=0.$$

3. （2001. Ⅰ）设 $f(0)=0$, 则 $f(x)$ 在点 $x=0$ 可导的充要条件为(   ).

(A) $\lim\limits_{h\to 0}\dfrac{1}{h^2}f(1-\cos h)$ 存在.   (B) $\lim\limits_{h\to 0}\dfrac{1}{h}f(1-e^h)$ 存在.

(C) $\lim\limits_{h\to 0}\dfrac{1}{h^2}f(h-\sin h)$ 存在.   (D) $\lim\limits_{h\to 0}\dfrac{1}{h}\left[f(2h)-f(h)\right]$ 存在.

解 令 $1-e^h=t$, 则 $h=\ln(1-t)$, 当 $h\to 0$ 时, $t\to 0$, 故

$$\lim\limits_{h\to 0}\dfrac{1}{h}f(1-e^h)=\lim\limits_{t\to 0}\dfrac{f(t)}{\ln(1-t)}=\lim\limits_{t\to 0}\dfrac{f(t)-f(0)}{t}\cdot\dfrac{t}{\ln(1-t)}$$

$$=\lim\limits_{t\to 0}\dfrac{f(t)-f(0)}{t}\cdot(-1),$$

由导数的定义知,应选(B).关于其他三个选项的排除,可用反例说明. 取 $f(x)=|x|$,则 $f(x)$ 在 $x=0$ 处不可导,但

$$\lim_{h\to 0}\frac{1}{h^2}f(1-\cos h)=\lim_{h\to 0}\frac{|1-\cos h|}{h^2}=\frac{1}{2},$$

$$\lim_{h\to 0}\frac{1}{h^2}f(h-\sin h)=\lim_{h\to 0}\frac{|h-\sin h|}{h^2}=0,$$

故排除(A)和(C).

又取 $f(x)=\begin{cases}1, & x\geqslant 0,\\ 0, & x<0,\end{cases}$ 则 $f(x)$ 在 $x=0$ 处不连续,从而 $f'(0)$ 不存在. 但

$$\lim_{h\to 0^+}\frac{1}{h}[f(2h)-f(h)]=\lim_{h\to 0^+}\frac{1}{h}(1-1)=0,$$

$$\lim_{h\to 0^-}\frac{1}{h}[f(2h)-f(h)]=\lim_{h\to 0^-}\frac{1}{h}(0-0)=0.$$

即 $\lim\limits_{h\to 0}\frac{1}{h}[f(2h)-f(h)]$ 存在,故排除(D).

4. (1990. Ⅲ)设 $y=\mathrm{e}^{\tan\frac{1}{x}}\sin\frac{1}{x}$,则 $y'=$ _____.

解 $y'=\mathrm{e}^{\tan\frac{1}{x}}\left[\sec^2\frac{1}{x}\cdot\left(-\frac{1}{x^2}\right)\cdot\sin\frac{1}{x}+\cos\frac{1}{x}\cdot\left(-\frac{1}{x^2}\right)\right]$

$$=-\frac{1}{x^2}\mathrm{e}^{\tan\frac{1}{x}}\left(\tan\frac{1}{x}\sec\frac{1}{x}+\cos\frac{1}{x}\right).$$

5. (2004. Ⅰ)已知 $f'(\mathrm{e}^x)=x\mathrm{e}^{-x}$,且 $f(1)=0$,则 $f(x)=$ _____.

解 令 $\mathrm{e}^x=t$,则 $x=\ln t$. 由 $f'(\mathrm{e}^x)=x\mathrm{e}^{-x}$ 知 $f'(t)=\frac{\ln t}{t}$,积分得 $f(t)=\frac{1}{2}(\ln t)^2+C$. 再由 $f(1)=0$ 知 $C=0$,故 $f(x)=\frac{1}{2}(\ln x)^2$.

6. (2004. Ⅱ)设函数 $y(x)$ 由参数方程

$$\begin{cases}x=t^3+3t+1,\\ y=t^3-3t+1\end{cases}$$

确定,则曲线 $y=y(x)$ 向上凸的 x 取值范围为 _____.

解 由题设知

$$\frac{\mathrm{d}y}{\mathrm{d}x}=\frac{t^2-1}{t^2+1},$$

$$\frac{\mathrm{d}^2y}{\mathrm{d}x^2}=\frac{\mathrm{d}}{\mathrm{d}t}\left(\frac{\mathrm{d}y}{\mathrm{d}x}\right)\cdot\frac{\mathrm{d}t}{\mathrm{d}x}=\frac{4t}{3(t^2+1)^3}.$$

令 $\frac{\mathrm{d}^2y}{\mathrm{d}x^2}<0$,得 $t<0$. 代入 $x=t^3+3t+1$ 并由单调性知 $x<1$,故所求取值范围为 $(-\infty,1)$ 或 $(-\infty,1]$.

注：由于 $\dfrac{\mathrm{d}x}{\mathrm{d}t} > 0$，故函数 $x = x(t)$ 是单调的，x 与 t 之间的对应是一对一的，从而保证参数方程确定函数 $y = y(x)$.

7. (1999. Ⅱ) 曲线 $\begin{cases} x = \mathrm{e}^t \sin 2t, \\ y = \mathrm{e}^t \cos t \end{cases}$ 在点 $(0,1)$ 处的法线方程为 _____.

解 $\dfrac{\mathrm{d}y}{\mathrm{d}x} = \dfrac{y'_t}{x'_t} = \dfrac{\mathrm{e}^t \cos t - \mathrm{e}^t \sin t}{\mathrm{e}^t \sin 2t + 2\mathrm{e}^t \cos 2t} = \dfrac{\cos t - \sin t}{\sin 2t + 2\cos 2t}.$

点 $(0,1)$ 对应参数 $t = 0$，$\dfrac{\mathrm{d}y}{\mathrm{d}x}\Big|_{t=0} = \dfrac{1}{2}$，于是所求法线方程为

$$y - 1 = -2x, \quad 即 \quad 2x + y - 1 = 0.$$

8. (1994. Ⅲ) 设函数 $y = y(x)$ 由参数方程 $\begin{cases} x = t - \ln(1+t), \\ y = t^3 + t^2 \end{cases}$ 所确定，则 $\dfrac{\mathrm{d}^2 y}{\mathrm{d}x^2}$

= _____.

解 $\dfrac{\mathrm{d}y}{\mathrm{d}x} = \dfrac{y'_t}{x'_t} = \dfrac{3t^2 + 2t}{1 - \dfrac{1}{1+t}} = 3t^2 + 5t + 2,$

$$\dfrac{\mathrm{d}^2 y}{\mathrm{d}x^2} = \dfrac{(3t^2 + 5t + 2)'_t}{x'_t} = \dfrac{6t + 5}{1 - \dfrac{1}{1+t}} = \dfrac{(6t+5)(t+1)}{t}.$$

9. (1993. Ⅲ) 函数 $y = y(x)$ 由方程 $\sin(x^2 + y^2) + \mathrm{e}^x - xy^2 = 0$ 所确定，则 $\dfrac{\mathrm{d}y}{\mathrm{d}x} =$ _____.

解 方程两端对 x 求导数，得

$$(2x + 2yy')\cos(x^2 + y^2) + \mathrm{e}^x - y^2 - 2xyy' = 0,$$

从而

$$\dfrac{\mathrm{d}y}{\mathrm{d}x} = \dfrac{y^2 - \mathrm{e}^x - 2x\cos(x^2 + y^2)}{2y\cos(x^2 + y^2) - 2xy}.$$

10. (2002. Ⅰ) 设函数 $f(x)$ 在 $x = 0$ 的某邻域内具有一阶连续导数，且 $f(0) \neq 0, f'(0) \neq 0$，若 $af(h) + bf(2h) - f(0)$ 在 $h \to 0$ 时是比 h 高阶的无穷小，试确定 a, b 的值.

解法一 由题设条件知

$$\lim_{h \to 0}[af(h) + bf(2h) - f(0)] = (a + b - 1)f(0) = 0,$$

由于 $f(0) \neq 0$，故有 $a + b - 1 = 0$.

又由洛必达法则，有

$$0 = \lim_{h \to 0} \dfrac{af(h) + bf(2h) - f(0)}{h} = \lim_{h \to 0} \dfrac{af'(h) + 2bf'(2h)}{1} = (a + 2b)f'(0),$$

因 $f'(0) \neq 0$，故有 $a + 2b = 0$.

于是,解得 $\qquad a=2, b=-1.$

解法二 由 $f(h)$ 在 $h=0$ 处可导,即

$$\lim_{h \to 0} \frac{f(h)-f(0)}{h}=f'(0),$$

于是

$$\frac{f(h)-f(0)}{h}=f'(0)+\alpha, \quad \lim_{h \to 0}\alpha=0.$$

从而有

$$f(h)=f(0)+f'(0)h+o_1(h), \lim_{h \to 0}\frac{o_1(h)}{h}=\lim_{h \to 0}\alpha=0.$$

同理有

$$f(2h)=f(0)+f'(0)2h+o_2(h), \lim_{h \to 0}\frac{o_2(h)}{h}=0.$$

所以

$$af(h)+bf(2h)-f(0)=(a+b-1)f(0)+(a+2b)f'(0)h+o(h),$$

按题设,当 $h \to 0$ 时上式右端应是 h 的高阶无穷小,从而

$$(a+b-1)f(0)=0 \quad 及 \quad (a+2b)f'(0)=0.$$

于是 $a+b-1=0, a+2b=0$. 得 $a=2, b=-1$.

11. (2002. Ⅰ)已知两曲线 $y=f(x)$ 与 $y=\int_0^{\arctan x} \mathrm{e}^{-t^2}\,\mathrm{d}t$ 在点 $(0,0)$ 处的切线相同,写出此切线方程,并求极限 $\lim\limits_{n \to \infty} nf\left(\dfrac{2}{n}\right)$.

解 由已知条件得 $f(0)=0$,

$$f'(0)=\frac{\mathrm{e}^{-(\arctan x)^2}}{1+x^2}\bigg|_{x=0}=1,$$

故所求切线方程为 $y=x$.

$$\lim_{n \to \infty} nf\left(\frac{2}{n}\right)=\lim_{n \to \infty} 2\,\frac{f\left(\dfrac{2}{n}\right)-f(0)}{\dfrac{2}{n}}=2f'(0)=2.$$

12. (1987. Ⅰ,Ⅱ)设函数 $f(x)$ 在闭区间 $[0,1]$ 上可微,对于 $[0,1]$ 上的每一个 x,函数 $f(x)$ 的值都在开区间 $(0,1)$ 内,且 $f'(x) \neq 1$,证明在 $(0,1)$ 内有且仅有一个 x,使 $f(x)=x$.

证 令 $F(x)=f(x)-x$,则 $F(x)$ 在 $[0,1]$ 上连续. 由于 $0<f(x)<1$,所以 $F(0)=f(0)-0>0, F(1)=f(1)-1<0$,故由零点定理知,在 $(0,1)$ 内至少存在一点 x,使

$$F(x)=f(x)-x=0, \quad 即 \quad f(x)=x.$$

若有 $x_1, x_2 \in (0,1), x_1 \neq x_2,$ 使

$$f(x_1) = x_1, \quad f(x_2) = x_2,$$

则由拉格朗日中值定理知,在 $(0,1)$ 内至少存在一点 x 使

$$f'(x) = \frac{f(x_2) - f(x_1)}{x_2 - x_1} = \frac{x_2 - x_1}{x_2 - x_1} = 1,$$

这与题设 $f'(x) \neq 1$ 矛盾.

综上所得,在 $(0,1)$ 内有且仅有一个 x,使 $f(x) = x$.

13. (1996.Ⅲ)设 $f(x)$ 在区间 $[a,b]$ 上具有二阶导数,且 $f(a) = f(b) = 0$, $f'(a)f'(b) > 0$,证明存在 $\xi \in (a,b)$ 和 $\eta \in (a,b)$,使 $f(\xi) = 0$ 及 $f''(\eta) = 0$.

证 先证明存在 $\xi \in (a,b)$,使 $f(\xi) = 0$.用反证法.

若不存在 $\xi \in (a,b)$,使 $f(\xi) = 0$,则在 (a,b) 内恒有 $f(x) > 0$ 或 $f(x) < 0$,不妨设 $f(x) > 0$(对 $f(x) < 0$,类似可证),则

$$f'(a) = \lim_{x \to a^+} \frac{f(x) - f(a)}{x - a} = \lim_{x \to a^+} \frac{f(x)}{x - a} \geq 0,$$

$$f'(b) = \lim_{x \to b^-} \frac{f(x) - f(b)}{x - b} = \lim_{x \to b^-} \frac{f(x)}{x - b} \leq 0.$$

从而 $f'(a)f'(b) \leq 0$,与已知条件矛盾.所以在 (a,b) 内至少存在一点 ξ,使 $f(\xi) = 0$.

再证存在 $\eta \in (a,b)$,使 $f''(\eta) = 0$.

由 $f(a) = f(b) = f(\xi)$ 及罗尔定理知,存在 $\eta_1 \in (a,\xi)$ 和 $\eta_2 \in (\xi,b)$,使 $f'(\eta_1) = f'(\eta_2) = 0$,再在 $[\eta_1, \eta_2]$ 上对函数 $f'(x)$ 运用罗尔定理,知存在 $\eta \in (\eta_1, \eta_2) \subset (a,b)$,使 $f''(\eta) = 0$.

14. (2001.Ⅰ)设 $y = f(x)$ 在 $(-1,1)$ 内具有二阶连续导数且 $f''(x) \neq 0$,试证:

(1) 对于 $(-1,1)$ 内的任一 $x \neq 0$,存在惟一的 $\theta(x) \in (0,1)$,使 $f(x) = f(0) + xf'(\theta(x)x)$ 成立;

(2) $\lim\limits_{x \to 0} \theta(x) = \dfrac{1}{2}$.

证法一 (1) 任给非零 $x \in (-1,1)$,由拉格朗日中值定理得

$$f(x) = f(0) + xf'(\theta(x)x) \quad (0 < \theta(x) < 1).$$

因为 $f''(x)$ 在 $(-1,1)$ 内连续且 $f''(x) \neq 0$,所以 $f''(x)$ 在 $(-1,1)$ 内不变号,不妨设 $f''(x) > 0$,则 $f'(x)$ 在 $(-1,1)$ 内严格单增,故 $\theta(x)$ 惟一.

(2) 由泰勒公式得

$$f(x) = f(0) + f'(0)x + \frac{1}{2}f''(\xi)x^2, \xi \text{ 在 } 0 \text{ 与 } x \text{ 之间}.$$

所以 $\quad xf'(\theta(x)x) = f(x) - f(0) = f'(0)x + \frac{1}{2}f''(\xi)x^2,$

从而
$$\theta(x)\frac{f'(\theta(x)x)-f'(0)}{\theta(x)x}=\frac{1}{2}f''(\xi).$$

由于　$\lim\limits_{x\to0}\dfrac{f'(\theta(x)x)-f'(0)}{\theta(x)x}=f''(0),\quad \lim\limits_{x\to0}f''(\xi)=\lim\limits_{\xi\to0}f''(\xi)=f''(0),$

故　$\lim\limits_{x\to0}\theta(x)=\dfrac{1}{2}.$

证法二　(1) 同证法一(1).

(2) 对于非零 $x\in(-1,1)$,由拉格朗日中值定理得
$$f(x)=f(0)+xf'(\theta(x)x)\quad(0<\theta(x)<1),$$

所以
$$\frac{f'(\theta(x)x)-f'(0)}{x}=\frac{f(x)-f(0)-f'(0)x}{x^2}.$$

由于
$$\lim\limits_{x\to0}\frac{f'(\theta(x)x)-f'(0)}{\theta(x)x}=f''(0),$$

$$\lim\limits_{x\to0}\frac{f(x)-f(0)-f'(0)x}{x^2}=\lim\limits_{x\to0}\frac{f'(x)-f'(0)}{2x}=\frac{1}{2}f''(0),$$

故
$$\lim\limits_{x\to0}\theta(x)=\frac{1}{2}.$$

15. (2005.Ⅲ,Ⅳ)以下四个命题中,正确的是(　　).

(A) 若 $f'(x)$ 在 $(0,1)$ 内连续,则 $f(x)$ 在 $(0,1)$ 内有界.

(B) 若 $f(x)$ 在 $(0,1)$ 内连续,则 $f(x)$ 在 $(0,1)$ 内有界.

(C) 若 $f'(x)$ 在 $(0,1)$ 内有界,则 $f(x)$ 在 $(0,1)$ 内有界.

(D) 若 $f(x)$ 在 $(0,1)$ 内有界,则 $f'(x)$ 在 $(0,1)$ 内有界.

解　若 $f'(x)$ 在 $(0,1)$ 内有界,则存在常数 $M>0$,对任意 $x\in(0,1)$, $|f'(x)|\leqslant M.$ 又当 $x\in(0,1)$ 时,由拉格朗日中值定理,有
$$f(x)-f\left(\frac{1}{2}\right)=f'(\xi)\left(x-\frac{1}{2}\right),$$

其中 ξ 介于 x 与 $\dfrac{1}{2}$ 之间,于是有
$$\left|f(x)\right|\leqslant\left|f\left(\frac{1}{2}\right)\right|+M\left|x-\frac{1}{2}\right|<\left|f\left(\frac{1}{2}\right)\right|+\frac{1}{2}M,$$

故应选(C).

本题也可以用排除法. 对选项(A)、(B),取 $f(x)=\ln x$,则 $f'(x)=\dfrac{1}{x}$,$\ln x$ 与 $\dfrac{1}{x}$ 均在 $(0,1)$ 内连续,但 $\ln x$ 在 $(0,1)$ 内无界,故(A)、(B)均不正确;对选项(D),取 $f(x)=\sqrt{1-x^2}$,$f(x)$ 在 $(0,1)$ 内有界,但 $f'(x)=-\dfrac{x}{\sqrt{1-x^2}}$ 在 $(0,1)$ 内无

界,故(C)不正确.

16. (2001. Ⅱ)设 $f(x)$ 在区间 $[-a,a]$ $(a>0)$ 上具有二阶连续导数,$f(0)=0$.

(1) 写出 $f(x)$ 的带拉格朗日余项的一阶麦克劳林公式;

(2) 证明在 $[-a,a]$ 上至少存在一点 η,使

$$a^3 f''(\eta) = 3\int_{-a}^{a} f(x)\mathrm{d}x.$$

解 (1) 对任意 $x\in[-a,a]$,

$$f(x)=f(0)+f'(0)x+\frac{f''(\xi)}{2!}x^2=f'(0)x+\frac{f''(\xi)}{2!}x^2,\text{其中 }\xi\text{ 在 }0\text{ 与 }x\text{ 之间.}$$

(2) $\int_{-a}^{a} f(x)\mathrm{d}x = \int_{-a}^{a} f'(0)x\mathrm{d}x + \int_{-a}^{a}\frac{x^2}{2!}f''(\xi)\mathrm{d}x = \frac{1}{2}\int_{-a}^{a} x^2 f''(\xi)\mathrm{d}x.$

因为 $f''(x)$ 在 $[-a,a]$ 上连续,故对任意的 $x\in[-a,a]$,有 $m\leqslant f''(x)\leqslant M$,其中 M,m 分别为 $f''(x)$ 在 $[-a,a]$ 上的最大、最小值,所以有

$$m\int_{0}^{a} x^2\mathrm{d}x \leqslant \int_{-a}^{a} f(x)\mathrm{d}x = \frac{1}{2}\int_{-a}^{a} x^2 f''(\xi)\mathrm{d}x \leqslant M\int_{0}^{a} x^2\mathrm{d}x,$$

即

$$m\leqslant \frac{3}{a^3}\int_{-a}^{a} f(x)\mathrm{d}x \leqslant M.$$

因而由 $f''(x)$ 的连续性知,至少存在一点 $\eta\in[-a,a]$,使

$$f''(\eta)=\frac{3}{a^3}\int_{-a}^{a} f(x)\mathrm{d}x,$$

即

$$a^3 f''(\eta)=3\int_{-a}^{a} f(x)\mathrm{d}x.$$

下面我们给出(2)的另一种证法.

令 $F(x)=\int_{-x}^{x} f(t)\mathrm{d}t.$ 因为 $f(x)$ 在 $[-a,a]$ 上有二阶连续导数,所以 $F(x)$ 在 $[-a,a]$ 上有三阶连续导数,且

$$F(0)=0, \quad F'(0)=0, \quad F''(0)=0.$$

由泰勒公式知存在 $\xi\in(-a,a)$,使得

$$F(x)=\int_{-x}^{x} f(t)\mathrm{d}t=\frac{1}{3!}F'''(\xi)x^3, \quad \xi\in(-a,a).$$

由 $F'''(x)=f''(x)+f''(-x)$,故有

$$\int_{-x}^{x} f(t)\mathrm{d}t=\frac{1}{3!}[f''(\xi)+f''(-\xi)]x^3, \quad \xi\in(-a,a).$$

又因为 $f''(x)$ 连续,所以在 ξ 与 $-\xi$ 之间存在 η,使得 $\dfrac{f''(\xi)+f''(-\xi)}{2}=f''(\eta)$. 从而

$$\int_{-x}^{x} f(t)\mathrm{d}t=\frac{1}{3}f''(\eta)x^3, \quad \eta\in(-a,a).$$

在上式中令 $x=a$ 即得所证.(按此证法,η 可在开区间 $(-a,a)$ 内取得,比原题结论更精确.)

17.(2006.Ⅰ)设函数 $y=f(x)$ 具有二阶导数,且 $f'(x)>0,f''(x)>0$,Δx 为自变量 x 在点 x_0 处的增量,Δy 与 dy 分别为 $f(x)$ 在点 x_0 处对应的增量与微分,若 $\Delta x>0$,则(　　).

(A) $0<\mathrm{d}y<\Delta y$. 　　　　(B) $0<\Delta y<\mathrm{d}y$.

(C) $\Delta y<\mathrm{d}y<0$. 　　　　(D) $\mathrm{d}y<\Delta y<0$.

解　由一阶泰勒公式

$$f(x_0+\Delta x)=f(x_0)+f'(x_0)\Delta x+\frac{f''(\xi)}{2!}(\Delta x)^2,\text{其中 }\xi\text{ 介于 }x_0\text{ 与 }x_0+\Delta x$$

之间,及已知条件知 $\mathrm{d}y=f'(x_0)\Delta x>0$,$\Delta y-\mathrm{d}y=\dfrac{f''(\xi)}{2!}(\Delta x)^2>0$,故应选(A).

18.(1990.Ⅲ)证明当 $x>0$ 时,有不等式

$$\arctan x+\frac{1}{x}>\frac{\pi}{2}.$$

证　设 $f(x)=\arctan x+\dfrac{1}{x}-\dfrac{\pi}{2}$ $(x>0)$,则

$$f'(x)=\frac{1}{1+x^2}-\frac{1}{x^2}<0,$$

故函数 $f(x)$ 在 $(0,+\infty)$ 内单调减少.又 $\lim\limits_{x\to+\infty}f(x)=0$.于是

$$f(x)=\arctan x+\frac{1}{x}-\frac{\pi}{2}>0 \quad (x>0),$$

即

$$\arctan x+\frac{1}{x}>\frac{\pi}{2} \quad (x>0).$$

19.(1993.Ⅲ)设 $x>0$,常数 $a>\mathrm{e}$.证明

$$(a+x)^a<a^{a+x}.$$

证　由函数 $y=\ln x$ 的单调性,只需证

$$a\ln(a+x)<(a+x)\ln a.$$

设 $f(x)=(a+x)\ln a-a\ln(a+x)$,则 $f(x)$ 在 $[0,+\infty)$ 内连续、可导,且

$$f'(x)=\ln a-\frac{a}{a+x}>0,$$

所以 $f(x)$ 在 $[0,+\infty)$ 内单调增加,又 $f(0)=0$,从而 $f(x)>0(x>0)$,

即

$$a\ln(a+x)<(a+x)\ln a \quad (x>0),$$

因此

$$(a+x)^a<a^{a+x} \quad (x>0).$$

20.(1999.Ⅰ)试证:当 $x>0$ 时,

$$(x^2-1)\ln x\geqslant(x-1)^2.$$

证法一 令 $\varphi(x)=(x^2-1)\ln x-(x-1)^2(x>0)$, 易知 $\varphi(1)=0$. 由于

$$\varphi'(x)=2x\ln x-x+2-\frac{1}{x}, \varphi'(1)=0,$$

$$\varphi''(x)=2\ln x+1+\frac{1}{x^2},$$

$$\varphi'''(x)=\frac{2(x^2-1)}{x^3},$$

故当 $0<x<1$ 时,$\varphi'''(x)<0$;当 $1<x<+\infty$ 时,$\varphi'''(x)>0$,从而 $\varphi''(x)$ 在 $x=1$ 处取得最小值,而 $\varphi''(1)=2>0$,故当 $x\in(0,+\infty)$ 时 $\varphi''(x)>0$,从而 $\varphi'(x)$ 在 $(0,+\infty)$ 内单调增加.

又 $\varphi'(1)=0$,故当 $0<x<1$ 时,$\varphi'(x)<0$;当 $1<x<+\infty$ 时,$\varphi'(x)>0$. 从而 $\varphi(x)$ 在 $x=1$ 处取得最小值,而 $\varphi(1)=0$,故 $\varphi(x)\geqslant0$,即当 $x>0$ 时,$(x^2-1)\ln x\geqslant(x-1)^2$.

证法二 令 $\varphi(x)=\ln x-\frac{x-1}{x+1}(x>0)$,则

$$\varphi'(x)=\frac{1}{x}-\frac{2}{(x+1)^2}=\frac{x^2+1}{x(x+1)^2}>0 \quad (x>0).$$

从而 $\varphi(x)$ 在 $(0,+\infty)$ 内单调增加,而 $\varphi(1)=0$,所以当 $0<x<1$ 时,$\varphi(x)<0$;当 $1<x<+\infty$ 时,$\varphi(x)>0$. 于是当 $x>0$ 时,

$$(x^2-1)\varphi(x)=(x^2-1)\ln x-(x-1)^2\geqslant0,$$

即

$$(x^2-1)\ln x\geqslant(x-1)^2.$$

进一步,我们还可以证明:当 $x>0$ 时,$(x^2-1)\ln x\geqslant2(x-1)^2$.

事实上,令 $\varphi(x)=\ln x-\frac{2(x-1)}{x+1}$,则 $\varphi(1)=0$,且 $\varphi'(x)=\frac{(x-1)^2}{x(x+1)^2}>0$,$x\neq1$. 所以当 $0<x<1$ 时,$\varphi(x)<0$;当 $1<x<+\infty$ 时,$\varphi(x)>0$. 故当 $x>0$ 时,$(x-1)\varphi(x)\geqslant0$,即有 $(x^2-1)\ln x\geqslant2(x-1)^2$.

21. (2005.Ⅲ,Ⅳ)设 $f(x)=x\sin x+\cos x$,下列命题中正确的是(　　).

(A) $f(0)$ 是极大值,$f\left(\frac{\pi}{2}\right)$ 是极小值.

(B) $f(0)$ 是极小值,$f\left(\frac{\pi}{2}\right)$ 是极大值.

(C) $f(0)$ 是极大值,$f\left(\frac{\pi}{2}\right)$ 也是极大值.

(D) $f(0)$ 是极小值,$f\left(\frac{\pi}{2}\right)$ 也是极小值.

解 由于 $f'(x)=\sin x+x\cos x-\sin x=x\cos x$,$f''(x)=\cos x-x\sin x$,$f'(0)=f'\left(\frac{\pi}{2}\right)=0$,$f''(0)=1>0$,$f''\left(\frac{\pi}{2}\right)=-\frac{\pi}{2}<0$,故 $f(x)$ 在 $x=0$ 处

取得极小值,在 $x = \dfrac{\pi}{2}$ 处取得极大值,应选(B).

22. (2001.Ⅱ)设 $\rho = \rho(x)$ 是抛物线 $y = \sqrt{x}$ 上任一点 $M(x,y)$ $(x \geqslant 1)$ 处的曲率半径,$s = s(x)$ 是该抛物线上介于点 $A(1,1)$ 与 M 之间的弧长,计算 $3\rho\dfrac{\mathrm{d}^2\rho}{\mathrm{d}s^2} - \left(\dfrac{\mathrm{d}\rho}{\mathrm{d}s}\right)^2$ 的值.

（在直角坐标系下曲率公式为 $K = \dfrac{|y''|}{(1+y'^2)^{\frac{3}{2}}}$.）

解 $y' = \dfrac{1}{2\sqrt{x}}, y'' = -\dfrac{1}{4\sqrt{x^3}}$.

所以抛物线在点 $M(x,y)$ 处的曲率半径

$$\rho = \rho(x) = \dfrac{1}{K} = \dfrac{(1+y'^2)^{\frac{3}{2}}}{|y''|} = \dfrac{1}{2}(4x+1)^{\frac{3}{2}};$$

抛物线上 $\overset{\frown}{AM}$ 的弧长

$$s = s(x) = \int_1^x \sqrt{1+y'^2}\,\mathrm{d}x = \int_1^x \sqrt{1 + \dfrac{1}{4x}}\,\mathrm{d}x.$$

由参数方程求导公式得

$$\dfrac{\mathrm{d}\rho}{\mathrm{d}s} = \dfrac{\dfrac{\mathrm{d}\rho}{\mathrm{d}x}}{\dfrac{\mathrm{d}s}{\mathrm{d}x}} = \dfrac{\dfrac{1}{2}\cdot\dfrac{3}{2}(4x+1)^{\frac{1}{2}}\cdot 4}{\sqrt{1+\dfrac{1}{4x}}} = 6\sqrt{x},$$

$$\dfrac{\mathrm{d}^2\rho}{\mathrm{d}s^2} = \dfrac{\mathrm{d}}{\mathrm{d}x}\left(\dfrac{\mathrm{d}\rho}{\mathrm{d}s}\right)\dfrac{1}{\dfrac{\mathrm{d}s}{\mathrm{d}x}} = \dfrac{6}{2\sqrt{x}}\cdot\dfrac{1}{\sqrt{1+\dfrac{1}{4x}}} = \dfrac{6}{\sqrt{4x+1}},$$

从而

$$3\rho\dfrac{\mathrm{d}^2\rho}{\mathrm{d}s^2} - \left(\dfrac{\mathrm{d}\rho}{\mathrm{d}s}\right)^2 = \dfrac{3}{2}(4x+1)^{\frac{3}{2}}\cdot\dfrac{6}{\sqrt{4x+1}} - 36x = 9.$$

23. (1990.Ⅲ)在椭圆 $\dfrac{x^2}{a^2} + \dfrac{y^2}{b^2} = 1$ 的第一象限部分上求一点 P,使该点处的切线,椭圆及两坐标轴所围图形的面积为最小(其中 $a>0, b>0$).

解 设所求点为 $P(x_0, y_0)$,则该点处的切线方程为

$$\dfrac{xx_0}{a^2} + \dfrac{yy_0}{b^2} = 1,$$

图形面积为 $\qquad S = \dfrac{a^2b^2}{2x_0y_0} - \dfrac{1}{4}\pi ab, x_0 \in (0,a).$

设 $A = x_0y_0 = \dfrac{b}{a}x_0\sqrt{a^2-x_0^2}$,则

$$A'(x_0) = \dfrac{b}{a}\left(\sqrt{a^2-x_0^2} - \dfrac{x_0^2}{\sqrt{a^2-x_0^2}}\right) = \dfrac{b(a^2-2x_0^2)}{a\sqrt{a^2-x_0^2}}.$$

由 $A'(x_0)=0$, 得 $x_0=\dfrac{a}{\sqrt{2}}$, 易知 $\dfrac{a}{\sqrt{2}}$ 为 A 的极大点, 即 S 的极小点, 也是 S 的最小点, 此时, $y_0=\dfrac{b}{\sqrt{2}}$. 故所求点为 $P\left(\dfrac{a}{\sqrt{2}},\dfrac{b}{\sqrt{2}}\right)$ 时, 所围图形面积最小.

图研 2-1

24. (1993. Ⅲ) 作半径为 r 的球的外切正圆锥, 问此圆锥的高 h 为何值时, 其体积最小, 并求出该最小值.

解 设圆锥的底面圆半径为 R (见图研 2-1), 则有
$$Rh=(R+\sqrt{R^2+h^2})r,$$
解得
$$R=\frac{rh}{\sqrt{h^2-2hr}},$$
于是圆锥的体积为
$$V(h)=\frac{\pi}{3}R^2h=\frac{\pi r^2}{3}\frac{h^2}{h-2r},\quad 2r<h<+\infty.$$
由
$$V'(h)=\frac{\pi r^2}{3}\frac{h^2-4rh}{(h-2r)^2}$$
可得 $V(h)$ 在 $(2r,+\infty)$ 内的惟一驻点 $h=4r$, 当 $h=4r$ 时, V 取最小值, $V(4r)=\dfrac{8\pi r^3}{3}$.

25. (1994. Ⅲ) 设 $y=\dfrac{x^3+4}{x^2}$, 求

(1) 函数的增减区间及极值; (2) 函数图像的凹凸区间及拐点;
(3) 渐近线; (4) 作出其图形.

解 定义域 $(-\infty,0)\bigcup(0,+\infty)$. 当 $x=-\sqrt[3]{4}$ 时, $y=0$.

(1) $y'=1-\dfrac{8}{x^3}$, 故驻点为 $x=2$. 又

x	$(-\infty,0)$	$(0,2)$	2	$(2,+\infty)$
y'	$+$	$-$	0	$+$
y	↗	↘	3	↗

所以, $(-\infty,0)$ 及 $(2,+\infty)$ 为增区间, $(0,2)$ 为减区间, $x=2$ 为极小点, 极小值为 $y=3$.

(2) $y''=\dfrac{24}{x^4}>0$, 故 $(-\infty,0),(0,+\infty)$ 均为凹区间, 图像无拐点.

（3）因 $\lim\limits_{x\to 0}\dfrac{x^3+4}{x^2}=+\infty$，

$$\lim\limits_{x\to\infty}\dfrac{y}{x}=\lim\limits_{x\to\infty}\dfrac{x^3+4}{x^3}=1=a,$$

$$\lim\limits_{x\to\infty}(y-ax)=\lim\limits_{x\to\infty}\left(\dfrac{x^3+4}{x^2}-x\right)=0=b,$$

所以，$x=0$ 为铅直渐近线，$y=x$ 为斜渐近线.

（4）图形见图研 2-2.

图研 2-2

26.（1993. Ⅴ）已知某厂生产 x 件产品的成本为

$$C=25\,000+200x+\dfrac{1}{40}x^2（元），$$

问：（1）要使平均成本最小，应生产多少件产品？

（2）若产品以每件 500 元售出，要使利润最大，应生产多少件产品？

解 （1）设平均成本为 y，则

$$y=\dfrac{25\,000}{x}+200+\dfrac{x}{40}.$$

由 $y'=-\dfrac{25\,000}{x^2}+\dfrac{1}{40}=0$，得 $x_1=1\,000$，$x_2=-1\,000$（舍去）.

因为 $y''|_{x=1\,000}=5\cdot 10^{-5}>0$，所以当 $x=10^3$ 时，y 取得极小值，也是最小值，因此，要使平均成本最小，应生产 1 000 件产品.

（2）利润函数为

$$L=500x-\left(25\,000+200x+\dfrac{x^2}{40}\right)=300x-\dfrac{x^2}{40}-25\,000.$$

由 $L'=300-\dfrac{x}{20}=0$，得 $x=6\,000$. 因 $L''|_{x=6\,000}=-\dfrac{1}{20}<0$，所以当 $x=6\,000$ 时，L 取得极大值，也是最大值，因此，要使利润最大，应生产 6 000 件产品.

（三） 一 元 函 数 积 分 学

1. (1989. Ⅰ，Ⅱ，Ⅲ) 设 $f(x)$ 是连续函数，且 $f(x) = x + 2\int_0^1 f(t)\,dt$，则 $f(x) = $ _____.

解 设 $\int_0^1 f(t)\,dt = c$，则 $f(x) = x + 2c$，因此有

$$c = \int_0^1 (t + 2c)\,dt = \frac{1}{2} + 2c,$$

得到 $c = -\frac{1}{2}$，故 $f(x) = x - 1$.

2. (1999. Ⅰ) $\dfrac{d}{dx} \displaystyle\int_0^x \sin(x-t)^2\,dt = $ _____.

解 $\displaystyle\int_0^x \sin(x-t)^2\,dt \xlongequal{u=x-t} \int_x^0 -\sin u^2\,du = \int_0^x \sin u^2\,du$，因此有

$$\frac{d}{dx}\left[\int_0^x \sin(x-t)^2\,dt\right] = \frac{d}{dx}\left(\int_0^x \sin u^2\,du\right) = \sin x^2.$$

3. (2006. Ⅱ) 设函数 $f(x) = \begin{cases} \dfrac{1}{x^3}\displaystyle\int_0^x \sin t^2\,dt, & x \neq 0, \\ a, & x = 0 \end{cases}$ 在 $x = 0$ 处连续，则 $a = $

_____.

解 $\displaystyle\lim_{x\to 0} f(x) = \lim_{x\to 0} \frac{\displaystyle\int_0^x \sin t^2\,dt}{x^3} = \lim_{x\to 0} \frac{\sin x^2}{3x^2} = \frac{1}{3}$，

因此，$a = \displaystyle\lim_{x\to 0} f(x) = \frac{1}{3}$.

4. (1991. Ⅲ) 设函数 $f(x) = \begin{cases} x^2, & 0 \leqslant x \leqslant 1, \\ 2-x, & 1 < x \leqslant 2, \end{cases}$ 记 $F(x) = \displaystyle\int_0^x f(t)\,dt$，

$0 \leqslant x \leqslant 2$，则有（ ）.

(A) $F(x) = \begin{cases} \dfrac{x^3}{3}, & 0 \leqslant x \leqslant 1, \\ \dfrac{1}{3} + 2x - \dfrac{x^2}{2}, & 1 < x \leqslant 2. \end{cases}$

(B) $F(x)=\begin{cases} \dfrac{x^3}{3}, & 0\leqslant x\leqslant 1, \\ -\dfrac{7}{6}+2x-\dfrac{x^2}{2}, & 1<x\leqslant 2. \end{cases}$

(C) $F(x)=\begin{cases} \dfrac{x^3}{3}, & 0\leqslant x\leqslant 1, \\ \dfrac{x^3}{3}+2x-\dfrac{x^2}{2}, & 1<x\leqslant 2. \end{cases}$

(D) $F(x)=\begin{cases} \dfrac{x^3}{3}, & 0\leqslant x\leqslant 1, \\ 2x-\dfrac{x^2}{2}, & 1<x\leqslant 2. \end{cases}$

解 当 $0\leqslant x\leqslant 1$ 时,$F(x)=\displaystyle\int_0^x f(t)\mathrm{d}t=\int_0^x t^2\mathrm{d}t=\dfrac{x^3}{3}$;

当 $1<x\leqslant 2$ 时,$F(x)=\displaystyle\int_0^x f(t)\mathrm{d}t=\int_0^1 t^2\mathrm{d}t+\int_1^x(2-t)\mathrm{d}t$

$$=-\frac{7}{6}+2x-\frac{x^2}{2}.$$

故选(B).

5.（1999.Ⅱ）设 $\alpha(x)=\displaystyle\int_0^{5x}\frac{\sin t}{t}\mathrm{d}t, \beta(x)=\int_0^{\sin x}(1+t)^{\frac{1}{t}}\mathrm{d}t$,则当 $x\to 0$ 时,$\alpha(x)$ 是 $\beta(x)$ 的（　　）.

(A) 高阶无穷小.　　　　　　　(B) 低阶无穷小.

(C) 同阶但不等价的无穷小.　　(D) 等价无穷小.

解 由于 $\displaystyle\lim_{x\to 0}\frac{\alpha(x)}{\beta(x)}=\lim_{x\to 0}\frac{\displaystyle\int_0^{5x}\frac{\sin t}{t}\mathrm{d}t}{\displaystyle\int_0^{\sin x}(1+t)^{\frac{1}{t}}\mathrm{d}t}=\lim_{x\to 0}\frac{5\cdot\dfrac{\sin 5x}{5x}}{\cos x\cdot(1+\sin x)^{\frac{1}{\sin x}}}=\frac{5}{e}$,

故选(C).

6.（2006.Ⅱ）设 $f(x)$ 是奇函数,除 $x=0$ 外处处连续,$x=0$ 是其第一类间断点,则 $\displaystyle\int_0^x f(t)\mathrm{d}t$ 是（　　）.

(A) 连续的奇函数.　　　　　　(B) 连续的偶函数.

(C) 在 $x=0$ 间断的奇函数.　　(D) 在 $x=0$ 间断的偶函数.

解 对于任意的 x_0,存在 $a>0$,使得 $x_0\in(-a,a)$,由条件可知 $f(x)$ 在 $[-a,a]$ 上有界,设 $|f(x)|<M_a(x\in[-a,a])$,记 $F(x)=\displaystyle\int_0^x f(t)\mathrm{d}t$,当 $x_0+\Delta x\in[-a,a]$ 时,有

$$|F(x_0+\Delta x)-F(x_0)|=\left|\int_{x_0}^{x_0+\Delta x}f(t)\mathrm{d}t\right|<M_a|\Delta x|,$$

故 $\Delta x\to 0$ 时，$F(x_0+\Delta x)-F(x_0)\to 0$，即 $F(x)$ 在 x_0 处连续.

又

$$F(-x)=\int_0^{-x}f(t)\mathrm{d}t\xrightarrow{t=-u}\int_0^x-f(-u)\mathrm{d}u=\int_0^x f(u)\mathrm{d}u=F(x),$$

所以 $F(x)$ 是连续的偶函数，故选(B).

7. (1987.Ⅲ)计算 $\displaystyle\int\frac{1}{a^2\sin^2 x+b^2\cos^2 x}\mathrm{d}x$，其中 a,b 是不全为 0 的非负常数.

解 当 $a\neq 0,b\neq 0$ 时，

$$\int\frac{1}{a^2\sin^2 x+b^2\cos^2 x}\mathrm{d}x=\int\frac{1}{a^2\tan^2 x+b^2}\mathrm{d}(\tan x)$$
$$=\frac{1}{ab}\arctan\left(\frac{a}{b}\tan x\right)+C.$$

当 $a=0,b\neq 0$ 时，

$$\int\frac{1}{a^2\sin^2 x+b^2\cos^2 x}\mathrm{d}x=\frac{1}{b^2}\int\sec^2 x\mathrm{d}x=\frac{1}{b^2}\tan x+C.$$

当 $a\neq 0,b=0$ 时，

$$\int\frac{1}{a^2\sin^2 x+b^2\cos^2 x}\mathrm{d}x=\frac{1}{a^2}\int\csc^2 x\mathrm{d}x=-\frac{1}{a^2}\cot x+C.$$

8. (1993.Ⅰ,Ⅱ)求 $\displaystyle\int\frac{x\mathrm{e}^x}{\sqrt{\mathrm{e}^x-1}}\mathrm{d}x$.

解 令 $u=\sqrt{\mathrm{e}^x-1}$，即 $x=\ln(u^2+1)$，因此有

$$\int\frac{x\mathrm{e}^x}{\sqrt{\mathrm{e}^x-1}}\mathrm{d}x=\int 2\ln(u^2+1)\mathrm{d}u=2u\ln(u^2+1)-2\int\frac{2u^2}{u^2+1}\mathrm{d}u$$
$$=2u\ln(u^2+1)-4u+4\arctan u+C$$
$$=2x\sqrt{\mathrm{e}^x-1}-4\sqrt{\mathrm{e}^x-1}+4\arctan\sqrt{\mathrm{e}^x-1}+C.$$

9. (1994.Ⅰ,Ⅱ,Ⅲ)求 $\displaystyle\int\frac{\mathrm{d}x}{\sin(2x)+2\sin x}$.

解法一

$$\int\frac{\mathrm{d}x}{\sin(2x)+2\sin x}=\int\frac{\mathrm{d}x}{2\sin x(\cos x+1)}=\int\frac{\mathrm{d}(\cos x)}{2(\cos^2 x-1)(\cos x+1)}$$
$$\xrightarrow{u=\cos x}\int\frac{\mathrm{d}u}{2(u^2-1)(u+1)}$$
$$=-\frac{1}{8}\int\left[\frac{1}{1-u}+\frac{1}{1+u}+\frac{2}{(1+u)^2}\right]\mathrm{d}u$$
$$=-\frac{1}{8}\left[-\ln(1-u)+\ln(1+u)-\frac{2}{1+u}\right]+C$$

$$= -\frac{1}{8}\ln\frac{1+\cos x}{1-\cos x}+\frac{1}{4(1+\cos x)}+C.$$

解法二

$$\int\frac{\mathrm{d}x}{\sin(2x)+2\sin x}=\int\frac{\mathrm{d}x}{2\sin x(\cos x+1)}=\frac{1}{4}\int\frac{\mathrm{d}\left(\dfrac{x}{2}\right)}{\sin\dfrac{x}{2}\cos^3\dfrac{x}{2}}$$

$$=\frac{1}{4}\int\frac{\mathrm{d}\left(\tan\dfrac{x}{2}\right)}{\tan\dfrac{x}{2}\cos^2\dfrac{x}{2}}$$

$$=\frac{1}{4}\int\frac{1+\tan^2\dfrac{x}{2}}{\tan\dfrac{x}{2}}\mathrm{d}\left(\tan\dfrac{x}{2}\right)$$

$$=\frac{1}{8}\tan^2\frac{x}{2}+\frac{1}{4}\ln\left|\tan\frac{x}{2}\right|+C.$$

10. (1987. Ⅱ)计算定积分 $\displaystyle\int_{-2}^{2}(|x|+x)\mathrm{e}^{-|x|}\mathrm{d}x$.

解 由于 $x\mathrm{e}^{-|x|}$ 为奇函数,$|x|\mathrm{e}^{-|x|}$ 为偶函数,因此有

$$\int_{-2}^{2}(|x|+x)\mathrm{e}^{-|x|}\mathrm{d}x=2\int_{0}^{2}|x|\mathrm{e}^{-|x|}\mathrm{d}x=2\int_{0}^{2}x\mathrm{e}^{-x}\mathrm{d}x$$

$$=2[-x\mathrm{e}^{-x}-\mathrm{e}^{-x}]_{0}^{2}=2-\frac{6}{\mathrm{e}^2}.$$

11. (1989. Ⅲ)已知 $f(2)=\dfrac{1}{2}$,$f'(2)=0$ 及 $\displaystyle\int_{0}^{2}f(x)\mathrm{d}x=1$,求 $\displaystyle\int_{0}^{1}x^2f''(2x)\mathrm{d}x$.

解 令 $t=2x$,则

$$\int_{0}^{1}x^2f''(2x)\mathrm{d}x=\frac{1}{8}\int_{0}^{2}t^2f''(t)\mathrm{d}t=\frac{1}{8}\int_{0}^{2}t^2\mathrm{d}[f'(t)]$$

$$=\frac{1}{8}[t^2f'(t)]_{0}^{2}-\frac{1}{4}\int_{0}^{2}tf'(t)\mathrm{d}t$$

$$=-\frac{1}{4}\int_{0}^{2}t\mathrm{d}[f(t)]$$

$$=-\frac{1}{4}[tf(t)]_{0}^{2}+\frac{1}{4}\int_{0}^{2}f(t)\mathrm{d}t$$

$$=-\frac{1}{4}+\frac{1}{4}=0.$$

12. (1995. Ⅲ)设 $f(x)=\displaystyle\int_{0}^{x}\frac{\sin t}{\pi-t}\mathrm{d}t$,计算 $\displaystyle\int_{0}^{\pi}f(x)\mathrm{d}x$.

解 $\displaystyle\int_{0}^{\pi}f(x)\mathrm{d}x=[xf(x)]_{0}^{\pi}-\int_{0}^{\pi}xf'(x)\mathrm{d}x$

$$= \pi \int_0^\pi \frac{\sin t}{\pi - t} dt - \int_0^\pi \frac{x \sin x}{\pi - x} dx$$

$$= \int_0^\pi \frac{(\pi - x)\sin x}{\pi - x} dx = \int_0^\pi \sin x \, dx = 2.$$

13. (1995.Ⅲ)求函数 $f(x) = \int_0^{x^2} (2 - t) e^{-t} dt$ 的最大值和最小值.

解 由于函数 $f(x)$ 为偶函数,因此只需求 $f(x)$ 在 $[0, +\infty)$ 内的最大值和最小值.

$f'(x) = 2x(2 - x^2) e^{-x^2}$,令 $f'(x) = 0$ 求得在 $(0, +\infty)$ 内的惟一驻点 $x = \sqrt{2}$,易知该点为极大值点,也是最大值点,故最大值为

$$f(\sqrt{2}) = \int_0^2 (2 - t) e^{-t} dt = [-(2 - t) e^{-t}]_0^2 - \int_0^2 e^{-t} dt = 1 + e^{-2}.$$

又由于函数 $f(x)$ 在 $[0, \sqrt{2}]$ 上单调增加,在 $[\sqrt{2}, +\infty)$ 内单调减少,而 $f(0) = 0$,

$$\lim_{x \to +\infty} f(x) = \int_0^{+\infty} (2 - t) e^{-t} dt = [-(2 - t) e^{-t}]_0^{+\infty} - \int_0^{+\infty} e^{-t} dt$$

$$= 2 + [e^{-t}]_0^{+\infty} = 1,$$

因此最小值为 $f(0) = 0$.

14. (1998.Ⅱ)计算积分 $\int_{\frac{1}{2}}^{\frac{3}{2}} \frac{dx}{\sqrt{|x - x^2|}}$.

解 注意到 $x = 1$ 是被积函数的瑕点,而

$$\int_{\frac{1}{2}}^1 \frac{dx}{\sqrt{x - x^2}} = \int_{\frac{1}{2}}^1 \frac{dx}{\sqrt{\frac{1}{4} - \left(x - \frac{1}{2}\right)^2}} = [\arcsin(2x - 1)]_{\frac{1}{2}}^1 = \arcsin 1 = \frac{\pi}{2}.$$

$$\int_1^{\frac{3}{2}} \frac{dx}{\sqrt{x^2 - x}} = \int_1^{\frac{3}{2}} \frac{dx}{\sqrt{\left(x - \frac{1}{2}\right)^2 - \frac{1}{4}}} = \left[\ln\left(x - \frac{1}{2} + \sqrt{\left(x - \frac{1}{2}\right)^2 - \frac{1}{4}}\right)\right]_1^{\frac{3}{2}} = \ln(2 + \sqrt{3}).$$

因此 $\int_{\frac{1}{2}}^{\frac{3}{2}} \frac{dx}{\sqrt{|x - x^2|}} = \int_{\frac{1}{2}}^1 \frac{dx}{\sqrt{x - x^2}} + \int_1^{\frac{3}{2}} \frac{dx}{\sqrt{x^2 - x}} = \frac{\pi}{2} + \ln(2 + \sqrt{3}).$

15. (2005.Ⅱ)设函数 $f(x)$ 连续,且 $f(0) \neq 0$,求极限

$$\lim_{x \to 0} \frac{\int_0^x (x - t) f(t) dt}{x \int_0^x f(x - t) dt}.$$

解 $\int_0^x f(x - t) dt \xlongequal{t = x - u} \int_x^0 -f(u) du = \int_0^x f(t) dt,$

因此

$$\text{原式} = \lim_{x \to 0} \frac{x\int_0^x f(t)\,dt - \int_0^x tf(t)\,dt}{x\int_0^x f(t)\,dt}$$

$$= \lim_{x \to 0} \frac{\int_0^x f(t)\,dt + xf(x) - xf(x)}{\int_0^x f(t)\,dt + xf(x)}$$

$$= \frac{\displaystyle\lim_{x \to 0}\frac{\int_0^x f(t)\,dt}{x}}{\displaystyle\lim_{x \to 0}\left[\frac{\int_0^x f(t)\,dt}{x} + f(x)\right]}$$

$$= \frac{\displaystyle\lim_{x \to 0}f(x)}{\displaystyle\lim_{x \to 0}f(x) + f(0)} = \frac{1}{2}.$$

16. (2000. Ⅱ) 设 xOy 平面上有正方形 $D = \{(x, y) \mid 0 \leqslant x \leqslant 1, 0 \leqslant y \leqslant 1\}$ 及直线 $l: x + y = t (t \geqslant 0)$. 若 $S(t)$ 表示正方形 D 位于直线 l 左下方部分的面积, 试求 $\int_0^x S(t)\,dt (x \geqslant 0)$.

解 如图研 3-1 可知,

图 研 3-1

$$S(t) = \begin{cases} \dfrac{1}{2}t^2, & 0 \leqslant t \leqslant 1, \\ -\dfrac{1}{2}t^2 + 2t - 1, & 1 < t \leqslant 2, \\ 1, & t > 2. \end{cases}$$

所以当 $0 \leqslant x \leqslant 1$ 时, $\displaystyle\int_0^x S(t)\,dt = \int_0^x \frac{1}{2}t^2\,dt = \frac{1}{6}x^3$;

当 $1 < x \leqslant 2$ 时, $\displaystyle\int_0^x S(t)\,dt = \int_0^1 S(t)\,dt + \int_1^x \left(-\frac{1}{2}t^2 + 2t - 1\right)dt$

$$= -\frac{1}{6}x^3 + x^2 - x + \frac{1}{3};$$

当 $x > 2$ 时, $\displaystyle\int_0^x S(t)\,dt = \int_0^2 S(t)\,dt + \int_2^x dt = x - 1$.

因此 $\displaystyle\int_0^x S(t)\,dt = \begin{cases} \dfrac{1}{6}x^3, & 0 \leqslant x \leqslant 1, \\ -\dfrac{1}{6}x^3 + x^2 - x + \dfrac{1}{3}, & 1 < x \leqslant 2, \\ x - 1, & x > 2. \end{cases}$

17. (1992.Ⅲ)求曲线 $y=\sqrt{x}$ 的一条切线 l,使该曲线与切线 l 及直线 $x=0$, $x=2$ 所围成图形面积最小.

解 由 $y'=\dfrac{1}{2\sqrt{x}}$,得曲线在 $(t,\sqrt{t})$ 处的切线方程为

$$y-\sqrt{t}=\frac{1}{2\sqrt{t}}(x-t),\ 即\ y=\frac{1}{2\sqrt{t}}x+\frac{\sqrt{t}}{2}.$$

所围面积为

$$S(t)=\int_0^2\left(\frac{1}{2\sqrt{t}}x+\frac{\sqrt{t}}{2}-\sqrt{x}\right)dx=\frac{1}{\sqrt{t}}+\sqrt{t}-\frac{4\sqrt{2}}{3}.$$

令 $S'(t)=0$,得 $t=1$,又 $S''(1)=\dfrac{1}{2}>0$.故当 $t=1$ 时,面积取极小值,由于驻点惟一,因此 $t=1$ 是最小值点,此时 l 的方程为 $y=\dfrac{x}{2}+\dfrac{1}{2}$.

18. (1993.Ⅲ)设平面图形 A 由 $x^2+y^2\leqslant2x$ 与 $y\geqslant x$ 所确定,求图形 A 绕直线 $x=2$ 旋转一周所得旋转体的体积.

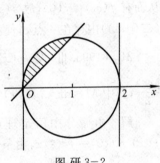

解 A 的图形如图研 3-2,取 y 为积分变量,则 y 的变化范围为 $[0,1]$.相应于 $[0,1]$ 上的任一小区间 $[y,y+dy]$ 的体积元素为

$$dV=\{\pi[2-(1-\sqrt{1-y^2})]^2-\pi(2-y)^2\}dy$$
$$=2\pi[\sqrt{1-y^2}-(y-1)^2]dy,$$

因此所求体积为

$$V=\int_0^1 2\pi[\sqrt{1-y^2}-(y-1)^2]dy$$
$$=2\pi\left[\frac{y}{2}\sqrt{1-y^2}+\frac{1}{2}\arcsin y+\frac{(1-y)^3}{3}\right]_0^1$$
$$=\frac{\pi^2}{2}-\frac{2\pi}{3}.$$

图研 3-2

19. (1994.Ⅲ)求曲线 $y=3-|x^2-1|$ 与 x 轴围成的封闭图形绕直线 $y=3$ 旋转所得的旋转体体积.

解 如图研 3-3,曲线 $\overset{\frown}{AB}$ 的方程为 $y=x^2+2$ $(0\leqslant x\leqslant1)$,$\overset{\frown}{BC}$ 的方程为 $y=4-x^2(1\leqslant x\leqslant2)$.

取 x 为积分变量,记相应于区间 $[0,1]$ 和 $[1,2]$ 上的体积分别为 V_1 和 V_2,则它们的体积元素分别为

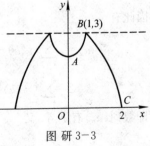

图研 3-3

$$dV_1 = \pi\{3^2 - [3-(x^2+2)]^2\}dx = \pi(8+2x^2-x^4)dx,$$
$$dV_2 = \pi\{3^2 - [3-(4-x^2)]^2\}dx = \pi(8+2x^2-x^4)dx.$$

由对称性得

$$V = 2(V_1+V_2) = 2\pi\int_0^1 (8+2x^2-x^4)dx + 2\pi\int_1^2 (8+2x^2-x^4)dx$$

$$= 2\pi\int_0^2 (8+2x^2-x^4)dx = \frac{448}{15}\pi.$$

20. (1991. I, II) 设函数 $f(x)$ 在 $[0,1]$ 上连续, $(0,1)$ 内可导, 且 $3\int_{\frac{2}{3}}^1 f(x)dx = f(0)$, 证明在 $(0,1)$ 内存在一点 c, 使 $f'(c)=0$.

解 由积分中值定理知, 在 $\left[\frac{2}{3},1\right]$ 上存在一点 c_1, 使

$$\int_{\frac{2}{3}}^1 f(x)dx = \frac{1}{3}f(c_1),$$

从而有 $f(c_1)=f(0)$, 故 $f(x)$ 在区间 $[0,c_1]$ 上满足罗尔定理条件, 因此在 $(0,c_1)$ ($\subset(0,1)$) 内存在一点 c, 使 $f'(c)=0$, 证毕.

21. (1993. III) 设 $f'(x)$ 在 $[0,a]$ 上连续, 且 $f(0)=0$, 证明: $\left|\int_0^a f(x)dx\right| \leqslant \frac{Ma^2}{2}$, 其中 $M = \max\limits_{0 \leqslant x \leqslant a}|f'(x)|$.

解 由微分中值定理可知: 对于任意 $x \in [0,a]$, 存在 $\xi \in (0,x)$, 使得 $f(x)-f(0)=f'(\xi)x$, 由条件 $f(0)=0$ 得 $f(x)=f'(\xi)x$, 因此有

$$\left|\int_0^a f(x)dx\right| \leqslant \int_0^a |f(x)|dx = \int_0^a |f'(\xi)x|dx \leqslant \int_0^a Mxdx = \frac{Ma^2}{2}.$$

22. (1999. II) 设 $f(x)$ 是区间 $[0,+\infty)$ 上单调减少且非负的连续函数, $a_n = \sum_{k=1}^n f(k) - \int_1^n f(x)dx (n=1,2,\cdots)$, 证明数列 $\{a_n\}$ 的极限存在.

解 由于 $f(x)$ 单调减少, 因此

$$f(k+1) \leqslant \int_k^{k+1} f(x)dx \leqslant f(k) \quad (k=1,2,\cdots),$$

因此有

$$a_n = \sum_{k=1}^n f(k) - \int_1^n f(x)dx = \sum_{k=1}^n f(k) - \sum_{k=1}^{n-1}\int_k^{k+1} f(x)dx$$

$$= \sum_{k=1}^{n-1}\left[f(k) - \int_k^{k+1} f(x)dx\right] + f(n) \geqslant 0,$$

即数列 $\{a_n\}$ 有下界. 又

$$a_{n+1} - a_n = f(n+1) - \int_n^{n+1} f(x)dx \leqslant 0,$$

即得数列$\{a_n\}$单调减少,由单调有界数列必有极限的准则知数列$\{a_n\}$的极限存在.

23. (2004. Ⅱ)设$f(x) = \int_x^{x+\frac{\pi}{2}} |\sin t| \, \mathrm{d}t$,(1) 证明$f(x)$是以$\pi$为周期的周期函数;(2) 求$f(x)$的值域.

解 (1) $f(x+\pi) = \int_{x+\pi}^{x+\frac{3\pi}{2}} |\sin t| \, \mathrm{d}t$,设$t = u + \pi$,则有

$$f(x+\pi) = \int_x^{x+\frac{\pi}{2}} |\sin(u+\pi)| \, \mathrm{d}u = \int_x^{x+\frac{\pi}{2}} |\sin u| \, \mathrm{d}u = f(x),$$

故$f(x)$是以π为周期的周期函数.

(2) 因为$|\sin x|$在$(-\infty, +\infty)$上连续,注意到$f(x)$是以π为周期的周期函数,故只需在$[0, \pi]$上讨论$f(x)$的值域. 因为

$$f'(x) = |\sin\left(x + \frac{\pi}{2}\right)| - |\sin x| = |\cos x| - |\sin x|,$$

令$f'(x) = 0$,解得$x_1 = \frac{\pi}{4}$,$x_2 = \frac{3\pi}{4}$,且

$$f\left(\frac{\pi}{4}\right) = \int_{\frac{\pi}{4}}^{\frac{3\pi}{4}} \sin t \, \mathrm{d}t = \sqrt{2},$$

$$f\left(\frac{3\pi}{4}\right) = \int_{\frac{3\pi}{4}}^{\frac{5\pi}{4}} |\sin t| \, \mathrm{d}t = \int_{\frac{3\pi}{4}}^{\pi} \sin t \, \mathrm{d}t - \int_{\pi}^{\frac{5\pi}{4}} \sin t \, \mathrm{d}t = 2 - \sqrt{2}.$$

又

$$f(0) = \int_0^{\frac{\pi}{2}} \sin t \, \mathrm{d}t = 1, \quad f(\pi) = \int_{\pi}^{\frac{3\pi}{2}} (-\sin t) \mathrm{d}t = 1,$$

因而$f(x)$的最小值是$2 - \sqrt{2}$,最大值是$\sqrt{2}$,故$f(x)$的值域是$[2 - \sqrt{2}, \sqrt{2}]$.

24. (2002. Ⅰ,Ⅱ)设$f(x) = \begin{cases} 2x + \dfrac{3}{2}x^2, & -1 \leqslant x < 0, \\ \dfrac{xe^x}{(e^x+1)^2}, & 0 \leqslant x \leqslant 1, \end{cases}$ 求函数$F(x) = \int_{-1}^x f(t)\mathrm{d}t$的表达式.

解 当$-1 \leqslant x < 0$时,

$$F(x) = \int_{-1}^x f(t)\mathrm{d}t = \int_{-1}^x \left(2t + \frac{3}{2}t^2\right)\mathrm{d}t$$

$$= \left[t^2 + \frac{1}{2}t^3\right]_{-1}^x = \frac{1}{2}x^3 + x^2 - \frac{1}{2}.$$

当$0 \leqslant x \leqslant 1$时,

$$F(x) = \int_{-1}^x f(t)\mathrm{d}t = \int_{-1}^0 \left(2t + \frac{3}{2}t^2\right)\mathrm{d}t + \int_0^x \frac{te^t}{(e^t+1)^2}\mathrm{d}t$$

$$= \left[t^2 + \frac{1}{2}t^3 \right]_{-1}^0 - \int_0^x t\mathrm{d}\left(\frac{1}{\mathrm{e}^t + 1} \right)$$

$$= -\frac{1}{2} - \left[\frac{t}{\mathrm{e}^t + 1} \right]_0^x + \int_0^x \frac{1}{\mathrm{e}^t + 1}\mathrm{d}t = -\frac{1}{2} - \frac{x}{\mathrm{e}^x + 1} + \int_0^x \frac{-1}{1 + \mathrm{e}^{-t}}\mathrm{d}(\mathrm{e}^{-t})$$

$$= -\frac{1}{2} - \frac{x}{\mathrm{e}^x + 1} - \left[\ln(1 + \mathrm{e}^{-t}) \right]_0^x = -\frac{1}{2} - \frac{x}{\mathrm{e}^x + 1} - \ln(1 + \mathrm{e}^{-x}) + \ln 2.$$

因此

$$F(x) = \begin{cases} \dfrac{1}{2}x^3 + x^2 - \dfrac{1}{2}, & -1 \leqslant x < 0, \\ -\dfrac{1}{2} - \dfrac{x}{\mathrm{e}^x + 1} - \ln\dfrac{1 + \mathrm{e}^{-x}}{2}, & 0 \leqslant x \leqslant 1. \end{cases}$$

25. (2003. Ⅰ)某建筑工地打地基时,需用汽锤将桩打进土层. 汽锤每次击打,都将克服土层对桩的阻力而作功. 设土层对桩的阻力的大小与桩被打进地下的深度成正比(比例系数为 $k, k > 0$),汽锤第一次击打,将桩打进地下 a m. 根据设计方案,要求汽锤每次击打桩时所作的功与前一次击打时所作的功之比为常数 $r(0 < r < 1)$,问

(1) 汽锤击打桩 3 次后,可将桩打进地下多深?

(2) 若击打次数不限,汽锤至多能将桩打进地下多深?(注:m 表示长度单位米.)

解 (1) 设第 n 次击打后,桩被打进地下 x_n m,第 n 次击打时,汽锤所作的功为 $W_n(n = 1, 2, 3, \cdots)$. 由题设,得

$$W_1 = \int_0^{x_1} kx\mathrm{d}x = \frac{k}{2}x_1^2 = \frac{k}{2}a^2,$$

$$W_2 = \int_{x_1}^{x_2} kx\mathrm{d}x = \frac{k}{2}(x_2^2 - x_1^2) = \frac{k}{2}(x_2^2 - a^2).$$

由条件 $W_2 = rW_1$,得 $x_2 = \sqrt{1 + r}\,a$.

$$W_3 = \int_{x_2}^{x_3} kx\mathrm{d}x = \frac{k}{2}(x_3^2 - x_2^2) = \frac{k}{2}[x_3^2 - (1 + r)a^2].$$

由条件 $W_3 = rW_2$,得 $x_3 = \sqrt{1 + r + r^2}\,a$,即汽锤击打 3 次后,可将桩打进地下 $\sqrt{1 + r + r^2}\,a$ m.

(2) 根据条件,有

$$W_n = \int_{x_{n-1}}^{x_n} kx\mathrm{d}x = \frac{k}{2}(x_n^2 - x_{n-1}^2),$$

由条件 $W_n = rW_{n-1}$,得 $W_n = rW_{n-1} = r^2 W_{n-2} = \cdots = r^{n-1}W_1$,故

$$\frac{k}{2}[x_n^2 - x_{n-1}^2] = \frac{k}{2}r^{n-1}a^2,$$

即

$$x_n^2 - x_{n-1}^2 = r^{n-1}a^2,$$

于是

$$\begin{aligned}
x_n^2 &= (x_n^2 - x_{n-1}^2) + (x_{n-1}^2 - x_{n-2}^2) \\
&\quad + \cdots + (x_2^2 - x_1^2) + x_1^2 \\
&= r^{n-1}a^2 + r^{n-2}a^2 + \cdots + ra^2 + a^2,
\end{aligned}$$

即得 $x_n = \sqrt{1+r+\cdots+r^{n-1}}\, a$. 因此

$$\lim_{n\to\infty} x_n = \lim_{n\to\infty} \sqrt{\frac{1-r^n}{1-r}}\, a = \frac{a}{\sqrt{1-r}}.$$

即若不限击打次数, 汽锤至多能将桩打进地下 $\dfrac{a}{\sqrt{1-r}}$ m.

（四）微 分 方 程

1. (1999. Ⅰ,Ⅱ) $y''-4y=e^{2x}$ 的通解为＿＿＿＿.

解 此方程对应的齐次方程的特征方程为 $r^2-4=0$,其根为 $r_{1,2}=\pm2$. 又因自由项 $f(x)=e^{2x}$,$\lambda=2$ 是特征方程的单根,故令 $y^*=Axe^{2x}$ 是原方程的特解,代入方程可得 $A=\dfrac{1}{4}$,于是原方程的通解为

$$y=C_1e^{2x}+C_2e^{-2x}+\frac{x}{4}e^{2x}.$$

2. (2000. Ⅰ) 微分方程 $xy''+3y'=0$ 的通解为＿＿＿＿.

解 原方程可变形为 $\dfrac{\mathrm{d}y'}{y'}=-\dfrac{3}{x}\mathrm{d}x$,积分得 $\ln y'=-3\ln x+\ln C_0$,

即
$$y'=\frac{C_0}{x^3}.$$

故
$$y=-\frac{C_0}{2}\frac{1}{x^2}+C_2=\frac{C_1}{x^2}+C_2.$$

3. (2001. Ⅰ) 设 $y=e^x(C_1\sin x+C_2\cos x)$ (C_1,C_2 为任意常数) 为某二阶常系数线性齐次微分方程的通解,则该微分方程为＿＿＿＿.

解 由所给通解的表达式知,$r_{1,2}=1\pm i$ 是所求微分方程的特征方程的根,于是特征方程为 $r^2-2r+2=0$,故所求微分方程为
$$y''-2y'+2y=0.$$

4. (2001. Ⅱ) 过点 $\left(\dfrac{1}{2},0\right)$ 且满足关系式 $y'\arcsin x+\dfrac{y}{\sqrt{1-x^2}}=1$ 的曲线方程为＿＿＿＿.

解 将所给关系式改写成 $y'+\dfrac{1}{\arcsin x\sqrt{1-x^2}}y=\dfrac{1}{\arcsin x}$,由一阶线性微分方程的通解公式,得 $y=e^{-\int\frac{\mathrm{d}x}{\arcsin x\sqrt{1-x^2}}}\left(\int\dfrac{1}{\arcsin x}e^{\int\frac{\mathrm{d}x}{\arcsin x\sqrt{1-x^2}}}\mathrm{d}x+C\right)$,即

$$y=\frac{1}{\arcsin x}(x+C)$$

代入初始条件 $x=\dfrac{1}{2}$,$y=0$,得 $C=-\dfrac{1}{2}$,故所求曲线的方程为

$$y = \frac{x - \frac{1}{2}}{\arcsin x}.$$

5. (1989. Ⅰ, Ⅱ) 设线性无关的函数 y_1, y_2, y_3 都是二阶非齐次方程

$$y'' + p(x)y' + q(x)y = f(x)$$

的解, C_1, C_2 是任意常数, 则该非齐次方程的通解是 (   ).

(A) $C_1 y_1 + C_2 y_2 + y_3$;   (B) $C_1 y_1 + C_2 y_2 - (C_1 + C_2)y_3$;

(C) $C_1 y_1 + C_2 y_2 - (1 - C_1 - C_2)y_3$;   (D) $C_1 y_1 + C_2 y_2 + (1 - C_1 - C_2)y_3$.

解 因 $y_1 - y_3$ 与 $y_2 - y_3$ 是对应的齐次方程的解, 且由 y_1, y_2, y_3 线性无关可推知 $y_1 - y_3$ 与 $y_2 - y_3$ 线性无关, 而 y_3 是非齐次方程的特解, 故

$$y = C_1(y_1 - y_3) + C_2(y_2 - y_3) + y_3 = C_1 y_1 + C_2 y_2 + (1 - C_1 - C_2)y_3$$

是非齐次方程的通解, 所以选择 (D).

6. (1989. Ⅲ) 微分方程 $y'' - y = e^x + 1$ 的一个特解应具有形式 (式中 a, b 为常数) (   ).

(A) $ae^x + b$;   (B) $axe^x + b$;   (C) $ae^x + bx$;   (D) $axe^x + bx$.

解 原方程对应的齐次方程的特征方程的根为 $r_{1,2} = \pm 1$. 相对于方程 $y'' - y = e^x$, 因 $f_1(x) = e^x, \lambda = 1$ 是特征方程的 (单) 根, 故该方程的特解应形如

$$y_1^* = axe^x.$$

又相对于方程 $y'' - y = 1$, 因 $f_2(x) = 1, \lambda = 0$ 不是特征方程的根, 故该方程的特解应形如 $y_2^* = b$.

按叠加原理, 原方程的特解应形如 $y^* = y_1^* + y_2^* = axe^x + b$. 故应选择 (B).

7. (2002. Ⅰ, Ⅱ) 微分方程 $yy'' + y'^2 = 0$ 满足初始条件 $y \big|_{x=0} = 1, y' \big|_{x=0} = \frac{1}{2}$ 的特解是 _____.

解 令 $y' = p$, 则 $y'' = p \dfrac{dp}{dy}$, 且原方程成为 $yp \dfrac{dp}{dy} + p^2 = 0$,

即 $p = 0$ 或 $y \dfrac{dp}{dy} + p = 0$.

由于 $p = 0$ 不满足条件 $y' \big|_{x=0} = \dfrac{1}{2}$, 故取 $y \dfrac{dp}{dy} + p = 0$. 分离变量后积分得

$$p = \frac{C_1}{y},$$

代入初始条件 $y \big|_{x=0} = 1, p \big|_{x=0} = \dfrac{1}{2}$, 得 $C_1 = \dfrac{1}{2}$, 即

$$y' = \frac{1}{2y},$$

分离变量后积分得 $\qquad y^2 = x + C_2,$

代入初始条件 $y\big|_{x=0} = 1$,得 $\qquad C_2 = 1.$

于是有 $y^2 = x + 1$,解得特解

$$y = \sqrt{x+1}.$$

*8. (2004.I) 欧拉方程 $x^2 \dfrac{\mathrm{d}^2 y}{\mathrm{d}x^2} + 4x \dfrac{\mathrm{d}y}{\mathrm{d}x} + 2y = 0 \, (x > 0)$ 的通解为 _____.

解 令 $x = \mathrm{e}^t$,记 $\mathrm{D} = \dfrac{\mathrm{d}}{\mathrm{d}t}$,则原方程成为

$$\mathrm{D}(\mathrm{D}-1)y + 4\mathrm{D}y + 2y = 0.$$

特征方程是 $\qquad r(r-1) + 4r + 2 = 0,$

解得特征根是 $\qquad r_1 = -1, r_2 = -2,$

故得通解 $\qquad y = C_1 \mathrm{e}^{-t} + C_2 \mathrm{e}^{-2t},$

于是原方程的通解为

$$y = \frac{C_1}{x} + \frac{C_2}{x^2}.$$

9. (2004.II) 微分方程 $(y + x^3)\mathrm{d}x - 2x\mathrm{d}y = 0$ 满足 $y\big|_{x=1} = \dfrac{6}{5}$ 的特解

为 _____.

解 原方程变形为一阶线性方程

$$\frac{\mathrm{d}y}{\mathrm{d}x} - \frac{1}{2x}y = \frac{x^2}{2},$$

解得

$$y = \mathrm{e}^{\int \frac{1}{2x}\mathrm{d}x}\left(\int \frac{x^2}{2}\mathrm{e}^{-\int \frac{1}{2x}\mathrm{d}x}\mathrm{d}x + C \right)$$

$$= \frac{1}{5}x^3 + C\sqrt{x}.$$

由 $y\big|_{x=1} = \dfrac{6}{5}$ 得 $C = 1$,故特解为

$$y = \frac{1}{5}x^3 + \sqrt{x}.$$

10. (2005.I,II) 微分方程 $xy' + 2y = x\ln x$ 满足 $y\big|_{x=1} = -\dfrac{1}{9}$ 的特解为 _____.

解 原方程变形为一阶线性方程

$$y' + \frac{2}{x}y = \ln x,$$

解得

$$y = \mathrm{e}^{-\int \frac{2}{x}\mathrm{d}x}\left(\int \ln x \, \mathrm{e}^{\int \frac{2}{x}\mathrm{d}x}\mathrm{d}x + C \right)$$

$$= \frac{1}{x^2}\left(\frac{1}{3}x^3\ln x - \frac{1}{9}x^3 + C\right).$$

由 $y\big|_{x=1} = -\frac{1}{9}$,得 $C=0$,故特解为

$$y = \frac{x}{3}\left(\ln x - \frac{1}{3}\right).$$

11. (1989. Ⅰ,Ⅱ,Ⅲ)设 $f(x) = \sin x - \int_0^x (x-t)f(t)\mathrm{d}t$,其中 f 为连续函数,求 $f(x)$.

解 因 $f(x) = \sin x - x\int_0^x f(t)\mathrm{d}t + \int_0^x tf(t)\mathrm{d}t$,代入 $x=0$,得 $f(0) = 0$,

且 $$f'(x) = \cos x - \int_0^x f(t)\mathrm{d}t.$$

代入 $x=0$,得 $f'(0)=1$. 又

$$f''(x) = -\sin x - f(x).$$

记 $y = f(x)$,即得初值问题

$$\begin{cases} y'' + y = -\sin x, \\ y\big|_{x=0} = 0, \ y'\big|_{x=0} = 1. \end{cases}$$

上述微分方程对应的齐次方程的特征方程有根 $r_{1,2} = \pm\mathrm{i}$,而自由项为 $-\sin x$, $\lambda + \mathrm{i}\omega = \mathrm{i}$ 是特征方程的根,故令 $y^* = x(A\cos x + B\sin x)$ 是原方程的特解,代入微分方程并比较系数,得 $A = \frac{1}{2}$,$B = 0$,即 $y^* = \frac{1}{2}x\cos x$. 于是得通解

$$y = C_1\cos x + C_2\sin x + \frac{1}{2}x\cos x,$$

且 $$y' = -C_1\sin x + C_2\cos x + \frac{1}{2}\cos x - \frac{1}{2}x\sin x.$$

由 $y\big|_{x=0} = 0$ 及 $y'\big|_{x=0} = 1$,得

$$\begin{cases} C_1 = 0, \\ C_2 + \frac{1}{2} = 1. \end{cases} \quad 即 \quad \begin{cases} C_1 = 0, \\ C_2 = \frac{1}{2}. \end{cases}$$

故

$$y = f(x) = \frac{1}{2}\sin x + \frac{1}{2}x\cos x.$$

12. (1991. Ⅰ,Ⅱ)在上半平面上求一条向下凸的曲线,其上任一点 $P(x,y)$ 处的曲率等于此曲线在该点的法线 PQ 长度的倒数(Q 是法线与 x 轴的交点),且曲线在点 $(1,1)$ 处的切线与 x 轴平行.

解 曲线 $y = y(x)$ 在点 $P(x,y)$ 处的法线方程为

$$Y - y = -\frac{1}{y'}(X - x).$$

令 $Y=0$，得点 Q 的坐标$(x+yy',0)$，于是

$$|PQ| = \sqrt{(yy')^2 + y^2} = |y|\sqrt{1 + y'^2}.$$

依题意有

$$\frac{|y''|}{(1 + y'^2)^{\frac{3}{2}}} = \frac{1}{|y|(1 + y'^2)^{\frac{1}{2}}}.$$

因所求曲线在上半平面上且向下凸，有 $|y|=y$，$|y''|=y''$，故得微分方程

$$\frac{y''}{1 + y'^2} = \frac{1}{y},$$

且由题设知 $y|_{x=1} = 1$，$y'|_{x=1} = 0$。

令 $y' = p$，则 $y'' = p\dfrac{\mathrm{d}p}{\mathrm{d}y}$，且微分方程降阶为

$$\frac{p\mathrm{d}p}{1 + p^2} = \frac{\mathrm{d}y}{y}.$$

由条件 $y = 1$，$p = 0$，积分$\displaystyle\int_0^p \frac{p\mathrm{d}p}{1 + p^2} = \int_1^y \frac{\mathrm{d}y}{y}$，得 $\frac{1}{2}\ln(1 + p^2) = \ln y$，从而

$$p = \pm\sqrt{y^2 - 1},$$

即

$$\frac{\mathrm{d}y}{\sqrt{y^2 - 1}} = \pm\,\mathrm{d}x.$$

积分得 $\qquad \ln(y + \sqrt{y^2 - 1}) = \pm x + C$，即 $y = \dfrac{\mathrm{e}^{x+C} + \mathrm{e}^{-(x+C)}}{2}$.

代入初始条件 $x=1$，$y=1$，得 $C=-1$，故

$$y = \frac{\mathrm{e}^{x-1} + \mathrm{e}^{-(x-1)}}{2}$$

13. (1995. I，II)设曲线 L 位于 xOy 平面的第一象限内，L 上任一点 M 处的切线与 y 轴总相交，交点记为 A. 已知$|MA| = |OA|$，且 L 过点 $\left(\dfrac{3}{2}, \dfrac{3}{2}\right)$，求 L 的方程.

解 设点 M 的坐标为(x,y)，则切线 MA 的方程为

$$Y - y = y'(X - x).$$

令 $X=0$，得 A 的坐标$(0, y - xy')$.

因$|MA| = |OA|$，故有

$$|y - xy'| = \sqrt{(x-0)^2 + (y - y + xy')^2},$$

化简后得

$$2yy' - \frac{1}{x}y^2 = -x.$$

即

$$(y^2)' - \frac{1}{x}y^2 = -x.$$

由一阶线性方程的通解公式解得

$$y^2 = e^{\int \frac{1}{x} dx} \left(\int -x e^{-\int \frac{1}{x} dx} dx + C \right) = x(-x + C) = -x^2 + Cx.$$

由于 L 位于第一象限,故取

$$y = \sqrt{Cx - x^2}.$$

代入初始条件 $x = \frac{3}{2}, y = \frac{3}{2}$,得 $C = 3$. 故 L 的方程为

$$y = \sqrt{3x - x^2}.$$

14. (1995.Ⅲ)设 $y = e^x$ 是微分方程 $xy' + p(x)y = x$ 的一个解,求此微分方程满足条件 $y|_{x=\ln 2} = 0$ 的特解.

解 将 $y = e^x$ 代入原方程,可得

$$x e^x + p(x) e^x = x,$$

故

$$p(x) = x e^{-x} - x,$$

即原方程为

$$xy' + (x e^{-x} - x)y = x.$$

消去 x,得

$$y' + (e^{-x} - 1)y = 1.$$

于是得通解 $\quad y = e^{\int (1 - e^{-x}) dx} \left(\int e^{\int (e^{-x} - 1) dx} dx + C \right) = e^{x + e^{-x}} \left(\int e^{-(x + e^{-x})} dx + C \right)$

$$= e^{x + e^{-x}} \left(\int -e^{-e^{-x}} d(e^{-x}) + C \right)$$

$$= e^{x + e^{-x}} (e^{-e^{-x}} + C)$$

$$= e^x + C e^{x + e^{-x}}.$$

由初始条件 $y|_{x=\ln 2} = 0$,得 $2 + C \cdot 2 e^{\frac{1}{2}} = 0$,即 $C = -e^{-\frac{1}{2}}$. 故所求特解为

$$y = e^x - e^{x + e^{-x} - \frac{1}{2}}.$$

15. (1996.Ⅲ)设 $f(x)$ 为连续函数.

(1) 求初值问题 $\begin{cases} y' + ay = f(x), \\ y|_{x=0} \end{cases}$ 的解 $y(x)$,其中 a 是正常数;

(2) 若 $|f(x)| \leqslant k$(k 为常数),证明当 $x \geqslant 0$ 时,有 $|y(x)| \leqslant \dfrac{k}{a}(1 - e^{-ax})$.

解 (1) 方程的通解为

$$y = e^{-\int a dx} \left(\int f(x) e^{\int a dx} dx + C \right) = e^{-ax} \left(\int f(x) e^{ax} dx + C \right)$$

$$= e^{-ax} (F(x) + C),\text{其中 } F(x) \text{ 是 } f(x) e^{ax} \text{ 的一个原函数.}$$

由 $y|_{x=0} = 0$,得 $C = -F(0)$,故

$$y = e^{-ax} [F(x) - F(0)] = e^{-ax} \int_0^x f(t) e^{at} dt.$$

(2) 因 $|f(x)| \leqslant k$,故

$$|y| = e^{-ax} \left| \int_0^x f(t) e^{at} dt \right| \leqslant e^{-ax} \int_0^x |f(t)| e^{at} dt$$

$$\leqslant k\mathrm{e}^{-ax}\int_0^x \mathrm{e}^{at}\,\mathrm{d}t = k\mathrm{e}^{-ax}\,\frac{1}{a}(\mathrm{e}^{ax}-1)$$

$$= \frac{k}{a}(1-\mathrm{e}^{-ax}).$$

16. (1993. Ⅰ,Ⅱ)设物体 A 从点 $(0,1)$ 出发,以常速率 v 沿 y 轴正向运动. 物体 B 从点 $(-1,0)$ 与 A 同时出发,其速率为 $2v$,方向始终指向 A. 试建立物体 B 的运动轨迹所满足的微分方程,并写出初始条件.

解 设物体 B 的运动轨迹的方程为 $y=y(x)$,又设在时刻 t,物体 B 位于点 (x,y) 处,此时物体 A 位于点 $(0,1+vt)$. 按题意,则如图研 $4-1$ 所示,有

$$y' = \frac{1+vt-y}{0-x},$$

即

$$y-xy'-1 = vt. \qquad (1)$$

又此刻,物体 B 从点 $(-1,0)$ 行至 (x,y) 的路程为

$$\int_{-1}^x \sqrt{1+y'^2}\,\mathrm{d}x = 2vt. \qquad (2)$$

由(1)式与(2)式消去 vt,得

$$y-xy'-1 = \frac{1}{2}\int_{-1}^x \sqrt{1+y'^2}\,\mathrm{d}x.$$

在上式两端对 x 求导,得

$$y'-(y'+xy'') = \frac{1}{2}\sqrt{1+y'^2},$$

即

$$xy''+\frac{1}{2}\sqrt{1+y'^2} = 0.$$

初始条件为

$$y\mid_{x=-1}=0,\ y'\mid_{x=1}=1.$$

17. (1998. Ⅱ)利用代换 $y=\dfrac{u}{\cos x}$ 将方程

$$y''\cos x - 2y'\sin x + 3y\cos x = \mathrm{e}^x$$

化简,并求出原方程的通解.

解法一 由 $u=y\cos x$ 两端对 x 求导,得

$$u' = y'\cos x - y\sin x,\quad u'' = y''\cos x - 2y'\sin x - y\cos x.$$

于是原方程化为 $\qquad\qquad u''+4u=\mathrm{e}^x,$

其通解为 $\qquad u=C_1\cos 2x+C_2\sin 2x+\dfrac{\mathrm{e}^x}{5}(C_1,C_2$ 为任意常数$).$

从而原方程的通解为 $\qquad y=C_1\dfrac{\cos 2x}{\cos x}+2C_2\sin x+\dfrac{\mathrm{e}^x}{5\cos x}.$

解法二 $\qquad y=u\sec x,\ y'=u'\sec x+u\sec x\cdot\tan x,$

$$y''=u''\sec x+2u'\sec x\cdot\tan x+u\sec x\cdot\tan^2 x+u\sec^3 x.$$

代入原方程得 $\qquad u''+4u=\mathrm{e}^x.$（下同解法一）

18. （1997. Ⅱ）设曲线 L 的极坐标方程为 $\rho=\rho(\theta)$，$M(\rho,\theta)$ 为 L 上任一点，$M_0(2,0)$ 为 L 上一定点. 若极径 OM_0，OM 与曲线 L 所围成的面积等于 L 上 M_0，M 两点间弧长的值之一半. 求曲线 L 的方程.

解 由题意得 $\dfrac{1}{2}\displaystyle\int_0^\theta \rho^2\,\mathrm{d}\theta=\dfrac{1}{2}\displaystyle\int_0^\theta \sqrt{\rho^2+\rho'^2}\,\mathrm{d}\theta,$

上式两端对 θ 求导，得 $\qquad \rho^2=\sqrt{\rho^2+\rho'^2},$

即 $\qquad \rho'=\pm\rho\sqrt{\rho^2-1}.$

分离变量并积分

$$\int \frac{\mathrm{d}\rho}{\rho\sqrt{\rho^2-1}}=\pm\int\mathrm{d}\theta,$$

即

$$\int \frac{\mathrm{d}\rho}{\rho^2\sqrt{1-\dfrac{1}{\rho^2}}}=\pm\int\mathrm{d}\theta,$$

得 $\qquad -\arcsin\dfrac{1}{\rho}=\pm\theta+C.$

代入初始条件 $\qquad \theta=0,\rho=2,$ 得 $C=-\dfrac{\pi}{6}.$

故曲线 L 的方程为 $\arcsin\dfrac{1}{\rho}=\dfrac{\pi}{6}\pm\theta$，即

$$\rho=\frac{1}{\sin\left(\dfrac{\pi}{6}\pm\theta\right)}.$$

若将 L 表示成直角坐标方程，则由 $\rho\sin\left(\dfrac{\pi}{6}\pm\theta\right)=1$，即

$$\rho\left(\frac{1}{2}\cos\theta\pm\frac{\sqrt{3}}{2}\sin\theta\right)=1,$$

得 $\qquad x\pm\sqrt{3}y=2.$

19. （1998. Ⅱ）设 $y=y(x)$ 是一向上凸的连续曲线，其上任一点 (x,y) 处的曲率为 $\dfrac{1}{\sqrt{1+y'^2}}$. 又此曲线上点 $(0,1)$ 处的切线方程为 $y=x+1$，求该曲线的方程，并求 $y=y(x)$ 的极值.

解 因曲线向上凸，故 $y''\leqslant 0$，曲率 $K=\dfrac{|y''|}{(\sqrt{1+y'^2})^3}=\dfrac{-y''}{(\sqrt{1+y'^2})^3}$，按题意有

$$\frac{-y''}{(\sqrt{1+y'^2})^3}=\frac{1}{\sqrt{1+y'^2}},$$

即
$$\frac{y''}{1+y'^2}=-1.$$

令 $y'=p$,则上述方程化为 $\dfrac{p'}{1+p^2}=-1$,即

$$\frac{\mathrm{d}p}{1+p^2}=-\mathrm{d}x,$$

积分得
$$\arctan p=C_1-x.$$

因 $y=y(x)$ 在点 $(0,1)$ 处的切线方程为 $y=x+1$,故 $p\,|_{x=0}=y'\,|_{x=0}=1.$ 由此条件得 $\arctan 1=C_1$,即 $C_1=\dfrac{\pi}{4}.$ 于是

$$y'=p=\tan\Big(\frac{\pi}{4}-x\Big),$$

积分得
$$y=\ln\Big[\cos\Big(\frac{\pi}{4}-x\Big)\Big]+C_2.$$

因曲线过点 $(0,1)$,故由 $y\,|_{x=0}=1$,得 $C_2=1-\ln\dfrac{\sqrt{2}}{2}=1+\dfrac{1}{2}\ln 2.$ 故所求曲线的方程为

$$y=\ln\Big[\cos\Big(\frac{\pi}{4}-x\Big)\Big]+1+\frac{1}{2}\ln 2.$$

由于 $y=y(x)$ 是连续曲线,故 $y=\ln\Big[\cos\Big(\dfrac{\pi}{4}-x\Big)\Big]+1+\dfrac{1}{2}\ln 2$ 的定义域为 $-\dfrac{\pi}{2}<x-\dfrac{\pi}{4}<\dfrac{\pi}{2}$,即 $-\dfrac{\pi}{4}<x<\dfrac{3\pi}{4}.$ 又 $\cos\Big(\dfrac{\pi}{4}-x\Big)\leqslant 1.$ 故当 $x=\dfrac{\pi}{4}$ 时,y 有极大值 $1+\dfrac{1}{2}\ln 2.$

20. (1998.Ⅲ)设函数 $f(x)$ 在 $[1,+\infty)$ 上连续. 若由曲线 $y=f(x)$,直线 $x=1$,$x=t(t>1)$ 与 x 轴所围成的图形绕 x 轴旋转一周所成的旋转体体积为

$$V(t)=\frac{\pi}{3}[t^2 f(t)-f(1)],$$

试求 $y=f(x)$ 所满足的微分方程,并求该微分方程满足条件 $y\,|_{x=2}=\dfrac{2}{9}$ 的解.

解 依题意,有

$$\pi\int_1^t f^2(x)\mathrm{d}x=\frac{\pi}{3}[t^2 f(t)-f(1)].$$

即
$$3\int_1^t f^2(x)\mathrm{d}x=t^2 f(t)-f(1).$$

两端对 t 求导,得
$$3f^2(t)=2tf(t)+t^2 f'(t).$$

将变量 t 用 x 表示,即

$$x^2 y' + 2xy = 3y^2$$

为 $y = f(x)$ 满足的微分方程.

将此方程改写为 $\qquad y' + 2\dfrac{y}{x} = 3\left(\dfrac{y}{x}\right)^2$,

令 $u = \dfrac{y}{x}$,则 $y' = u + xu'$,且方程成为 $xu' = 3u(u-1)$,分离变量并积分

$$\int \frac{\mathrm{d}u}{u(u-1)} = 3\int \frac{\mathrm{d}x}{x},$$

得 $\qquad\qquad \ln\left|\dfrac{u-1}{u}\right| = 3\ln|x| + \ln C_1,$

代入 $u = \dfrac{y}{x}$,得 $\qquad \ln\left|\dfrac{y-x}{y}\right| = \ln C_1 |x|^3,$

即 $\qquad\qquad\qquad \dfrac{y-x}{y} = Cx^3 \quad (C = \pm C_1).$

由初始条件 $y|_{x=2} = \dfrac{2}{9}$,得 $C = -1$,于是由 $\dfrac{y-x}{y} = -x^3$ 解得

$$y = \frac{x}{x^3 + 1}$$

21. (2001. Ⅳ)设函数 $f(x)$ 在 $(0, +\infty)$ 内连续,$f(1) = \dfrac{5}{2}$,且对所有 $x, t \in (0, +\infty)$,满足条件

$$\int_1^{xt} f(u)\,\mathrm{d}u = t\int_1^x f(u)\,\mathrm{d}u + x\int_1^t f(u)\,\mathrm{d}u,$$

求 $f(x)$.

解 在所给条件等式的两端对 x 求导,得

$$tf(xt) = tf(x) + \int_1^t f(u)\,\mathrm{d}u.$$

在上式中令 $x = 1$,且由 $f(1) = \dfrac{5}{2}$,可得

$$tf(t) = \frac{5}{2}t + \int_1^t f(u)\,\mathrm{d}u. \qquad\qquad (1)$$

由于 $t > 0$ 时 $\dfrac{1}{t}\displaystyle\int_1^t f(u)\,\mathrm{d}u$ 关于 t 可导,故 $f(t) = \dfrac{5}{2} + \dfrac{1}{t}\displaystyle\int_1^t f(u)\,\mathrm{d}u$ 可导,于是在等式(1)两端对 t 求导,得

$$f(t) + tf'(t) = \frac{5}{2} + f(t),$$

即 $\qquad\qquad\qquad\qquad f'(t) = \dfrac{5}{2t},$

积分得 $\qquad\qquad\qquad f(t) = \dfrac{5}{2}\ln t + C.$

由 $f(1) = \frac{5}{2}$,得 $C = \frac{5}{2}$. 故 $f(t) = \frac{5}{2}\ln t + \frac{5}{2}$,即

$$f(x) = \frac{5}{2}(\ln x + 1).$$

22. (2000.Ⅱ)某湖泊的水量为 V,每年排入湖泊内含污染物 A 的污水量为 $\frac{V}{6}$,流入湖泊内不含 A 的水量为 $\frac{V}{6}$,流出湖泊的水量为 $\frac{V}{3}$. 已知 1999 年年底湖中 A 的含量为 $5m_0$,超过国家规定指标. 为了治理污染,从 2000 年初起,限定排入湖泊中含 A 污水的浓度不超过 $\frac{m_0}{V}$. 问至多需经过多少年,湖泊中污染物 A 的含量降至 m_0 以内?(注:设湖水中 A 的浓度是均匀的.)

解 设从 2000 年年初(令此时 $t=0$)开始,第 t 年湖泊中污染物 A 的总量为 m,浓度为 $\frac{m}{V}$,则在时间间隔 $[t, t+dt]$ 内,排入湖泊中 A 的量为 $\frac{m_0}{V} \cdot \frac{V}{6}dt = \frac{m_0}{6}dt$,流出湖泊的水中 A 的量为 $\frac{m}{V} \cdot \frac{V}{3}dt = \frac{m}{3}dt$,因而在此时间间隔内湖泊中污染物 A 的改变量

$$dm = \left(\frac{m_0}{6} - \frac{m}{3}\right)dt.$$

由分离变量法解得 $m = \frac{m_0}{2} - Ce^{-\frac{t}{3}}$,代入初始条件 $m|_{t=0} = 5m_0$,得 $C = -\frac{9}{2}m_0$. 于是

$$m = \frac{m_0}{2}\left(1 + 9e^{-\frac{t}{3}}\right).$$

令 $m = m_0$,得 $t = 6\ln 3$,即至多需经过 $6\ln 3$ 年,湖泊中污染物 A 的含量降至 m_0 以内.

23. (2003.Ⅱ)设位于第一象限的曲线 $y = f(x)$ 过点 $\left(\frac{\sqrt{2}}{2}, \frac{1}{2}\right)$,其上任一点 $P(x, y)$ 处的法线与 y 轴的交点为 Q,且线段 PQ 被 x 轴平分.

(1) 求曲线 $y = f(x)$ 的方程;

(2) 已知曲线 $y = \sin x$ 在 $[0, \pi]$ 上的弧长为 l,试用 l 表示曲线 $y = f(x)$ 的弧长 s.

解 (1) 曲线 $y = f(x)$ 在点 $P(x, y)$ 处的法线方程为

$$Y - y = -\frac{1}{y}(X - x),$$

其中 (X, Y) 为法线上任意一点,令 $X = 0$,则

$$Y = y + \frac{x}{y},$$

故 Q 点为 $\left(0, y + \frac{x}{y}\right)$. 由题设知

$$y + y + \frac{x}{y} = 0, \quad 即 \quad 2ydy + xdx = 0.$$

积分,得 $\qquad x^2 + 2y^2 = C$　(C 为任意常数).

由 $y\big|_{x=\frac{\sqrt{2}}{2}} = \frac{1}{2}$ 知 $C = 1$,故曲线 $y = f(x)$ 的方程为

$$x^2 + 2y^2 = 1.$$

(2) 曲线 $y = \sin x$ 在 $[0, \pi]$ 上的弧长为

$$l = 2\int_0^{\frac{\pi}{2}} \sqrt{1 + \cos^2 x}\,\mathrm{d}x.$$

曲线 $y = f(x)$ 的参数方程为 $\begin{cases} x = \cos\theta, \\ y = \dfrac{\sqrt{2}}{2}\sin\theta, \end{cases}$ 故

$$s = \int_0^{\frac{\pi}{2}} \sqrt{\sin^2\theta + \frac{1}{2}\cos^2\theta}\,\mathrm{d}\theta = \frac{1}{\sqrt{2}} \int_0^{\frac{\pi}{2}} \sqrt{1 + \sin^2\theta}\,\mathrm{d}\theta.$$

令 $\theta = \dfrac{\pi}{2} - t$,则 $s = \dfrac{1}{\sqrt{2}} \int_{\frac{\pi}{2}}^0 \sqrt{1 + \cos^2 t}\,(-\mathrm{d}t) = \dfrac{1}{\sqrt{2}} \int_0^{\frac{\pi}{2}} \sqrt{1 + \cos^2 t}\,\mathrm{d}t = \dfrac{l}{2\sqrt{2}} = \dfrac{\sqrt{2}}{4} l.$

24. (2003. Ⅰ,Ⅱ) 设函数 $y = y(x)$ 在 $(-\infty, +\infty)$ 内具有二阶导数,且 $y' \neq 0$,$x = x(y)$ 是 $y = y(x)$ 的反函数.

(1) 试将 $x = x(y)$ 所满足的微分方程 $\dfrac{\mathrm{d}^2 x}{\mathrm{d}y^2} + (y + \sin x)\left(\dfrac{\mathrm{d}x}{\mathrm{d}y}\right)^3 = 0$ 变换为 $y = y(x)$ 满足的微分方程;

(2) 求变换后的微分方程满足初始条件 $y(0) = 0$,$y'(0) = \dfrac{3}{2}$ 的解.

解　(1) 由反函数导数公式知 $\dfrac{\mathrm{d}x}{\mathrm{d}y} = \dfrac{1}{y'}$,即

$$y'\frac{\mathrm{d}x}{\mathrm{d}y} = 1.$$

上式两端关于 x 求导,得 $y''\dfrac{\mathrm{d}x}{\mathrm{d}y} + \dfrac{\mathrm{d}^2 x}{\mathrm{d}y^2}(y')^2 = 0$,所以

$$\frac{\mathrm{d}^2 x}{\mathrm{d}y^2} = -\frac{\dfrac{\mathrm{d}x}{\mathrm{d}y} y''}{(y')^2} = -\frac{y''}{(y')^3}.$$

代入原微分方程,得

$$y'' - y = \sin x. \qquad\qquad (*)$$

(2) 方程 $(*)$ 所对应的齐次方程 $y'' - y = 0$ 的通解为

$$Y = C_1 \mathrm{e}^x + C_2 \mathrm{e}^{-x}.$$

设方程 $(*)$ 的特解为

$$y^* = A\cos x + B\sin x,$$

代入方程 $(*)$,求得 $A = 0$,$B = -\dfrac{1}{2}$,故 $y^* = -\dfrac{1}{2}\sin x$,从而 $y'' - y = \sin x$ 的

通解是

$$y(x) = C_1 e^x + C_2 e^{-x} - \frac{1}{2}\sin x.$$

由 $y(0)=0, y'(0)=\frac{3}{2}$，得 $C_1=1, C_2=-1$，故所求初值问题的解为

$$y(x) = e^x - e^{-x} - \frac{1}{2}\sin x.$$

25.（2004.Ⅰ）某种飞机在机场降落时，为了减少滑行距离，在触地的瞬间，飞机尾部张开减速伞以增加阻力，使飞机减速并停下．现有一质量为 9 000 kg 的飞机，着陆时的水平速度为 700 km/h．经测试，减速伞打开后，飞机所受的总阻力与飞机的速度成正比（比例系数为 $k=6.0\times10^6$）．问从着陆点算起，飞机滑行的最长距离是多少？

解 **解法一** 根据牛顿第二定律，得 $m\dfrac{\mathrm{d}v}{\mathrm{d}t} = -kv$，即

$$\frac{\mathrm{d}v}{v} = -\frac{k}{m}\mathrm{d}t.$$

两端积分得 $\quad \ln v = -\dfrac{k}{m}t + \ln C$，即 $v = C e^{-\frac{k}{m}t}$.

当 $t=0$ 时，$v=v_0$，有 $C=v_0$，故

$$\frac{\mathrm{d}s}{\mathrm{d}t} = v = v_0 e^{-\frac{k}{m}t}.$$

于是飞机滑行的最长距离为

$$s = \int_0^{+\infty} v_0 e^{-\frac{k}{m}t}\mathrm{d}t = -\frac{mv_0}{k}e^{-\frac{k}{m}t}\bigg|_0^{+\infty} = \frac{mv_0}{k} = 1.05(\text{km}).$$

解法二 根据牛顿第二定律，得

$$m\frac{\mathrm{d}v}{\mathrm{d}t} = -kv,$$

又 $\dfrac{\mathrm{d}v}{\mathrm{d}t} = \dfrac{\mathrm{d}v}{\mathrm{d}s}\cdot\dfrac{\mathrm{d}s}{\mathrm{d}t} = \dfrac{\mathrm{d}v}{\mathrm{d}s}\cdot v$，故有

$$\mathrm{d}s = -\frac{m}{k}\mathrm{d}v,$$

积分得 $\qquad\qquad s = -\dfrac{m}{k}v + C.$

由于 $t=0$ 时，$s=0, v=v_0$，故 $C=\dfrac{m}{k}v_0$. 于是得

$$s = -\frac{m}{k}(v - v_0).$$

令 $v\to0$（当 $t\to\infty$ 时），得

$$s \to \frac{mv_0}{k} = 1.05(\text{km}).$$

三、

同济大学高等数学

试卷选编

（一）高等数学(上)期中考试试卷(I)

试　题

一、选择题：

1. 若 $\lim\limits_{x\to 0}\dfrac{\varphi(x)}{\sin x}=1$，则当 $x\to 0$ 时，函数 $\varphi(x)$ 与（　　）是等价无穷小.

(A) $\ln(1-x)$.　　　　　　　　　　(B) $\sin|x|$.

(C) $1-\cos\sqrt{|x|}$.　　　　　　　(D) $\sqrt{1+2x}-1$.

2. 以下条件中，（　　）是函数 $f(x)$ 在 x_0 处连续的充分而非必要条件.

(A) $f(x)$ 在 x_0 的某个邻域内有界.　　(B) $\lim\limits_{x\to x_0}f(x)$ 存在.

(C) $f(x_0^-)=f(x_0)=f(x_0^+)$.　　　　(D) $f'(x_0)$ 存在.

3. $x=0$ 为函数 $f(x)=\sin x\cdot\sin\dfrac{1}{x}$ 的（　　）.

(A) 可去间断点.　　　　　　　　(B) 跳跃间断点.

(C) 无穷间断点.　　　　　　　　(D) 振荡间断点.

4. 函数 $f(x)$ 在 $x=0$ 处可导的充分必要条件是（　　）.

(A) $f(x)$ 在 $x=0$ 处连续.

(B) $f(x)-f(0)=Ax+o(x)$，其中 A 是常数.

(C) $f'_+(0)$ 与 $f'_-(0)$ 都存在.

(D) $\lim\limits_{x\to 0}f'(x)$ 存在.

二、填空题：

1. 设函数 $f(x)=\begin{cases}e^{\frac{1}{2}}, & x\leqslant 0,\\ \left(1+\dfrac{x}{a}\right)^{\frac{1}{x}}, & x>0\end{cases}$ 在 $x=0$ 处连续，则数 $a=$ _____ .

2. 设 $y=\ln\cos(\arctan x)$，则 $\dfrac{\mathrm{d}y}{\mathrm{d}x}=$ _____ .

3. 若 $f'(0) = 1, g'(0) = 2$, 则 $\lim\limits_{x \to 0} \dfrac{f(x) - f(-x)}{g(x) - g(0)} = $ _____.

4. 当自变量 x 有增量 Δx 时, 因变量 y 有增量 $\Delta y = \dfrac{1}{1 + ax}\Delta x + o(\Delta x)$ $(a > 0)$, 则 $y = $ _____.

三、计算题:

1. 求 $\lim\limits_{x \to 0} \dfrac{x - \ln(1 + x)}{1 - \cos x}$.

2. 求 $\lim\limits_{x \to e} \left(\dfrac{x}{e} \right)^{\frac{1}{x - e}}$.

3. 设 $y = \begin{cases} x^2 \sin \dfrac{1}{x}, & x \neq 0, \\ 0, & x = 0, \end{cases}$ 求 $y'(0)$ 并讨论 $\lim\limits_{x \to 0} y'(x)$ 是否存在.

四、设曲线 $y = y(x)$ 由方程 $y - x = e^{xy}$ 确定, 求该曲线上在 $x = 0$ 所对应的点处的切线方程.

五、设 $\lim\limits_{x \to 0} \dfrac{f(x)}{x} = 1$, 且 $f''(x) > 0$, 证明: 当 $x \neq 0$ 时, $f(x) > x$.

六、设函数 $f(x) = xe^{\frac{1}{x}}$.

(1) 指出 $f(x)$ 的单调区间与曲线 $y = f(x)$ 的凹凸区间.

(2) 求 $\lim\limits_{x \to 0^+} f(x)$ 与 $\lim\limits_{x \to 0^-} f(x)$ 并绘出 $y = f(x)$ 的草图.

七、一弓箭手在原点射出的箭的轨迹方程为

$$y = kx - \dfrac{k^3 + 2}{300}x^2,$$

其中 x 是箭离原点的水平距离, y 是相应的高度 (x 轴为地平线, 距离单位为 m), 正数 k 是轨迹曲线在原点处的切线斜率. 问:

(1) k 取何值时, 箭的水平射程最大?

(2) k 取何值时, 箭射中 30 m 远处一直立墙面的高度最大?

参 考 答 案

一、1. 由于当 $x \to 0$ 时, $\varphi(x) \sim x$, 而 $\ln(1 - x) \sim -x$, $\sin|x| \sim |x|$, $1 - \cos\sqrt{|x|} \sim \dfrac{1}{2}|x|$, $\sqrt{1 + 2x} - 1 \sim x$, 因此, 当 $x \to 0$ 时, 函数 $\varphi(x)$ 与 $\sqrt{1 + 2x}$ -1 是等价无穷小, 故选 (D).

2. (A) 和 (B) 是 $f(x)$ 在 x_0 处连续的必要而非充分条件, (C) 是 $f(x)$ 在 x_0

处连续的充分必要条件,(D)是 $f(x)$ 在 x_0 处连续的充分而非必要条件,故选(D).

3. 由于 $\lim\limits_{x\to 0}\sin x\cdot\sin\dfrac{1}{x}=0$,因此 $x=0$ 是 $f(x)$ 的可去间断点. 故选(A).

4. 由于 $f(x)-f(0)=Ax+o(x)$,表明 $f(x)$ 在 $x=0$ 可微,而可微与可导等价,故选(B).

二、1. $f(0^-)=\mathrm{e}^{\frac{1}{2}}$,$f(0^+)=\lim\limits_{x\to 0^+}\left(1+\dfrac{x}{a}\right)^{\frac{1}{x}}=\lim\limits_{x\to 0^+}\left[\left(1+\dfrac{x}{a}\right)^{\frac{a}{x}}\right]^{\frac{1}{a}}=\mathrm{e}^{\frac{1}{a}}$,因此 $a=2$.

2. $\dfrac{\mathrm{d}y}{\mathrm{d}x}=\dfrac{1}{\cos(\arctan x)}\cdot[-\sin(\arctan x)]\cdot\dfrac{1}{1+x^2}=-\dfrac{x}{1+x^2}$.

3. $\lim\limits_{x\to 0}\dfrac{f(x)-f(-x)}{g(x)-g(0)}=\lim\limits_{x\to 0}\dfrac{\dfrac{f(x)-f(0)}{x}+\dfrac{f(-x)-f(0)}{-x}}{\dfrac{g(x)-g(0)}{x}}=\dfrac{2f'(0)}{g'(0)}=1$.

4. 因为 $y'=\lim\limits_{\Delta x\to 0}\dfrac{\Delta y}{\Delta x}=\dfrac{1}{1+ax}$,因此 $y=\displaystyle\int\dfrac{1}{1+ax}\mathrm{d}x=\dfrac{1}{a}\ln(1+ax)+C$.

三、1. $\lim\limits_{x\to 0}\dfrac{x-\ln(1+x)}{1-\cos x}=\lim\limits_{x\to 0}\dfrac{1-\dfrac{1}{1+x}}{\sin x}=\lim\limits_{x\to 0}\dfrac{x}{(1+x)\sin x}=1$.

2. $\lim\limits_{x\to \mathrm{e}}\left(\dfrac{x}{\mathrm{e}}\right)^{\frac{1}{x-\mathrm{e}}}=\mathrm{e}^{\lim\limits_{x\to \mathrm{e}}\frac{\ln x-1}{x-\mathrm{e}}}=\mathrm{e}^{\lim\limits_{x\to \mathrm{e}}\frac{\frac{1}{x}}{1}}=\mathrm{e}^{\frac{1}{\mathrm{e}}}$.

3. $y'(0)=\lim\limits_{x\to 0}\dfrac{y(x)-y(0)}{x}=\lim\limits_{x\to 0}x\sin\dfrac{1}{x}=0$.

当 $x\neq 0$ 时,$y'=2x\sin\dfrac{1}{x}-\cos\dfrac{1}{x}$,因此 $\lim\limits_{x\to 0}y'(x)$ 不存在.

四、方程 $y-x=\mathrm{e}^{xy}$ 两端对 x 求导,得
$$y'-1=\mathrm{e}^{xy}(y+xy'),$$
上式和原方程中令 $x=0$,解得 $y|_{x=0}=1$,$y'|_{x=0}=2$. 因此所求切线方程为
$$y=2x+1.$$

五、$f(0)=\lim\limits_{x\to 0}f(x)=\lim\limits_{x\to 0}x\cdot\dfrac{f(x)}{x}=0$,
$$f'(0)=\lim\limits_{x\to 0}\dfrac{f(x)-f(0)}{x}=\lim\limits_{x\to 0}\dfrac{f(x)}{x}=1.$$
根据泰勒中值定理,当 $x\neq 0$ 时,有
$$f(x)=f(0)+f'(0)x+\dfrac{f''(\xi)}{2}x^2=x+\dfrac{f''(\xi)}{2}x^2>x.$$

六、(1) $\quad f'(x)=\left(1-\dfrac{1}{x}\right)\mathrm{e}^{\frac{1}{x}}$,$f''(x)=\dfrac{1}{x^3}\mathrm{e}^{\frac{1}{x}}\neq 0$.

令 $f'(x)=0$,得驻点为 $x=1$.由 $x=1$ 把定义域分为三个部分区间:

$$(-\infty,0),(0,1],[1,+\infty),$$

现列表如下:

x	$(-\infty,0)$	$(0,1)$	$(1,+\infty)$
$f'(x)$	$+$	$-$	$+$
$f''(x)$	$-$	$+$	$+$

因此 $f(x)$ 在 $(-\infty,0)$ 和 $[1,+\infty)$ 上单调增加,在 $(0,1]$ 上单调减少;$f(x)$ 在 $(-\infty,0)$ 上的图形是凸的,在 $(0,+\infty)$ 上的图形是凹的.

(2) $\displaystyle\lim_{x\to 0^+}f(x)=\lim_{x\to 0^+}xe^{\frac{1}{x}}\xlongequal{u=\frac{1}{x}}\lim_{u\to+\infty}\frac{e^u}{u}=\lim_{u\to+\infty}\frac{e^u}{1}=+\infty,$

$\displaystyle\lim_{x\to 0^-}f(x)=\lim_{x\to 0^-}xe^{\frac{1}{x}}=0.$

$y=f(x)$ 的草图如图 1.

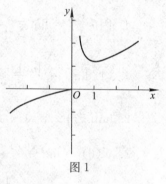

图 1

七、(1) 令 $y=0$,解得 $x=0$ 和 $x=\dfrac{300k}{k^3+2}$,即箭的水平射程为

$$x(k)=\frac{300k}{k^3+2},$$

求导,得 $\dfrac{\mathrm{d}x}{\mathrm{d}k}=\dfrac{600(1-k^3)}{(k^3+2)^2}$,令 $\dfrac{\mathrm{d}x}{\mathrm{d}k}=0$,解得惟一驻点 $k=1$ 为极大值点,因此必为最大值点,故 $k=1$ 时,箭的水平射程最大.

(2) $x=30$ 时,$y=-3k^3+30k-6$,求导,得 $\dfrac{\mathrm{d}y}{\mathrm{d}k}=-9k^2+30$,令 $\dfrac{\mathrm{d}y}{\mathrm{d}k}=0$,解得惟一驻点 $k=\dfrac{\sqrt{30}}{3}$ 为极大值点,因此必为最大值点. 故 $k=\dfrac{\sqrt{30}}{3}$ 时,箭射中 30 m 远处一直立墙面的最大高度

$$y\Big|_{k=\frac{\sqrt{30}}{3}}=\frac{20\sqrt{30}}{3}-6\approx 30.514\,8.$$

（二）高等数学（上）期中考试试卷（Ⅱ）

试　题

一、填空题：

1. 设函数 $f(x) = \begin{cases} \dfrac{e^{a\sin x}-1}{2x}, & x \neq 0, \\ 1, & x = 0 \end{cases}$ 在 $x=0$ 处连续，则常数 $a = \underline{\qquad}$.

2. 当 $x \to \infty$ 时，$\sqrt{x^2+2} - \sqrt{x^2-2}$ 是比 $\dfrac{1}{x^2}$ _____ 的无穷小.

3. 设函数 $f(x)$ 在 $x=0$ 处连续，若 $\forall \varepsilon > 0$，$\exists \delta > 0$，当 $0 < |x| < \delta$ 时，总有 $\left| \dfrac{f(x)}{x} - 1 \right| < \varepsilon$，则 $f'(0) = \underline{\qquad}$.

4. 抛物线 $y = 2x^2 - 4x + 1$ 在顶点处的曲率半径等于_____.

5. 函数 $y = f(x)$ 和 $y = g(x)$ 的图形如图 2 所示，则复合函数 $f[g(x)]$ 在 $x=1$ 处的导数等于_____.

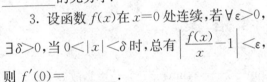

图 2

二、计算极限：

1. $\displaystyle\lim_{x \to 1} \dfrac{\ln \cos(x-1)}{1 - \sin \dfrac{\pi x}{2}}$.

2. $\displaystyle\lim_{x \to 0} \left(\dfrac{\sin x}{x} \right)^{\cot^2 x}$.

三、计算导数和微分：

1. 设 $y = e^{\cos \frac{1}{x}} + \arcsin \sqrt{x}$，求 y'.

2. 设方程 $y + \ln y = x$ 确定隐函数 $y = y(x)$，求 y' 和 y''.

3. 设 $\begin{cases} x = t\sin t, \\ y = \cos t, \end{cases}$ 求 $\dfrac{\mathrm{d}^2 y}{\mathrm{d} x^2}\Big|_{t=\frac{\pi}{2}}$.

4. 设 $y = f\left(\arctan \dfrac{1}{x}\right)$，其中函数 f 可导，求 $\mathrm{d} y$.

四、设两名短跑选手赛跑，他们同时出发，同时到达终点. 试用微分学中的中值定理说明：在他们奔跑的过程中，一定存在某个时刻，该时刻两人的瞬时速度相同.

五、曲线 $y = \dfrac{1}{\sqrt{x}}$ 的切线与 x 轴和 y 轴围成一个三角形. 记切点的横坐标为 a，试求切线方程和该三角形的面积. 又，当切点沿曲线趋于无穷远时，该面积的变化趋势如何？

六、设置于平面上方的点光源照射到平面上一点处的光照强度跟光线与平面的夹角的正弦成正比，又跟光源到该点的距离的平方成反比. 有一半径为 $30\sqrt{2}\ \mathrm{m}$ 的圆形球场，现要在球场中心的正上方置一光源. 问此光源离地面多高时，球场周边处的光照强度最大？

七、确定曲线 $y = 4\ln x + 5$ 与 $y = 4x + \ln^4 x$ 的交点的个数并说明理由.

参 考 答 案

一、1. 由 $\lim\limits_{x\to 0} f(x) = f(0)$，得 $\lim\limits_{x\to 0} \dfrac{e^{a\sin x} - 1}{2x} = \lim\limits_{x\to 0} \dfrac{a\sin x}{2x} = \dfrac{a}{2} = 1$，故 $a = 2$.

2. 当 $x \to \infty$ 时，$\sqrt{x^2+2} - \sqrt{x^2-2} = \dfrac{4}{\sqrt{x^2+2} + \sqrt{x^2-2}} \sim \dfrac{2}{|x|}$，所以 $\sqrt{x^2+2} - \sqrt{x^2-2}$ 是比 $\dfrac{1}{x^2}$ 低阶的无穷小.

3. 由所给条件知 $\lim\limits_{x\to 0} \dfrac{f(x)}{x} = 1$，从而 $f(0) = \lim\limits_{x\to 0} \dfrac{f(x)}{x} \cdot x = 0$，因此

$$f'(0) = \lim\limits_{x\to 0} \dfrac{f(x) - f(0)}{x} = 1.$$

4. 抛物线的顶点为 $(1, -1)$，曲线在该点处的曲率半径

$$R = \dfrac{(1 + y'^2)^{\frac{3}{2}}}{|y''|}\Big|_{x=1} = \dfrac{1}{4}.$$

5. $\dfrac{\mathrm{d}}{\mathrm{d} x} f[g(x)]\Big|_{x=1} = f'[g(1)]g'(1) = f'(3)g'(1) = \dfrac{3-4}{6-2} \cdot \dfrac{0-6}{2-0} = \dfrac{3}{4}$.

二、1. $\lim\limits_{x\to 1} \dfrac{\ln\cos(x-1)}{1 - \sin\frac{\pi x}{2}} = \lim\limits_{x\to 1} \dfrac{-\tan(x-1)}{-\frac{\pi}{2}\cos\frac{\pi x}{2}} = \dfrac{2}{\pi}\lim\limits_{x\to 1} \dfrac{\sec^2(x-1)}{-\frac{\pi}{2}\sin\frac{\pi x}{2}} = -\dfrac{4}{\pi^2}$.

2. $\lim\limits_{x\to 0}\left(\dfrac{\sin x}{x}\right)^{\cot^2 x}=e^{\lim\limits_{x\to 0}\frac{\ln|\sin x|-\ln|x|}{x^2}}=e^{\lim\limits_{x\to 0}\frac{\frac{\cos x}{\sin x}-\frac{1}{x}}{2x}}=e^{\lim\limits_{x\to 0}\frac{x\cos x-\sin x}{2x^3}}=e^{\lim\limits_{x\to 0}\frac{-x\sin x}{6x^2}}=e^{-\frac{1}{6}}.$

三、1. $y'=e^{\cos\frac{1}{x}}\left(-\sin\dfrac{1}{x}\right)\left(-\dfrac{1}{x^2}\right)+\dfrac{1}{\sqrt{1-x}}\cdot\dfrac{1}{2\sqrt{x}}$

$\qquad\qquad=\dfrac{1}{x^2}\sin\dfrac{1}{x}e^{\cos\frac{1}{x}}+\dfrac{1}{2\sqrt{x-x^2}}.$

2. 方程两端分别求导,得

$$y'+\dfrac{y'}{y}=1,\text{即 }y'=\dfrac{y}{1+y},$$

$$y''=\dfrac{\mathrm{d}}{\mathrm{d}x}\left(\dfrac{y}{1+y}\right)=\dfrac{\mathrm{d}}{\mathrm{d}y}\left(\dfrac{y}{1+y}\right)\cdot\dfrac{\mathrm{d}y}{\mathrm{d}x}=\dfrac{y}{(1+y)^3}.$$

3. $\dfrac{\mathrm{d}y}{\mathrm{d}x}=\dfrac{-\sin t}{\sin t+t\cos t},$

$$\dfrac{\mathrm{d}^2 y}{\mathrm{d}x^2}=\dfrac{\mathrm{d}}{\mathrm{d}t}\left(\dfrac{-\sin t}{\sin t+t\cos t}\right)\Big/\dfrac{\mathrm{d}x}{\mathrm{d}t}=\dfrac{\sin t\cos t-t}{(\sin t+t\cos t)^3},$$

故 $\quad\dfrac{\mathrm{d}^2 y}{\mathrm{d}x^2}\Big|_{t=\frac{\pi}{2}}=-\dfrac{\pi}{2}.$

4. $\mathrm{d}y=f'\left(\arctan\dfrac{1}{x}\right)\cdot\dfrac{1}{1+\dfrac{1}{x^2}}\cdot\left(-\dfrac{1}{x^2}\right)\mathrm{d}x$

$$\qquad=-\dfrac{1}{1+x^2}f'\left(\arctan\dfrac{1}{x}\right)\mathrm{d}x.$$

四、设两名短跑选手在 $t=0$ 时刻同时出发,在 $t=T$ 时刻同时到达,他们的位置函数分别为 $x=s_1(t),x=s_2(t)(t\in[0,T])$. 根据实际问题,设这两个函数在 $[0,T]$ 上连续,在 $(0,T)$ 内可导,并且有 $s_1(0)=s_2(0),s_1(T)=s_2(T)$.

令 $\varphi(t)=s_1(t)-s_2(t)$,则 $\varphi(t)$ 在 $[0,T]$ 上连续,在 $(0,T)$ 内可导,并且有 $\varphi(0)=\varphi(T)$. 根据罗尔定理,存在 $\xi\in(0,T)$,满足 $\varphi'(\xi)=0$,从而 $s_1'(\xi)=s_2'(\xi)$,即在 $t=\xi$ 时刻两人的瞬时速度相同.

五、$y'|_{x=a}=-\dfrac{1}{2a\sqrt{a}}$,因此曲线 $y=\dfrac{1}{\sqrt{x}}$ 在 $\left(a,\dfrac{1}{\sqrt{a}}\right)$ 处的切线方程为

$$y=-\dfrac{1}{2a\sqrt{a}}x+\dfrac{3}{2\sqrt{a}},$$

它与 x 轴和 y 轴所围成的三角形的面积

$$S=\dfrac{9\sqrt{a}}{4}.$$

当切点沿曲线趋于无穷远时,有以下两种情形:

(1) $\lim\limits_{x\to 0^+}S=0$;

(2) $\lim\limits_{x \to +\infty} S = +\infty$.

六、光源离地面高为 h 时,光源到球场周边处的距离为

$$\sqrt{h^2 + (30\sqrt{2})^2} = \sqrt{h^2 + 1\,800},$$

在球场周边处光线与平面的夹角的正弦为 $\dfrac{h}{\sqrt{h^2 + 1\,800}}$. 因此,球场周边处的光照强度为

$$E = k\frac{h}{(h^2 + 1\,800)^{\frac{3}{2}}}(k > 0 \text{ 为比例常数}).$$

求导,得 $\dfrac{\mathrm{d}E}{\mathrm{d}h} = k\dfrac{1\,800 - 2h^2}{(h^2 + 1\,800)^{\frac{5}{2}}}$,令 $\dfrac{\mathrm{d}E}{\mathrm{d}h} = 0$ 解得在 $h > 0$ 范围内的惟一驻点 $h = 30$,易知该驻点为极大值点,因此必为最大值点. 即此光源离地面高为 $30\ \mathrm{m}$ 时,球场周边处的光照强度最大.

七、令 $f(x) = 4x + \ln^4 x - (4\ln x + 5)$,则 $f(x)$ 在 $(0, +\infty)$ 上连续. 而 $f\left(\dfrac{1}{\mathrm{e}}\right) = \dfrac{4}{\mathrm{e}} > 0, f(1) = -1 < 0, f(\mathrm{e}) = 4(\mathrm{e} - 2) > 0$,根据闭区间上连续函数性质,$f(x)$ 在 $\left(\dfrac{1}{\mathrm{e}}, 1\right)$ 和 $(1, \mathrm{e})$ 内分别存在一个零点.

再考察导函数 $f'(x) = \dfrac{4(\ln^3 x + x - 1)}{x}$. 容易知道 $f'(1) = 0$,而 $\ln^3 x + x - 1$ 显然是单调增加函数,由此,当 $x < 1$ 时 $f'(x) < 0$,当 $x > 1$ 时 $f'(x) > 0$. 即,当 $x < 1$ 时 $f(x)$ 单调减少,当 $x > 1$ 时 $f(x)$ 单调增加.

因此曲线 $y = 4\ln x + 5$ 与 $y = 4x + \ln^4 x$ 的交点恰好是 2 个.

(三) 高等数学(上)期末考试试卷(I)

试 题

一、填空、选择题:

1. 函数 $f(x)$ 在 $[a,b]$ 上可积是 $f(x)$ 在 $[a,b]$ 上连续的 _____ 条件,函数 $f(x)$ 在 $[a,b]$ 上可导是 $f(x)$ 在 $[a,b]$ 上连续的 _____ 条件.

2. 曲线 $y = \ln(x+\sqrt{x^2-1})$ 在点 $(\sqrt{2}, \ln(1+\sqrt{2}))$ 处的切线方程是 _____.

3. 函数 $f(x) = (x-1)\cos x - \sin x$ 在区间 $\left[0, \dfrac{\pi}{2}\right]$ 上的最大值是 _____.

4. 曲线 $y = e^x(x^2-x)$ 上有 _____ 个拐点.

5. 设可导函数 $g(x)$ 满足 $g(0)=0, g'(0) \neq 0$,设 $G(x) = g(\sin^2 x)$,则当 $x \to 0$ 时,_____.

(A) $G(x)$ 与 $g(x)$ 是等价无穷小. (B) $G(x)$ 与 $g(x)$ 是同阶的无穷小.

(C) $G(x)$ 是比 $g(x)$ 高阶的无穷小. (D) $G(x)$ 是比 $g(x)$ 低阶的无穷小.

6. 极限 $\lim\limits_{n \to \infty} \dfrac{3^{\frac{1}{n}} + 3^{\frac{2}{n}} + \cdots + 3^{\frac{n}{n}}}{n} = $ _____.

7. 如果一物体沿直线运动,物体的运动速度的变化曲线如图 3 所示(单位省略),则物体在这段位移过程中的平均速度为 _____.

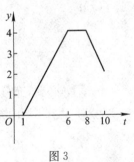

图 3

8. 微分方程 $\dfrac{\mathrm{d}y}{\mathrm{d}x} + \dfrac{y}{x} = \dfrac{\sin x}{x}$ 的通解为 _____.

二、1. 设函数 $y = \ln \sec x, x \in \left(-\dfrac{\pi}{2}, \dfrac{\pi}{2}\right)$.

(1) 讨论函数的单调区间与该函数的图形的凹凸性;

(2) 该曲线在哪点处的曲率半径为 2?

2. 设 $\varphi(x) = \begin{cases} \dfrac{\displaystyle\int_x^{2x} e^{t^2} \mathrm{d}t}{x}, & x \neq 0, \\ a, & x = 0, \end{cases}$ 求 a 的值,使得 $\varphi(x)$ 在 $x = 0$ 处连续,并用

导数定义求 $\varphi'(0)$.

三、1. 求定积分 $I = \int_0^\pi x^2 \sqrt{1 - \sin^2 x}\, dx$.

2. 若 $f(x) = \begin{cases} \dfrac{1}{1+x^2}, & x \leqslant 0, \\[3mm] \dfrac{1}{\sqrt{x}(1+x)}, & x > 0, \end{cases}$ 对于 $x \in (-\infty, +\infty)$,求 $F(x) = \int_{-\infty}^x f(t)\, dt$.

四、1. 设曲边梯形由曲线 $y = x + \dfrac{1}{x} (x > 0)$ 与直线 $y = 0, x = a, x = a+1$ 所围成(其中 $a > 0$),问:当 a 为何值时,曲边梯形的面积为最小,最小面积是多少?

2. 设一平板浸没在水中且垂直于水面(水的密度为 $1\,000\,\mathrm{kg/m^3}$),平板的形状为双曲四边形,即图形由双曲线 $4x^2 - y^2 = 4$,直线 $y = 1$ 与 $y = -1$ 所围成(如图 4 所示,单位:m).

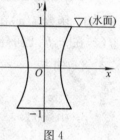

图 4

(1) 如果平板的上边缘与水面相齐,那么平板一侧所受到的水的总压力是多少?

(2) 如果水位下降,在时刻 t,水面位于 $y = h(t)$ 处,且水面匀速下降,速率为 $0.01\,(\mathrm{m/s})$,问:当水面下降至平板的中位线(即 x 轴)时,平板一侧所受到的水压力的下降速率是多少?

五、设函数 $f(x)$ 满足方程

$$\int_0^x (u-x) f(u)\, du = f(x) + \cos 2x,$$

求 $f(x)$.

参 考 答 案

一、1. 必要,充分.

2. $y' \big|_{x=\sqrt{2}} = 1$,因此所求切线是 $y = x - \sqrt{2} + \ln(1 + \sqrt{2})$.

3. $f'(x) = -(x-1)\sin x$,在区间 $\left(0, \dfrac{\pi}{2}\right)$ 内有惟一驻点 $x = 1$ 且为极大值点,因此所求最大值是 $f(1) = -\sin 1$.

4. $y'' = e^x(x^2 + 3x)$ 有 2 个零点 $x = -3$ 与 $x = 0$,且 y'' 在这 2 个零点的左、右两侧邻近异号,因此该曲线上有 2 个拐点.

5. $\lim\limits_{x \to 0} \dfrac{G(x)}{g(x)} = \lim\limits_{x \to 0} \dfrac{g(\sin^2 x)}{g(x)} = \lim\limits_{x \to 0} \dfrac{\dfrac{g(\sin^2 x) - g(0)}{\sin^2 x}}{\dfrac{g(x) - g(0)}{x}} \cdot \dfrac{\sin^2 x}{x} = \dfrac{g'(0)}{g'(0)} \cdot 0 = 0$,

因此当 $x \to 0$ 时，$G(x)$ 是比 $g(x)$ 高阶的无穷小，故选(C).

6. 利用定积分的定义，得 $\lim\limits_{n \to \infty} \dfrac{3^{\frac{1}{n}} + 3^{\frac{2}{n}} + \cdots + 3^{\frac{n}{n}}}{n} = \int_0^1 3^x \mathrm{d}x = \dfrac{2}{\ln 3}$.

7. $\bar{v} = \dfrac{1}{10 - 1} \int_1^{10} v(t)\mathrm{d}t$，根据定积分的几何意义，其中的定积分 $\int_1^{10} v(t)\mathrm{d}t$ 是图中的图形面积，即

$$\bar{v} = \dfrac{1}{10 - 1} \int_1^{10} v(t)\mathrm{d}t$$

$$= \dfrac{1}{9}\left[\dfrac{1}{2} \cdot 4 \cdot (6 - 1) + 4 \cdot (8 - 6) + \dfrac{1}{2}(2 + 4) \cdot (10 - 8) \right]$$

$$= \dfrac{8}{3}.$$

8. 通解为 $y = \mathrm{e}^{-\int \frac{1}{x}\mathrm{d}x}\left(\int \dfrac{\sin x}{x}\mathrm{e}^{\int \frac{1}{x}\mathrm{d}x}\mathrm{d}x + C \right) = \dfrac{1}{x}\left(\int \sin x \mathrm{d}x + C \right) = \dfrac{-\cos x + C}{x}$.

二、1. （1）$y' = \tan x$，在 $\left(-\dfrac{\pi}{2}, 0 \right)$ 内，$y' < 0$；在 $\left(0, \dfrac{\pi}{2} \right)$ 内，$y' > 0$. 故 $\left(-\dfrac{\pi}{2}, 0 \right]$ 是单调减少区间，$\left[0, \dfrac{\pi}{2} \right)$ 是单调增加区间；而由 $y'' = \sec^2 x > 0 \left(x \in \left(-\dfrac{\pi}{2}, \dfrac{\pi}{2} \right) \right)$ 得，该函数的图形是凹的.

（2）$K = \dfrac{|y''|}{(1 + y'^2)^{\frac{3}{2}}} = |\cos x|$. 由 $K = \dfrac{1}{2}$，得 $x = \pm \dfrac{\pi}{3}$，故曲率半径为 2 的点是 $\left(\pm \dfrac{\pi}{3}, \ln 2 \right)$.

2. $\lim\limits_{x \to 0} \dfrac{\displaystyle\int_x^{2x} \mathrm{e}^{t^2} \mathrm{d}t}{x} = \lim\limits_{x \to 0} \dfrac{2\mathrm{e}^{4x^2} - \mathrm{e}^{x^2}}{1} = 1$，因此 $a = 1$ 时，$\varphi(x)$ 在 $x = 0$ 处连续.

$$\varphi'(0) = \lim\limits_{x \to 0} \dfrac{\varphi(x) - \varphi(0)}{x} = \lim\limits_{x \to 0} \dfrac{\dfrac{\displaystyle\int_x^{2x} \mathrm{e}^{t^2}\mathrm{d}t}{x} - 1}{x} = \lim\limits_{x \to 0} \dfrac{\displaystyle\int_x^{2x} \mathrm{e}^{t^2}\mathrm{d}t - x}{x^2}$$

$$= \lim\limits_{x \to 0} \dfrac{2\mathrm{e}^{4x^2} - \mathrm{e}^{x^2} - 1}{2x} = \lim\limits_{x \to 0} \dfrac{16 x \mathrm{e}^{4x^2} - 2x\mathrm{e}^{x^2}}{2} = 0.$$

三、1. $I = \int_0^\pi x^2 |\cos x| \mathrm{d}x = \int_0^{\frac{\pi}{2}} x^2 \cos x \mathrm{d}x - \int_{\frac{\pi}{2}}^\pi x^2 \cos x \mathrm{d}x$

$$= \left[x^2 \sin x + 2x\cos x - 2\sin x \right]_0^{\frac{\pi}{2}} - \left[x^2 \sin x + 2x\cos x - 2\sin x \right]_{\frac{\pi}{2}}^\pi$$

$$= \dfrac{\pi^2}{2} + 2\pi - 4.$$

2. 当 $x < 0$ 时，

$$F(x) = \int_{-\infty}^{x} \frac{1}{1+t^2} \mathrm{d}t = \arctan x + \frac{\pi}{2};$$

当 $x \geqslant 0$ 时，

$$F(x) = \int_{-\infty}^{0} \frac{1}{1+t^2} \mathrm{d}t + \int_{0}^{x} \frac{1}{\sqrt{t}(1+t)} \mathrm{d}t = \frac{\pi}{2} + \left[2\arctan\sqrt{t} \right]_{0}^{x} = 2\arctan\sqrt{x} + \frac{\pi}{2}.$$

因此

$$F(x) = \begin{cases} \arctan x + \dfrac{\pi}{2}, & x < 0, \\[2mm] 2\arctan\sqrt{x} + \dfrac{\pi}{2}, & x \geqslant 0. \end{cases}$$

四、1. 曲边梯形的面积

$$A(a) = \int_{a}^{a+1} \left(x + \frac{1}{x} \right) \mathrm{d}x = a + \frac{1}{2} + \ln\frac{a+1}{a},$$

$$A'(a) = 1 + \frac{1}{a+1} - \frac{1}{a}.$$

令 $A'(a) = 0$，解得在 $a > 0$ 范围内的惟一驻点 $a = \dfrac{\sqrt{5}-1}{2}$，易知该点为极小值点，因此必为最小值点. 而其最小面积

$$A_{\min} = A\left(\frac{\sqrt{5}-1}{2} \right) = \frac{\sqrt{5}}{2} + \ln\frac{\sqrt{5}+1}{\sqrt{5}-1}.$$

2. (1) 水压力

$$F = \int_{-1}^{1} 1\,000 g(1-y) \cdot \sqrt{4+y^2}\,\mathrm{d}y = 2\,000 g \int_{0}^{1} \sqrt{4+y^2}\,\mathrm{d}y$$

$$= 2\,000 g \left[\frac{y}{2}\sqrt{4+y^2} + 2\ln\left(y+\sqrt{4+y^2}\right) \right]_{0}^{1}$$

$$= 1\,000 g \left(\sqrt{5} + 4\ln\frac{1+\sqrt{5}}{2} \right).$$

(2) 在时刻 t，水面位于 $y = h(t)$，平板一侧所受到的水压力为

$$F = \int_{-1}^{h(t)} 1\,000 g[h(t) - y] \cdot \sqrt{4+y^2}\,\mathrm{d}y$$

$$= 1\,000 g h(t) \int_{-1}^{h(t)} \sqrt{4+y^2}\,\mathrm{d}y - 1\,000 g \int_{-1}^{h(t)} y\sqrt{4+y^2}\,\mathrm{d}y,$$

上式两边对 t 求导，得

$$\frac{\mathrm{d}F}{\mathrm{d}t} = 1\,000 g \int_{-1}^{h(t)} \sqrt{4+y^2}\,\mathrm{d}y \frac{\mathrm{d}h}{\mathrm{d}t},$$

由于 $\dfrac{\mathrm{d}h}{\mathrm{d}t} = -0.01$，因此，当水面下降至平板的中位线（即 x 轴）时，平板一侧所受到的水压力的下降速率为

$$\frac{dF}{dt} = -10g \int_{-1}^{0} \sqrt{4 + y^2} \, dy$$

$$= -10g \left[\frac{y}{2} \sqrt{4 + y^2} + 2\ln(y + \sqrt{4 + y^2}) \right]_{-1}^{0}$$

$$= -5g(\sqrt{5} + 4\ln \frac{1 + \sqrt{5}}{2}).$$

五、原方程为

$$\int_{0}^{x} u f(u) \, du - x \int_{0}^{x} f(u) \, du = f(x) + \cos 2x,$$

代入 $x=0$, 得 $f(0)=-1$. 上式两端对 x 求导, 得

$$- \int_{0}^{x} f(u) \, du = f'(x) - 2\sin 2x,$$

代入 $x=0$, 得 $f'(0)=0$. 上式两端再对 x 求导, 得

$$- f(x) = f''(x) - 4\cos 2x.$$

故 $y = f(x)$ 满足初值问题

$$\begin{cases} y'' + y = 4\cos 2x, \\ y \mid_{x=0} = -1, y' \mid_{x=0} = 0. \end{cases}$$

解得

$$y = C_1 \cos x + C_2 \sin x - \frac{4}{3} \cos 2x,$$

代入初始条件解得 $C_1 = \frac{1}{3}, C_2 = 0$. 故

$$f(x) = \frac{1}{3} \cos x - \frac{4}{3} \cos 2x.$$

（四）高等数学（上）期末考试试卷（Ⅱ）

试 题

一、填空、选择题：

1. $\lim\limits_{x\to 0}\left[\dfrac{1}{x}-\dfrac{1}{\ln(1+x)}\right]=$ _____.

2. $f(x)=\mathrm{e}^{2x}$ 的带佩亚诺余项的三阶麦克劳林公式是 _____.

3. 已知 $\int xf'(x^2)\mathrm{d}x=\ln x+C$，则函数 $f(x)=$ _____.

4. 设有下列 4 个条件：

(1) $f(x)$ 在 $[a,b]$ 上连续.　　　　(2) $f(x)$ 在 $[a,b]$ 上有界.

(3) $f(x)$ 在 $[a,b]$ 上可导.　　　　(4) $f(x)$ 在 $[a,b]$ 上可积.

则这 4 个条件之间的正确关系是 _____.

(A) $(3)\Rightarrow(4)\Rightarrow(1)\Rightarrow(2)$.　　　　(B) $(3)\Rightarrow(1)\Rightarrow(4)\Rightarrow(2)$.

(C) $(3)\Rightarrow(2)\Rightarrow(1)\Rightarrow(4)$.　　　　(D) $(1)\Rightarrow(3)\Rightarrow(4)\Rightarrow(2)$.

5. 设两辆汽车从静止开始加速沿直线路径前进，图 5 中给出的两条曲线 $a=a_1(t)$ 和 $a=a_2(t)$ 分别是两车的加速度曲线. 那么位于这两条曲线和直线 $t=T(T>0)$ 之间的图形的面积 A 所表示的物理意义是 _____.

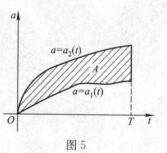

图 5

二、 已知函数 $y=\dfrac{x^2-1}{x^3}+2$，利用导数研究函数的性态并填写下表，并写出计算过程.

单调增加区间	单调减少区间	极值点	凹凸区间 $\smile$	凹凸区间 $\frown$	图形上的拐点	渐近线

三、计算导数：

(1) 设 $\begin{cases} x = \arcsin\sqrt{1-t^2}, \\ y = \displaystyle\int_1^{\ln t} \dfrac{\mathrm{e}^u}{u}\mathrm{d}u \end{cases}$ $(0 < t < 1)$，求 $\dfrac{\mathrm{d}y}{\mathrm{d}x}$．

(2) 设 $f(x) = \dfrac{x}{1-x^2}$，求 $f^{(n)}(x)$．

四、计算下列积分：

(1) $\displaystyle\int \dfrac{x^3}{\sqrt{1+x^2}}\mathrm{d}x$；

(2) $\displaystyle\int \dfrac{\arctan\sqrt{x}}{\sqrt{x}}\mathrm{d}x$；

(3) $\displaystyle\int_1^{+\infty} \dfrac{\ln x}{x^2}\mathrm{d}x$；

(4) 设 $f(x) = \begin{cases} 1+x^2, & x < 0, \\ x\mathrm{e}^{-x^2}, & x \geq 0, \end{cases}$ 求 $\displaystyle\int_0^2 f(x-1)\mathrm{d}x$．

五、由定积分换元法可证得如下结果：

若 $f(x)$ 连续且为奇函数，则对于任意的 $a>0$，有

$$\int_{-a}^a f(x)\mathrm{d}x = 0; \tag{1}$$

若 $f(x)$ 连续且为偶函数，则对于任意的 $a>0$，有

$$\int_{-a}^a f(x)\mathrm{d}x = 2\int_0^a f(x)\mathrm{d}x. \tag{2}$$

现在考虑连续函数 $g(x)$．设 x_0 为一常数，$g(x)$ 满足以下的性质 I 或性质 II：

性质 I：对任意的 x，$g(x_0-x) = -g(x_0+x)$；

性质 II：对任意的 x，$g(x_0-x) = g(x_0+x)$．

试将 (1) 式推广到满足性质 I 的 $g(x)$ 上，将 (2) 式推广到满足性质 II 的 $g(x)$ 上，写出相应的结果并加以证明．

六、 设函数 $y = f(x)$ 具有二阶导数且 $f''(x) < 0$，直线 L_t 是曲线 $y = f(x)$ 上任一点 $(t, f(t))$ 处的切线 $(t \in [0,1])$．记直线 L_t 与曲线 $y = f(x)$ 以及直线 $x = 0, x = 1$ 所围成的图形的面积为 $A(t)$．

证明：$A(t)$ 的最小值 $\displaystyle\min_{0 \leqslant t \leqslant 1} A(t) = f\left(\dfrac{1}{2}\right) - \int_0^1 f(x)\mathrm{d}x$．

七、 (1) 求解初值问题 $\begin{cases} (x^2+y^2)\mathrm{d}x - 2xy\mathrm{d}y = 0, \\ y\,|_{x=1} = 0. \end{cases}$

(2) 设 $y = y(x)$ 满足微分方程 $y'' - 3y' + 2y = 2\mathrm{e}^x$，且其图形在点 $(0,1)$ 处的切线与曲线 $y = x^2 - x + 1$ 在该点的切线重合，求函数 $y = y(x)$．

参考答案

一、1. $\lim\limits_{x\to 0}\left[\dfrac{1}{x}-\dfrac{1}{\ln(1+x)}\right]=\lim\limits_{x\to 0}\dfrac{\ln(1+x)-x}{x\ln(1+x)}=\lim\limits_{x\to 0}\dfrac{\ln(1+x)-x}{x^2}=$

$\lim\limits_{x\to 0}\dfrac{\frac{1}{1+x}-1}{2x}=-\dfrac{1}{2}.$

2. $e^{2x}=1+2x+2x^2+\dfrac{4}{3}x^3+o(x^3).$

3. 因为 $\displaystyle\int xf'(x^2)\mathrm{d}x=\dfrac{1}{2}\int f'(x^2)\mathrm{d}(x^2)=\dfrac{1}{2}f(x^2)+C_1$，故
$$f(x^2)=2\ln x+C=\ln x^2+C,$$
因此，$f(x)=\ln x+C.$

4. 因为可导必连续，连续必可积，可积必有界，因此选(B).

5. T 时刻两车速率之差.

二、$y'=\dfrac{3-x^2}{x^4},y''=\dfrac{2(x^2-6)}{x^5}.$

令 $y'=0$，得驻点：$x=\pm\sqrt{3}.$ 令 $y''=0$，得拐点横坐标：$x=\pm\sqrt{6}.$

而 $\lim\limits_{x\to\infty}\left(\dfrac{x^2-1}{x^3}+2\right)=2,\lim\limits_{x\to 0}\left(\dfrac{x^2-1}{x^3}+2\right)=\infty.$

单调增加区间	单调减少区间	极值点	凹凸区间 $\smile$	凹凸区间 $\frown$	图形上的拐点	渐近线
$[-\sqrt{3},0),$ $(0,\sqrt{3}]$	$(-\infty,-\sqrt{3}],$ $[\sqrt{3},+\infty)$	$x=\pm\sqrt{3}$	$[-\sqrt{6},0),$ $[\sqrt{6},+\infty)$	$(-\infty,-\sqrt{6}],$ $(0,\sqrt{6}]$	$\left(\pm\sqrt{6},\dfrac{5}{\pm6\sqrt{6}}+2\right)$	铅直 $x=0$ 水平 $y=2$

三、(1) $\dfrac{\mathrm{d}y}{\mathrm{d}x}=\dfrac{\frac{\mathrm{d}y}{\mathrm{d}t}}{\frac{\mathrm{d}x}{\mathrm{d}t}}=\dfrac{\frac{1}{\ln t}}{\frac{-1}{\sqrt{1-t^2}}}=-\dfrac{\sqrt{1-t^2}}{\ln t}.$

(2) $f(x)=\dfrac{1}{2}\left(\dfrac{1}{1-x}-\dfrac{1}{1+x}\right).$

$f^{(n)}(x)=\dfrac{1}{2}\left[\dfrac{n!}{(1-x)^{n+1}}-\dfrac{(-1)^n n!}{(1+x)^{n+1}}\right].$

四、(1) $\displaystyle\int\dfrac{x^3}{\sqrt{1+x^2}}\mathrm{d}x\xlongequal{u=x^2}\dfrac{1}{2}\int\dfrac{u}{\sqrt{1+u}}\mathrm{d}u$

$=\dfrac{1}{3}(1+u)^{\frac{3}{2}}-(1+u)^{\frac{1}{2}}+C$

$$= \frac{1}{3}(1+x^2)^{\frac{3}{2}} - (1+x^2)^{\frac{1}{2}} + C.$$

(2) $\int \dfrac{\arctan\sqrt{x}}{\sqrt{x}}\mathrm{d}x = 2\int \arctan\sqrt{x}\,\mathrm{d}(\sqrt{x})$

$$= 2\sqrt{x}\arctan\sqrt{x} - \int \frac{1}{1+x}\mathrm{d}x$$

$$= 2\sqrt{x}\arctan\sqrt{x} - \ln(1+x) + C.$$

(3) $\displaystyle\int_1^{+\infty} \frac{\ln x}{x^2}\mathrm{d}x = \left[-\frac{1}{x}\ln x - \frac{1}{x} \right]_1^{+\infty} = 1.$

(4) $\displaystyle\int_0^2 f(x-1)\mathrm{d}x = \int_{-1}^1 f(u)\mathrm{d}u$

$$= \int_{-1}^0 (1+u^2)\mathrm{d}u + \int_0^1 u\mathrm{e}^{-u^2}\mathrm{d}u$$

$$= \frac{11}{6} - \frac{1}{2\mathrm{e}}.$$

五、性质 I 和性质 II 分别推广为

$$\int_{x_0-a}^{x_0+a} g(x)\mathrm{d}x = 0,$$

$$\int_{x_0-a}^{x_0+a} g(x)\mathrm{d}x = 2\int_{x_0}^{x_0+a} g(x)\mathrm{d}x.$$

因为 $\displaystyle\int_{x_0-a}^{x_0+a} g(x)\mathrm{d}x \xlongequal{x=u+x_0} \int_{-a}^{a} g(u+x_0)\mathrm{d}u.$

而性质 I 表明，$h(u) = g(u+x_0)$ 为奇函数，因此

$$\int_{x_0-a}^{x_0+a} g(x)\mathrm{d}x \xlongequal{x=u+x_0} \int_{-a}^{a} g(u+x_0)\mathrm{d}u = 0;$$

而性质 II 表明，$h(u) = g(u+x_0)$ 为偶函数，因此

$$\int_{x_0-a}^{x_0+a} g(x)\mathrm{d}x \xlongequal{x=u+x_0} \int_{-a}^{a} g(u+x_0)\mathrm{d}u = 2\int_0^a g(u+x_0)\mathrm{d}u$$

$$\xlongequal{u=x-x_0} 2\int_{x_0}^{x_0+a} g(x)\mathrm{d}x.$$

六、切线方程为

$$y - f(t) = f'(t)(x-t),$$

因此所求面积为

$$A(t) = \int_0^1 [f'(t)(x-t) + f(t) - f(x)]\mathrm{d}x$$

$$= \frac{1}{2}f'(t) - tf'(t) + f(t) - \int_0^1 f(x)\mathrm{d}x.$$

$$\frac{\mathrm{d}A(t)}{\mathrm{d}t} = \left(\frac{1}{2} - t \right)f''(t).$$

令 $\dfrac{\mathrm{d}A(t)}{\mathrm{d}t}=0$ 得惟一驻点 $t=\dfrac{1}{2}$，易知该驻点为极小值点，从而必为 $A(t)$ 取得最小值的点，因此

$$\min_{0\leqslant t\leqslant 1}A(t)=A\left(\dfrac{1}{2}\right)=f\left(\dfrac{1}{2}\right)-\int_0^1 f(x)\mathrm{d}x.$$

七、(1) $\dfrac{\mathrm{d}y}{\mathrm{d}x}=\dfrac{1}{2}\dfrac{x}{y}+\dfrac{1}{2}\dfrac{y}{x}$，令 $u=\dfrac{y}{x}$，则

$$x\dfrac{\mathrm{d}u}{\mathrm{d}x}=\dfrac{1-u^2}{2u},$$

解得

$$\dfrac{1}{1-u^2}=Cx.$$

由初值，解得 $C=1$，故所求特解为

$$x=x^2-y^2.$$

(2) $r^2-3r+2=0$，解得特征值为 $r_1=1,r_2=2$.

设特解为 $y^*=Cx\mathrm{e}^x$，代入方程得 $C=-2$，因此，方程的通解为

$$y=C_1\mathrm{e}^x+C_2\mathrm{e}^{2x}-2x\mathrm{e}^x.$$

由初始条件 $y\,|_{x=0}=1,y'\,|_{x=0}=(2x-1)\,|_{x=0}=-1$，解得 $C_1=1,C_2=0$，即所求特解为

$$y=(1-2x)\mathrm{e}^x.$$